ENGELSK lommeordbok

Engelsk–Norsk
Norsk–Engelsk

English – Norwegian
Norwegian – English

KUNNSKAPSFORLAGET

© Kunnskapsforlaget
H. Aschehoug & Co. (W. Nygaard) A/S og
A/S Gyldendal Norsk Forlag, Oslo 1983

Første utgave ved
Jan W. Dietrichson og
Orm Øverland
Annen utgave revidert av
Egill Daae Gabrielsen
Fjerde utgave
Femte opplag
Printed in Norway
Emil Moestue as, Oslo 1991

ISBN 82-573-0211-2

FORORD

Denne engelsk-norske/norsk-engelske lommeordboken ble i sin tid utarbeidet av magister Jan W. Dietrichson og cand. philol. Orm Øverland. Jan W. Dietrichson hadde hovedansvaret for den engelsk-norske delen; den norsk-engelske ordbok ble utarbeidet av Orm Øverland.

Ordboken skulle være utmerket egnet både for dem som skal lære engelsk, idet den har fyldestgjørende uttale for de engelske ord, og for engelsktalende turister, da den i den engelsk-norske delen også angir genus for de norske substantiver.

Fra annen utgave er den revidert av lektor Egill Daae Gabrielsen, som har supplert boken med ord og uttrykk fra områder som reiseliv, moderne teknologi og kommunikasjon.

Kunnskapsforlaget

PREFACE

This English-Norwegian/Norwegian-English dictionary is intended to supply the need for a practical and handy pocket dictionary for tourists and people who are studying Norwegian. In its English/Norwegian part it gives ample information about the gender of Norwegian nouns. Norwegian nouns have three genders: masculine, feminine and neuter. The definite form of masculine gender nouns has the ending **-en** (horse = hest; the horse = hest**en**); feminine gender **-a** (girl = jente; the girl = jent**a**); neuter gender **-et** (house = hus; the house = hus**et**).

Kunnskapsforlaget

FORKORTELSER ABBREVIATIONS

~	betegner at oppslags-ordet skal gjentas	~	replaces the word which is at the head of the entry
~ -	betegner at oppslags-ordet gjentas med bindestrek	~ -	replaces the head-word with a hyphen
~ ~	betegner at to foregå-ende ledd gjentas (f.eks. *chair --- ~ man ---~ ~ ship = chairmanship*	~ ~	replaces the word which is at the head of the entry plus a second preceeding link (e.g.) *chair---~ man -- -~ ~ ship = chairmanship*
|	betegner at bare den del av oppslagsordet som står foran streken, gjentas ved ~ eller ~ ~	|	indicates that only the part of the head-word which is before the stroke is replaced by ~ or ~ ~

adj adjektiv		adjective
adv adverb		adverb
agr landbruk		agriculture
amr amerikansk		American
anat anatomi		anatomy
arb arbeid		work
art artikkel		article
ast astronomi		astronomy
bergv bergverksdrift		mining
bibl bibelsk		biblical
bot botanikk		botany
brit britisk		British
d.s.s. det samme som		the same as
dt dagligtale		colloquial

d.v.s. det vil si	**that is**
el eller	**or**
elektr elektrisitet	**electricity**
eng engelsk	**English**
etc og så videre	**etcetera**
f hunkjønn	**feminine**
fig figurlig	**figurative(ly)**
filos filosofi	**philosphy**
fork forkortelse	**abbreviation**
fotogr fotografering	**photography**
fys fysikk	**physics**
gen genitiv	**genitive case**
geo geografi	**geography**
geo(l) geologi	**geology**
geom geometri	**geometry**
gram grammatikk	**grammar**
idr idrett	**sport**
inf infinitiv	**infinitive**
is især	**especially**
itr intransitivt	**intransitive**
jernb jernbane	**railway**
jur jus	**law**
kjem kjemi	**chemistry**
koll kollektiv	**collective**
konj konjunksjon	**conjunction**
konkr konkret	**concrete**
m hankjønn	**masculine**
mar sjøfart	**navigation**
mask maskin	**machine**
mat matematikk	**mathematics**
med legevitenskap	**medicine**
merk handel	**commerce**
mil militært	**military**

min mineralogi	mineralogy
mots motsatt	opposite
mus musikk	music
n intetkjønn	neuter gender
num tallord	numeral
ogs også	also
o.l. og lignende	and the like
omtr omtrent	approximately
osv og så videre	and so on
perf pts perfektum partisipp	past participle
pl flertall	plural
poet dikterisk	poetical
pol politikk	politics
pron pronomen	pronoun
prp preposisjon	preposition
rad radio	radio
rel(g) religiøst	religion
s substantiv	noun
sc vitenskap	science
sg entall	singular
st noe	something
teat(r) teater	theatre
tekn teknikk	engineering
tr transitivt	transitive
typogr typografisk	printing term
ubest ubestemt	indefinite
v verb	verb
vanl vanlig	general(ly)
vi intransitivt verb	intransitive verb
vt transitivt verb	transitive verb
zool zoologi	zoology

UTTALE   PRONUNCIATION

[¹]	betegner trykk(aksent). Tegnet står foran den trykksterke stavelsen. The sign indicates that pressure is laid on the following syllable, f.ex **city** ['siti]		[j]	**you** [ju:]
			[k]	**can** [kæn]
			[l]	**low** [lou]
			[m]	**man** [mæn]
			[n]	**no** [nou]
			[ŋ]	**sing** [siŋ]
			[ou]	**no** [nou]
			[p]	**pea** [pi:]
[:]	lang lyd, long vowel, f.ex. **seat** [si:t]		[r]	**red** [red]
			[s]	**so** [sou]
[a:]	**father** ['fa:ðə]		[ʃ]	**she** [ʃi:]
[ai]	**eye** [ai]		[t]	**toe** [tou]
[au]	**how** [hau]		[u:]	**fool** [fu:l]
[æ]	**hat** [hæt]		[u]	**full** [ful]
[b]	**beat** [bi:t]		[v]	**vein** [vein]
[d]	**do** [du]		[w]	**weak** [wi:k]
[ð]	**then** [ðen]		[z]	**zeal** [zi:l]
[þ]	**thin** [þin]		[ʒ]	**measure** ['meʒə]
[e]	**lesson** ['lesn]			
[ei]	**hate** [heit]		[ɛ]	**hair** [hɛə]
[ə:]	**hurt** [hə:t]		[ɔ:]	**court** [kɔ:t]
[ə]	**about** [ə'baut]		[ɔ]	**box** [bɔks]
[f]	**find** [faind]		[ɔi]	**boy** [bɔi]
[g]	**go** [gou]		[ʌ]	**cut** [kʌt]
[h]	**hat** [hæt]			
[i:]	**feel** [fi:l]		Å, å: [ɔ]	
[i]	**fill** [fil]		Ø, ø: [ʌ]	
			Æ, æ: [ɛ]	

A

a [ei, ə], en, et.

aback [ə'bæk] *mar* bakk; **taken ~** forbauset, forbløffet.

abandon [ə'bændən] oppgi, forlate; **~ ed**, løssluppen; **~ ment**, oppgivelse *m.*

abash [ə'bæʃ] gjøre skamfull.

abate [ə'beit] minske, forringe; **~ ment**, minking *m/f* reduksjon *m.*

abbess ['æbis] abbedisse *m/f;* **~ ey**, abbedi *n;* **~ ot**, abbed *m.*

abbreviate [ə'bri:vieit] forkorte; **~ ion**, forkortelse *m.*

ABC [eibi'si] abc, alfabet *n.*

abdicate ['æbdikeit] frasi seg; **~ ion**, (tron)frasigelse *m.*

abed [ə'bed] i seng.

aberration [æbə'reiʃn] avvik *n,* villfarelse *m.*

abet [ə'bet] tilskynde, hjelpe.

abeyance [ə'beiəns] uavgjorthet *m;* **in ~**, i bero.

abhor [əb'hɔ:] avsky; **~ rence,** avsky *m,* vemmelse *m;* **~ rent,** avskyelig, vemmelig.

abide [ə'baid] **(by)** stå, holde fast (ved); avvente.

ability [ə'biliti] evne *m;* dyktighet *m.*

abject ['æbdʒekt] ynke.

abjure [əb'dʒuə] avsverge.

able ['eibl] dyktig; **~ bodied,** kraftig, arbeidsfør; **~ to,** i stand til.

abnormal [əb'nɔ:ml] abnorm; **~ ity,** abnormitet *m.*

aboard [ə'bɔ:d] om bord (på).

abolish [ə'bɔliʃ] avskaffe, få bort; **~ ition,** avskaffelse *m.*

abominable [ə'bɔminəbl] avskyelig; **~ ation,** avsky *m,* avskyelighet *m.*

aboriginal [æbə'ridʒənl] opprinnelig, ur-; **~ es,** urinnvånere *m.*

abort [ə'bɔ:t] abortere.

abortion [ə'bɔ:ʃn] abort *m,* misfoster *n;* **~ ive,** mislykt.

about [ə'baut] omkring; omtrent; i nærheten; cirka, ved; om; **be ~ to,** stå i ferd med; **come ~,** skje.

above [ə'bʌv] over, ovenfor; ovenpå; *fig* over, mer enn; **~ all,** fremfor alt.

abreast [ə'brest] side om side; **keep ~ of,** holde tritt med.

abridge [ə'bridʒ] forkorte, sammendra; ~ **(e)ment,** forkortelse *m,* utdrag *n.*

abroad [ə'brɔːd] ute, i *(el* til) utlandet.

abrogate ['æbrogeit] oppheve.

abrupt [ə'brʌpt] bratt; plutselig.

abscond [æb'skɔnd] rømme, stikke av.

absence ['æbsəns] fravær *n;* mangel *m.*

absent ['æbsənt] fraværende; ~ **minded,** distré.

absolute ['æbsəluːt] absolutt.

absorb [əb'sɔːb] suge inn, oppta; ~ **ption,** inn-, oppsuging *m/f.*

abstain [əb'stein] avholde seg; ~ **er,** avholdsmann *m.*

abstention [æb'stenʃn] avhold *n* (from fra).

abstinence ['æbstinəns] avhold(enhet) *n* (*m*).

abstract ['æbstrækt] abstrakt; utdrag *m.*

absurd [əb'sɔːd] absurd, latterlig; ~ **ity,** meningsløshet, urimelighet *m.*

abundance [ə'bʌndəns] overflod *m* (of på); ~ **t,** rikelig.

abuse [ə'bjuːz] misbruke; skjelle ut; misbruk *n;* ~ **ive,** grov.

abyss [ə'bis] avgrunn *m.*

academic [ækə'demik] akademisk; akademiker *m;* ~ **ician,** akademiker *m,*

medlem *n* av et akademi; ~ **y,** akademi *n.*

accede [æk'siːd] ~ **to** etterkomme, imøtekomme.

accelerate [æk'seləreit] fremskynde; *mot* gi gass *m;* ~ **ion,** akselerasjon *m;* ~ **or,** gasspedal *m.*

accent ['æksənt] aksent *m;* uttale *m;* tonefall *n. v* [æk'sent] betone; ~ **uate,** betone, fremheve; ~ **uation,** betoning *m/f,* aksentuering *m/f.*

accept [ək'sept] ta imot, si ja til, godta; ~ **able,** antakelig; ~ **ance,** godtagelse *m;* akseptt *m;* ~ **or,** *hand* akseptant *m.*

access ['ækses] adgang *m; med* anfall *m;* ~ **ible,** tilgjengelig (**to** for).

accession [æk'seʃn] tiltredelse *m;* tilgang *m.*

accessory [æk'sesəri] underordnet *m;* medskyldig (**to** i); ~ **ies,** tilbehør *n.*

accident ['æksidənt] tilfelle *n,* ulykkestilfelle *n;* ~ **insurance,** ulykkesforsikring *m/f;* ~ **al,** tilfeldig.

acclamation [æklə'meiʃn] bifallsrop *n.*

accommodate [ə'kɔmədeit] tilpasse; imøtekomme; huse; ~ **ing,** imøtekommende; ~ **ion,** tilpasning *m/f;* plass *m,* husly *n;* **seating** ~ **ion,** sitteplass *m.*

accompaniment [ə'kʌmpənimənt] ledsagelse *m*, akkompagnement *n;* ~**any**, ledsage, akkompagnere.

accomplish [ə'kɔmpliʃ] fullføre; klare, greie; ~ **ed**, dannet, talentfull; ~ **ment**, fullføring *m/f;* ferdighet *m.*

accord [ə'kɔ:d] samsvar *n;* enighet *m; mus* akkord *m; v* innvilge; forsone; stemme overens (**with** med); ~ **ance**, overensstemmelse *m;* ~ **ing to**, ifølge; ~ **ingly**, følgelig.

accordion [ə'kɔ:diən] trekkspill *n.*

account [ə'kaunt] konto *m*, regning *m/f; pl* **accounts** regnskap(er) *n;* beretning *m;* **on no** ~, på ingen måte *m;* **on** ~ **of**, på grunn av; **take into** ~, ta i betraktning *m;* ~ **for**, gjøre rede for; forklare; ~ **able**, ansvarlig; ~ **ant**, bokholder *m,* revisor *m;* ~ **book**, regnskapsbok *m/f;* ~ **current** kontokurant *m.*

accredit [ə'kredit] akkreditere (**to** hos), gi fullmakt *m;* ~ **ed**, anerkjent.

accumulate [ə'kju:mjuleit] samle, hope (seg) opp, tilta; ~ **ion**, opphopning *m.*

accuracy [ˈækjurəsi] nøyaktighet *m;* ~ **te**, nøyaktig.

accusation [ækju'zeiʃn] anklage *m;* ~ **e**, *v* anklage *m;* ~ **er**, anklager *m.*

accustom [ə'kʌstəm] venne (**to** til); ~ **ed**, vant; vanlig.

ace [eis] ess *n* (i kortspill).

acetate [ˈæsiteit] kjem eddiksurt salt *n;* ~ **ify**, gjøre sur.

ache [eik] smerte; verke.

achieve [ə'tʃi:v] utrette; fullføre; vinne, (**opp**)nå; ~ **ment**, fullføring *m/f;* bedrift *m*, dåd *m.*

acid [ˈæsid] sur; syre *m/f;* ~ **ity**, surhet *m;* ~ **ulous** syrlig.

acknowledge [ək'nɔlidʒ] erkjenne, bekrefte; innrømme; ~ **ment**, innrømmelse *m;* anerkjennelse *m;* erkjennelse *m.*

acoustics [ə'ku:stiks] akustikk *m.*

acquaint [ə'kweint] gjøre kjent; ~ **ance**, bekjentskap *n;* kjenning *m.*

acquire [ə'kwaiə] erverve, oppnå; ~ **ment**, ervervelse *m.*

acquisition [ækwi'ziʃn] ervervelse *m.*

acquit [ə'kwit] frikjenne (**of** for); ~ **tal**, frikjenning *m/f.*

acre [eikə] eng. flatemål 4046,9 m²; ~ **age**, flateinnhold *n.*

across [ə'krɔ:s] (tvers) over; **come** ~, støte på.

act [ækt] handling *m/f*, gjerning *m/f;* forordning *m/f*, vedtak *n*, lov *m;* akt *m* (i skuespill); dokument *n;* fungere; handle, opptre; innvirke (on på); spille, agere; ~ing, handling; spill *n* (på scenen); ~ion, handling, gjerning *m/f; jur* prosess *m,* søksmål *n.*

acti|ve ['æktiv] aktiv, virksom; ~ity, virksomhet *m;* aktivitet *m.*

actor ['æktə], actress, skuespiller(inne) *m.*

actual ['æktjuəl], ['æktʃuəl] virkelig, faktisk.

acute [ə'kju:t] skarp; gløgg.

adapt [ə'dæpt] tilpasse, bearbeide (from etter); ~ability, tilpasningsevne *m;* ~able, tilpasningsdyktig; ~ation, tillemping *m/f;* bearbeidelse *m.*

add [æd] tilføye; addere; ~ up, regne sammen.

addict ['ædikt] slave av last *m;* ~ed to, henfallen til.

addition [ə'diʃn] tilføyelse *m;* addisjon *m;* in ~, dessuten.

address [ə'dres] henvendelse *m,* adresse *m/f;* behendighet *m;* offentlig tale *m; v* henvende, tiltale; adressere.

adequa|cy ['ædikwəsi] tilstrekkelighet *m,* riktig forhold *n;* ~te, passende, tilstrekkelig.

adhere [əd'hiə] henge fast (to ved); ~nt, tilhenger *m.*

adhesive [əd'hi:siv] klebende; ~ plaster, heftplaster *n.*

adjacent [ə'dʒeisnt] tilstøtende.

adjourn [ə'dʒə:n] utsette; heve (om møte).

adjunct ['ædʒʌŋkt] tilleggs-, tillegg *n;* medhjelper *m.*

adjust [ə'dʒʌst] innstille; ordne; ~ment, innstilling *m/f,* justering *m/f;* bileggelse *m* (av tvist).

administ|er [əd'ministə] forvalte, styre; tildele, gi; ~ration, forvaltning *m/f;* ~rator, bestyrer *m,* administrator *m.*

admira|ble ['ædmərəbl] beundringsverdig, utmerket; ~tion, beundring *m/f.*

admire [əd'maiə] beundre; ~r, beundrer *m.*

admiss|ible [əd'misəbl] tillatelig; ~ion, adgang *m;* innrømmelse *m.*

admit [əd'mit] innrømme; slippe inn; no ~tance, ingen adgang! ~tedly, riktignok, ganske visst.

admixture [əd'mikstʃə] tilsetning(sstoff) *m/f (n).*

ado [ə'du:] ståhei *n,* oppstyr *n.*

adolescent [ædo'lesnt] halvvoksen.

adopt [ə'dɔpt] adoptere, anta; ~ion, adopsjon `*m,* antagelse *m.*

ador|able [ə'dɔ:rəbl] bedårende; ~ation, tilbedelse *m;* ~e, tilbe; forgude.

adorn [ə'dɔ:n] smykke, pryde;

~ ment, prydelse m, utsmyk-
ning m.
adroit [əˈdrɔit] behendig.
adult [ˈædʌlt] voksen m.
adulterate [əˈdʌltəreit] forfal-
ske; ~ ation, forfalskning m;
~ er, ~ ess, ekteskapsbry-
ter(ske) m; ~ y, ekteskaps-
brudd n.
advance [ədˈvaːns] fremskritt
n; fremrykning m; avanse-
ment n; forskudd n; (pris)
forhøyelse m; v gå (sette)
fram; ~ ment, forfremmelse
m.
advantage [ədˈvaːntidʒ] fordel
m.
advantageous [ædvənˈteidʒəs]
fordelaktig.
adventure [ədˈventʃə] opple-
velse m; eventyr n; ~ er,
eventyrer m.
adversary [ˈædvəsəri] motstan-
der m; ~ e, fiendtlig, ugun-
stig.
adversity [ədˈvəːsiti] motgang
m; ulykke m/f.
advertise [ˈædvətaiz] rekla-
mere, kunngjøre, avertere;
~ ement, annonse m; ~ er
annonsør m; ~ ing, reklame
m; ~ ing agency, reklame-
byrå n; ~ ing film, reklame-
film m; ~ ing space, annon-
seplass m.
advice [ədˈvais] råd n; under-
retning m; **a piece of** ~, et
råd.

advisable [ədˈvaizəbl] tilråde-
lig.
advise [ədˈvaiz] underrette (**of**
om); råde; advisere; ~ edly,
med velberådd hu; ~ er,
rådgiver m.
advocacy [ˈædvəkəsi] forsvar
n; ~ te, talsmann m; advo-
kat m; forfekte.
aerial [ˈɛəriəl] luft-, luftig; an-
tenne m/f.
aero [ˈɛərou] fly-; ~ drome,
flyplass m; ~ gram, trådløst
telegram n; ~ plane, fly n.
afar [əˈfaː] langt borte.
affair [əˈfɛə] sak m/f, affære
m.
affect [əˈfekt] virke på; be-
røre; hykle; ~ ation, påtatt
vesen n; ~ ed, affektert;
~ ion, hengivenhet m;
~ ionate, kjærlig, hengiven.
affiliate [əˈfilieit] knytte (**to**
til); ~ ion, tilknytning m.
affirm [əˈfəːm] forsikre; be-
krefte; ~ ation, bekreftelse
m, forsikring m/f; ~ ative,
bekreftende.
afflict [əˈflikt] bedrøve; ~ ion,
lidelse m; prøvelse m; sorg
m.
affluence [ˈæfluəns] tilstrøm-
ning m; velstand m; ~ t so-
ciety, velstandssamfunn n.
afford [əˈfɔːd] ha råd til; yte.
afield [əˈfiːld] ut(e) på mar-
ken; **far** ~, langt borte, helt
på villspor.

afloat [ə'flout] *mar* flott; flytende.

afoot [ə'fut] til fots; i gjære.

afraid [ə'freid] redd (**of** for).

afresh [ə'freʃ] på ny.

Africa ['æfrikə] Afrika; ~ **n**, afrikaner, *m*, afrikansk.

aft akter-.

after ['a:ftə] etter; etter at; ~ **birth**, etterbyrd *m*; ~ **body**, akterskip *n*; ~ **-crop**, ettergrøde *m/f*; ~ **glow** aftenrøde *m*; ~ **math**, etterslått *m*, følger *m*; ~ **noon**, ettermiddag *m* (etter kl. 12); ~ **s**, *pl* dessert, etterrett *m*; ~ **wards**, etterpå.

again [ə'gen, ə'gein] igjen; på den annen side; **now and** ~, nå og da; ~ **and** ~, gang på gang; ~ **st**, mot.

age [eidʒ] (tids)alder *m*; **of** ~, myndig; **under** ~, umyndig; ~ **d**, gammel av år.

agency ['eidʒənsi] virksomhet *m*; agentur *n*; byrå *n*; ~ **da** dagsorden *m*; ~ **t**, agent *m*.

agglomerate [ə'glɔməreit] klumpe (seg) sammen.

aggravate ['ægrəveit] forverre, skjerpe; irritere; ~ **ion**, forverring *m/f*, ergrelse *m*.

aggregate ['ægrigeit] samle, oppsamle; ['ægrigit] samlet; samling *m/f*, opphopning *m*, aggregat *n*.

aggression [ə'greʃn] angrep *n*; ~ **ive**, stridbar, pågående.

ago [ə'gou] for – siden; **long** ~, for lenge siden.

agonize ['ægənaiz] pine(s); ~ **izing**, pinefull; ~ **y**, dødskamp *m*, pine *m/f*.

agrarian [ə'grɛəriən] agrar *m*, agrarisk, jordbruks-.

agree [ə'gri:] stemme (overens), bli (være) enig (**on, in** om, to om å), samtykke (**to** i, **that** i at); ~ **able**, behagelig, overensstemmende (**to** med); ~ **ment**, enighet *m*; overenskomst *m*.

agricultural [ægri'kʌltʃərəl] jordbruks-; ~ **e**, jordbruk *n*.

aground [ə'graund] på grunn.

ahead [ə'hed] fremover, foran; **go** ~! kjør i vei!

aid [eid] hjelpe; hjelp *m/f*.

ail [eil] være syk, hangle; ~ **ing**, skrantende; ~ **ment**, illebefinnende *n*, sykdom *m*.

aim [eim] sikte *n*; mål *n*; sikte (**at** på), trakte, strebe etter (**at** etter); ~ **less**, uten mål.

air [εə] luft *m/f*, luftning *m*; **by** ~ med fly; lufte ut, gi luft, tørke; mine *m*, utseende *n pl* **airs**, viktig vesen *n*; melodi *m*, arie *m*; **in the open** ~, ute i det fri; **on the** ~, i radio; ~ **-base**, flybase *m*; ~ **-borne**, flybåren; ~ **-conditioning** luftkondisjonering *m/f*; ~ **craft** luftfartøy *n*; fly *n*; ~ **force**, luftvåpen *n*; ~ **ing**, spasertur *m;* ~-**liner,** rutefly *n;* ~-**mail,** luftpost *m;* ~**man,** flyger *m;* ~-**pipe,** luftrør *n;* ~**plane,** *amr* fly *n;* ~**pocket,** lufthull *n;* ~-**port,** lufthavn *m/f;* ~-**raid,** luftangrep *n;* ~-**tight,** lufttett; ~-**way,** flyrute *m/f, f;* ~-**y,** luftig; flott, lettvint.

aisle [ail] midtgang *m.*

ajar [ə'dʒa:] på gløtt.

akin [ə'kin] beslektet (**to** med).

alarm [ə'la:m] alarm, angst *m;* alarmere, engste; ~**clock,** vekkerur *n.*

alas [ə'la:s] akk! dessverre!

alcohol ['ælkəhɔl] alkohol *m;* ~-**ic,** alkoholisk; alkoholiker *m;* ~-**ism,** alkoholisme *m.*

alder ['ɔ:ldə] older *m/f,* or *m/f.*

alderman ['ɔ:ldəmən] rådmann *m.*

ale [eil] (engelsk) øl *n.*

alert [ə'lə:t] årvåken; (fly-)-alarm *m;* **on the** ~, på post.

alien ['eiliən], fremmed, utenlandsk; utlending *m;* ~-**ate,** avhende; støte fra seg; avhendelse *m;* likegyldighet *m.*

alight [ə'lait] stige ned, ut.

alike [ə'laik] lik(edan).

alive [ə'laiv] i live, levende.

all [ɔ:l] alt, alle, all, hel; **after** ~ når alt kommer til alt; **not at** ~, slett ikke; ~ **the same,** likevel; ~ **right,** i

orden; ~ **over,** over det hele.

allege [ə'ledʒ] påstå.

allegorical [æli'gɔrikl] sinnbilledlig, allegorisk.

alleviate [ə'li:vieit] lindre; ~-**ion,** lettelse *m,* lindring *m/f.*

alley ['æli] allé *m,* smug *n.*

All Fools' Day [ɔ:l fu:lz dei] 1. april.

alliance [ə'laiəns] forbund *n;* ~**ed** [ælaid] alliert *m.*

allocate ['æləkeit] tildele.

allocation [ælə'keiʃn] tildeling *m/f.*

allot [ə'lɔt] tildele; ~**ment,** tildeling *m/f;* lott *m;* parsell *m.*

allow [ə'lau] tillate; innrømme; gi; ~-**able,** tillatelig; ~**ance,** innrømmelse *m;* rasjon *m;* kost-, lommepenger *m;* understøttelse *m;* rabatt *m.*

alloy ['ælɔi] legering *m/f.*

all-round [ɔ:l raund] allsidig.

All Saints' Day, allehelgensdag *m;* ~ **Souls' Day,** allesjelesdag *m.*

allude [ə'l(j)u:d] hentyde (**to** til).

allure [ə'l(j)u:ə] (for)lokke; ~**ment,** tillokking *m/f,* lokkemat *m.*

allusion [ə'l(j)u:ʃn] hentydning *m.*

ally ['ælai] alliert *m,* forbundsfelle *m*; [ə'lai] forbinde, alliere.

almighty [ɔ:'lmaiti] allmektig.

almond ['a:mənd], mandel *m*.

almost ['ɔ:lmoust] nesten.

alms [a:mz] (*pl* = *sg*) almisse *m/f*.

aloft [ə'lɔft] til værs.

alone [ə'loun] alene, enslig; **to let** (*el* **leave**) ~, å la i fred.

along [ə'lɔŋ] langs (med); av sted; bortover.

aloof [ə'lu:f] fjern; reservert.

aloud [ə'laud] høyt, lydelig.

alp, the Alps, Alpene; **-ine**, alpe-.

alphabet ['ælfəbet] alfabet *n*.

already [ɔ:l'redi] allerede, alt.

also ['ɔ:lsou] også, dessuten.

altar ['ɔ:ltə], alter *n*.

alter ['ɔ:ltə] forandre, endre; ~**ation**, avveksling *m/f*.

alternate ['ɔ:ltəneit] veksle, skifte; [ɔl'tə:nit] vekselvis; ~**tion**, avveksling *m/f*; ~**tive**, mulighet *m*, alternativ *n*, valg *n*.

although [ɔ:l'ðou] skjønt, selv om.

altitude ['æltitju:d] høyde *m*.

altogether [ɔ:ltə'geðə] aldeles, ganske; alt i alt.

alum ['æləm] alun *m/n*.

aluminium [ælju'miniəm] el. *amr* **aluminum** [ə'lu:minəm] aluminium *n*.

always ['ɔ:lwəz] alltid.

a.m. [ei em] = *ante meridiem*, (om) formiddag(en).

amalgamation [əmælgə'meiʃn] sammensmelting *m/f*, fusjon *m*.

amateur ['æmətə:] amatør *m*.

amaze [ə'meiz] forbløffe; ~**ement**, forbauselse *m*, forbløffelse *m*; ~**ing**, forbløffende.

ambassador [æm'bæsədə] ambassadør *m*.

amber ['æmbə] rav *n* (-gul).

ambiguity [æmbi'gjuiti] tvetydighet *m*; ~**guous**, tvetydig.

ambition [æm'biʃn] ærgjerrighet *m*; ~**us**, ærgjerrig.

ambulance ['æmbjuləns] ambulanse *m*.

ambuscade [æmbəs'keid] = **ambush** ['æmbuʃ] bakhold *n*; ligge (legge) i bakhold.

ameliorate [ə'mi:liəreit] (for-)bedre, bedre seg.

amenable [ə'mi:nəbl], mottagelig (**to** for); føyelig.

amend [ə'mend], forbedre; endre; ~**ment**, forbedring *m/f*; endring *m/f*.

amenity [ə'mi:niti, ə'meniti] behagelighet *m*, komfort *m*.

America [ə'merikə] Amerika; ~**n**, amerikaner(inne) *m*, amerikansk.

amiability [eimjə'biliti] elskverdighet *m*; ~**le**, elskverdig.

amicable ['æmikəbl] vennskapelig.

amid(st) [ə'mid(st)] midt iblant.

amiss [ə'mis] uriktig, feil; **take it ~** ta det ille opp.

among(st) [ə'mʌŋ(st)] blant.

amorous ['æmərəs] forelsket.

amortiz|ation [əmɔ:ti'zeiʃn] amortisasjon m; ~**e** [ə'mɔ:taiz] amortisere.

amount [ə'maunt] beløp n, mengde m; beløpe seg (**to** til), bety.

ample ['æmpl] vid, stor, rikelig.

ampl|ifier ['æmplifaiə] (**valve**) forsterker(rør) m (n); ~**ify**, forsterke, utvide.

amuse [ə'mju:z] more, underholde; ~**ment**, underholdning m, moro m/f.

an [æn, ən] en, et.

anaem|ia [ə'ni:miə] blodmangel m; ~**c**, blodfattig.

anaesthes|ia [ænis'θi:ziə] bedøvelse m; ~**etic**, bedøvende (middel n).

analog|ic(al) [ænə'lɔdʒikl], ~**ous**, analog; ~**y**, analogi m, overensstemmelse m.

analys|e [ænə'laiz] analysere; ~**is**, pl ~**es** [ə'næləsis, -i:z] analyse(r) m.

anatom|ist [ə'nætəmist] anatom m; ~**y**, anatomi m.

ancest|or ['ænsestə] stamfar m, pl forfedre, aner; ~**ry**, aner; ætt m, f, herkomst m, byrd m.

anchor ['æŋkə] anker n, ankre; ~**age** [-ridʒ] ankerplass m.

anchovy [æn'tʃouvi] ansjos m.

ancient ['einʃənt] gammel, fra gamle tider; **the ~s**, folk i oldtiden.

ancillary ['ænsiləri] hjelpe-.

and [ænd] og.

anew [ə'nju:] på ny, igjen.

angel ['eindʒəl] engel m.

anger ['æŋgə] sinne n; gjøre sint.

angle ['æŋgl] vinkel m; angel m, fiske med snøre.

Anglican ['æŋglikn] som hører til den engelske statskirke.

Anglo-Saxon [æŋglou-'sæksn] angelsaksisk.

angry ['æŋgri] sint (**at** over, **with** på).

anguish ['æŋgwiʃ] pine m/f, kval m.

angular ['æŋgjulə] vinkelformet.

animal ['æniməl] dyr(isk) n.

animat|e ['ænimeit] besjele, gjøre levende, animere; ~**ion**, livlighet m; liv n, fart m.

animosity [æni'mɔsiti] hat m, fiendskap m.

ankle ['æŋkl] ankel m.

annex [ə'neks] knytte til; legge ved; annektere; ['æneks] tilføyelse m, anneks n; ~**ation** [ænæk'seiʃn] tilknytning m/f, innlemmelse m.

anniversary [æni'və:səri] årsdag m.

announce [ə'nauns] meddele,

kunngjøre, melde; ~ **ment,** kunngjøring *m/f,* melding *m/f;* ~ **r,** hallomann *m* (-dame *m/f*).

annoy [əˈnɔi] ergre, irritere; ~ **ance,** ergrelse, irritasjon *n.*

annual [ˈænjuəl] årlig.

anomalous [əˈnɔmələs] uregelrett; ~ **y,** uregelmessighet *m,* avvik *n.*

anonymity [ænoˈnimiti] anonymitet *m;* ~ **ous** [əˈnɔniməs] anonym.

another [əˈnʌðə] en annen, et annet, en (et) til.

answer [ˈaːnsə] svar *n;* svare, besvare; svare til; stå til ansvar **(for** for); ~ **able,** ansvarlig.

ant [ænt] maur *m.*

antagonism [ænˈtægənizm] strid *m,* motsetningsforhold *n;* ~ **ist,** motstander *m.*

Antarctic [ænˈtaːktik] sydpols-.

antecedents [æntiˈsiːdənts] *pl* fortid *m/f,* tidligere liv (hendelser); ~ **chamber,** forværelse *n;* ~ **date,** forutdatere.

ante meridiem [ˈænti miˈridjəm] = **a.m.,** før kl. 12 middag.

antenna [ænˈtenə] *pl* ~ **ae** [-i] følehorn *n;* antenne *m/f.*

anterior [ænˈtiːriə] tidligere.

anteroom [ˈæntiruːm] forværelse *n.*

anthem [ˈænθəm] hymne *m;*

national ~, nasjonalsang *m.*

anthill [ˈænthil] maurtue *f.*

anti- [ˈænti] (i)mot-.

anticipate [ænˈtisipeit] foregripe, forutse; ~ **ion,** foregriping *m/f,* forutfølelse *m,* forventning *m.*

antidote [ˈæntidout] motgift *m.*

antipathy [ænˈtipəθi] antipati, motvilje *m.*

antiquarian [æntiˈkwɛəriən] oldgransker, *m,* antikvar *m.*

antique [ænˈtiːk] antikk; antikvitet *m;* ~ **ity,** den klassiske oldtid; *pl* ~ **ities,** oldtidslevninger.

antiseptic [æntiˈseptik] antiseptisk (middel).

anvil [ˈænvil] ambolt *m.*

anxiety [æŋˈzaiəti] uro *m/f,* engstelse *m.*

anxious [ˈæŋkʃəs] engstelig **(about** for), ivrig.

any [ˈeni] noen (som helst), hvilken som helst; enhver (som helst); ~ **body,** ~ **one,** noen (som helst), enhver, hvem som helst; ~ **how,** i hvert fall; ~ **-thing,** noe; alt; ~ **way** = ~ **how,** ~ **where,** hvor som helst.

apart [əˈpaːt] avsondret; ~ **from,** bortsett fra; ~ **ment,** værelse *n; is. amr* leilighet *m.*

apathy [ˈæpəθi] sløvhet *m.*

ape [eip] ape *m;* etterape.

aperture [ˈæpətʃə] åpning *m/f,* hull *n.*

apiece [ə'pi:s] for stykket, til hver.

apish ['eipiʃ] apelignende; etterapende, fjollet.

apologetic [əpolə'dʒetik] unnskyldende; ~ize [ə'pɔlədʒaiz] be om unnskyldning; ~y, unnskyldning m.

apostle [ə'posl] apostel m.

appal [ə'pɔ:l] forskrekke.

apparatus [æpə'reitəs] apparat n.

apparent [ə'pærənt] øyensynlig, tilsynelatende.

appeal [ə'pi:l] appellere (to til; også: behage); appell m, innankning m/f.

appear [ə'pi:ə] vise seg, opptre, synes; ~ance, tilsynekomst m, utseende n; pl skinn.

appetite ['æpitait] lyst m/f; appetitt m (for på); ~zing, appetittvekkende.

applaud [ə'plɔ:d] applaudere; ~se, bifall n, applaus m.

apple ['æpl] eple n.

appliance [ə'plaiəns] redskap m (n), innretning m.

applicable ['æplikəbl] anvendelig (to på); ~nt søker m.

application [æpli'keiʃn] anvendelse m, anbringelse m; søknad m; flid m.

apply [ə'plai] bruke; henvende seg (to til); søke (for); gjelde.

appoint [ə'pɔint] fastsette; ut-

nevne; ~ment, avtale m; utnevnelse m; utrustning m.

appraise [ə'preiz] taksere.

appreciate [ə'pri:ʃieit] vurdere, sette pris på; forstå; ~ion, verdsettelse m, bedømmelse m.

apprehend [æpri'hend] gripe, anholde; begripe; frykte; ~sion, pågripelse m; begripelse m; frykt m; ~sive, rask til å oppfatte; redd (**of** for), bekymret.

apprentice [ə'prentis] lærling m; ~ship, læretid m/f.

approach [ə'proutʃ] nærme seg; det å nærme seg, adgang m, innstilling m/f.

approbation [æpro'beiʃn] bifall n.

appropriate [ə'proupriit] passende (to for); [-ieit] tilegne seg; bevilge; ~ion, bevilgning m, tilegnelse m.

approval [ə'pru:vəl] billigelse m; ~e, bifalle, billige (**of**).

approximate [ə'prɔksimit] omtrentlig.

apricot ['eiprikɔt] aprikos m.

April [eiprəl] april.

apron ['eiprən] forkle n.

apt [æpt] passende; dyktig; tilbøyelig.

aptitude ['æptitju:d] skikkethet m; dugelighet m; anlegg n.

Arab [ærəb] araber m; ~ia [ə'reibjə] Arabia; ~ian, arabisk, araber(inne) *m (m);* ~ **ic** [ˈærəbik] arabisk.

arbitrary [ˈaːbitrəri] vilkårlig.

arbitrat|ion [aːbiˈtreiʃn] voldgift *m;* ~ **or**, voldgiftsmann *m.*

arcade [aˈkeid] buegang *m.*

arch [aːtʃ] bue *m*, hvelv *n;* skjelmsk; erke-.

archaeolog|ist [aːkiˈɔlədʒist] arkeolog *m;* ~ **y**, arkeologi *m.*

archbishop [ˈaːtʃˈbiʃəp] erkebiskop *m.*

archer bueskytter *m.*

archipelago [aːkiˈpeləgou] arkipel *n*, øygruppe *m/f.*

architect [ˈaːkitekt] arkitekt *m;* ~ **ure**, byggekunst *m.*

arctic [ˈaːktik] arktisk.

ardent [ˈaːdənt] brennende, ildfull.

area [ˈɛəriə] areal *n;* flate(innhold) *m/f (n);* område *n;* ~ **danger** ~, faresone *m.*

Argentine [ˈaːdʒəntain] argentinsk; argentiner *m;* **the** ~, Argentina.

argu|e [ˈaːgju] drøfte; argumentere; ~ **ment**, argument *n*, drøfting *m/f;* strid *m;* ~ **mentation**, bevisføring *m/f.*

arise [əˈraiz] oppstå; fremtre.

aristocra|cy [ærisˈtɔkrəsi] aristokrati *m;* ~ **t**, aristokrat *m;* ~ **tic** [-ˈkrætik] aristokratisk.

arithmetic [əˈripmətik] regning *m/f,* aritmetikk *m;* ~ **al** [æriˈpˈmetikl] aritmetisk.

arm [aːm] arm *m*, armlene *n;* (oftest *pl*) våpen(art) *n (m);* bevæpne, ruste seg; ~ **chair**, lenestol *m;* ~ **istice**, våpenstillstand *m;* ~ **let** armbind *n;* ~ **our**, rustning *m;* panser *n*, pansre; ~ **oury** arsenal *n;* ~ **pit**, armhule *m;* ~ **y**, hær *m.*

aroma [əˈroumə] aroma *m*, duft *m;* ~ **tic** [ærəˈmætik] aromatisk.

around [əˈraund] rundt om.

arouse [əˈrauz] vekke.

arrange [əˈreindʒ] ordne; avtale; ~ **ment**, ordning *m/f,* avtale *m.*

arrears [əˈriəz] restanse *m.*

arrest [əˈrest] arrestasjon *m;* arrest *m;* arrestere, fengsle.

arriv|al [əˈraivəl] ankomst *m;* nykommer *m;* *pl* ankommende tog *n el* skip *n;* merk forsyninger; ~ **e**, (an)-komme (**at, in** til).

arrogan|ce [ˈærəgəns] hovmod *n;* ~ **t**, hovmodig, hoven.

arrow [ˈærou] pil *m, f.*

arson [ˈaːsn] brannstiftelse *m.*

art [aːt] kunst *m;* list *m/f;* **the fine arts**, de skjønne kunster.

arter|ial [aːˈtiəriəl] **road**, hovedtrafikkåre *m/f;* ~ **y**, pulsåre *m;* hovedtrafikkåre *m/f.*

artichoke [ˈaːtitʃouk] artiskokk *m.*

article [ˈaːtikl] artikkel *m*, vare *m*.

articulat|e [aˈtikjuleit] uttale tydelig; ~ion, uttale *m*, leddannelse *m*.

artificial [aːtiˈfiʃl] kunstig.

artisan [ˈaːtizæn] håndverker *m*.

artist [ˈaːtist] kunstner *m*; ~ic [aˈtistik] kunstnerisk.

as [æz] (lik)som; idet, ettersom, da; etter hvert som; ~ for (to), med hensyn til; ~ good ~, så god som; ~ if (*el.* though), som om; ~ it were, liksom, så å si; ~ well ~, også; ~ yet, hittil, ennå.

ascend [əˈsend] stige, gå opp, bestige; ~dancy, (over)herredømme *n*. ~sion, oppstigning *m*; Ascension (Day), Kristi himmelfartsdag.

ascertain [æsəˈtein] finne ut.

ascribe [əsˈkraib] tilskrive, -legge.

ash [æʃ] ask(etre) *m* (*n*); pl aske *m*; Ash Wednesday, askeonsdag.

ashamed [əˈʃeimd] skamfull; be ~, skamme seg (of over).

ash-can [æʃkæn] amr søppeldunk *m*.

ashore [əˈʃoː] i land.

ash-tray [ˈæʃtrei] askebeger *n*.

Asia [ˈeiʃə] Asia; ~ Minor, Lilleasia.

aside [əˈsaid] til side, avsides.

ask [aːsk] spørre (for etter);

be (for om); forlange; innby.

askance [əsˈkæns] på skjeve.

asleep [əˈsliːp] i søvne; be ~, sove; fall ~, sovne.

asparagus [əˈspærəgəs] asparges *m*.

aspect [ˈæspekt] utseende *n*; side av en sak.

aspen [ˈæspən] osp *m/f*; ospe-.

aspir|e [əˈspaiə] strebe (to, after etter); ~in, aspirin *m*.

ass [æs] esel *n*; *fig* tosk *m*.

assassin [əˈsæsin] (snik)morder *m*; ~ate, myrde; ~ation, (snik)mord *n*.

assault [əˈsɔːlt] angrep *n*; overfall(e) *n*.

assembl|age [əˈsemblidʒ] samling *m/f*; montering *m/f*; ~e, samle seg, komme sammen; montere; ~y, (for)samling *m/f*; montasje *m*.

assent [əˈsent] samtykke (to i).

assert [əˈsɔːt] hevde; ~ion, påstand *m*.

assess [əˈses] iligne, beskatte; ~ment, utligning *m/f*.

assets [ˈæsets] pl aktiva.

assign [əˈsain] an-, tilvise; ~ment, angivelse *m*; oppgave *m*.

assizes [əˈsaiziz] kretsting *n*.

associat|e [əˈsouʃieit] knytte til; forbinde; [-ʃiit] kollega *m*, assosiert *m*; ~ion, forening *m/f*, forbindelse *m*.

assum|e [əˈʃuːm] anta; påta

seg; ~ **ption** [əˈsʌm(p)ʃən]
antagelse *m*, forutsetning *m*;
anmasselse *m*.

assurance [əˈʃuərəns] forsik-
ring *m/f*, løfte *n*; visshet *m*;
~ **e**, (for)sikre, trygde.

astern [əˈstəːn] akter(ut).

asthma [ˈæsmə] astma *m*; ~ **tic**
[æsˈmætik] astmatisk.

astonish [əˈstɔniʃ] forbause;
~ **ing**, forbausende; ~ **ment**,
forbauselse *m*.

astound [əˈstaund] forbløffe.

astray [əˈstrei] på villspor.

astride [əˈstraid] overskrevs.

astrologer [əˈstrɔlədʒə] stjerne-
tyder *m*; ~ **nomer**, astronom
m; ~ **logy**, astrologi *m*;
~ **nomy**, astronomi *m*.

astute [əˈstjuːt] slu, glogg.

asunder [əˈsʌndə] i stykker.

asylum [əˈsailəm] asyl *n*.

at [æt] til, ved, i, hos, på; ~
table, ved bordet; ~ **school**,
på skolen; ~ **the age of**, i
en alder av; ~ **three o'clock**,
klokken tre; ~ **home**,
hjemme.

Athens [ˈæþinz] Athen.

athlete [ˈæpliːt] (fri)idretts-
mann *m*, atlet *m*; ~ **ic**
[æpˈletik] atletisk; ~ **ics**, fri-
idrett *m*.

atmosphere [ˈætməsfiə] atmo-
sfære *m*.

atom [ˈætəm] atom *n*; ~ **ic**
[əˈtɔmik] atom-; ~ **ic bomb**,
atombombe *m/f*; ~ **ic**
energy, atomenergi *m*.

atrocious [əˈtrouʃəs] fryktelig;
~ **ty** [əˈtrɔsiti] grusomhet *m*.

attach [əˈtætʃ] knytte; tillegge;
~ **ed**, knyttet (**to** til), hengi-
ven; ~ **ment**, fastgjøring *m/*
f; hengivenhet *m*.

attack [əˈtæk] angrep *n*; an-
gripe.

attain [əˈtein] (opp)nå.

attempt [əˈtempt] forsøk *n*; at-
tentat *n*; forsøke; gjøre at-
tentat.

attend [əˈtend] ledsage, be-
tjene, ekspedere; besørge;
delta i; ~ **ance**, oppvartning
m; nærvær *n*; fremmøte *n*;
~ **ant**, vaktmann *m*; tjener
m.

attention [əˈtenʃn] oppmerk-
somhet *m*; ~ **ive**, oppmerk-
som.

attest [əˈtest] bevitne; ~ **ation**,
bevitnelse *m*.

attic [ˈætik] kvist(rom) *m* (*n*).

attitude [ˈætitjuːd] holdning
m/f; (inn)stilling *m/f*.

attorney [əˈtəːni] *amr* advokat
m.

attract [əˈtrækt] tiltrekke;
~ **ion**, tiltrekning(skraft) *m/f*
(*m/f*); ~ **ive**, tiltrekkende.

attribute [ˈætribjuːt] kjenne-
tegn *n*; jf belegg; [əˈ-]
tilskrive.

auburn [ˈɔːbən] (kastanje)-
brun.

auction [ˈɔːkʃən] auksjon(ere)
m.

audacious [əˈdeiʃəs] (dum)dris-
tig.

audible ['ɔ:dəbl] hørbar.

audience ['ɔ:djəns] publikum *n*, tilhørere, audiens *m*; ~ **it** revidere; revision *m*; ~ **itor** [-ditə] tilhører *m*; revisor *m*.

augment [ɔ:'gment] øke, vokse.

August ['ɔ:gəst] august.

aunt [a:nt] tante *m/f*.

auspices ['ɔ:spisiz] auspisier; ~ **ious**, lykkevarslende.

Austria ['ɔ:striə] Østerrike.

authentic [ɔ:'þentik] ekte, autentisk.

author(ess) ['ɔ:þə(ris)] forfatter(inne) *m (m/f)*; opphavsmann *m*; ~ **itative** [-'pɔritə-tiv] bestemmende, toneangivende; myndig; ~ **ity**, myndighet *m*; autoritet *m*; fullmakt *m/f*; ~ **ize**, bemyndige.

auto ['ɔ:tou] bil *m*; ~ **graph**, autograf *m*; ~ **matic(ally)**, automatisk; ~ **mobile**, *amr* bil *m*.

autumn ['ɔ:təm] høst *m*.

avail [ə'veil] nytte; ~ **oneself of**, benytte seg av; ~ **able**, disponibel, tilgjengelig.

avalanche ['ævəla:nʃ] lavine *m*; snøskred *n*.

avarice ['ævəris] griskhet *m*, gjerrighet *m*; ~ **ious** [ævə-'riʃəs] gjerrig, grisk.

avenge [ə'vendʒ] hevne.

avenue ['ævinju:] aveny *m*, allé *m*.

average ['ævəridʒ] gjennomsnitt(lig); havari *n*.

averse [ə'və:s] uvillig (**to** til).

aviation ['eivieiʃn] flyging *m/ f*; ~ **tor**, flyger *m*

avocation [ævo'keiʃn] bibeskjeftigelse *m*.

avoid [ə'void] unngå.

await [ə'weit] vente på, avvente.

awake [ə'weik] våkne, vekke; våken; ~ **n**, vekke.

award [ə'wɔ:d] kjennelse *m*, pris, premie *m*; tilkjenne.

aware [ə'wɛə]: **be** ~ **of**, være klar over.

away [ə'wei] bort, unna, borte.

awe [ɔ:] ærefrykt *m*; age *m*; respekt *m*; inngyte ærefrykt; ~ **ful**, forferdelig.

awkward ['ɔ:kwəd] keitet, klosset; kjedelig, lei; ~ **ness**, klossethet *m*.

awning [ɔ:niŋ] solseil *n*.

awry [ə'rai] skeiv(t), forkjært.

axe [æks] øks *m/f*.

axis [æksis] akse *m*; ~ **le**, hjulaksel *m*.

ay(e) [ai] ja.

azure ['æʒə] himmelblå(tt).

B

B.A. ['bi: 'ei] fork. for **Bachelor of Arts**, laveste akademiske grad i England (og i USA).

baby ['beibi] spebarn *n.*

bachelor ['bætʃələ] ungkar *m.*

back [bæk] rygg *m,* bakside *m/f;* bak-; rygge, bakke, støtte; vedde på; ~ **bite**, baktale; ~ **bone**, ryggrad *m;* fasthet *m;* ~ **ground** bakgrunn *m;* ~ **hand** slag i tennis; ~ **ward**, tilbakestående.

backward(s) ['bækwədz] tilbake, baklengs.

bacon ['beikn] sideflesk *n.*

bad [bæd] dårlig, slem; bedervet; syk; **he is** ~ **ly off,** han har dårlig råd; **want** ~ **ly,** trenge hardt til.

badge [bædʒ] kjennetegn *n,* merke *n.*

baffle ['bæfl] forvirre; forpurre.

bag [bæg] sekk *m;* pose *m,* taske *f;* ~ **gage,** (især i *amr*) bagasje *c;* ~ **gage-check,** *amr* baggasjekvittering *m/f;* ~ **gy,** poset; ~ **pipe,** sekkepipe *f.*

bail [beil] kausjon (ved løslatelse).

bait [beit] lokkemat *m;* agn *n;* agne.

bake [beik] bake; steke; ~ **r,** baker *m;* ~ **ry,** bakeri *n.*

balance ['bæləns] vekt(skål) *m/f (m/f);* likevekt *m/f;* saldo *m;* balansere, veie; saldere.

balcony ['bælkəni] balkong, altan *m.*

bald [bɔːld] skallet.

bale [beil] balle *m;* øse, lense.

ball [bɔːl] ball *m,* kule *m/f;* nøste *n;* dansefest *n.*

ballet ['bælei] ballett *m.*

balloon [bə'luːn] ballong *m.*

ballot ['bælət] stemmeseddel *m,* skriftlig avstemning; ~ **box,** valgurne *m,f.*

balm [ba:m] balsam *m;* trøst *m;* ~ **y,** mild; *dt* skrullet.

Baltic ['bɔːltik] baltisk; **the** ~ **(Sea),** Østersjøen.

bamboo [bæm'buː] bambus *m.*

banana [bə'naːnə] banan *m.*

band [bænd] bånd *n;* bande *m;* orkester *n,* musikkorps *n;* ~ **age,** bind *n,* bandasje *m;* forbinde; ~ **box,** hatteske *m;* ~ **master,** dirigent *m.*

bang [bæŋ] slag *n,* smell *n;* slå, smelle.

banish ['bæniʃ] forvise; ~ **ment,** forvisning *m.*

banisters ['bænistəz] *pl* gelender *n.*

bank [bæŋk] bank *m;* banke *m;* kant *m;* bredd *m;* ~ **(ing) account,** bankkonto *m;* ~~**bill,** bankveksel *m;* ~~**book,** bankbok *m/f;* ~ **er,** bankier *m;* ~ **ing,** bankvesen *n,* bankvirksomhet *m;* ~ **note,** pengeseddel *m;* ~ **rupt,** fallent; ~ **ruptcy,** konkurs *m.*

banner ['bænə] banner *n,* fane *m/f.*

banns [bænz] *pl* (ekteskaps)lysing *m/f.*

banquet ['bæŋkwit] bankett *m,* festmåltid *n.*

baptism ['bæptizm] dåp *m;* ~ **tize** [bæp'taiz] døpe.

bar [ba:] stang *m/f,* slå *m,* bom *m;* sandbanke *m* (retts-)skranke *m;* bar-(disk) *m;* stenge, sette slå fôr.

barb [ba:b] tagg *m,* mothake *m,* brodd *m.*

barbarian [ba:'bɛəriən] barbarisk; barbar *m;* ~ **baric,** ~ **barious,** barbarisk.

barber ['ba:bə] barber *m.*

bare [bɛə] bar, naken, snau; lay ~, blotte; ~ **faced,** frekk; ~ **foot(ed),** barbeint; ~ **ly,** knapt, såvidt.

bargain ['ba:gin] handel *m;* godt kjøp *n;* tinge, prute.

barge [ba:dʒ] pram *m,* lekter *m.*

barkeeper ['ba:ki:pə] barkeeper *m.*

bark [ba:k] bark *m;* gjøing *m/f,* gjø.

barley ['ba:li] bygg *n.*

barman bankeeper *m.*

barn [ba:n] låve *m, amr* stall *m.*

barometer [bə'rɔmitə] barometer *n.*

barrack(s) ['bærəks] kaserne *m,* brakke(r) *m/f.*

barrel ['bærəl] tønne *m/f,* fat *n;* løp *n* (på en børse); valse *m.*

barren ['bærən] ufruktbar, gold.

barrister ['bæristə] advokat *m.*

barrow ['bærou] trillebår *f.*

bartender (især *amr*) barkeeper *m.*

barter ['ba:tə] byttehandel *m;* tuske, bytte.

base [beis] basis *m;* grunnflate *m/f;* base *m;* tarvelig; basere; ~ **ball,** *amr* ballspill *n;* ~ **ment,** kjeller(etasje) *m (m).*

basic ['beisik] basisk, grunn-.

basin ['beisn] kum *m;* fat *n;* basseng *n.*

basis ['beisis], basis *m;* grunnlag *n.*

bask [ba:sk] sole seg; ~ **et,** kurv *m.*

bass [beis] bass *m.*

bastard ['bæstəd] uekte barn; uekte.

bat [bæt] balltre *n;* flaggermus *m/f.*

bath [ba:þ] bad *n;* badekar *n;*

~ room, bad(eværelse) n;
~ tub, badekar n; ~ e [beið]
bade; bad n (i det fri); ~ ing
suit, badedrakt m/f;
~ trunks, badebukse m/f.

battle ['bætl] slag n; ~ field,
slagmark m/f; ~ ment,
brystvern n.

Bavaria [bəˈveəriə] Bayern.

bawl [bɔːl] skråle, brøle;
skrål, n, brøl n.

bay [bei] bukt m/f, vik m/f;
rødbrun (hest); laurbær n;
bjeffe.

be [biː] være; bli.

beach [biːtʃ] strand m/f; sette
på land.

beacon ['biːkn] sjømerke n; fyr
n, trafikklys n.

bead [biːd] liten kule m/f,
perle m/f.

beak [biːk] nebb n.

beam [biːm] bjelke m; (lys)-
stråle m; stråle, smile.

bean [biːn] bønne m.

bear [bɛə] bjørn m; bære;
bringe; tåle; føde; ~ in
mind, huske; ~ d [biəd]
skjegg n; ~ er, bærer m;
overbringer m; ihendehaver
m; ~ ing, holdning m; pei-
ling m/f; (lager n (i maskin).

beast [biːst] dyr n, udyr n; ~ ly,
dyrisk; avskyelig.

beat [biːt] slå; overvinne;
(hjerte)slag n (n); takt(slag)
n.

beau [bou] kavaler m, laps m.

beautiful ['bjuːtiful] skjønn.

beauty ['bjuːti] skjønnhet m;
~ salon, ~ shop, amr ~ par-
lor skjønnhetssalong m.

beaver ['biːvə] bever(skinn) m
(n).

because [biˈkɔz] fordi; ~ of,
på grunn av.

beckon ['bekən] vinke (på).

become [biˈkʌm] bli; sømme
seg; kle; ~ ing, passende.

bed seng m/f; bed n; elvefar
n; ~ ding, sengklær; under-
lag n; ~ fellow, sengekame-
rat n; ~ plan, (syke)bekken
n; ~ room, soveværelse n;
~ spread, sengeteppe n;
~ stead, seng m/f.

bee [biː] bie m/f.

beech [biːtʃ] bøk m.

beef [biːf] oksekjøtt n;
~ steak, biff m.

beehive ['biːhaiv] bikube m;
~ keeper, birøkter m.

beer [biə] øl n.

beetle ['biːtl] bille m.

before [biˈfɔː] før, foran;
~ hand, på forhånd; i for-
veien.

beg tigge, be (inntrengende);
I ~ your pardon, unnskyld;
I ~ to ... jeg tillater meg å
...

beggar ['begə] tigger m; ~ ly,
ussel.

begin [biˈgin] begynne; ~ ner,
begynner m; ~ ning, begyn-
nelse m.

behalf [bi'ha:f] **on ~ of**, på
vegne av.

behave [bi'heiv] oppføre seg;
~iour, oppførsel *m*.

behind [bi'haind] bak(om); til-
bake.

behold [bi'hould] se, skue.

being ['bi:iŋ] eksistens *m*;
skapning *m*, vesen *n*.

belated [bi'leitid] seint ute,
forsinket.

belch [beltʃ] rap *n*, oppstøt *n*;
rape.

Belgian ['beldʒən] belgisk;
belgier *m*; **~um**, Belgia.

belief [bi'li:f] tro *m*; **~vable**,
trolig; **~ve**, tro (**in** på).

bell klokke *m/f*; bjelle *m/f*;
(mar) glass *n*, halvtime *m*;
~hop, *amr* pikkolo *m*;
~igerent, krigførende;
~ows, blåsebelg *m*.

belly ['beli] buk *m*, mage *m*.

belong [bi'lɔŋ] **to**, tilhøre, høre
til; **~ings**, eiendeler *m pl*.

beloved [bi'lʌvid] elsket; av-
holdt.

below [bi'lou] (neden)under.

belt belte *n*; reim *f*; feste med
belte.

bench [bentʃ] benk *m*; dom-
stol *m*.

bend bøyning *m*, krumning
m, sving *m*; bøye (seg),
svinge.

beneath [bi'ni:þ] = **below**.

benediction [beni'dikʃn] velsig-
nelse *m*.

benefaction [beni'fækʃn] vel-
gjerning *m/f*; **~ or**, velgjører
m.

beneficence [bi'nefisns] god-
gjørenhet *m*; **~ent**, godgjø-
rende; **~ial**, gagnlig.

benefit ['benifit] gode *n*, gagn
n; nytte *m/f*; gagne; **~ by**,
ha nytte av.

benevolence [bi'nevələns] vel-
vilje *m*, velgjerning *m/f*;
~t, velvillig.

bent, hang *m*, tilbøyelighet *m*;
~ on, oppsatt på.

benzine ['benzi:n] (rense)ben-
sin *m*.

bequeath [bi'kwi:þ] testamen-
tere; **~est**, testamentarisk
gave *m*.

berry ['beri] bær *n*.

berth [bə:þ] ankerplass *m*;
køye *m/f*.

beseech [bi'si:tʃ] be innsten-
dig.

beside [bi'said] ved siden av,
dessuten; foruten.

besiege [bi'si:dʒ] beleire.

best best; **make the ~ of**,
gjøre det best mulige ut av;
~ man, forlover *m*.

bestow [bi'stou] skjenke; gi;
~al, tildeling *m/f*.

bet vedde(mål) *n*.

betake [bi'teik] **oneself**, begi
seg (**to** til).

betimes [bi'taimz] tidlig, i tide.

betray [bi'trei] forråde, røpe;
~al, forræderi *n*.

betroth [bi'trouð] forlove; ~ **al**, forlovelse *m*.

better ['betə] bedre; forbedre; **get the** ~ **of**, beseire; **so much the** ~, desto bedre.

between [bi'twi:n] (i)mellom; ~ **you and me**, mellom oss sagt.

beverage ['bevəridʒ] drikk *m*.

beware [bi'wɛə] passe seg (**of** for).

bewilder [bi'wildə] forvirre; ~ **ment** forvirring *m/f*.

bewitch [bi'witʃ] forhekse.

beyond [bi'jɔnd] hinsides, på den andre siden (av); utover; ~ **measure**, over all måte; ~ **me**, over min forstand.

bias(s)ed ['baiəst] forutinntatt, partisk.

bib smekke *m*.

bible ['baibl] bibel *m*.

bicker ['bikə] kjekle.

bicycle ['baisikl] sykkel *m*.

bid by, befale; gjøre bud; bud *n*; ~ **der**, byder *m*.

bier [biə] (lik)båre *m/f*.

big stor, svær.

bigamy ['bigəmi] bigami *m*.

bike [baik] sykkel *m*; sykle.

bile [bail] galle *m*; ~ **ious** ['biljəs] gallesyk, grinete.

bill regning *m/f*; veksel *m* (~ **of exchange**); lovforslag *n*; plakat *m*; *amr* pengeseddel *m*; nebb *n*. ~ **of fare**, spiseseddel *m*; ~ **of lading**, konnossement *n*.

billiard(s) ['biljəd(z)] biljardspill *n*.

billion ['biljən] billion *m*; *amr* milliard *m*.

bin binge, kasse *m/f*.

bind [baind] binde; forbinde; binde inn; forplikte; ~ **ing**, forpliktende; bind *n*; innbinding *m/f*.

binoculars [bi'nɔkjuləz] kikkert *m*.

biographer [bai'ɔgrəfə] levnetsskildrer *m*; ~ **y**, biografi *m*.

biology [bai'ɔlədʒi] biologi *m*.

birch [bə:tʃ] bjørk *m/f*.

bird [bə:d] fugl *m*.

birth [bə:þ] fødsel *m*; byrd *m*; herkomst *m*; ~ **day**, fødselsdag *m*; ~ **-mark**, føflekk *m*; ~ **place**, fødested *n*.

biscuit ['biskit] (skips)kjeks *m*.

bishop ['biʃəp] biskop *m*.

bit bit *m*; stykke *n*; bissel *n*; borspiss *m*; ~ **by** ~, litt etter litt; **a** ~, litt, en smule.

bitch [bitʃ] tispe *f*.

bite [bait] bitt *n*; bite.

bitter ['bitə] bitter; besk; bitter *m* (øl); ~ **ness**, bitterhet *m*; skarphet *m*.

black [blæk] svart, mørk; neger *m*; sverte; ~ **berry**, bjørnebær *n*; ~ **board**, veggtavle *m/f*; ~ **currant**, solbær *n*; ~ **guard** ['blægəd] kjeltring *m*, slyngel *m*; ~ **-list**, svarteliste *m/f*; ~ **mail**, pengeutpressing *m/f;* ~ **market** svartebørs *m;* ~ **smith**, grovsmed *m.*

bladder ['blædə] blære *m/f.*

blade [bleid] blad *n.*

blame [bleim] daddel *m;* dadle, klandre.

bland [blænd] mild, blid.

blank [blæŋk] blank, ubeskrevet; tomrom *n;* ~**et**, ullteppe *n.*

blasphem|**e** [blæsˈfiːm] spotte, banne; ~**y** [ˈblæsfəmi], gudsbespottelse *m.*

blast [blaːst] vindkast *n;* trompetstøt *n;* sprengning *m;* ødelegge, sprenge; **oh,** ~ **!** pokker også! ~**-furnace**, masovn *m.*

blaze [bleiz] flamme *m,* brann, *m;* lyse, skinne.

blaz|**er** [ˈbleizə] sportsjakke *m/f;* ~**onry**, heraldikk *m.*

bleach [bliːtʃ] bleike.

bleak [bliːk] (rå)kald, guffen.

bleat [bliːt] breke.

bleed [bliːd] blø; årelate.

blemish [ˈblemiʃ] skavank *m.*

blend [blend] blande; blanding *m/f.*

bless velsigne; ~**ed**, velsignet, hellig; ~**ing**, velsignelse *m.*

blind [blaind] blind (**to** for); rullegardin *m/f,* sjalusi *m;* ~**fold**, binde for øynene.

blink blink *n;* glimt *n;* blinke.

bliss lykksalighet *m;* ~**ful**, lykksalig.

blister [ˈblistə] vable *m,* blemme *m/f.*

blizzard [ˈblizəd] snøstorm *m.*

bloat [blout] svulme opp.

block [blɔk] blokk *m/f;* kloss *m; amr* kvartal *n;* blokkere; ~**ade** [blɔˈkeid] blokade *m;* blokkere; ~**head**, dumrian *m.*

bloke [blouk] *dt* fyr, mann.

blood [blʌd] blod *n;* ~ **poisoning**, blodforgiftning *m;* ~**shed**, blodsutgytelse *m;* ~**vessel**, blodåre *m;* ~**y**, blodig; fordømt, helvetes.

bloom [bluːm] (blomster)flor *n;* blomstring *m/f;* blomstre.

blossom [ˈblɔsəm] blomst *m;* blomstre.

blot [blɔt] klatt *m,* flekk *m;* flekke, skjemme; ~ **out**, utslette; ~**ter**, løsjer *m;* ~**ting-pad**, underlag av trekkpapir; ~**ting-paper**, trekkpapir *n.*

blouse [blauz] bluse *m/f.*

blow [blou] slag *n,* støt *n;* blåse; ~ **out**, utblåsing *m/f;* ~ **up**, sprenge i lufta; ~ **over**, gli over; ~**er**, blåser *m;* ~**fly**, spyflue *m/f.*

blubber [ˈblʌbə] (hval)spekk *n;* sutre.

blue [bluː] blå; *(fig)* nedtrykt; ~**s**, tungsinn *m;* ~**print**, blåkopi *m.*

bluff [blʌf] steil, bratt; barsk; bratt skrent *m;* bløff *m;* bløffe.

blunder ['blʌndə] bommert *m.*

blunt [blʌnt] sløv; likefram.

blur [blə:] uklarhet *m,* tåke *f;* plette, dimme.

blurt [blə:t] **out,** buse ut med.

blush [blʌʃ] rødme.

boar [bɔə] råne *m;* villsvin *n.*

board [bɔ:d] bord *n,* brett *n;* papp *m,* kartong *m;* styre *n,* utvalg *n;* bordkle; ha i kost; være i kost; ~ **and lodging,** kost og losji; ~ **on** om bord; ~ **er,** pensjonær *m;* ~ **ing house,** pensjonat *n;* ~ **ing school,** pensjonatskole *m.*

boast [boust] skryt *n;* skryte.

boat [bout] båt *m;* skip *n;* ~ **swain** ['bousn] båtsmann *m.*

bob [bɔb] vippe, nikke, rykke; duppe; stusse; noe som henger og dingler, dupp *m.*

bobbin ['bɔbin] snelle *m/f;* spole *m.*

bobby ['bɔbi] (engelsk) politimann *m.*

bodily ['bɔdili] legemlig.

body ['bɔdi] legeme *n;* kropp *m;* lik *n;* korps *n;* forsamling *m/f;* karosseri *n;* hoveddel *m;* ~ **guard,** livvakt *m.*

bog [bɔg] myr *m/f;* ~ **gy,** myrlendt.

boil [bɔil] byll *m;* koke; ~ **er,** (damp)kjele *m.*

boisterous ['bɔistərəs] larmende, bråkende.

bold [bould] dristig; freidig.

bolster ['boulstə] (under)pute *m/f;* støtte med puter.

bolt [boult] bolt *m;* slå *m/f;* lyn *n;* stenge (med slå *el* skåte); løpe (løpsk, sin vei); stikke av; sikte (korn, mjøl).

bomb [bɔmb] *v & s* bombe *m/f;* ~ **astic,** svulstig; ~ **er,** bombefly *n.*

bonanza [bou'nænza] gullgruve *m/f.*

bond [bɔnd] bånd *n;* obligasjon *m;* forpliktelse *m;* frilager *n;* ~ **age,** trelldom *m.*

bone [boun] bein *n,* knokkel *m.*

bonfire ['bɔnfaiə] bål *n.*

bonnet ['bɔnit] damehatt *m.*

bony ['bouni] beinet, knoklet.

book [buk] bok *m/f;* bestille; bokføre; løse billett til; ~ **binder,** bokbinder *m;* ~ **case,** bokreol *m;* ~ **ing office,** billettkontor *n;* ~ **keeper,** bokholder *m;* ~ **maker,** veddemålsagent *m;* ~ **mark,** bokmerke *n;* ~ **seller,** bokhandler *m;* ~ **shelf,** bokhylle *m;* ~ **stall,** kiosk *m;* ~ **store,** *amr* bokhandel *m.*

boom [bu:m] bom *m;* drønn *n;* høykonjunktur *m;* ta *(el.* gi) et oppsving.

boot [bu:t] støvel *m;* bagasjerom (i bil) *n.*

booth [bu:þ] (salgs)bod *m/f;* telefonkiosk *m.*

booze [bu:z] rangle; rangel *m.*

border ['bɔːdə] rand *m/f,* kant *m;* grense(land) *m/f (n);* avgrense; grense (**upon** til).

bore [bɔː] bor *n;* kjedelig person *m;* plage; kjede, **it is a** ~, det er ergerlig, kjedelig; springflo *m;* ~**dom,** kjedsomhet *m.*

borough ['bʌrə] bykommune *m;* valgkrets *m.*

borrow ['bɔrou] låne (av).

bosom ['buzəm] barm *m;* bryst *n.*

boss [bɔs] mester *m,* sjef *m;* bule *m,* kul *m.*

botan|ic(al) [bə'tænik(l)] botanisk; ~**ist** [bɔtənist], botaniker *m;* ~**y,** botanikk *n.*

both [bouθ] begge.

bother ['bɔðə] bry, plage, bry(deri) ~**some,** brysom, plagsom.

bottle ['bɔtl] flaske *m/f;* fylle på flasker.

bottom ['bɔtəm] bunn *m;* grunn *m;* innerste del; sette bunn i; **at the** ~, på bunnen; ved foten (**of** av).

boulder ['bouldə] kampestein *m.*

bounce [bauns] sprang *n,* byks *n;* sprette, bykse; ~**r** *dt* utkaster *m.*

bound [baund] sprett(e), byks(e); begrense; grense *m/f;* **be** ~ **to do,** (forut)bestemt, nødt til; ~ **for** bestemt for, på vei til; ~**ary,** grense *m/f.*

boun|tiful ['bauntiful] gavmild;

rikelig; ~**y,** gavmildhet *m;* premie *m.*

bow [bou] bue *m;* fiolinbue *m;* sløyfe *m/f;* [bau] bukk *n;* bøye; bukke; baug *m.*

bowels ['bauəlz] innvoller, tarmer.

bowl [boul] kule *m/f;* bolle *m,* skål *m/f;* pipehode *n;* spille kjegler; ~**er,** stiv hatt; ~**ing,** kjeglespill *n.*

bow-legged ['boulegd] hjulbeint.

box [bɔks] eske *m;* skrin *n;* kasse *m/f;* koffert *m;* kuskesete *n;* losje *m;* avlukke *n;* bokse; slå; slag *n,* ørefik *m;* buksbom; ~**er,** bokser *m;* ~**ing-day,** annen juledag; ~**office,** billettkontor *n* (på teater).

boy [bɔi] gutt *m;* tjener *m;* ~**hood,** gutteår; ~**ish,** guttaktig, gutte-; ~**scout,** speidergutt *m.*

bra [braː] *dt* bysteholder *m.*

brace [breis] bånd *n;* støtte *m/f;* par *n* (i jaktspr.); binde, stramme, spenne; ~**s,** bukseseler; ~**let,** armbånd *n.*

bracket ['brækit] konsoll *m;* klamme (parentes) *m;* sette i klammer.

brag [bræg] skryte.

braid [breid] flette *m/f;* snor *m;* flette.

brain [brein] hjerne *m;* forstand *m* (også **brains**); ~**less,** enfoldig.

brake [breik] *s* & *v* bremse *m/f.*

bran [bræn] kli *n.*

branch [bra:n(t)ʃ] grein *m/f;* arm *m;* filial *m.*

brand [brænd] brann (glo) *m (m);* merke *n;* fabrikat *n;* (brenne)merke; stempel; ~ **-new**, splinterny.

brandy ['brændi] konjakk *m.*

brass [bra:s] messing *m/f; dt* gryn (penger) *m;* ~ **band**, hornmusikkorps *m.*

brat [bræt] unge *m.*

brave [breiv] modig, tapper.

brawl [brɔ:l] klammeri *n.*

brazen ['breizn] frekk, uforskammet.

breach [bri:tʃ] brudd *n;* bresje *m.*

bread [bred] brød *n;* ~ **th**, bredde ~ **winner**, familieforsørger *m.*

break [breik] brekke, bryte; ødelegge; brudd *n;* avbrytelse *m;* friminutt *n;* ~ **down**, bryte sammen; **a** ~ **down**, motorstopp *m,* sammenbrudd *n;* ~ **up**, bryte opp; oppløse; ~ **able**, skrøpelig; ~ **age**, brudd *n,* beskadigelse *m;* ~ **er**, brottsjø *m;* ~ **fast** ['brekfəst] frokost *m;* ~ **water**, molo *m.*

breast [brest] bryst *n.*

breath [breþ] ånde; (ånde)drag *n;* pust *m;* ~ **e** [bri:ð] puste; ~ **less**, andpusten.

breed [bri:d] rase *m;* avle; fostre; ~ **ing**, avl *m;* oppdragelse *m.*

breeze [bri:z] bris *m;* ~ **y**, luftig.

brew [bru:] brygg *n,* brygge; ~ **age** i gjære; ~ **age**, brygg *n;* ~ **er**, brygger *m;* ~ **ery**, bryggeri *n.*

bribe [braib] bestikke(lse) *(m);* ~ **ry**, bestikkelse *m.*

brick mursten *m;* ~ **layer**, murer *m.*

bridal ['braidl] brude-, bryllups-.

bride [braid] brud *m;* ~ **groom**, brudgom *m;* ~ **smaid**, brudepike *m.*

bridge [bridʒ] bro *m.*

bridle ['braidl] bissel *n;* tøyle *m.*

brief [bri:f] kort(fattet); orientere; ~ **case**, dokumentmappe *m/f.*

bright [brait] klar; lys; gløgg; ~ **en**, lysne; ~ **ness**, klarhet *m,* glans *m;* skarpsindighet *m.*

brilliancy ['briljənsi] glans *m,* lysstyrke *m;* ~ **t**, briljant; skinnende.

brim rand *m/f,* kant *m.*

bring bringe; ~ **about**, forårsake, få i stand; ~ **forth**, frembringe, føde; ~ **in**, føre, innbringe; ~ **on**, bevirke; ~ **out**, bringe for dagen; utgi; ~ **up** oppdra; bringe på bane.

brink kant *m.*

brisk livlig, sprek.

bristle ['brisl] bust *m/f;* reise bust.

Britain ['britn]; **Great Britain,** Storbritannia, ~ **ish,** britisk; ~ **on,** brite *m.*

brittle ['britl] skjør, sprø.

broad [brɔ:d] bred, vid; ~ **cast,** kringkaste; ~ **casting,** kringkasting *m/f,* radio *m;* ~ **minded,** vidsynt, tolerant; ~ **en,** gjøre bred.

broil [brɔil] steke, riste; klammeri *n.*

broke [brouk] blakk, pengelens; ~ **n,** ødelagt; ruinert; gebrokken.

broker ['broukə] mekler *m.*

bronze [brɔnz] bronse *m;* bronsere; gjøre (kobber)-brun.

brooch [broutʃ] brosje *m/f.*

brook [bruk] bekk *m;* tåle.

broom [bru:m] sopelime (lse) *m.*

Bros. ['brʌðəz] brødrene (i firmanavn)

broth [brɔθ] kjøttsuppe *m/f.*

brothel ['brɔθl] bordell *m.*

brother ['brʌðə] bror *m;* ~ **-in-law,** svoger *m.*

brow [brau] panne *m/f;* (øyen)bryn *n.*

brown [braun] brun; brune.

bruise [bru:z] kveste(lse) *m.*

brush [brʌʃ] *s & v* børste *m;* pensel *m;* ~ **away,** avfeie; pusse opp, gjenoppfriske.

Brussels ['brʌslz] Brussel.

brutal ['bru:tl] dyrisk; brutal; ~ **ality,** råskap *m,* brutalitet *m;* ~ **e,** dyr *n;* umenneske *n,* udyr *n.*

bubble ['bʌbl] boble *m/f.*

buck [bʌk] hann *m,* bl.a. geite-, sau-, reinsbukk *m;* sprade; *amr* dollar *m;* gjøre bukkesprang; stritte imot.

bucket ['bʌkit] bøtte *m/f,* spann *n.*

buckle ['bʌkl] *s & v* spenne *m/f.*

bud [bʌd] knopp *m;* skyte knopper.

buddy ['bʌdi] *dt* kamerat *m.*

budge [bʌdʒ] røre (seg).

budget ['bʌdʒit] budsjett *n.*

buffalo ['bʌfəlou] bøffel *m;* *amr* bison *m.*

buffoon [bʌ'fu:n] bajas *m.*

bug [bʌg] veggelus *m/f; amr* insekt *n;* skjult mikrofon; avlytte (med skjult mikrofon); ~ **bear,** busemann *m.*

build [bild] bygge; fasong *m.*

bulb [bʌlb] elektrisk pære *m/f;* løk *m,* svibel *m.*

bulge [bʌldʒ] kul *m;* bulne ut.

bulk [bʌlk] omfang *m;* (hoved)masse *m;* last *m/f;* ~ **y,** svær, voluminøs.

bull [bul] okse *m;* haussespekulant *m;* bulle *m;* ~ **dog,** bulldog *m;* ~ **et,** (gevær- *el* revolver)kule *m/f.*

bull's-eye ['bulzai] kuøye *n;* blinkskudd *n.*

bully ['buli] bølle *m.*

bulwark ['bulwak] skansekledning *m; (fig)* forsvar *n,* vern *n.*

bum [bʌm] rumpe *m/f;* landstryker *m;* boms *m;* gå på bommen.

bumble-bee ['bʌmblbi] humle *f* (insekt).

bump [bʌmp] slag *n;* bule *m;* støte, dunke; ~**y,** humpet.

bun [bʌn] (hvete)bolle *m.*

bunch [bʌn(t)ʃ] bunt *m,* knippe *n;* klase *m.*

bundle ['bʌndl] bunt *m* (-e), bylt *m.*

bung [bʌŋ] spuns *n;* spunshull *n.*

bungle ['bʌŋgl] (for)kludre.

bunion ['bʌnjən] ilke *m.*

bunk [bʌŋk] fast køye *m/f;* ~ **er,** bunker *m,* bunkre.

buoy [bɔi] bøye *m;* merke opp; holde flott; ~**ancy,** oppdrift *m;* ~**ant,** flytende; spenstig.

burden ['bəːdn] byrde *m;* bør *m/f;* drektighet *m;* lesse, legge på; bebyrde; ~**some,** byrdefull.

bureau ['bjuːrou] byrå *n;* skrivebord *n.*

burglar ['bəːglə] innbruddstyv *m;* ~ **y,** innbrudd *n.*

burial ['beriəl] begravelse *m;* ~ **ground,** kirkegård *m.*

burn [bəːn] brenne (opp).

bur(r) [bəː] borre *m;* skarring.

burrow ['bʌrou] hule *m;* gang *m;* grave ganger i jorda.

burst [bəːst] briste; eksplodere; sprenge; sprengning; utbrudd *n;* revne *m/f,* brudd *n.*

bury ['beri] begrave.

bus [bʌs] buss *m.*

bush [buʃ] busk *m,* kratt(skog) *m;* ~**el,** engelsk skjeppe *m/f.*

business ['biznis] forretning *m,* butikk *m;* beskjeftigelse *m;* sak *m/f;* oppgave *m;* ~**like,** forretningsmessig.

bust [bʌst] byste *m/f.*

bustle ['bʌsl] travelhet *m;* ha det travelt.

busy ['bizi] beskjeftige; travl, opptatt; ~ **body,** geskjeftig person *m.*

but [bʌt, bət] men; unntagen; bare; **all** ~, nesten; ~ **for him,** hadde ikke han vært; **the last** ~ **one,** den nest siste.

butcher ['butʃə] slakter *m;* ~ **y,** slakteri *n.*

butler ['bʌtlə] kjellermester *m;* overtjener *m.*

butt [bʌt] (skyte)skive *m/f* (også *fig);* tykkende, kolbe *m;* (sigaret)stump *m;* stange.

butter ['bʌtə] smør *n;* smøre smør på; smigre; ~**fly,** sommerfugl *m.*

buttocks ['bʌtəks] *pl* (bak)ende *m,* sete *m.*

button ['bʌtn] knapp *m* (-e); ~ **hole,** knapphull(sblomst) *n*.

buxom ['bʌksəm] ferm, yppig.

buy [bai] kjøpe; ~**er,** kjøper *m;* avtaker *m*.

buzz [bʌz] summe, surre.

by [bai] ved (siden av), av, forbi; innen, med; etter, ifølge; ~ **oneself,** for seg selv, alene; ~ **6 o'clock,** innen kl. 6; ~ **the sack,** i sekkevis; **little** ~ **little,** litt

etter litt; **day** ~ **day,** dag for dag; ~ **rail,** med jernbane; ~ **all means,** ja visst; ~ **the by** el ~ **the way,** forresten, apropos; ~ **day (night),** om dagen (natten); **all** ~ **himself,** helt for seg selv, alene; ~**-election** ['baiilekʃən] suppleringsvalg; ~**word,** ordspråk *n,* ordtak *n*.

bygone ['baigon] fordums, tidligere.

C

cab [kæb] drosje *m/f.*

cabbage ['kæbidʒ] kål(hode) *m (n).*

cabin ['kæbin] hytte *f;* lugar *m.*

cabinet ['kæbinit] skap *n;* kabinett *n;* ~**maker,** møbelsnekker *m.*

cable ['keibl] kabel *m;* telegrafere; ~**gram,** (kabel)telegram *n.*

cabman, drosjesjåfør *m;* ~**rank,** ~**stand,** drosjeholdeplass *m.*

cackle ['kækl] kakling *m/f;* kakle, snadre.

cad [kæd] pøbel *m,* simpel fyr *m.*

cadaver [kə'deivə] kadaver *n,* lik *n;* ~**ous** [kə'dævərəs] lik-, likbleik.

cage [keidʒ] (sette i) bur *n.*

cairn [kɛən] varde (av stein) *m.*

cake [keik] kake *m/f;* ~ **of soap,** såpestykke *n;* klumpe (seg) sammen.

calamit|ous [kə'læmitəs] katastrofal; ~**y,** ulykke *m/f,* katastrofe *m/f.*

calcula|ble ['kælkjuləbl] beregnelig; ~**te,** beregne, regne ut; *amr* tro, formode; ~**tion,** beregning *m/f.*

calendar ['kæləndə] kalender *m.*

calf *pl* **calves** [ka:f, ka:vz] kalv *m;* (tykk)legg *m.*

calibre ['kælibə] kaliber *n.*

call [kɔ:l] rop *n;* oppringning *m;* (kort) besøk *n;* anløp *n;* kalle, benevne; rope (ut, opp); (til)kalle; se innom; vekke, purre; ringe til; ~ **box**, telefonkiosk *m;* ~ **ing**, roping *m/f;* kall *n,* yrke *n.*

callous ['kæləs] hard *(is. fig).*

calm [ka:m] rolig, stille; ro *m/f,* stillhet *m;* vindstille; berolige; ~ **down**, stilne, bli rolig.

camel ['kæməl] kamel *m.*

camera ['kæmərə] fotografiapparat *n,* kamera *n.*

camp [kæmp] leir *m;* ligge i *(el* slå) leir; ~ **-bed**, feltseng *m/f;* ~ **-stool**, taburett *m,* feltstol *m.*

campaign [kæm'pein] felttog *n;* kampanje *m;* **electoral** ~, valgkamp *m.*

camphor ['kæmfə] kamfer *m.*

campus ['kæmpəs] *amr* universitetsområde *m.*

can [kæn] kanne *m/f,* spann *n;* hermetikkboks *m;* nedlegge hermetisk; kan; ~ **ned goods**, hermetikk *m;* ~ **opener** boksåpner *m;* ~ **nery** hermetikkfabrikk *m.*

canal [kə'næl] (kunstig) kanal *m.*

canary [kə'nɛəri] (~ **-bird**) kanarifugl *m.*

cancel ['kænsl] stryke ut, annullere, avlyse.

cancellation [kænsə'leiʃn] utstrykning *m,* annullering *m/f,* avlysing *m/f.*

cancer ['kænsə] *med* kreft *m;* ~ **ous**, kreft-, kreftaktig.

candid ['kændid] oppriktig, ærlig.

candidate ['kændideit] kandidat *m.*

candle ['kændl] (stearin)lys *n;* ~ **stick**, lysestake *m.*

candy ['kændi] kandis(sukker) *n; amr* sukkertøy *n;* kandisere.

cane [kein] rør *n;* spaserstokk *m;* pryle.

cannon ['kænən] *mil* kanon *m.*

cannot ['kænɔt] kan ikke.

canny ['kæni] lur; slu; varsom.

canoe [kə'nu:] kano *m.*

canon ['kænən] *rel* kanon *m,* kirkeregel *m;* kannik *m.*

canopy ['kænəpi] baldakin *m.*

cant [kænt] hykleri *n,* tomme fraser *m;* (fag) sjargong *m;* helling *m/f;* helle, sette på kant; ~ **teen**, kantine *m/f.*

canvas ['kænvəs] seil(duk) *n (m);* lerret *n,* maleri *n;* ~ **s**, (drive) husagitasjon *m.*

canyon ['kænjən] slukt *m,* fjellkløft *m/f.*

cap [kæp] lue *m/f,* hette *m/f,* kapsel *m;* sette hette på, dekke; overgå.

capability [keipə'biliti] evne *m,* dyktighet *m;* ~ **le**, i stand til; dugelig, dyktig.

capacitate [kə'pæsiteit] sette i stand til å; ~ **y**, rom(melighet) *n (m);* kapasitet *m;* dyktighet *m,* evne *m/f.*

cape [keip] nes *n*, kapp *n*, nes *n*; (ermeløs) kappe *m*.

capital ['kæpitl] hoved-, viktigst; døds- (~ **punishment**, dødsstraff *m*); *dt* storartet; hovedstad *m*; kapital *m*; stor bokstav *m*; ~ **ism**, kapitalisme *m*.

capitulate [kə'pitjuleit] kapitulere; ~ **ion**, kapitulasjon *m*; oppgivelse *m*.

caprice [kə'pri:s] kaprise *m*, lune *n*; ~ **ious**, lunefull, lunet.

capsize [kæp'saiz] kantre; ~ **sule** ['kæpsju:l] kapsel *m*.

captain ['kæptin] kaptein *m*; skipsfører *m*; lagleder *m*.

caption ['kæpʃn] overskrift *m/f*, billedtekst *m/f*.

captivate ['kæptiveit] *fig* fengsle; ~ **e**, fanget, fange *m*; ~ **ity**, fangenskap *n*.

capture ['kæptʃə] tilfangetagelse *m*, arrestasjon *m*; bytte *n*; ta til fange; oppbringe.

car [ka:] bil *m*; især *amr* jernbanevogn *m/f*.

caravan ['kærəvæn] karavane *m*; stor vogn *m/f*.

carbon ['ka:bən] kullstoff *n*; ~ **paper**, karbonpapir *n*.

carburettor ['ka:bjurətə] forgasser *m*.

carcass, carcase ['ka:kəs] skrott *m*, kadaver *n*.

card [ka:d] kort *n*; karde *m*; ~ **board**, kartong *m*, papp *m*.

cardigan ['ka:digən] strikkejakke *m/f*.

cardinal ['ka:dinəl] hoved-; kardinal *m*; ~ **number**, grunntall *n*.

card index, kartotek *n*.

care omhu *m*; omsorg *m*; bekymring *m/f*, pleie *m/f*; bekymre seg; ~ **of** (c/o), hos, adressert (til); **take** ~, passe seg; **take** ~ **of**, ta vare på; ~ **for**, være glad i; ta seg av.

career [kə'ri:ə] løpebane *m*.

careful ['kɛəful] forsiktig, omhyggelig, påpasselig (**of** med hensyn til); ~ **less**, likegyldig, skjødesløs.

caress [kə'res] kjærtegn(e) *n*.

caretaker ['kɛəteikə] oppsynsmann *m* (**el** -kvinne), vaktmester *m*; ~ **worn**, forgremmet.

cargo ['ka:gou] ladning *m*, last *m/f*.

caricature ['kærikətju:ə] karikatur *m*; karikere.

carnation [ka:'neiʃən] nellik *m*; kjøttfarge *m*.

carnival [ka:'nivəl] karneval *n*.

carol ['kærəl] **Christmas** ~, julesang *m*.

carp [ka:p] karpe *m*.

carpenter ['ka:pintə] tømmermann *m*, bygningssnekker *m*; tømre.

carpet ['ka:pit] (golv)teppe *n*.

carriage ['kærridʒ] vogn *m/f*, transport *m*; frakt *m/f*.

carrier ['kæriə] bærer *m;* fraktemann *m,* speditør *m;* transportmiddel *n;* bagasjebrett *n;* ~ **bag,** bæreprose *m.*

carrot ['kærət] gulrot *m/f.*

carry ['kæri] bære, frakte, bringe; vedta; ~ *an* føre (en vare); ~ **on,** fortsette; drive (forretning); ~ **out,** gjennomføre, utføre.

cart [ka:t] kjerre *f;* kjøre.

carton [ka:tn] kartong *m,* eske *m/f.*

cartoon [ka:'tu:n] karikatur *m,* tegneserie *m,* tegnefilm *m;* karikere.

cartridge ['ka:tridʒ] patron *m.*

carv|e [ka:v] skjære, hogge ut; ~ **ing,** treskjærerarbeid *n.*

cascade [kæs'keid] liten foss *m;* kaskade *m.*

case [keis] tilfelle *n;* (retts)sak *m, f;* hylster *n,* etui *n,* mappe *m/f;* kasse *f,* skrin *n;* **in** ~, i tilfelle; **in any** ~, i hvert fall.

casement ['keismənt] vindusramme *f.*

cash [kæʃ] kontant(er) *merk* kasse *f;* heve (penger); ~ **payment,** kontant betaling; ~ **on delivery,** mot etterkrav *n;* ~ **register,** kassaapparat *n.*

cashier [kæ'ʃiə] kasserer *m.*

cask [ka:sk] fat *n,* tønne *m/f.*

cast [ka:st] kast *n;* form *f;* (av)støpning *m;* rollebeset-

ning *m;* kaste; støpe, forme; tildele en rolle; ~ **iron,** støpejern *n.*

castaway ['ka:stəwei] skibbrudden *m;* utstøtt.

caste [ka:st] kaste *m.*

castle ['ka:sl] borg *m/f,* slott *n;* tårn *n* (sjakk); ~ **in Spain,** luftslott; rokere.

castor| oil ['ka:stər'ɔil] lakserolje *m/f;* ~ **sugar,** farin *m* (*n*).

casual ['kæʒjuəl] tilfeldig; bekvem (om klær); ~ **ty,** ulykkestilfelle *n; pl* ofre (døde og sårede).

cat [kæt] katt *m.*

catalogue ['kætələg] katalog *m,* katalogisere.

catarrh [kə'ta:] katarr *m,* snue *m.*

catastrophe [kə'tæstrəfi] katastrofe *m.*

catch [kætʃ] fangst *m;* grep *n,* tak *n;* fange, gripe, innhente; oppfatte; ~ **the train,** rekke toget; ~ **on,** slå an, bli populær; ~ **ing,** smittsom, smittende.

cater ['keitə] **for** levere mat til; tilfredsstille.

caterpillar ['kætəpilə] larve *m/f.*

cathedral [kə'θi:drəl] katedral *m.*

Catholic ['kæθəlik] katolsk, katolikk *m.*

cattle ['kætl] storfe *n;* ~ **-show,** dyrskue *n.*

cauliflower ['kɔliflauə] blom-kål *m*.

causal ['kɔ:zəl] kausal, år-saks-; ~ **ity**, årsakssammen-heng *m*.

cause [kɔ:z] årsak *m/f*, grunn *m*; sak *m/f*; ~ **less**, grunnløs.

caustic ['kɔ:stik] etsende, bi-tende.

caution ['kɔ:ʃn] forsiktighet *m*; advarsel *m*; advare; ~ **ous**, forsiktig, varsom.

cave [keiv] hule *m*; ~ **rn**, hule.

cavity ['kæviti] hulrom *n*.

cease [si:s] holde opp med; ~ **less**, uopphørlig, uavlate-lig.

ceiling ['si:liŋ] (innvendig) tak *n*; *fig* øverste grense.

celebrate ['selibreit] feire; ~ **ed**, berømt; ~ **ion**, feiring *m/f*.

celebrity [si'lebriti] berømthet *m*.

celerity [si'leriti] hurtighet *m*.

celery ['seləri] selleri *m*.

celestial [si'lestjəl] himmelsk.

celibacy ['selibəsi] ugift stand *m*, sølibat *n*.

cell [sel] celle *m/f*; ~ **ar**, kjel-ler *m*.

cellophane ['seləfein] cello-fan(papir) *m* (*n*); ~ **uloid** [-julɔid] celluloid *m*.

cement [si'ment] bindingsmid-del *n*, sement *m*; *fig* bånd *n*; binde, befeste.

cemetery ['semetri] kirkegård *m*, gravlund *m*.

cent [sent] hundre; **per** ~, prosent *m*, *amr* cent = ¹/₁₀₀ dollar.

centennial [sen'tenjəl] hun-dreårs-(dag) *m*.

central ['sentrəl] sentral *m*, midt-; ~ **heating**, sentral-varme *m/f*; ~ **ization**, sentra-lisering *m/f*.

centre ['sentə] sentrum *n*; kon-sentrere.

century ['sentʃuri] århundre *n*.

ceramics [si'ræmiks] keramikk *m*.

cereal ['siəriəl] korn *n*; ~ **s**, kornslag *n*, kornprodukter *n*, frokostretter.

cerebral ['seribrəl] hjerne-.

ceremonial [seri'mounjəl] sere-moniell, høytidelig; ~ **y** ['se-riməni] seremoni *m*.

certain ['sə:tn] sikker, viss; ~ **ty**, visshet *m*; bestemthet *m*.

certificate [sə'tifikit] sertifikat *n*; attest *m*; ~ **fy** ['sə:tifai] attestere, bevitne; ~ **tude** ['sə:titju:d] visshet *m*.

chafe [tʃeif] gni; irritere.

chaff [tʃɑ:f] agner, hakkelse *m*; skjemt *m*; smærte.

chain [tʃein] kjede *n*, lenke *m/f*.

chair [tʃɛə] stol *m*; forsete *n*; ~ **man**, formann *m*, ordsty-rer *m*; ~ ~ **ship**, formanns-stilling *m/f*.

chalk [tʃɔ:k] kritt *n* (-e).

challenge [ˈtʃælindʒ] utfordring *m/f;* anrop *n;* utfordre; bestride.

chamber [ˈtʃeimbə] kammer *n; pl* advokatkontor *n;* ~ **music,** kammermusikk *m.*

champagne [ʃæmˈpein] champagne *m.*

champion [ˈtʃæmpiən] (for)kjemper *m;* (i sport) mester *m;* ~ **ship,** mesterskap *n.*

chance [tʃɑːns] sjanse *m,* tilfelle *n;* anledning *m;* **by** ~, tilfeldigvis.

chancellor [ˈtʃɑːnsələ] kansler *m.*

chandelier [ʃændiˈliə] lysekrone *m/f.*

change [tʃeindʒ] forandring *m/f,* bytte *n;* (av)veksling *m/f;* småpenger; forandre (seg); bytte, veksle.

channel [tʃænl] (naturlig) kanal *m;* **the Channel,** Kanalen.

chap [tʃæp] sprekk *m;* kar *m,* fyr *m.*

chapel [ˈtʃæpl] kapell *n.*

chaplain [ˈtʃæplin] prest (ved institusjon) *m.*

chapter [ˈtʃæptə] kapittel *n,* losje *m.*

character [ˈkæriktə] skrifttegn *n,* bokstav *m;* karakter *m;* (teater)rolle *m/f;* ry *n;* ~ **istic** [-ˈristik] karakteristisk **(of** for); ~ **ize,** kjennetegne.

charcoal [ˈtʃɑːkoul] trekull *n.*

charge [tʃɑːdʒ] ladning *m;* byrde *m;* oppdrag *n,* omsorg *m,* (storm)angrep *n;* omkostning *m,* pris *m;* anklage; pålegge; forlange (som betaling); **free of** ~, gratis; **be in** ~, ha ledelsen.

charitable [ˈtʃæritəbl] godgjørende, barmhjertig; ~ **y,** nestekjærlighet *m,* godgjørenhet *m.*

charm [tʃɑːm] trylleri; sjarm *m;* amulett *m.*

chart [tʃɑːt] sjøkart *n;* kartlegge.

charter [ˈtʃɑːtə] (forfatnings)dokument *n,* privilegium *n;* befrakte.

charter-party   [ˈtʃɑːtəpɑːti] fraktavtale *m,* certeparti *n.*

charwoman [ˈtʃɑːwumən] rengjøringshjelp *m/f.*

chase [tʃeis] jakt *m/f,* forfølgelse *m;* jage, forfølge; siselere.

chassis [ˈʃæsi] understell *n.*

chaste [tʃeist] kysk, ren.

chastise [tʃæsˈtaiz] straffe, tukte; ~ **ty,** kyskhet *m,* renhet *m.*

chat [tʃæt] prat *m* (-e); ~ **ter,** skravle; klapre; ~ **terbox,** skravlekopp *m.*

chauffeur [ˈʃoufə] (privat)sjåfør *m.*

cheap [tʃiːp] billig; godtkjøps; ~ **en,** gjøre billigere.

cheat [tʃi:t] bedra(ger) m.

check [tʃek] sjakk! (i sjakkspill); hindring m/f, stans m; kontroll(merke) m (n); amr sjekk m el (restaurant)-regning m/f; rutet mønster; gjøre sjakk; hemme, stanse; gjennomgå, kontrollere; ~ed, rutet; ~er, kontrollør m; ~ered, rutet; broket, avvekslende; ~-up undersøkelse m, kontroll m.

cheek [tʃi:k] kinn n, frekkhet m; ~y, frekk.

cheer [tʃiə] hurrarop n, munterhet m; ~(up), oppmuntre; ~io, morn'a, ha det! ~s! skål!

cheese [tʃi:z] ost m.

chemical [ˈkemikl] kjemisk; ~s, kjemikalier.

chemist [ˈkemist] kjemiker m, apoteker; ~ry, kjemi m.

cheque [tʃek] sjekk m; ~-book, sjekkhefte n.

cherish [ˈtʃeriʃ] verne om, pleie; sette høyt; nære (håp).

cherry [ˈtʃeri] kirsebær(tre) n.

chess [tʃes] sjakk m; ~-board, sjakkbrett n.

chest [tʃest] kiste m/f; bryst n; ~ of drawers, kommode m.

chestnut [ˈtʃesnʌt] kastanje m (-brun).

chew [tʃu:] tygge; ~ing gum, tyggegummi m.

chicken [ˈtʃikin] kylling m; ~-pox, vannkopper.

chief [tʃi:f] viktigst, hoved-; overhode n, sjef m, høvding m; ~ly, hovedsakelig; ~tain, høvding m.

child [tʃaild], pl ~ren [ˈtʃildrən] barn n; ~hood, barndom m.

chill [tʃil] kjølighet m; gysning m; kjøl(n)e; kjølig; ~y, kjølig.

chime [tʃaim] klokkespill n, kiming m/f; lyde, kime.

chimney [ˈtʃimni] skorstein m; ~sweep(er), skorsteinsfeier m.

chin [tʃin] hake (ansiktsdel) f.

china [ˈtʃainə] porselen n.

China [ˈtʃainə] Kina; **Chinese** [tʃaiˈni:z] kineser(e, -inne) m (m/f); kinesisk.

chip [tʃip] spon m, flis f; splint m; slå stykker av; hugge til el av; ~s, franske poteter.

chisel [tʃizl] meisel m; meisle.

chivalrous [ˈtʃivələrəs] ridderlig; ~ry, ridderskap n; ridderlighet m.

chocolate [ˈtʃɔk(ə)lit] sjokolade m.

choice [tʃɔis] (ut)valg n; utsøkt.

choir [ˈkwaiə] (kirke-, sang-) kor n.

choke [tʃouk] kvele(s).

cholera [ˈkɔlərə] kolera m; ~ic, kolerisk.

choose [tʃu:z] velge.

chop [tʃɔp] hogg n; hakk n; kotelett m; hogge, hakke.

chores [tʃɔ:z] pl (hus)arbeid; rutinearbeid n.

chorus [ˈkɔ:rəs] kor(sang) n (m); synge (el rope) i kor.

Christ [kraist] Kristus.

christen [ˈkrisn] døpe; ~ing, dåp m.

Christian [ˈkristjən] kristen; ~ name, fornavn n; ~ity, kristendom(men) m.

Christmas [ˈkrisməs] jul(ehelg) m/f (m/f); ~ box, julegave m; ~ Eve, julaften m; Father ~, julenissen m.

chronological [krɔnəˈlɔdʒikl] kronologisk.

chuck [tʃʌk] kast(e) n, hive.

chuckle [ˈtʃʌkl] klukkle.

chum(my) [ˈtʃʌm(i)] kamerat m.

chunk [tʃʌŋk] tykk skive m/f.

church [tʃə:tʃ] kirke m/f; ~yard, kirkegård m.

churn [tʃə:n] (smør)kjerne (n) m; kjerne.

cider [ˈsaidə] eplevin m, sider m.

cigar [siˈga:] sigar m; ~ -case, sigaretui n; ~ ette, sigarett m.

cinder [ˈsində] slagg n.

Cinderella [sindəˈrelə] Askepott.

cinema [ˈsinimə] kino m.

cinnamon [ˈsinəmən] kanel m.

cipher [ˈsaifə] null m, n; siffer n (skrift); chiffrere; regne.

circa [ˈsə:kə] cirka, omtrent.

circle [ˈsə:kl] sirkel m, krets m; teat 1. losjerad m; kretse om, omringe.

circuit [ˈsə:kit] omkrets m; strømkrets m; rundtur m; short ~, kortslutning m.

circular [ˈsə:kjulə] sirkelrund; ~ (letter), rundskriv n; ~ te, sirkulere, være i omløp; ~ tion, omløp n; (avis-, tidsskrift-)opplag n.

circumcise [ˈsə:kəmsaiz] omskjære; ~ ference [səˈkʌmfərəns] periferi m, omkrets m; ~ stance, omstendighet m.

circus [ˈsə:kəs] sirkus n, rund plass m.

cite [sait] sitere, anføre.

citizen [ˈsitizn] borger m; ~ ship, borgerskap n.

city [ˈsiti] (større) by m; forretningssentrum n, ~ hall, rådhus m.

civic [ˈsivik] by-, borger-, kommunal-; ~ l, by-, borger-; høflig; sivil; ~ lity, høflighet m; ~ l war, borgerkrig m; ~ lization [sivilaiˈzeiʃn] sivilisasjon m; ~ lize [ˈsivilaiz] sivilisere.

claim [kleim] fordring m/f, krav n; bergv skjerp n; fordre, kreve; påstå.

clammy [ˈklæmi] fuktig, klam.

clamour ['klæmə] skrik n (-e), rop(e) n.

clamp [klæmp] klamp m, krampe m.

clan [klæn] klan m, stamme m.

clank [klæŋk] klirr n, skrangling m/f; klirre, skrangle.

clap [klæp] klapp n, smell n; klappe (bifall n); smelle.

claret ['klærət] rødvin (især bordeaux) m.

clash [klæʃ] klirr(ing) n (m); sammenstøt n; klirre, støte sammen, komme i konflikt med.

clasp [kla:sp] hekte m, spenne m; omfavnelse m; hekte; omfavne; ~-**knife**, foldekniv m.

class [kla:s] klasse m; stand m; ~ **with**, sette i klasse med.

classic ['klæsik] klassiker m, klassisk; ~ **al**, klassisk.

classification [klæsifi'keiʃn] inndeling m/f, klassifisering m/f; ~ **fy** [-fai] klassifisere, inndele.

clause [klɔ:z] klausul m; setning m.

claw [klɔ:] klo m/f; klore, krafse.

clay [klei] leire m/f; ~ **ey**, leiret.

clean [kli:n] rein, reint; rense; ~ **ly**, reinslig; ~ **se** [klenz] rense.

clear [kliə] klar, lys; ryddig; tydelig; klare; klarne; befri, ta bort, rydde; selge ut; tjene netto; ~ **up**, oppklare, klarne; ~ **ance**, (toll)klarering m/f; opprydding m/f; ~ **ance sale**, utsalg n; ~ **ing**, avregning m; ~ **ness**, klarhet m, tydelighet m.

clench [klentʃ] presse sammen, bite sammen (tennene).

clergy ['klə:dʒi] geistlighet m; ~ **man** geistlig m, prest m.

clerical ['klerikl] geistlig; kontor-.

clerk [kla:k] kontorist m; amr (butikk)ekspeditør m.

clever ['klevə] dyktig; flink.

client ['klaiənt] klient m.

cliff [klif] klippe m, fjellskrent m.

climate ['klaimit] klima n.

climb [klaim] klatre (opp på); klatretur m.

clinch [klinʃ] tak n, grep n; omfavnelse m; klinke; avgjøre (en handel).

cling [kliŋ] **(to)** klynge seg (til).

clinic ['klinik] klinikk m.

clip [klip] klipp(ing) n (m/f); klemme m/f; (be)klippe; **(paper)** ~, binders m; **tie** ~, slipsnål m/f; ~ **per**, klipper m (skip (n)); stort passasjer- og fraktfly n; ~ **pers**, hår-, negleklipper m; ~ **ping**, klipping *m/f;* avklipt stykke *n;* (avis)utklipp *n.*

cloak [klouk] kappe *m/f,* kåpe *m/f;* ~**-room,** garderobe *m; jernb* reisegodsoppbevaring *m/f;* (til)dekke.

clock [klɔk] (tårn-, vegg-) ur *n,* klokke *m/f;* ~ **wise,** i urviserens retning, med solen.

clog [klɔg] tresko *m;* hemsko *m;* hemme.

close [klouz] lukke; slutte, ende; [klous] nær, trang, lukket, nøyaktig; gjerrig; [klouz] avslutning *m,* slutt *m.* ~ **by,** ~ **to,** like ved; ~**-up,** nærbilde *n;* ~**ing time,** lukningstid.

closet ['klɔzit] klosett *n;* kott *n.*

cloth [klɔþ] *pl* ~**s;** tøy *n,* stoff *n,* (bord)duk *m;* **face** ~, vaskeklut *m;* ~ **e,** (på-, be-)kle; ~ **es** *pl* klær; antrekk *n;* ~ **ier,** tøyfabrikant *m,* kleshandler *m;* ~ **ing,** bekledning *m,* klær.

cloud [klaud] sky *m;* skye til; ~ **y,** skyet.

clove [klouv] (krydder)nellik *(n) m.*

clover ['klouvə] kløver *m.*

clown [klaun] klovn *m,* bajas *m;* spille bajas.

club [klʌb] klubb(e) *m (m/f);* ~ **s,** kløver (kort).

clue [klu:] *fig* nøkkel *m;* holdepunkt til forståelse.

clump [klʌmp] klump *m;* klynge *m/f.*

clumsiness ['klʌmzinis] klossethet *m;* ~ **y,** klosset.

cluster ['klʌstə] klynge *m/f.*

clutch [klʌtʃ] grep *n,* tak *n;* kopling *m;* gripe.

Co. = Company.

c/o = care of.

coach [koutʃ] (turist)buss *m,* diligence *m, jernbanevogn m/f;* ekvipasje *m;* manuduktør *m;* idrettstrener *m;* trene, manudusere; ~ **man,** kusk *m.*

coal [koul] (stein)kull *n;* ~ **fish,** sei *m;* ~ **mine,** ~**-pit,** kullgruve *m/f;* ~ **scuttle,** kullboks *m.*

coarse [kɔ:s] grov, rå; ~ **ness,** råhet *m.*

coast [koust] kyst *m;* seile langs kysten; la det stå til nedover (på sykkel, kjelke); ~ **r,** kystfartøy *n;* ølbrikke *m/f.*

coat [kout] frakk *m;* kåpe *m/f;* jakke *m/f;* ham *m;* dekke *n;* strøk *n* (maling); (be)kle; dekke, overtrekke.

coax [kouks] lokke, overtale.

cobble ['kɔbl] rund brostein *m;* brolegge; flikke, lappe sammen; ~ **r,** lappeskomaker *m.*

cobweb ['kɔbweb] spindelvev.

cock [kɔk] hane *m;* hann(fugl) *m;* hane *m* (på bøsse); kran *m/f;* høysåte *f;* heve, løfte;

spenne hanen på; ~ney, (østkant)londoner; ~pit, forerrøm i fly; ~roach, kakerlakk m; ~scomb, hanekam; ~sure, skråsikker.

cocoa ['koukou] kakao m.

coconut ['koukounʌt] kokosnøtt m/f.

cocoon [kə'ku:n] kokong m.

cod [kɔd] torsk m.

code [koud] kode m; lovbok m/f; kodeks m.

cod-liver oil, (lever)tran m.

coffee ['kɔfi] kaffe m; ~ bean, kaffebønne m/f; ~ grounds, kaffegrut m; ~ pot, kaffekanne m/f.

coffin ['kɔfin] likkiste m/f; legge i kiste.

cog [kɔg] tann m/f (i tannhjul).

cogent ['koudʒənt] overbevisende, tvingende.

cogwheel ['kɔghwi:l] tannhjul n.

cohere [kou'hiə] henge sammen; ~nce, sammenheng m; ~nt, sammenhengende.

cohesive [kou'hi:siv] sammenhengende.

coil [kɔil] ring m, spiral m, kveil m; legge sammen i ringer, kveile.

coin [kɔin] mynt m; prege; ~age, mynting m/f, preging m/f; oppdikting m/f.

coincide [kouin'said] **(with)** falle sammen (med); ~nce

[kou'insidəns] sammentreff n (av omstendigheter); ~nt, sammentreffende.

coke [kouk] koks m.

cold [kould] kulde m/f; forkjølelse m; kald.

collaborate [kə'læbəreit] samarbeide; ~ion [kəlæbə'reiʃn] samarbeid n.

collapse [kə'læps] falle sammen; sammenbrudd n.

collar [kɔlər] krage m; snipp m; ~bone, kragebein n.

colleague ['kɔli:g] kollega m.

collect [kə'lekt] kollekt m; [kə'lekt] samle (inn, på), hente; innkassere; ~ed, fattet, rolig; ~ion, (inn)samling m/f; innkassering m/f.

college ['kɔlidʒ] universitetsavdeling m/f; høyere læreanstalt m.

collide [kə'laid] **(with)** støte sammen (med).

collier ['kɔliə] kullgruvearbeider m; kullbåt m; ~y, kullgruve m/f.

collision [kə'liʒn] sammenstøt n.

colloquial [kə'loukwiəl] som hører til hverdagsspråket; ~ism, hverdagsuttrykk m.

colonel ['kə:nl] oberst m.

colonial [kə'lounjəl] koloni-; ~ize, kolonisere, slå seg ned; ~y, koloni m.

colour ['kʌlə] farge m; påskudd n; farge; smykke;

rødme; ~s fane *m/f*, flagg *n*.

colt [koult] føll *n*.

column ['kɔləm] søyle *m/f*; kolonne *m*; spalte *m* (i avis, bok).

comb [koum] kam *m*; kjemme.

combat ['kɔmbət] kamp *m*; (be)kjempe.

combination [kɔmbi'neiʃn] forbindelse *m*; kombinasjon *m*; ~s, kombination (undertøy *n*).

combine [kəm'bain] forbinde (seg), kombinere; ['kɔmbain] sammenslutning *m*, syndikat *n*.

combusti|ble [kəm'bʌstibl] brennbar; ~ **bility**, brennbarhet *m*; ~ **on**, forbrenning *m/f*.

come [kʌm] komme; **to** ~, fremtidig; ~ **along**, skynde seg; bli med; ~ **back**, tilbakevending *m/f*; suksessrik gjenopptreden; ~ **by**, få fatt på; ~ **off**, slippe fra (noe); foregå, finne sted; ~ **true**, oppfylles; ~ **up to**, komme opp imot, tilsvare.

comedi|an [kə'mi:diən] komiker *m*; ~ **y** ['kɔmidi] komedie *m*, lystspill *n*.

comely ['kʌmli] tekkelig, pen.

comfort ['kʌmfət] trøst *m*; hygge *m/f*, komfort *m*; trøste; ~ **able**, behagelig,

makelig, hyggelig; **be** ~ **able**, ha det koselig, føle seg vel.

comic ['kɔmik] komisk; ~ **strip**, tegneserie *m*.

coming ['kʌmiŋ] kommende, fremtidig.

command [kə'ma:nd] befaling *m/f*, kommando *m*; rådighet *m*; kommandere; styre; beherske; ~ **er**, befalhavende *m*; kommandør *m*; marinekaptein *m*; ~ **er-in-chief** øverstbefalende *m*; ~ **ment**, rel bud *n*.

commemorat|e [kə'meməreit] feire, minnes; ~ **ion**, minne(fest) *n* (c).

commence [kə'mens] begynne; ~ **ment**, begynnelse *m*, amr eksamenshøytidelighet *m*.

commend [kə'mend] rose, anbefale.

comment ['kɔment] (kritisk) bemerkning *m*, kommentar *m*; ~ **on**, gjøre bemerkninger til, kommentere; ~ **ary**, kommentar *m*, ledsagende foredrag *n*.

commerce ['kɔməs] handel *m*; samkvem *n*; ~ **ial** [kə'mə:ʃl] handels-; reklamesending.

commission [kə'miʃn] verv *n*, oppdrag *n*, provisjon *m*; kommisjon *m*; gi i oppdrag; ~ **aire** [-'næə] dørvakt *m/f*; kommisjonær *m*; ~ **er**, kommissær *m*, medlem av en kommisjon (komité).

commit [kə'mit] betro, over-
late; begå; ~ **oneself**, for-
plikte seg, engasjere seg.

common ['kɔmən] felles; al-
minnelig, simpel; ~ **law**,
allmenn sivilrett m bygd på
sedvanerett; ~ **sense**, sunn
fornuft m; ~ **er**, borger m,
uprivilegert person; under-
husmedlem n; ~ **place**, ba-
nalitet m; banal; ~ **room**,
fellesrom n (bl.a. lærer-,
professorværelse n); ~ **s**, al-
minnelige (jevne) folk; **the
House of Commons**, Under-
huset; **the (British) Common-
wealth of Nations**, Det bri-
tiske samvelde.

commotion [kə'mouʃn] røre n,
uro m,f.

communal ['kɔmjunl] felles,
offentlig.

communicate [kə'mju:nikeit]
meddele, stå i forbindelse
med, sette seg i forbindelse
med; ~ **tion**, meddelelse m,
forbindelse m; **means of** ~,
kommunikasjonsmiddel n;
~ **tive**, meddelsom.

communion [kə'mju:njən] fel-
lesskap n; nattverd m, alter-
gang m; ~ **ism**, kommu-
nisme m; ~ **ity**, n, samfunn
n.

commute [kə'mju:t] bytte,
skifte (ut), ~ **r**, pendler m.

companion [kəm'pænjən] ka-
merat m, ledsager m; pen-

dant m, motstykke n; led-
sage; ~ **ship**, selskap n, sam-
kvem m.

company ['kʌmpəni] (handels)-
selskap n; samvær n; gjes-
ter; kompani n.

comparable ['kɔmpərəbl] sam-
menlignbar; ~ **ative** [kəm-
'pærətiv] forholdsmessig;
sammenlignende; ~ **e** [kəm-
'pæə] sammenligne; ~ **ison**,
sammenligning m/f; grad-
bøyning m/f.

compartment [kəm'pa:tmənt]
avdeling m/f; rom n; kupé
m.

compass ['kʌmpəs] omkrets m;
utstrekning m; kompass n,
passer m; omgi.

compassion [kəm'pæʃn] medli-
denhet m; ~ **ate**, medli-
dende.

compatibility [kɔmpætə'biliti]
forenlighet m, samsvar n;
~ **le** [kəm'pætəbl] forenlig,
som passer sammen med.

compatriot [kəm'pætriət]
landsmann m.

compel [kəm'pel] (frem)tvinge.

compensate ['kɔmpenseit]
kompensere; erstatte; ~ **ion**
[kɔmpən'seiʃn] kompensa-
sjon m; erstatning m.

compete [kəm'pi:t] konkur-
rere; ~ **nce** ['kɔmpitəns]
kompetanse m; kvalifika-
sjon m; (sorgfritt) utkomme
n; ~ **nt**, kompetent, skikket,
kvalifisert.

competition [kɔmpi'tiʃn] konkurranse *m*; ~ive [kəm'petitiv] konkurransedyktig; ~or [kɔm'petitə] konkurrent *m*.

complacence [kəm'pleisəns] (selv)tilfredshet *m*; ~t, selvtilfreds.

complain [kəm'plein] (be)klage (seg) (**about, of** over); ~t, klage *m*, lidelse *m*.

complement ['kɔmplimənt] komplement *n*; utfylling *m/f*.

complete [kəm'pli:t] fullstendig(gjøre), fullføre; utfylle; ~ion, fullendelse *m*, utfylling *m*, komplettering *m*.

complex ['kɔmpleks] sammensatt; innviklet, floket; ~ion, ansiktsfarge *m*; *fig* utseende *n*; ~ity, innviklethet *m*.

compliance [kəm'plaiəns] samsvar *n*; innvilgelse *m*.

complicate ['kɔmplikeit] komplisere, gjøre innviklet.

compliment ['kɔmplimənt] kompliment *n*; (**with**) ~s, hilsen *m*; komplimentere; ønske til lykke; ~ary [kɔmpli'mentəri] komplimenterende.

comply [kəm'plai] **with**, imøtekomme, etterkomme.

component [kəm'pounənt] bestanddel *m*.

compose [kəm'pouz] sette sammen; danne; komponere; berolige; ~er, komponist

m; ~ition, sammensetning *m*; komposisjon *m*; skriftlig oppgave *m/f*; ~itor [-'pɔzitə] setter *m*; ~ure [-'pouʒə] ro *m*, fatning *m*.

compound ['kɔmpaund] sammensetning *m*; sammensatt; ~ interest, rentesrente *m/f*; [kəm'paund] sette (blande) sammen.

comprehend [kɔmpri'hend] innbefatte; begripe; ~sible begripelig; ~sion, oppfatning *m*, fatteevne *m/f*; ~sive, omfattende.

comprise [kəm'praiz] innbefatte.

compromise ['kɔmprəmaiz] kompromiss *n*; forlik *n*.

compulsion [kəm'pʌlʃn] tvang *m*; ~ory, obligatorisk.

compute [kəm'pju:t] (be)regne; ~er, regnemaskin *m*.

comrade ['kɔmrəd] kamerat *m*.

conceal [kən'si:l] skjule.

concede [kən'si:d] innrømme.

conceit [kən'si:t] idé *m*, forestilling *m*; innbilskhet *m*; ~ed, innbilsk.

conceivable [kən'si:vəbl] tenkelig; ~e, unnfange, tenke ut; forstå.

concentrate ['kɔnsentreit] konsentrere (seg) (**on** om).

concept ['kɔnsəpt] begrep *n*; ~ion, unnfangelse *m*; oppfatning *m*; idé *m*.

concern [kən'sə:n] (større) bedrift *m;* anliggende *n;* bekymring *m;* angå, bekymre; ~ **ing,** angående.

concert ['kɔnsət] konsert *m;* forståelse *m.*

conciliate [kən'silieit] forlike, forsone; ~ **ion,** forsoning *m.*

concise [kən'sais] kortfattet, konsis.

conclude [kən'klu:d] (av)slutte, ende; dra en slutning *m;* ~ **sion,** avslutning *m,* slutt *m;* konklusjon *m;* ~ **sive,** avgjørende.

concord ['kɔnkɔ:d] enighet *m.*

concrete ['kɔnkri:t] fast; konkret; betong *m.*

concur [kən'kə:] stemme overens; falle sammen; medvirke.

concussion [kən'kʌʃn] risting *m,* (hjerne)rystelse *m.*

condemn [kən'dem] (for)dømme; kondemnere; ~ **able,** forkastelig; ~ **ation,** fordømmelse *m;* kondemnering *m.*

condense [kən'dens] fortette, kondensere; ~ **r,** kondensator *m.*

condescend [kɔndi'send] nedlate seg; ~ **ing,** nedlatende.

condition [kən'diʃn] betingelse *m;* (til)stand *m;* kondisjon *m;* ~ **s,** forhold.

condole [kən'doul] kondolere; ~ **nce,** kondolanse *m.*

conduce [kən'dju:s] bidra, føre (til); ~ **ive,** som bidrar til.

conduct ['kɔndəkt] oppførsel *m,* atferd *m;* [kən'dʌkt] føre, lede; *mus* dirigere; ~ **or,** leder *m; mus* dirigent *m;* konduktør *m; amr* togfører *m.*

cone [koun] kjegle *m/f.* kongle *m/f.*

confectioner [kən'fekʃənə] konditor *m;* ~ **ery,** konditori *n;* konditorvarer.

confederacy [kən'fedərəsi] forbund *m;* ~ **te,** forbundsfelle *m/f,* forbundet; ~ **tion,** forbund *m.*

confer [kən'fə:] tildele (**on** til), overdra; konferere; ~ **ence,** konferanse *m.*

confess [kən'fes] tilstå, bekjenne; ~ **ion,** tilståelse *m;* bekjennelse *m;* skrifte.

confide [kən'faid] betro (seg) (**to** til); ~ **ence,** tillit *m;* fortrolighet *m.*

confine [kən'fain] begrense; sperre inne; begrensning *m;* ~ **ment,** begrensning *m;* innesperring *m;* nedkomst *m.*

confirm [kən'fə:m] bekrefte; ~ **ation,** bekreftelse *m.*

confiscate ['kɔnfiskeit] konfiskere; beslaglegge; ~ **ion,** beslagleggelse *m.*

conflict ['kɔnflikt] konflikt *m;* [kən'flikt] stride (**with** med).

conform [kən'fɔ:m] tilpasse seg; føye, rette seg etter;

~ **ity**, overensstemmelse *m;* **in ~ ~ with**, i samsvar med.

confound [kən'faund] blande sammen, forveksle; forvirre; fordømme.

confront [kən'frʌnt] stå like overfor; konfrontere.

confuse [kən'fju:z] forvirre; blande sammen; ~ **ion**, forvirring *m,* uorden *m;* sammenblanding *m.*

confute [kən'fju:t] gjendrive.

congeal [kən'dʒi:l] fryse, størkne.

congenial [kən'dʒi:niəl] (ånds)-beslektet; tiltalende.

congestion [kən'dʒestʃən] blodtilstrømning *m;* opphopning *m,* trafikkstans *m.*

congratulate [kən'grætjuleit] lykkønske; ~ **ion**, lykkønskning *m.*

congregate ['kɔŋgrigeit] samle (seg); ~ **ion**, menighet *m.*

congress ['kɔŋgres] møte *n,* kongress *m;* ~ **man** *amr* kongressmedlem *n.*

conic(al) ['kɔnik(l)] kjegleformet, konisk; ~ **section**, kjeglesnitt *n.*

conjugal ['kɔndʒugl] ekteskapelig.

conjuncture [kən'dʒʌŋktʃə] sammentreff *n* (av omstendigheter).

connect [kə'nekt] forbinde; stå i forbindelse med; ~ **ion**, forbindelse *m;* ~ **ive**, forbindende; bindeledd *n.*

connive [kə'naiv] se gjennom fingrene (**at** med).

conquer ['kɔŋkə] erobre; seire; ~ **or**, erobrer *m;* seierherre *m.*

conquest ['kɔŋkwest] erobring *m.*

conscience ['kɔnʃəns] samvittighet *m;* ~ **tious** [kɔnʃi'en-ʃəs] samvittighetsfull.

conscious ['kɔnʃəs] bevisst; ~ **ness**, bevissthet *m.*

conscription [kən'skripʃn] utskrivning *m,* verneplikt *m.*

consecrate ['kɔnsikreit] (inn)-vie, vigsle.

consecutive [kən'sekjutiv] som kommer etter hverandre.

consent [kən'sent] samtykke *n;* ~ **to**, samtykke i.

consequence ['kɔnsikwens] følge *m,* konsekvens *m;* betydning *m;* ~ **tly**, følgelig.

conservation [kɔnsə'veiʃn] bevaring *m;* ~ **tive**, konservativ.

conserve [kən'sə:v] bevare; sylte; ~ **s**, syltetøy *n.*

consider [kən'sidə] betrakte, overveie, betenke; anse for; mene; ~ **able**, betydelig, anselig; ~ **ate**, hensynsfull; ~ **ation**, overveielse *m;* hensyn(sfullhet) *n (m);* godtgjørelse *m.*

consign [kən'sain] overdra, konsignere, sende (varer); ~ **ment**, sending *m* (av varer); konsignasjon *m.*

consist [kən'sist] bestå **(of** av, **in** i å).

consisten|cy [kən'sistənsi] konsistens m, konsekvens m; **~ t** forenlig, som stemmer **(with** med); konsekvent.

consolation [kɔnsə'leiʃn] trøst m; **~ e** [kən'soul] trøste.

consolidat|e [kən'sɔlideit] grunnfeste, trygge; forene, samle; **~ ion,** konsolidering m.

conspicuous [kən'spikjuəs] iøynefallende, påfallende.

conspir|acy [kən'spirəsi] sammensvergelse m; **~ ator,** sammensvoren; **~ e** [-'spaiə] sammensverge seg.

constable ['kʌnstəbl] konstabel m, betjent m.

constan|cy [kɔnstənsi] uforanderlighet m; trofasthet m; **~ t,** uforanderlig, bestandig.

consternation [kɔnstə'neiʃn] forskrekkelse m.

constipat|e ['kɔnstipeit] forstoppe; **~ ion,** forstoppelse m.

constituen|cy [kən'stitjuənsi] valgkrets m; **~ t part,** bestanddel m.

constitut|e ['kɔnstitju:t] utgjøre; utnevne; stifte; **~ ion** [kɔnsti'tju:ʃən] beskaffenhet m; konstitusjon m, grunnlov m; **~ ional,** konstitusjonell.

construct [kən'strʌkt] bygge, konstruere; **~ ion,** bygging

m; konstruksjon m; **~ ive,** konstruktiv; **~ or,** konstruktør m.

consul ['kɔnsəl] konsul m; **~ general,** generalkonsul m.

consult [kən'sʌlt] rådspørre, konsultere; se etter, slå opp i (en bok); **~ ation** [kɔnsəl-'teiʃn], rådslagning m.

consume [kən'sju:m] fortære, forbruke; **~ r,** konsument m.

consumption [kən'sʌm(p)ʃn] forbruk n; lungetuberkulose m.

contact ['kɔntækt] berøring m, kontakt m; v også [kən'tækt] sette seg i forbindelse med, kontakte.

contagio|n [kən'teidʒən] smitte m; **~ us,** smittsom.

contain [kən'tein] inneholde; beherske; **~ er,** beholder m.

contaminat|e [kən'tæmineit] (be)smitte, forurense; **~ ion,** besmittelse m, forurens(n)ing m.

contempl|ate ['kɔntempleit] betrakte; gruble (over); **~ ation,** betraktning m, grubleri n.

contemporary [kən'tempərəri] samtidig; moderne.

contempt [kən'tem(p)t] forakt m; **~ uous,** full av forakt; hånlig.

contend [kən'tend] kjempe, slåss.

content [kən'tent] tilfreds; tilfredsstille; tilfredshet; ~ **oneself with**, nøye seg med; **to one's heart's** ~, av hjertens lyst; ~ **s** [kontents] innhold n; ~ **ment**, tilfredshet m.

contest ['kontest] strid m; konkurranse m; [kən'test] bestride; konkurrere om; ~ **able**, omtvistelig.

continent ['kontinənt] fastland n; verdensdel m; måteholden; kysk; ~ **al** [konti'nentl] kontinental.

contingent [kən'tindʒənt] (troppe)kontingent m; tilfeldig; avhengig (**upon** av).

continual [kən'tinjuəl] uavbrutt, stadig; ~ **ance**, (ved)varenhet m; ~ **ation**, fortsettelse m; ~ **e** fortsette; ~ **ous**, sammenhengende, stadig, uavbrutt.

contour ['kontu:ə] omriss n.

contraband ['kontrəbænd] smugling m, smuglergods n.

contraception [kontrə'sepʃn] prevensjon m.

contract [kən'trækt] trekke sammen; pådra seg; kontrahere, inngå kontrakt; ['kontrækt] avtale m, kontrakt m; ~ **ion**, sammentrekning m; ~ **or**, entreprenør m; kontrahent m.

contradict [kontrə'dikt] motsi; ~ **ion**, motsigelse m; ~ **ory**, motsigende.

contrary ['kontrəri] motsatt; **on the** ~, tvert imot; ~ **to**, stridende imot.

contrast ['kontra:st] motsetning m; [kən'tra:st] sammenligne; danne motsetning til.

contravene [kontrə'vi:n] handle imot, overtre; ~ **tion**, overtredelse m.

contribute [kən'tribjut] bidra; ~ **ion**, bidrag n; ~ **or**, bidragsyter m; medarbeider m; ~ **ory**, som gir bidrag.

contrite ['kontrait] angerfull.

contrivance [kən'traivəns] oppfinnelse m, påfunn n; innretning m; ~ **e**, finne opp, pønske ut.

control [kən'troul] tilsyn n, kontroll m; herredømme n; kontrollere, beherske.

controversial [kontrə'və:ʃl] omstridt, strids-; ~ **y** ['kontrəvə:si] kontrovers m.

convalesce [konvə'les] friskne til (etter sykdom); ~ **nce**, rekonvalesensens m; ~ **nt**, rekonvalesent m.

convene [kən'vi:n] komme, kalle sammen; ~ **ience** bekvemmelighet m, komfort m; **at your earliest** ~, så snart det passer Dem; ~ **ient**, bekvem, bekvemmelig.

convent ['konvənt] (nonne)-kloster n; ~ **ion** møte n, kongress m; avtale m; skikk og bruk; ~ **ional,** konvensjonell.

conversation [kɔnvə'seiʃn] samtale ~ **e,** samtale **(with** med); ~ **ion,** forvandling *m,* omdannelse *m;* omvendelse *m.*

convert [kən'və:t] omdanne, omvende.

convey [kən'vei] bringe, transportere, overbringe; meddele; ~ **ance,** transport *n;* befordringsmiddel *n,* skjøte *n.*

convict ['kɔnvikt] straffange *m;* [kən'vikt] erklære skyldig **(of** i); ~ **ion,** domfellelse *m;* overbevisning *m.*

convince [kən'vins] overbevise.

convoke [kən'vouk] sammenkalle.

coo [ku:] kurre.

cook [kuk] kokk(e) *m (f);* lage mat.

cool [ku:l] kjølig; kaldblodig, rolig; freidig; avkjøle; ~ **ness,** kjølighet *m,* kaldblodighet *m.*

coolie ['ku:li] kuli *m.*

cooper ['ku:pə] bøkker *m.*

co-operat|e [cou'ɔpəreit] samarbeide; medvirke, bidra; ~ **ion,** samarbeid; medvirkning *m;* kooperasjon *m;* ~ **ive,** samvirke, kooperativ; ~ ~ **society,** samvirkelag *n.*

cop [kɔp] politimann *m.*

cope [koup] **with,** greie, klare, mestre.

copper ['kɔpə] kopper(-slant) *n (m);* politimann *m.*

copy ['kɔpi] kopi *m;* avskrift *m/f,* avtrykk *n,* gjennomslag *n,* reproduksjon *m;* eksemplar *n* (av bok, avis); ~ manuskript *n;* kopiere; **fair** ~, reinskrift *n;* **rough** ~, kladd *m,* konsept *n;* ~ **-book,** skrivebok *f;* ~ **ing-ink,** kopiblekk *n;* ~ **right,** forlagsrett *m,* opphavsrett *m.*

coral ['kɔrəl] korall *m.*

cord [kɔ:d] snor, snøre *n.*

cordial ['kɔ:diəl] hjertelig; styrkedrikk *m.*

corduroy ['kɔ:dərɔi] kordfløyel *m.*

core [kɔ:] kjerne(hus) *m (n).*

cork [kɔ:k] kork *m* (-e); ~ **screw,** korketrekker *m.*

corn [kɔ:n] korn *n* (planter); liktorn *m; amr* mais *m;* ~ **cob,** maiskolbe *m;* ~ **y,** underlig, skrullet.

corner ['kɔ:nə] hjørne *n;* krok *m.*

coronation [kɔrə'neiʃn] kroning *m.*

corporal ['kɔ:pərəl] korporlig, kroppslig; korporal *m;* ~ **ation,** juridisk person *m;* kommune-, bystyre *n; amr* aksjeselskap *n.*

corpse [kɔ:ps] lik *m.*

correct [kə'rekt] korrekt, riktig; rette, korrigere; ~ **ion,** (oppgave)retting *(m/f) m;*

~ ive, forbedrende; korrektiv *n*.

correspond [kɔris'pɔnd] svare (to, with til); brevveksle (with med); ~ ence, overensstemmelse *m*, korrespondanse *m;* ~ ent, korrespondent *m;* ~ ing, tilsvarende.

corridor ['kɔ'ridɔ:] korridor *m*.

corrode [kə'roud] tære på, fortære; ruste; ~ sion, fortæring *m* (ved rust); ~ sive, tærende.

corrugate ['kɔrugeit] rynke, rifle; ~ d iron, bølgeblikk *n*.

corrupt [kə'rʌpt] fordervet; korrupt; bederve, ødelegge; forderve; bestikke; ~ ion, bedervelse *m;* fordervelse *m*, korrupsjon *m*.

corset ['kɔ:sit] korsett *n*.

cosmetics [kɔz'metiks] kosmetikk *m*.

cost [kɔst] omkostning(er) *m;* koste.

costermonger ['kɔstəmʌŋgə] gateselger *m*.

costly ['kɔstli] kostbar.

costume ['kɔstju:m] kostyme *n;* (-re), drakt *f*.

cosy ['kouzi] koselig.

cot [kɔt] barneseng *m/f*, feltseng *m/f;* køye *m/f*.

cottage ['kɔtidʒ] hytte *f*, lite hus *n*.

cotton ['kɔtn] bomull *m* (-splante, -svarer, -støy).

couch [kautʃ] benk *m*, sofa *m*, sjeselong *m*.

cough [kɔ:f] *v & s* hoste *m*.

council ['kaunsl] råd *n*, rådsforsamling *m;* ~ lor, rådsmedlem *n*.

counsel ['kaunsl] råd *n*, rådslagning *m;* advokat *m* (i en rettssak); gi råd; ~ lor, rådgiver *m*.

count [kaunt] beregning *m*, telling *m/f;* notis *m;* greve *m;* telle; ~ on, regne med, stole på.

countenance ['kauntinəns] ansikt *n*, mine *m/f;* billige.

counter ['kauntə] disk *m*, spillemerke *m;* mot-, kontra-; gjøre mottrekk (i sjakk), gi slag igjen (boksing); ~ act, motvirke; ~ balance, motvekt *m;* oppveie, utligne; ~ feit [-fit] ettergjort, uekte; forfalskning *m;* ettergjøre, forfalske; ~ feiter, falskmyntner *m;* ~ pane, sengeteppe *n;* ~ part, motstykke *n;* sidestykke *n*.

countess ['kauntis] grevinne *m*.

country ['kʌntri] land *n;* strøk *n*, egn *m;* ~ man, landsmann *m;* mann fra landet, bonde *m*.

county ['kaunti] grevskap *n*, fylke *n*.

couple ['kʌpl] par *n;* a ~ of days, et par dager; pare, sammenkople.

courage ['kʌridʒ] mot *n;* ~ ous [kə'reidʒəs] modig.

course [kɔ:s] (for)løp *n*, gang *m*; kurs *m*, retning *m*, bane *m*; veddeløpsbane *m*; kurs(us) *n*; rett *m*; of ~, selvfølgelig.

court [kɔ:t] gård(splass) *m*; hoff *n*; domstol *m*; (tennis)bane *m*; ~ **eous**, høflig, beleven; ~ **esy** ['kə:tisi] høflighet *m*; ~ **ship**, frieri *n*; ~ **yard**, gårdsplass *m*.

cousin ['kʌzn] fetter *m*; kusine *m*.

cover ['kʌvə] dekke *n*, deksel *n*, lokk *n*; omslag *n*, bind *n*; perm *m*; futteral *n*; dekning *m*, skjulested *n*; kuvert *m*; dekke (til), skjule, beskytte; tilbakelegge; ~ **ing**, dekke *n*, overtrekk *n*; ~ **let**, sengeteppe *n*; ~ **t**, skjult, fordekt, hemmelig; skjul *n*, tilholdssted *n*.

covet ['kʌvit] begjære, attrå; ~ **ous**, begjærlig (**of** etter).

cow [kau] ku *f*.

coward ['kauəd] feig(ing) *m*; ~ **ice**, feighet *m*.

cowboy ['kaubɔi] *amr* ridende gjeter *m*.

crab [kræb] krabbe *f*; kritisere.

crack [kræk] sprekk *m*, revne *m/f*; smell *n*; knekke; knalle, smelle (med); sprenge; *dt* flott, prima; ~ **ed**, sprukket; ~ **er**, knallbonbon *m*; kjeks *m*; ~ **s**, nøtteknekker *m*.

cradle ['kreidl] *v* og *s* vugge *m*.

craft [kra:ft] håndverk *n*; dyktighet *m*; fartøy *n*; ~ **sman**, håndverker *m*; ~ **y**, slu.

cramp [kræmp] krampe *m*; hemme, innsnevre.

cranberry ['krænbəri] tranebær *n*.

crane [krein] kran *m/f*; trane *m*.

crank [kræŋk] sveiv *m/f*; krumtapp *m*; særling *m*, forskrudd person; sveive opp.

crape [kreip] krepp *m*.

crash [kræʃ] brak *n*; nedstyrtning *m*; brake, dundre; styrte ned; ~ **-helmet**, styrthjelm *m*.

crate [kreit] (sprinkel)kasse *f*; stor kurv; pakke i kasse.

crater ['kreitə] krater *n*.

crave [kreiv] be inntrengende om; begjære, lengte etter; ~ **en**, feig; ~ **ing**, begjær *n*; sterkt ønske *n*.

crawl [krɔ:l] kravle, krabbe; crawle; **be** ~ **ing with**, myldre av.

crayfish ['kreifiʃ] kreps *m*.

craziness ['kreizinəs] galskap *m*; ~ **y**, skrullet, gal.

creak [kri:k] knirk *n* (-e).

cream [kri:m] fløte *m*, krem *m*.

crease [kri:s] fold *m*, brett *m*; buksepress *m*; krølle.

create [kri'eit] skape; utnevne; ~ **ion**, skapelse *m;* utnevnelse *m;* ~ **or**, skaper *m;* ~ **ure** ['kri:tʃə] (levende) vesen *n,* skapning *m;* kreatur.

credibility [kredi'biliti] troverdighet *m;* ~ **le**, troverdig, trolig.

credit ['kredit] tillit *m,* (til)tro *m;* kreditt(t) *m;* anseelse *m;* tro (på); godskrive; kreditere.

credulous ['kredjuləs] godtroende.

creek [kri:k] vik *m/f,* bukt *f; amr* bekk *m.*

creep [kri:p] krype, liste seg; ~ **er**, slyngplante *m/f;* ~ **y,** uhyggelig.

cremation [kri'meiʃn] kremasjon *m;* ~ **orium,** ~ **ory** ['kremətəri] krematorium *n.*

crescent ['kresnt] månesigd *m;* halvrund plass; halvmåneformet; voksende.

crest [krest] (hane)kam *m;* hjelmbusk *m;* bakkekam *m;* familievåpen *n;* ~ **fallen,** motløs.

crevice ['krevis] (fjell)sprekk *m.*

crew [kru:] mannskap *n.*

crib [krib] krybbe *m/f;* fuske.

cricket ['krikit] siriss *m;* cricketspill *n;* not - , ikke realt.

crime [kraim] forbrytelse *m;* ~ **inal,** forbrytersk, forbryter *m;* ~ ~ **ity** kriminalitet *m.*

crimson ['krimzn] høyrød.

cringe [krindʒ] krype (**to** for).

cripple ['kripl] krøpling *m.*

crisis, *pl* **-es** ['kraisis, -i:z] vendepunkt *n;* krise *m/f.*

crisp [krisp] kruset; sprø; frisk; kruse (seg), bli sprø.

critic ['kritik] kritiker *m;* ~ **cal,** kritisk; ~ **cism,** kritikk *m;* ~ **cize** [-saiz] kritisere.

croak [krouk] kvekke, skrike.

crockery ['krɔkəri] stentøy *n.*

crocodile ['krɔkədail] krokodille *f.*

crook [kru:k] krok *m,* hake *m;* sving *m;* bøyelagt - *m;* ~ **ed,** kroket, skjev; uærlig.

crooner ['kru:nə] vokalist *m.*

crop [krɔp] avling *m;* kro *m* (på fugler).

cross [krɔs] kors *n,* kryss *n,* krysning *n;* tverr, gretten; krysse, gå tvers over; motvirke; ~ **grained,** vrien, tverr; (vei-, gate-)kryss *n;* overfart *m;* ~ **-word puzzle,** kryssord *n.*

crouch [krautʃ] huke seg ned.

crow [krou] kråke *f;* gale.

crowd [kraud] (menneske)mengde *m;* trenge (til side), flokkes.

crown [kraun] *v* & *s* krone *m/f.*

crucial ['kru:ʃl] avgjørende.

crucifixion [kru:si'fikʃn] korsfestelse *m.*

crude [kru:d] rå, umoden.

cruel [kru:əl] grusom; ~ **ty**, grusomhet *m*.

cruise [kru:z] (kryss)tokt *n*, sjøreise *m/f*.

crumb [krʌm] (brød)smule *(n) m*.

crumple ['krʌmpl] krølle(s).

crusade [kru:'seid] korstog *n*.

crush [krʌʃ] trengsel *m*; knuse; klemme, presse.

crust [krʌst] skorpe *m/f*; skare *m*; dekke(s) med skorpe.

crutch [krʌtʃ] krykke *m/f*.

cry [krai] skrik *n*, rop *n*; gråt *m*, skrike; gråte.

crystal ['kristl] krystall *n*; ~ **lize**, krystallisere.

ct. fork. for *cent*.

cub [kʌb] valp *m*, unge *m*.

cube [kju:b] terning *m*.

cuckoo ['kuku:] gjøk *m*.

cucumber ['kju:kʌmbə] agurk *m*.

cud [kʌd] drøv; **chew the ~**, tygge drøv.

cuddle ['kʌdl] ligge lunt; kjæle (med).

cudgel ['kʌdʒəl] klubbe *m/f*, kølle *m/f*.

cue [kju:] (biljard)kø *m (m)*; stikkord *n*.

cuff [kʌf] mansjett *m* (erme-)-oppslag *n*; slag *n*, dask *m*; ~ **s**, håndjern; daske.

culminate ['kʌlmineit] kulminere.

culpable ['kʌlpəbl] straffskyldig; ~ **rit**, gjerningsmann *m*; skyldig.

cult [kʌlt] kultus *m*; ~ **ivate**, dyrke; kultivere; ~ **ivation**, dyrking *m*; ~ **ural**, kultur *m*; dyrking *m*; dannelse *m*; dyrke; kultivere; ~ **ured**, kultivert, dannet.

cumbersome ['kʌmbəsəm] byrdefull, besværlig.

cunning ['kʌniŋ] list(ig) *m*.

cup [kʌp] kopp *m*, beger *n*; pokal *m*; ~ **board** ['kʌpbəd] skap *n*.

cupidity [kju:'piditi] begjærlighet *m*.

cur [kə:] kjøter *m*.

curable ['kju:rəbl] helbredelig.

curate ['kju:rit] kapellan *m*; ~ **or** [-'reitə] kurator *m*; konservator *m*.

curb [kə:b] tøyle *m*; kantstein *m*, fortauskant *m* (også **-stone**).

cure [kju:] kur *m*; helbredelse *m*; helbrede; konservere (salte, røyke, tørke).

curfew ['kə:fju] portforbud *n*.

curiosity [kju:ri'ɔsiti] nysgjerrighet *m*; raritet *m*; ~ **us**, nysgjerrig; underlig, kunstferdig.

curl [kə:l] krøll *m*; krølle (seg), sno.

currant ['kʌrənt] korint *m*; rips *m* (**red ~**); solbær *n* (**black ~**).

curren|cy ['kʌrənsi] valuta *m;*
omløp *n;* gangbarhet *m;* ~t
strøm(ning) *m;* gangbar, lø-
pende, inneværende; ak-
tuell.

curriculum [kə'rikjuləm] un-
dervisningsplan, pensum *n;*
~ **vitae** ['vitai] levnetsbeskri-
velse *m.*

curry ['kʌri] karri *m.*

curs|e [kə:s] forbanne(lse) *m,*
~e ed *m.*

curt [kə:t] kort, mutt; ~**ain**
['kə:tn] gardin *n,* forheng *n;*
tear teppe *n.*

curts(e)y ['kə:tsi] neie; kniks
n.

curve [kə:v] kurve *m,* sving *m;*
krumme (seg).

cushion ['kuʃn] pute *m/f;*
polstre.

custod|ian [kʌ'stoudiən] vokter
m, vaktmester *m;* ~**y**
['kʌstədi] forvaring *m,* vare-
tekt *m.*

custom ['kʌstəm] sedvane *m,*
skikk *m;* ~**s** toll(vesen) *m*
(n); ~**ary,** vanlig; ~**er,**
kunde *m;* ~-**house,** tollbod
m; ~**s officer,** toller *m.*

cut [kʌt] skjære; hogge;
klippe; uthogge; redusere;
overse; skulke; ta av (i
kort); snitt *n;* hogg *n;* slag
n; (av)klipp *n;* reduksjon *m;*
~ **teeth,** få tenner; ~ **down,**
innskrenke; ~ **off,** av-
skjære, avbryte, utestenge;
~ **out,** tilskjære, sjalte ut;
~ **short,** avbryte (plutselig);
~ **glass,** slepet glass *n;* ~
up rough slå seg vrang, bli
sint.

cute [kju:t] skarpsindig; *amr*
søt, sjarmerende.

cutler ['kʌtlə] knivsmed *m;*
~**y,** kniver, sakser *etc.*

cutlet ['kʌtlit] kotelett *m.*

cutting ['kʌtiŋ] skjærende;
skarp; utklipp *n;* (vei-, jern-
bane-)skjæring *m.*

cycle ['saikl] syklus *m,* krets
m; sykkel *m;* sykle.

cylinder ['silində] sylinder *m,*
valse *m.*

cynic ['sinik] kyniker *m;* ~**al,**
kynisk.

Czech [tʃek] tsjekker *m;*
~**oslovakia,** Tsjekkoslova-
kia.

D

dab [dæb] slå lett; daske.

dad(dy) ['dæd(i)] pappa *m.*

daffodil ['dæfədil] påskelilje
m/f.

daft [da:ft] skrullet, tosket.

dagger ['dægə] dolk *m.*

daily ['deili] daglig; dagblad
n, daghjelp *m.*

dainty ['deinti] lekker, fin; kresen.

dairy ['dɛəri] meieri *n.*

daisy ['deizi] tusenfryd *m.*

dam [dæm] dam *m,* demning *m;* demme opp.

damage ['dæmidʒ] skade *m;* beskadige; ~ s, erstatning *m.*

damn [dæm] fordømme; ~ ! pokker!

damp [dæmp] fuktighet *m;* fuktig, klam; *(amr* ~ **en)** fukte, væte; dempe.

dance [da:ns] dans *m;* ~ **er**, danser(inne) *m (m/f);* ~ **ing**, dans(ing) *m.*

dandelion ['dændilaiən] løvetann *f.*

dandruff ['dændrʌf] flass *n.*

dandy ['dændi] laps *m;* fin.

Dane [dein], danske *m;* dane.

danger ['deindʒə] fare *m;* ~ **ous,** farlig.

Danish ['deiniʃ] dansk.

dapper ['dæpə] livlig, vever.

dare [dɛə] tore, våge.

daring ['dɛəriŋ] dristighet *m;* modig; dristig.

dark [da:k] mørk; mørke *n;* ~ **en,** mørkne; ~ **ness,** mørke *n;* ~ **room,** mørkerom *n.*

darling ['da:liŋ] skatt *m,* elskling *m;* yndling *m.*

darn [da:n] stoppe (huller).

dart [da:t] kastespyd *n,* kastepil *m/f;* fare (av sted); styrte; kaste.

dash [dæʃ] splintre, slå i knas; kyle; styrte av sted; stenk *n,* skvett *m,* plutselig bevegelse *m,* tankestrek *m;* ~ **board,** instrumentbord *n* (på bil, fly osv.); ~ **ing,** flott, feiende.

date [deit] daddel *m;* tidspunkt *n;* dato *m;* tid *m/f;* årstall *n;* avtale *m;* amr stevnemøte *m;* datere; **out of** ~, foreldet; **up to** ~, moderne, tidsmessig.

daub [dɔ:b] smøre(ri) *n.*

daughter ['dɔ:tə] datter *m/f;* ~ **-in-law,** svigerdatter *m/f.*

dawn [dɔ:n] gry *n,* daggry *n;* dages, lysne.

day [dei] dag *m;* **the other** ~, forleden (dag); **this** ~ **week,** i dag om en uke; ~ **break,** daggry *n;* ~ **light,** dagslys *n;* ~ **'s work,** dagsverk *n.*

dazzle ['dæzl] blende.

dead [ded] død, livløs; sloknet; matt; øde; ~ **beat,** dødstrett; ~ **body,** lik *n;* ~ **en,** avdempe, døyve; ~ **lock,** stillstand *m,* uføre *n;* ~ **ly,** dødelig, drepende.

deaf [def] døv; tunghørt; ~ **aid,** høreapparat *n;* ~ **ening,** øredøvende; ~ **-mute,** døvstum; ~ **ness,** døvhet *m.*

deal [di:l] forretning, handel *m;* avtale *m;* kortgiving *m;* tildele; fordele; gi (kort);

handle; **a good ~, a great ~**, en hel del; **~er**, handlende *m*, forhandler *m*.

dean [di:n] dekan(us) *m;* domprost *m*.

dear [diə] dyr; dyrebar; kjær.

death [deþ] død *m*, dødsfall *n; ~-rate*, dødelighet(sprosent) *m (m)*.

debark [di'ba:k] gå i land; landsette; **~ation**, landgang *m;* landsetting *m*.

debate [di'beit] ordskifte *n*, debatt *m;* debattere.

debauch [di'bɔ:tʃ] forføre; utsvevelse *m*.

debit ['debit] debet *m;* debitere.

debt [det] gjeld *m/f; ~or*, debitor *m*, skyldner *m*.

decade ['dekeid] tiår *n*.

decadence [de'keidəns] forfall *n; ~t*, som er i forfall.

decanter [di'kæntə] karaffel *m*.

decay [di'kei] forfalle; råtne, visne bort; forfall *n*.

decease [di'si:s] bortgang *m*, død *m;* gå bort, dø.

deceit [di'si:t] bedrageri *n*.

deceive [di'si:v] bedra; narre.

December [di'sembə] desember.

decency ['di:snsi] sømmelighet *m;* anstendighet *m; ~t*, sømmelig, skikkelig.

deception [di'sepʃn] bedrag *n;* skuffelse *m; ~ve*, skuffende; bedragersk.

decide [di'said] beslutte; avgjøre.

decision [di'siʒən] avgjørelse *m;* beslutning *m; ~ve* [di'saisiv] avgjørende.

deck [dek] pynte, pryde; dekk *n*.

declaration [deklə'reiʃn] erklæring *m*, kunngjøring *m; ~e*, erklære; kunngjøre; melde (i kort); angi (til fortolling).

decline [di'klain] avta; forfalle; avslå; nedgang *m*, tilbakegang *m*.

decorate ['dekəreit] pryde, dekorere; **~ion**, (ordens-)dekorasjon *m;* pynt *m*.

decoy [di'kɔi] lokkefugl *m*.

decrease [di'kri:s] avta, minke; ['di:kri:s] nedgang *m*, reduksjon *m*.

decree [di'kri:] forordne; dekret *n*.

decrepit [di'krepit] avfeldig.

dedicate ['dedikeit] innvie; tilegne; **~ion**, innvielse *m;* tilegnelse *m*, dedikasjon *m*.

deduce [di'dju:s] utlede, slutte.

deduct [di'dʌkt] trekke fra; **~ion**, fradrag(spost) *n (m);* utledning *m*.

deed [di:d] dåd *m*, gjerning *m;* dokument *n;* skjøte *n*, tilskjøte.

deem [di:m] anse for; mene.

deep [di:p] dyp; dypt; **~en**, utdype.

deer [diə] dyr *n* (av hjorteslekten).

defeat [di'fi:t] overvinne; tilintetgjøre; nederlag *n;* ~ **ism,** defaitisme *m.*

defect [di'fekt] mangel *m,* feil *m;* ~ **ive** defekt, mangelfull.

defence [di'fens] forsvar *n;* ~ **d,** forsvare; ~ **dant,** the ~ saksøkte, anklagede; ~ **sive,** forsvars-, defensiv.

defer [di'fə:] utsette.

defiance [di'faiəns] utfordring *m;* tross *m;* ~ **ant,** utfordrende, trossig.

deficiency [di'fiʃənsi] mangel *m;* ufullkommenhet *m;* ~ **cient,** mangelfull, evneveik.

deficit ['defisit] underskudd *n.*

define [di'fain] forklare, definere; ~ **ite** [definit] bestemt, nøye avgrenset; ~ **ition,** bestemmelse *m;* ~ **itive** [di'finitiv] definitiv, endelig; avgjørende.

deflect [di'flekt] avvike, bøye(s) av.

deform [di'fɔ:m] misdanne, vansire; ~ **ity,** misdannelse *m,* vanskapthet *m;* feil *m.*

defraud [di'frɔ:d] bedra.

defray [di'frei] bestride (omkostninger).

deft flink, netthendt.

defunct [di'fʌŋkt] (av)død.

defy [di'fai] trosse; utfordre.

degenerate [di'dʒenəreit] utarte; ~ **ion,** utarting *m.*

degradation [degrə'deiʃn] degradering *m;* ~ **e,** degradere.

degree [di'gri:] grad *m;* rang *m;* eksamen *m* (ved universitet *el* college).

deject [di'dʒekt] nedslå; ~ **ion,** motløshet *m.*

delay [di'lei] utsette(lse), forsinke(lse) *m.*

delegate ['deligeit] delegere; sende ut med fullmakt; [-git] utsending *m.*

delete [di'li:t] stryke (ut).

deliberate [di'libərit] overlagt; [di'libəreit] overveie.

delicacy ['delikəsi] finhet *m;* finfølelse *m;* lekkerbisken *m;* ~ **te,** fin; fintfølende; sart.

delicious [di'liʃəs] deilig, herlig, lekker.

delight [di'lait] glede *m;* glede seg (**in** ved, over); ~ **ful** deilig, herlig.

delinquency [di'liŋkwənsi] forseelse *m,* forsømmelse *m;* **juvenile** [dʒu:vinail] ~ ungdomskriminalitet *m;* ~ **t,** forsømmelig; skyldig; forbryter *m.*

deliver [di'livə] (over)levere; befri; forløse; holde (f.eks. en tale); ~ **ance,** befrielse *m;* ~ **y,** overlevering *m;* levering **c;** ombæring *m/f,* (av post); forløsning *m;* fremføring *m.*

delude [di'lu:d] villede, narre.

deluge ['delju:dʒ] oversvøm-
melse m; syndflod m.

delusion [di'lu:ʒən] illusjon m,
villfarelse m; ~ve, skuf-
fende; illusorisk.

demand [di'ma:nd] fordre,
kreve, forlange; fordring
m/f; etterspørsel m; **in great
~**, meget søkt, etterspurt.

demeanour [di'mi:nə] oppfør-
sel m.

demi, halv-.

demob(ilize) ['di:'mɔb- (di'moub-
ilaiz)] demobilisere.

democracy [di'mɔkrasi] demo-
krati n; ~t ['deməkræt] de-
mokrat m; ~tic [demə'kræ-
tik] demokratisk; ~tize [di-
'mɔkrataiz] demokratisere.

demolish [di'mɔliʃ] rive ned;
~**ition**, nedriving m.

demonstrate ['demənstreit]
(be)vise, demonstrere;
~**tion**, bevisføring m/f; be-
vis m; (offentlig) demonstra-
sjon m; ~**tive** [di'mɔnstrativ]
klargjørende; demonstrativ,
åpen.

demure [di'mjuə] ærbar.

den, hule f (dyrs); hybel m.

denial [di'naiəl] (be)nektelse
m; avslag n.

Denmark ['denma:k] Dan-
mark.

denominate [di'nɔmineit] be-
nevne; ~**ation**, benevnelse
m; pålydende n, verdi m;
religiøst samfunn n.

denounce [di'nauns] for-
dømme; angi, melde.

dense [dens] tett; fast; tung-
nem; ~**ity**, tetthet.

dent, hakk n, bulk m; bulke.

dental ['dentl] tann-; ~ **ifrice**,
tannpulver m (-krem, -pasta,
-vann); ~**ist**, tannlege m;
~**ure**, gebiss n.

denunciation [dinʌnsi'eiʃn]
fordømmelse m; anmeldelse
m.

deny [di'nai] (be)nekte; avslå.

depart [di'pa:t] (av)gå, reise
bort; gå bort, dø; avvike;
~**ed**, avdød; ~**ment**, avde-
ling m; område n; amr de-
partement n; ~ ~ **store**, va-
rehus; ~**ure**, avgang m, av-
reise m; avvik n; død m.

depend [di'pend] ~**able**, påli-
telig; ~ **on**, avhenge av;
stole på; ~**ence**, avhengig-
het m.

depict [di'pikt] male; skildre.

deplorable [di'plɔ:rəbl] bekla-
gelig; ~**e**, beklage.

depopulate [di:'pɔpjuleit] av-
folke.

deport [di'pɔ:t] deportere.

depose [di'pouz] avsette; vitne.

deposit [di'pɔzit] deponere,
anbringe; sette inn (penger);
avleire; depositum n; inn-
skudd n; avleiring m/f.

depreciate [di'pri:ʃieit] sette
ned (el falle) i verdi; ~**tion**,
(verdi)forringelse (c) c.

depress [di'pres] trykke ned; nedslå; ~ **ed**, nedtrykt; ~ **ion**, nedtrykking *m*; nedtrykthet *m*, depresjon *m*.

deprive [di'praiv] berøve.

depth [depθ] dybde *m*; dyp *n*.

deputy ['depjuti] representant *m*, varamann *m*.

derail [di'reil] avspore; ~ **ment**, avsporing *m*.

derange [di'reindʒ] bringe i ulage; ~ **d**, sinnsforvirret; ~ **ment**, (sinns)forvirring *m*.

derision [di'riʒən] hån *m*.

derive [di'raiv] avlede, utlede.

derrick ['derik] lastekran *m/f*, lossebom *m*; boretårn *n*.

descend [di'send] synke; stige ned; nedstamme; ~ **dant**, etterkommer *m*; ~ **t**, nedstigning *m*; avstamning *m*.

describe [di'skraib] beskrive.

description [di'skripʃn] beskrivelse *m*.

desert ['dezət] ørken *m*, øde sted *n*; [di'zə:t] forlate; desertere; fortjent lønn *m/f*; ~ **ion**, frafall *n*; desertering *m*.

deserve [di'zə:v] fortjene; ~ **ing**, fortjenstfull, verdig.

design [di'zain] tegne; skissere; planlegge; bestemme (**for** til); tegning *m*; plan *m*; konstruksjon *m*; ~ **ate** ['dezigneit] betegne, utpeke (**to**, **for** til); ~ **ation**, betegnelse *m*; ~ **er**, tegner *m*, konstruk-

tør *m*; ~ **ing**, listig, renkefull.

desirable [di'zaiərəbl] attråverdig; ønskelig; ~ **e**, ønske *(v & n)*; begjær *n*; (-e); ~ **ous**, begjærlig (**of** etter).

desk, pult *m*; skranke *m*.

desolate ['desəlit] ubebodd, øde; ulykkelig.

despair [di'spɛə] fortvile(lse) *m*; ~ **ing**, fortvilet.

desperate ['despərit] fortvilet; desperat.

despise [di'spaiz] forakte.

despite [di'spait] nag *n*; tross *n*; *prp* til tross for.

despondency [di'spondənsi] motløshet *n*; ~ **t**, motløs.

dessert [di'zə:t] dessert *m*.

destination [desti'neiʃn] bestemmelsessted *n*; ~ **e** [-'tin] bestemme; ~ **y**, skjebne *m*.

destitute ['destitju:t] blottet (**of** for); fattig; ~ **ion**, fattigdom *m*; mangel *m*, nød *m*.

destroy [di'stroi] ødelegge.

destruction [di'strakʃn] ødeleggelse *m*; ~ **ve**, ødeleggende.

detach [di'tætʃ] skille, avsondre; ~ **ment**, atskillelse *m*; kjølig fjernhet *m*.

detail ['di:teil] berette inngående om; detalj *m*; ~ **ed**, inngående.

detain [di'tein] holde tilbake; oppholde.

detect [di'tekt] oppdage; ~ **ive**, detektiv *m*.

detention [di'tenʃn] forvaring *m*, arrest *m*.

detergent [di'tə:dʒənt] vaskemiddel, -pulver *n*.

deteriorate [di'tiəriəreit] forringe; bli forringet.

determin|**ate** [di'tə:minit] bestemt; ~ **ation**, beslutsomhet *m*; bestemmelse *m*; ~ **e**, bestemme (seg); beslutte.

detest [di'test] avsky *m*; ~ **able**, avskyelig.

detonation [detou'neiʃn] eksplosjon *m*; knall *n*.

detour ['di:tuə] omvei *m*.

detract [di'trækt] avlede; ~ **from** nedsette, forringe.

detriment ['detrimənt] skade *m*; ~ **al** [-'mentl] skadelig.

devastate ['devəsteit] herje.

develop [di'veləp] utvikle (seg); *fotogr* fremkalle; ~ **ment**, utvikling *m*.

deviat|**e** ['di:vieit] avvike; ~ **ion** [-'eiʃn] avvikelse *m*.

device [di'vais] påfunn *n*; innretning *m*; devise *m*.

devil ['devl] djevel *m*.

devise [di'vaiz] tenke ut.

devoid [di'vɔid] fri, blottet (of for).

devot|**e** [di'vout] hellige, vie; ~ **ed**, hengiven; ~ **ion**, hengivenhet *m*; fromhet *m*.

devour [di'vauə] sluke.

devout [di'vaut] from.

dew [dju:] dugg(e) *m/f*; ~ **y**, dugget.

dexter|**ity** [deks'teriti] (be)hendighet *m*; ~ **ous** ['dekstərəs] hendig, fingernem.

diagnos|**e** ['daiəgnouz] diagnostisere; ~ **is**, *pl* ~ **es** [daiəg-'nousis] diagnose *m*.

dial ['daiəl] solur *n*; urskive *m/f*, telefonskive *m/f*; slå telefonnummer.

dialect ['daiəlekt] målføre *n*.

diameter [dai'æmitə] diameter *m*, tverrmål *n*.

diamond ['daiəmənd] diamant *m*; ruter (i kortspill).

diaper ['daiəpə] bleie *m/f*.

diary ['daiəri] dagbok *m/f*.

dice [dais] (*pl av* **die**) terninger; spille med terninger.

dictat|**e** [dik'teit] diktere; ~ **ion**, diktat *m*; ~ **or**, diktator *m*; ~ **orship**, diktatur *n*.

dictionary ['dikʃənri] ordbok *m/f*, leksikon *n*.

didactic [di'dæktik] didaktisk, belærende.

die [dai] dø; omkomme; dø bort; (*i pl*: **dice**) terning *m*.

diet ['daiət] kost *m*, diett *m*, riksdag *m*.

differ ['difə] være forskjellig, avvike; ~ **ence**, forskjell *m*; uenighet *m*; stridspunkt *n*; ~ **ent**, forskjellig (**from** fra).

difficult ['difikəlt] vanskelig; ~ **y**, vanskelighet *m*.

diffus|**e** [di'fju:z] utbre, spre; ~ **ion**, spredning *m*; utbredelse *m*.

dig, grave; slite; jobbe.

digest ['daidʒest] sammendrag n, [di'dʒest] fordøye(s); ~**ible**, fordøyelig; ~**ion**, fordøyelse m.

digit ['didʒit] finger(bredd) m, (ensifret) tall n.

digni|fied ['dignifaid] (ær)verdig; ~**fy**, utmerke, hedre; ~**ty**, verdighet m.

digress [dai'gres] komme bort fra emnet; ~**ion**, digresjon m.

dike [daik] dike n; demning m.

diligence ['dilidʒəns] flid m; ~**t**, flittig.

dilute [dai'lju:t] fortynne.

dim, mørk, matt, uklar.

dimension [di'menʃn] dimensjon m, utstrekning m, mål n.

diminish [di'miniʃ] forminske; minke.

diminution [dimi'nju:ʃn] forminskelse m; minking m.

dimple ['dimpl] smilehull n.

din, larm m, drønn n, brake.

dine [dain] spise middag.

dingy ['dindʒi] skitten, mørk.

dining-car ['dainiŋka:] spisevogn m/f; ~ **room**, spisestue m/f; ~ **table**, spisebord n.

dinner ['dinə] middag(smat) m (m); ~ **-jacket** smoking m.

diocese ['daiəsi:s] bispedømme n.

dip, dyppe; øse; dukke; dukkert m; dypping m; helling m/f.

diploma [di'plouma] diplom n, vitnemål ~ **cy**, diplomati n; ~ **t** ['diploma:t] diplomat m.

dipper ['dipə] sleiv f, øse m/f.

direct [di'rekt el dai-] rett, strak; direkte; umiddelbar; styre, rettleie; gi ordre; adressere; ~ **current**, likestrøm m; ~ **ion**, retning m; ledelse m; ~ **ly**, direkte; umiddelbart, straks; ~ **or**, leder m; styremedlem n, direktør m; **board of** ~ **ors** (bedrifts)styre n; ~ **ory**, adressebok m/f; **telephone** ~, telefonkatalog m.

dirt [də:t] skitt; ~ **y**, skitten.

disability [disə'biliti] inkompetanse m; uførhet m; ~ **able** ['-eibl] gjøre ubrukbar; gjøre til invalid; ~ **abled** handikappet.

disadvantage [disəd'va:ntidʒ] ulempe m/f, uheldig forhold; ~ **ous** ['-teidʒəs] ufordelaktig.

disagree [disə'gri:] være uenig (**with** med); ikke stemme overens; ikke ha godt av (om mat og drikke); ~ **able**, ubehagelig; ~ **ment**, uoverensstemmelse m, uenighet m.

disappear [disə'piə] forsvinne; ~ **ance**, forsvinning m.

disappoint [disə'pɔint] skuffe; ~ **ment**, skuffelse m.

disapproval [disə'pru:vl] misbilligelse *m;* ~ **ve**, misbillige.

disarm [dis'a:m] avvæpne, nedruste; ~ **ament**, avvæpning *m*, nedrusting *m*.

disaster [di'za:stə] ulykke *f;* ~ **rous**, ulykkelig, katastrofal.

disbelief [disbi'li:f] vantro *m*, tvil *m;* ~ **eve**, tvile på.

disburse [dis'bə:s] betale ut; ~ **ment**, utbetaling *m*.

disc *(el* **disk)** [disk] skive *m/f*, (grammofon)plate *m/f*.

discern [di'sə:n] skjelne; skille; erkjenne; ~ **ing**, forstandig; skarpsindig; ~ **ment**, skarpsindighet *m*.

discharge [dist∫a:dʒ] losse; avfyre; frigi; løslate; utføre (plikt); betale (gjeld); avskjedige; lossing *m*; avlessing *m*; avfyring *m*; salve *m*; befrielse *m*, løslating *m*; frigivelse *m*, avmønstring *m*; betaling *m*.

disciple [di'saipl] disippel *m;* ~ **ine** [ˈdisiplin] disiplin *m*; fag *n*; disiplinere, tukte.

disclose [dis'klouz] oppdage, avsløre; ~ **ure**, avsløring *m*.

discolour [dis'kʌlə] avfarge(s).

discomfort [dis'kʌmfət] ubehag *n*, bry *n;* plage, uleilige.

disconcert [diskən'sə:t] forfjamse, bringe ut av fatning; forpurre.

disconnect [diskə'nekt] (av)bryte; kople fra.

disconsolate [dis'kɔnsəlit] trøstesløs.

discontent [ˈdiskən'tent] misfornøyd; misnøye *m;* ~ **ed**, misfornøyd.

discontinue [diskən'tinju] holde opp med, avbryte.

discord [ˈdiskɔ:d] disharmoni *m;* uenighet *m;* mislyd *m*.

discount [ˈdiskaunt] rabatt *m;* diskonto *m;* **be at a** ~ stå under pari; ogs. være dårlig til salgs; [-ˈkaunt] diskontere, trekke fra.

discourage [dis'kʌridʒ] ta motet fra.

discourse [dis'kɔ:s] foredrag *n;* avhandling *m*.

discourteous [dis'kə:tiəs] uhøflig.

discover [dis'kʌvə] oppdage; ~ **er**, oppdager *m;* ~ **y**, oppdagelse *m*.

discredit [dis'kredit] vanry *n*.

discreet [dis'kri:t] taktfull, diskret.

discrepancy [dis'krepənsi] uoverensstemmelse *m*, motsigelse; ~ **t**, uoverensstemmende (**from med**).

discretion [dis'kre∫n] diskresjon *m;* forstand *m;* **at** ~, etter behag.

discriminate [dis'krimineit] skjelne; gjøre forskjell, diskriminere; ~ **ion**, skjelning *m*, diskriminering *m;* skjønn *n*.

discuss [dis'kʌs] drøfte, diskutere; ~ **ion,** drøfting *m,* diskusjon *m;* forhandling *m.*

disdain [dis'dein] forakt(e) *m.*

disease [di'zi:z] sykdom *m;* ~ **d,** syk; sykelig.

disembark ['disim'ba:k] utskipe, landsette; gå i land.

disengage [disin'geidʒ] gjøre fri, befri; ~ **d,** fri, ledig; ~ **ment,** befrielse *m;* heving av forlovelse.

disentangle ['disin'tæŋgl] greie ut, utrede.

disfigure [dis'figə] vansire.

disgrace [dis'greis] unåde *m,* vanære *m/f;* bringe i unåde; vanære; ~ **ful,** vanærende.

disguise [dis'gaiz] forkle; maskere; forkledning *m;* forstillelse *m.*

disgust [dis'gʌst] vemmelse *m;* volde vemmelse; ~ **ing,** motbydelig.

dish [diʃ] fat *n,* (mat)rett *m.*

dishonest [dis'ɔnist] uærlig; ~ **y,** uærlighet *m.*

dishonour [dis'ɔnə] skam *m;* vanære *m/f;* ikke honorere (en veksel); ~ **able,** vanærende; æreløs.

disillusion [disi'lu:ʒn] desillusjonere.

disinfect ['disin'fekt] rense, desinfisere; ~ **ant,** desinfeksjonsmiddel *n;* ~ **ion,** desinfeksjon *m.*

disinherit ['disin'herit] gjøre arveløs.

disinterested [dis'intristed] uegennyttig; uhildet, upartisk.

disk, se *disc.*

dislike [dis'laik] mishag *n;* ikke like.

dislocate [dis'lokeit] forrykke; bringe av ledd; ~ **ion,** forrykkelse *m,* forvridning *m.*

disloyal [dis'lɔiəl] illojal.

dismantle [dis'mæntl] demontere, sløyfe.

dismay [dis'mei] forferde; nedslå; forferdelse *m.*

dismiss [dis'mis] sende bort; avvise; avskjedige; ~ **al,** avskjed *m,* avvisning *m.*

dismount ['dis'maunt] stige av (hest *el* sykkel); demontere.

disobedience [disɔ'bi:djəns] ulydighet *m;* ~ **t,** ulydig (**to** imot).

disobey [disɔ'bei] være ulydig.

disorder [dis'ɔ:də] uorden *m;* sykdom *m;* bringe i uorden; ~ **ly,** uordentlig, opprørsk.

disparage [dis'pæridʒ] rakke ned på, laste; ~ **ment,** nedrakking *m.*

disparate ['dispərit] ulik, uensartet.

dispatch [dis'pætʃ] avsendelse, sending *m/f,* hurtig besørgelse; sende; ekspedere; ~ **er,** avsender *m.*

dispel [dis'pel] spre, drive bort.

dispensable [dis'pensəbl] unnværlig; ~ **ary**, reseptur (i apotek) n; ~ **ation**, fritagelse m; tildeling m.

disperse [dis'pə:s] spre (seg).

displace [dis'pleis] flytte; forskyve; fordrive; fortrenge; ~ **ment**, forskyvning m, deplasement n; ~ **d person**, flyktning m, (lands)forvist m.

display fremvisning m, utstilling m/f; vise, stille ut.

displease [dis'pli:z] mishage; ~ **ure** [-'pleʒə] misnøye m, mishag n.

disposal [dis'pouzl] rådighet m, disposisjon m; ~ **e**, ordne, innrette; ~ **ed**, innstilt, disponert; ~ **ition**, ordning m/f; disposisjon m; tilbøyelighet m; gemytt n.

dispossess [dispə'zes] berøve; fordrive.

disproportion ['disprə'pɔ:ʃən] misforhold n.

dispute [dis'pju:t] strides; drøfte; disputt m, ordstrid m.

disquiet [dis'kwaiət] uro m; forurolige, uroe.

disregard ['disri'ga:d] ringeakt m; ignorering m; ikke ta hensyn til.

disreputable [dis'repjutəbl] beryktet.

disrespect ['disri'spekt] mangel på aktelse m; ~ **ful**, uærbødig.

dissatisfaction ['disætis'fækʃn] utilfredshet m; misnøye m; ~ **fied**, misfornøyd.

dissemble [di'sembl] skjule; forstille seg.

disseminate [di'semineit] spre.

dissension [di'senʃn] tvist m, splid m, uenighet m.

dissimilar [di'similə] ulik.

dissipate ['disipeit] spre(s); ødsle bort; ~ **ed**, utsvevende; ~ **ion**, spredning m; ødsling m; utsvevelser.

dissolute ['disəl(j)u:t] utsvevende.

dissolvable [di'zɔlvəbl] oppløselig; ~ **e**, oppløse(s).

dissuade [di'sweid] fraråde.

distance ['distəns] avstand m, distanse m; ~ **t**, fjern.

distaste [dis'teist] avsmak m.

distil [dis'til] destillere; ~ **lation**, destillasjon m; ~ **lery**, brenneri n.

distinct [dis'tiŋkt] atskilt; tydelig; ~ **ion**, atskillelse m, forskjell m; utmerkelse m; ~ **ive**, eiendommelig; utpreget; særpreget.

distinguish [dis'tiŋgwiʃ] atskille; skjelne; utmerke; ~ **ed**, utmerket, fremragende, fornem.

distort [dis'tɔ:t] fordreie.

distract [dis'trækt] avlede, distrahere; ~ **ed**, forstyrret, forrykt, gal; ~ **ion**, adspredelse m, forstyrrelse m; sinnsforvirring m.

distress [dis'tres] nød *m*, kval *m*; bekymre, volde sorg.

distribute [dis'tribju:t] dele ut, fordele; ~**ion**, utdeling *m/f*, fordeling *m/f*; utbredelse *m*; ~**or**, fordeler *m*; forhandler *m*.

district ['distrikt] distrikt *n*.

distrust [dis'trʌst] mistro, ha mistillit til; mistillit *m*.

disturb [dis'tə:b] forstyrre; forurolige; ~**ance**, forstyrrelse *m*; uro(lighet) *m*.

ditch [ditʃ] grøft *f*; kjøre i grøfta.

ditty ['diti] vise(stubb) *m*.

dive [daiv] dukke, stupe; dukkert *m*, bad *n*; *amr* bule *f*; styrtflukt *m*; ~**r**, dykker *m*.

diverse ['dai'və:s] forskjellig, ulik; ~**ion**, avledning *m*, omkjøring *m*; atspredelse *m*.

divert [dai'və:t] avlede; omdirigere; atspre.

divide [di'vaid] (for-, inn-)dele, dele seg; dividere; (vann)skille *n*.

divine [di'vain] spå; guddommelig; ~**ity**, guddom *m*; teologi *m*; ~**ity school**, teologisk fakultet *n*.

division [di'viʒn] (av-, inn-)deling *m/f*; divisjon *m*; uenighet *m*; ~**ible**, delelig.

divorce [di'vɔ:s] skilsmisse *m*; skille (ektefolk); skilles.

divulge [dai'vʌldʒ] avsløre, røpe.

dizziness ['dizinis] svimmelhet *m*; ~**y**, svimmel.

do [du:] gjøre; utføre; vise; handle; klare, greie seg, gå an, være nok, passe; leve, ha det; ~ **one's best**, gjøre sitt beste; ~ **me a service**, gjør meg en tjeneste; **I have done eating**, jeg er ferdig med å spise; ~ **one's hair**, stelle håret; ~ **one's lessons**, gjøre leksene sine; ~ **the town**, se (severdighetene i) en by; ~ **away with**, avskaffe; vrake; **that will ~**, det er nok; **that won't ~**, den går ikke; **will this ~?** kan De bruke denne?; **I am done for**, det er ute med meg; **how ~ you ~?** god dag! (det) gleder meg (ved presentasjon); ~ **without**, unnvære; **do** ved nektelse: **I ~ not like it**, jeg liker det ikke; **do** ved spørsmål: ~ **you speak English?** snakker (kan) du engelsk?; forsterkende: ~ **come**, å, kom nå; vær så snill å komme; **don't you know**, ikke sant? er du ikke enig?

docile ['dousail, *amr* 'dɔsil] lærvillig, føyelig.

dock [dɔk] dokk *m*; anklagebenk *m*; ~ **er**, havnearbeider *m*; ~ **et**, resymé *n*, sakliste *m/f*; ~ **yard**, verft *n*.

doctor ['dɔktə] doktor *m*; lege *m*.

document ['dɔkjumənt] dokument *n;* dokumentere; ~ **ary** [-'mentəri] dokumentarisk; dokumentarfilm.

dodge [dɔdʒ] unngå, unndra seg; krumspring *n.*

dog [dɔg] hund *m;* **go to the** ~**s**, gå i hundene; ~ **-biscuit**, hundekjeks *m;* ~ **-cart**, jaktvogn *m/f;* ~ **-days**, hundedager; ~ **ged**, stri, seig, trassig; ~ **'s-ear**, eseløre *n,* brett *m* (på blad i bok); ~ **-tired**, dødstrett.

doing ['du:iŋ] gjerning *m.*

dole [doul] arbeidsløshetstrygd *f,* forsorg *m.*

doll [dɔl] dokke *f.*

dolphin ['dɔlfin] delfin *m.*

dome [doum] dom *m,* kuppel *m.*

domestic [də'mestik] hus-, huslig; innenriks-; tjener *m;* hushjelp *m/f;* ~ **ate**, temme.

domicile ['dɔmisail] bopel *m;* hjemsted *n;* ~ **d**, bosatt.

domination [dɔmi'neiʃn] herredømme *n.*

dominion [də'minjən] herredømme *n;* **the Dominions,** de britiske selvstyrende besittelser.

donation [dou'neiʃn] gave *m* (til legat, fond o.l.).

done [dʌn] *perf pts* av **do,** gjort, utført; ferdig; **I have** ~, jeg er ferdig; **I have** ~ **Italy,** jeg har reist gjennom hele Italia.

donkey ['dɔŋki] esel *n.*

donor ['dounə] giver *m,* donator *m.*

don't [dount] fork. f. *do not.*

doom [du:m] dom(medag) *m* (*c*); undergang *m;* (for)dømme; ~ **sday,** dommedag *m.*

door [dɔ:] dør *m/f;* ~ **-handle,** dørklinke *m/f;* ~ **-keeper,** dørvokter *m,* portner *m;* ~ **-plate,** dørskilt *n;* ~ **-way,** døråpning *m/f.*

dope [doup] narkotikum *n,* stimulerende middel *n;* bedøve, narkotisere.

dormant ['dɔ:mənt] slumrende, hvilende; ~ **partner,** passiv kompanjong *m.*

dormitory ['dɔmit(ə)ri] sovesal *m; amr* studenthjem *n.*

dose [dous] dosis *m;* gi en dosis, dosere.

dot [dɔt] prikk *m,* punkt *n;* prikke; overså.

double ['dʌbl] dobbelt; (for)doble(s); legge dobbelt, dublere; det dobbelte; gjenpart *m;* dublett *m;* dobbeltspill *n* (i tennis); ~ **-breasted,** dobbeltknappet (om jakke); ~ **cross,** narre, svindle, bedra; ~ **-dealing,** falskhet *m;* ~ **entry,** dobbelt bokholderi *n;* ~ **-faced,** tosidig; ~ **-minded,** tvisynt, vaklende.

doubt [daut] tvil *m* (-e) **(of**

på); ~**ful**, tvilrådig; tvil-som.

dough [dou] deig *m*.

dove [dʌv] due *m/f*.

dowager ['dauədʒə] (fornem) enke *m/f*; **queen** ~, enkedronning *m/f*.

down [daun] dun *n*; dyne *m/f*; sandbanke *m*; ned; nede; utfor; nedenunder, nede; ~ **the river**, nedover elven; **go** ~, gå under; synke; **lie** ~, legge seg (ned); **sit** ~, sette seg (ned); ~ **fall**, fig fall *n*; ~**hearted**, motfallen; ~**hill**, utforbakke *m*; ~**pour**, øsregn *n*; ~**right**, likefrem; fullstendig; ~**stairs**, nedenunder; ~**town** *især amr* ned til *el* nede i byens sentrum; ~**ward(s)**, nedover.

dowry ['dauəri] medgift *m*.

doze [douz] døse, slumre.

dozen ['dʌzn] dusin *n*.

Dr. = doctor, debtor.

drab [dræb] gulbrun farge; trist; monoton; tøs *m*.

draft [dra:ft] veksel *m*, tratte *m*; utkast *n*; plan *m*, tegning *m*; gjøre utkast til; sette opp (dokument) (*n*).

drag [dræg] dra, trekke.

drain [drein] lede bort noe flytende; tørre ut; drenere; kloakkledning *m*; avløpsrør *n*; tapping *m*; ~**age**, drenering *m*.

dramatist ['dræmətist] dramatisk forfatter *m*.

draper ['dreipə] manufakturhandler *m*, kleshandler *m*.

draught [dra:ft] trekking *m/f*, tapping *m/f*; trekk *m*; slurk *m*; ~ **beer** [biə] fatøl *n*; ~**s**, damspill *n*; ~**sman**, tegner *m*; ~**y**, trekkfull.

draw [drɔ:] dra, trekke; tegne; avfatte, sette opp skriftlig; heve (penger); strekke; tappe; trekning *m*; drag *n*; attraksjon *m*; *teat* kassestykke *n*; ~ **up**, sette opp; avfatte; ~**back**, hindring *m*; ulempe *m/f*; ~**bridge**, vindebru *f*; ~**ee**, trassat *m*; ~**er**, tegner *m*; trassent *m*; skuff *m*; **chest of** ~**ers**, kommode *m*; ~**ers**, *pl* underbukse *f*; ~**ing**, trekning *m*; tegning *n*; ~**ing-board**, tegnebrett *n*; ~**ing-room**, (daglig)stue *f*; salong *m*.

dread [dred] skrekk *m*, frykt *m*; frykte; ~**ful**, fryktelig.

dream [dri:m] drømme; drøm *m*; ~**y**, drømmende.

dreary ['driəri] trist.

dredge [dredʒ] bunnskrape; muddermaskin *m*.

dregs [dregz] *pl* bunnfall *n*, berme *m*.

drench [drentʃ] gjøre dyvåt.

dress, kledning *m*, drakt *m/f*; damekjole *m*; kle på (seg), kle seg om; ordne, pynte; forbinde; ~ **circle**, balkong *m* (i teatret); ~**ing**, forbinding *m/f;* tilberedning *m;* tilbehør *n* (til en rett, f.eks. saus til salat); påkledning *m;* appretur *m;* ~ **ing case,** toalettskrin *n,* toalettveske *m/f;* ~ **ing-gown,** slåbrok *m;* ~ **y,** pyntesyk, smart; ~ **maker,** dameskredder(ske) *m (m/f);* ~ **-rehearsal,** generalprøve *m/f;* ~ **-shirt,** mansjettskjorte *m/f.*

drift, drift *m/f;* retning *m;* snødrive *f.*

drill, drille, bore; innøve; bor *m, n,* drill *m;* eksersis *m.*

drink [driŋk] drikk *m;* drikke; ~ **able,** drikkelig; ~ **ables,** drikkevarer; ~ **ing-glass,** drikkeglass *n;* ~ **er,** en som drikker; dranker *m.*

drip, dryppe; drypp *n;* ~ **ping,** stekefett *n.*

drive [draiv] kjøre, drive; jage; tvinge; slå i; ~ **at** sikte til; ~ **on,** kjøre av sted, videre; kjøring *m/f;* kjøretur *m;* kampanje *m;* fremdrift *m;* ~ **r,** kjører *m,* sjåfør *m,* kusk *m;* ~ **ing,** kjøring *m/f;* ~ ~ *(el* **driver's) licence,** førerkort *n.*

drizzle ['drizl] duskregn *n* (-e).

droll [droul] pussig.

droop ['dru:p] henge ned.

drop [drɔp] dråpe *m;* øredobb *m;* drops *n;* teppe *n;* (for scenen); fall *n;* dryppe; falle; slippe (seg) ned;

miste; sløyfe; ~ **in,** komme uventet, se innom en; ~ **a line,** skrive noen linjer.

drought [draut] tørke(tid) *m (m/f).*

drown [draun] *vt,* **be drowned** *vi* drukne.

drowse [drauz] døs(e) *m;* ~ **y,** søvnig, døsig.

drudge [drʌdʒ] slite og streve; ~ **ry,** slit og strev.

drug [drʌg] droge *m;* bedøvingsmiddel *n;* ~ **s,** apotekervarer; narkotika *n;* bedøve; ~ **gist,** apoteker, farmasøyt *m;* ~ **store,** *amr* (slags) apotek *n.*

drum [drʌm] tromme(l) *f (m).*

drunk [drʌŋk] drukken, full; full mann; ~ **ard,** drukkenbolt *m;* ~ **en,** drukken, full; ~ **enness,** drikkfeldighet *m.*

dry [drai] tørr; tørre; tørke; ~ **-cleaning,** kjemisk rensing *m/f;* ~ **ness,** tørrhet *m.*

dual ['dju:əl] dobbelt; **dual carriageway,** vei med to atskilte kjørebaner.

dubious ['dju:bjəs] tvilsom, tvilende.

duchess ['dʌtʃis] hertuginne *m/f;* ~ **y,** hertugdømme *n.*

duck [dʌk] and *m/f;* seilduk *m;* lerretsbukser; dukke; bukke med hodet.

duckling ['dʌkliŋ] andunge *m.*

due [dju:] skyldig; passende; forfallen (til betaling); skyldighet *m;* rett; **be ~ to,** skyldes; **become (fall) ~,** forfalle (til betaling); **in ~ time,** i rette tid; **the ship is ~ to-day,** skipet skal komme i dag; **~s,** avgifter, kontingent *m.*

duel ['dju:əl] duell *m* (-ere).

duke [dju:k] hertug *m.*

dull [dʌl] matt, dump; stump; dum; treg, kjedsommelig; trist; sløve(s); **~ness,** sløvhet *m;* kjedsommelighet *m.*

dumb [dʌm] stum; *amr* dum.

dum(b)found [dʌm'faund] forbløffe.

dummy ['dʌmi] stum person *m;* statist *m;* utstillingsfigur *m;* attrapp *m;* blindemann *m* (i kortspill); stråmann *m.*

dump [dʌmp] søppelhaug *m;* velte, tømme ut; dumpe, kaste på markedet til en lav pris.

dumpling ['dʌmpliŋ] innbakt frukt, eplekake *m/f.*

dun [dʌn] mørkebrun; kreve, rykke.

dupe [dju:p] narre, lure.

duplicate ['dju:plikeit] fordoble; ta gjenpart av; [-kit] dobbelt; dublett *m;* gjenpart *m.*

durability [dju:rə'biliti] varighet *m;* holdbarhet *m;* ~ **le,** varig; holdbar.

duration [dju:'reiʃn] varighet *m.*

during ['dju:riŋ] i løpet av, under, i.

dusk [dʌsk] dunkel; skumring *m/f,* tusmørke *n.*

dust [dʌst] støv *n;* støve av, rense for støv; **~-man,** søppelkjører *m;* **~-pan,** feiebrett *n;* ~ **er,** støvklut *m;* støvekost *m;* ~ **y,** støvet.

Dutch [dʌtʃ] nederlandsk; **the ~,** nederlenderne.

dutiable ['dju:tiəbl] tollpliktig.

dutiful ['dju:tiful] lydig, pliktoppfyllende.

duty ['dju:ti] plikt *m/f,* skyldighet *m;* toll *m;* **be on ~,** være på vakt, gjøre tjeneste; **~-free,** tollfri.

dwarf [dwɔ:f] dverg *m.*

dwell, dvele; oppholde seg; bo.

dwelling ['dweliŋ] bolig *m;* **~-house,** våningshus *n.*

dwindle ['dwindl] svinne.

dye [dai] farge; fargestoff *n;* ~ **r,** farger *m;* **~-works,** fargeri *n.*

dying ['daiŋ] døende.

dynamic [dai'næmik] dynamisk; **~s,** dynamikk *m.*

dynamite ['dainəmait] dynamitt *m.*

dysentery ['disəntri] dysenteri *m.*

E

E. = East(ern); English.

each [i:tʃ] (en)hver; ~ **other,** hverandre.

eager [ˈiːgə] ivrig; begjærlig (**for** etter); ~ **ness,** iver *m*; begjærlighet *m*.

eagle [ˈiːgl] ørn *m/f*.

ear [iə] øre *n*; gehør *n*; hank *m/f*; aks *n*; ~ **-ache,** øreverk *m*; ~ **-drum,** trommehinne *m/f*.

earl [əːl] jarl *m* (engelsk adelstittel).

early [ˈəːli] tidlig.

earn [əːn] (for)tjene; inn-bringe.

earnest [ˈəːnist] alvor *n* (-lig).

earnings [ˈəːniŋz] *pl* inntekt *m/f*; fortjeneste *m/f*.

earth [əːþ] jord *m*; verden *m*; jord(bunn, -art, -smonn) *m/f* (*m, m, n*), grunn *m*; dekke med jord; jorde; ~ **en,** jord-, leir-; ~ **enware,** leirvarer, steintøy *n*; ~ **ly,** jordisk; ~ **quake,** jordskjelv *n*.

ease [iːz] ro *m/f*; velvære *n*; makelighet *m*; utvungethet *m*; letthet *m*; lindre, lette; løsne, slakke; **at** ~, be-kvemt, i ro (og mak); ~ **el,** staffeli *n*; ~ **iness,** letthet *m*, ro *m/f*; utvungethet *m*.

east [iːst] øst *m* (-lig); **the East,** Orienten; ~ **erly,** ~ **ern,** østlig.

Easter [ˈiːstə] påske *m/f*.

eastward(s) [ˈiːstwəd(z)] øst-over.

easy [ˈiːzi] lett(vint), rolig, be-hagelig; makelig; medgjør-lig; trygg, sorgfri; utvungen; **take it** ~ !, ta det rolig!; ~ **-chair,** lenestol *m*; **-going,** lettvint; sorgløs.

eat [iːt] spise; fortære; ~ **able,** spiselig; ~ **ables,** matvarer; ~ **ing-house,** spisested *n*; re-staurant *m*.

eaves [iːvz] takskjegg *n*; ~ **drop,** (smug)lytte.

ebb, ebbe *m*, fjære *f*; nedgang *m*; minke.

ebony [ˈebəni] ibenholt *m*.

ecclesiastic(al) [ikliˈziˈæstik(l)] kirkelig, geistlig.

echo [ˈekou] ekko *n*, gi gjenlyd *m*.

eclipse [iˈklips] formørkelse *m* (også figurlig).

economic [ikəˈnɔmik] (sosial)-økonomisk; ~ **ical,** økono-misk (dvs. besparende, spar-sommelig); ~ **ics,** (sosial)-økonomi *m*; ~ **ist** [iˈkɔnə-mist] (sosial)økonom *m*; ~ **y,** økonomi *m*; sparsom-

het *m;* **political** ~, sosial-
økonomi *m.*
cstasy ['ekstəsi] ekstase *m.*
ddy ['edi] virvel *m,* malstrøm
m; bakevje *f.*
dge [edʒ] egg *m,* odd *m;*
skarphet *m;* rand *m;* kant *m*
(-e); snitt *n* (på en bok);
sette egg *el* kant på; skjerpe;
få inn (~ **in a word**); **on** ~,
på (høy)kant; oppskaket; ir-
ritabel; ~ **ways,** sidelangs;
på kant.
dible ['edibl] spiselig.
difice ['edifis] bygning *m.*
dit ['edit] utgi; redigere;
~ **ion,** utgave *m/f;* opplag *n;*
~ **or,** utgiver *m,* redaktør *m;*
~ **orial,** lederartikkel *m.*
ducate ['edjukeit] oppdra-
utdanne; ~ **ion,** oppdragelse
m, utdannelse *m,* undervis-
ning *m/f;* skolevesen *n;* ut-
dannelses-, pedagogisk.
el [i:l] ål *m.*
effect [i'fekt] virkning *m;* inn-
trykk *n;* bevirke; virkelig-
gjøre, utføre; ~ **s,** effekter,
eiendeler; **take** ~, gjøre
virkning; tre i kraft; **of no**
~, virkningsløs; **in** ~, i
virkeligheten; ~ **ive,** virk-
som; effektiv; **become** ~ **ive,**
tre i kraft; ~ **uate,** iverk-
sette, utføre.
effeminate [i'feminit] kvinne-
aktig, feminin.
efficiency [i'fiʃənsi] effektivitet

m, virkeevne *m/f;* dyktighet
m; ~ **t,** virkningsfull, effek-
tiv; dyktig.
effort ['efət] anstrengelse *m.*
effuse [e'fju:z] utgyte, sende
ut, spre.
effusion [e'fju:ʒn] utgytelse *m;*
~ **ive,** overstrømmende.
e.g. = **exempli gratia,** f.eks.
egg, egg *n;* **poached** ~, forlo-
rent egg; **scrambled eggs,** eg-
gerøre *m/f;* **fried** ~, speil-
egg *n;* ~ **-shell,** eggeskall *n.*
egoism ['egouizm] egoisme *m;*
~ **ist,** egoist *m;* ~ **istic(al),**
egoistisk.
Egypt ['i:dʒipt] Egypt; ~ **ian**
[i'dʒipʃn] egypter *m;* egyp-
tisk.
eider ['aidə] ærfugl *m.*
eight [eit] åtte; ~ **een,** atten;
~ **eenth,** attende; ~ **fold,** åt-
tefold; **eighth,** åttende; ~ **y,**
åtti.
either ['aiðə, *amr* 'i:ðə] en (av
to); hvilken som helst (av
to); heller (etter nektelse);
begge; ~ **or,** enten –
eller.
eject [i:dʒekt] støte ut; for-
drive.
eke [i:k] **out,** drøye, (for)øke.
elaborate [i'læbərit] utarbei-
det, forseggjort; [-reit] utar-
beide; utdype; ~ **ion,** utar-
beidelse *m;* utdyping *m/f.*
elapse [i'læps] gå (om tiden).
elastic [i'læstik] elastisk, tøye-

lig; strikk *m;* ~**ity,** elastisitet *m;* spennkraft *m/f.*

elbow ['elbou] albue *m;* krok *m,* vinkel *m;* puffe, skubbe; **at one's ~,** like for hånden; ~**-room,** alburom *n.*

elder ['eldə] eldre; eldst (av to); hyll *m;* ~ **ly,** aldrende.

eldest ['eldist] eldst.

elect [i'lekt] velge; utvalgt; ~**ion,** valg *n;* ~**ioneering,** valgagitasjon *m;* ~**ive,** valg-; ~ **or,** velger *m;* valgmann *m.*

electri|c(al) [i'lektrik(l)] elektrisk; ~ **cal engineer,** elektroingeniør *m;* ~ **cian** [ilek-'triʃn] elektriker *m;* ~ **city** [ilek'trisiti] elektrisitet *m;* ~ **fy,** elektrifisere.

elegan|ce ['eligəns] eleganse *m;* ~ **t,** elegant; smakfull; fin.

element ['elimənt] element *n,* grunnstoff *n;* ~ **ary** [eli'mentəri] elementær; enkel; ~ **ary school,** grunnskole *m.*

elephant ['elifənt] elefant *m.*

elevat|e ['eliveit] heve, løfte; ~**ion,** løfting *m/f,* forhøyelse *m;* høyde *m;* haug *m;* ~ **or,** løfteredskap *n;* kornsilo *m; amr* heis *m.*

eleven [i'levn] elleve; ~**th,** ellevte.

eligibility [elidʒi'biliti] valgbarhet *m;* ~ **le,** valgbar; passende.

elk, elg *m.*

elm, alm *m.*

elope [i'loup] rømme (særlig med en person av det annet kjønn); ~ **ment,** rømning *m.*

eloquen|ce ['eləkwəns] veltalenhet *m;* ~ **t,** veltalende.

else [els] ellers; **anyone ~,** noen annen; **what ~ ?,** hva ellers?; ~ **where,** annetsteds.

elucidate [i'lu:sideit] klargjøre.

elu|de [i'lu:d] unnvike, unngå; omgå; ~ **sive,** unnvikende; slu.

emaciated [i'meiʃieitid] skinnmager.

emanate ['eməneit] strømme ut, utgå **(from** fra).

emancipate [i'mænsipeit] frigjøre.

embank [em'bæŋk] demme opp; ~ **ment,** oppdemming *m/f;* demning *m;* kai *m/f.*

embark [im'ba:k] gå ombord; innlate seg **((up)on** på); ~ **ation,** innskipning *m.*

embarrass [im'bærəs] forvirre; gjøre forlegen; bringe i vanskeligheter; ~ **ment,** forvirring *m;* (penge)forlegenhet *m.*

embassy ['embəsi] ambassade *m.*

embezzle [im'bezl] gjøre underslag; ~ **ment,** underslag *n.*

embitter [im'bitə] gjøre bitter, forbitre.

embodiment [im'bɔdimənt] le-

embody [im'brei] *m;* ~y, le-gemliggjøre

embrace [im'breis] omfavne(lse *m);* omfatte.

embroider [im'brɔidə] brodere; ~y, broderi *n.*

embroil [im'brɔil] forvikle; ~ment, forvikling *m/f;* strid *m.*

emerald ['emərəld] smaragd *m.*

emerge [i'mə:dʒ] dukke opp, komme fram; ~ncy, kritisk situasjon, nødstilfelle *n.*

emigrant ['emigrənt] utvandrer *m;* ~te, utvandre; ~tion, utvandring *m/f.*

eminence ['eminəns] høyhet *m;* høy rang *m;* ære *m/f,* berømmelse *m;* ~t, fremragende; høytstående.

emit [i'mit] sende ut; utstede, emittere.

emotion [i'mouʃn] sinnsbevegelse *m;* følelse *m;* ~al, følelsesmessig.

emperor ['empərə] keiser *m.*

emphasis ['emfəsis] ettertrykk *n;* ~size, legge ettertrykk på, fremheve; ~tic [im'fætik] ettertrykkelig.

empire ['empaiə] keiserrike *n;* verdensrike *n.*

employ [im'plɔi] beskjeftige, sysselsette; ansette; bruke, nytte; beskjeftigelse *m;* tjeneste *m;* **in the ~ of,** ansatt hos; ~**ee** [emplɔi'i] arbeids-

taker *m,* funksjonær *m;* ~**er,** arbeidsgiver *m;* ~ **ment,** beskjeftigelse *m,* arbeid *n;* anvendelse *m.*

empress ['empris] keiserinne *m/f.*

empt|iness ['emptinis] tomhet *m;* ~**y,** tom **(of** for); *fig* innholdsløs; tømme.

emulate ['emjuleit] kappes med; etterligne.

enable [i'neibl] sette i stand til.

enact [i'nækt] forordne; vedta i lovs form; spille (en rolle).

enamel [i'næməl] emalje *m;* glasur *m;* emaljere.

enamoured [i'næməd] **of,** forelsket i.

enchant [in'tʃɑ:nt] fortrylle; ~ **ment,** fortryllelse *m.*

enclos|e [in'klouz] innhegne; innslutte; vedlegge; ~ **ure,** innhegning *m;* vedlegg *n* (i et brev).

encore [ɔŋ'kɔə] (rope) dakapo *n.*

encounter [in'kauntə] møte *n;* sammenstøt *n;* møte, støte på.

encourage [in'kʌridʒ] oppmuntre; støtte, hjelpe fram; ~ **ment,** oppmuntring *m/f.*

encumb|er [in'kʌmbə] belemre, bry; behefte; ~ **rance,** byrde *m,* hindring *m/f;* pant *n,* heftelse *m.*

encyclop(a)edia [ensaiklou'pi:djə] konversasjonsleksikon *m.*

end, ende *m;* opphør *n;* slutt *m;* hensikt *m,* mål *n;* ende, slutte; opphøre.

endanger [in'deindʒə] bringe i fare.

endear [in'diə] oneself, gjøre seg godt likt *(el* elsket); ~ **ing,** vinnende, elskverdig; ~ **ment,** kjærtegn *n.*

endeavour [in'devə] bestrebelse *m,* strev *n;* bestrebe seg.

end|**ing** [endiŋ] slutt *m,* en-de(lse) *m (m);* ~ **less,** ende-løs, uendelig.

endorse [in'dɔ:s] endossere, påtegne; gi sin tilslutning.

endow [in'dau] utstyre; gi gave til, donere; ~ **ment,** (gave)-fond *n;* donasjon *m;* bega-velse *m.*

endur|**able** [in'djuːrəbl] uthol-delig; ~ **ance,** utholdenhet *m;* ~ **e** holde ut, tåle; vare.

enema ['enimə] klyster *n.*

enemy ['enimi] fiende *m.*

energ|**etic** [enə'dʒetik] ener-gisk; ~ **y** ['enədʒi] kraft *m/f,* energi *m.*

enforce [in'fɔ:s] fremtvinge; sette igjennom; håndheve; innskjerpe; ~ **ment,** håndhe-velse *m,* streng gjennomfø-ring *m/f;* bestyrkelse *m.*

engage [in'geidʒ] engasjere, ansette; beskjeftige; påta seg; ~ **oneself,** forplikte seg, forlove seg; ~ **d,** opp-tatt, beskjeftiget **(in** med);

forlovet; ~ **ment,** beskjefti-gelse *m;* forpliktelse *m;* for-lovelse *m.*

engender [en'dʒendə] avle.

engine ['endʒin] (damp-kraft-)maskin *m;* motor *m* lokomotiv *n;* redskap *n.*

engineer [endʒi'niə] ingeniør *m;* tekniker *m;* maskinist *m* *amr* lokomotivfører *m* ordne, få i stand; ~ **ing,** ingeniørarbeid *m.*

English ['iŋgliʃ] engelsk; the ~, engelskmennene; ~ **man** engelskmann *m,* englender *m;* ~ **woman,** englenderinne *m/f.*

engrave [in'greiv] gravere.

enhance [in'ha:ns] forhøye (for)øke; ~ **ment,** forhøyelse *m,* forøkelse *m.*

enigma [i'nigmə] gåte *m/f* ~ **tic,** gåtefull.

enjoin [in'dʒɔin] påby, på legge.

enjoy [in'dʒɔi] nyte, glede seg ved; synes godt om; more seg over; ~ **oneself,** more seg, ha det hyggelig; ~ **able,** morsom, hyggelig; ~ **ment,** nytelse *m;* glede *m/f.*

enlarge [in'la:dʒ] utvide(s) forstørre(s); ~ **ment,** forstør relse *m,* utvidelse *m.*

enlighten [in'laitn] opplyse ~ **ment,** opplysning *m.*

enlist [in'list] (la seg) verve.

enmity ['enmiti] fiendskap *n* uvennskap *n.*

enorm|ity [i'nɔ:miti] uhyre størrelse *m;* forbrytelse *m;* ~ **ous,** enorm, uhyre stor.

enough [i'nʌf] nok.

enquire, enquiry, se *inquire, inquiry.*

enrage [in'reidʒ] gjøre rasende.

enrapture [in'ræptʃə] henrykke.

enrich [in'ritʃ] berike; pryde.

enrol(l) [in'roul] innrullere, melde (seg) inn.

ensign ['ensain] tegn *n,* fane *m/f,* merke *n;* fenrik *m.*

enslave [in'sleiv] gjøre til slave; ~ **ment,** slaveri *m,* undertrykkelse *m.*

ensue [in'sju:] følge **(from, on** av).

ensure [in'ʃuə] garantere, sikre, trygge **(against, from** mot).

entail [in'teil] medføre.

entangle [in'tæŋgl] filtre (sammen); ~ **ment,** sammenfiltring *m/f,* floke *m,* vanskelighet *m.*

enter ['entə] gå, komme, tre inn (i); føre, skrive inn, bokføre; ~ **prise,** foretagende *n;* foretaksomhet *m;* ~ **prising,** foretaksom.

entertain [entə'tein] underholde; beverte; nære (håp, tvil); ~ **ment,** underholdning *m;* bevertning *m.*

enthusias|m [in'pju:ziæzm] begeistring *m, f;* ~ **t,** entusiast

m; svermer *m;* ~ **tic** [-'æstik] begeistret, entusiastisk.

entice [in'tais] lokke, forlede.

entire [in'taiə] hel; fullstendig; ~ **ly,** helt; fullstendig.

entitle [in'taitl] benevne; berettige (to til).

entrails ['entreilz] innvoller.

entrance ['entrəns] inngang *m;* inntreden *m,* adgang *m.*

entreat [in'tri:t] bønnfalle.

entrust [in'trʌst] betro.

entry ['entri] inntreden *m;* inngang *m;* innføring *m/f;* overtagelse *m* (av eiendom); regnskapspost *m;* tollangivelse *m;* ~ **permit,** innreisetillatelse *m.*

enumerate [i'nju:məreit] regne, telle opp.

envelop [in'veləp] innhylle, svøpe inn; ~ **e** ['enviloup] konvolutt *m;* hylster *n.*

envi|able ['enviəbl] misunnelsesverdig; ~ **ious,** misunnelig; ~ **y,** misunne(lse) *(m).*

environ|ment [in'vaiərənmənt] omgivelse(r) *m,* miljø *n;* ~ **s,** omgivelse.

epidemic ['epi'demik] epidemisk; farsott *m,* epidemi *m.*

episcopa|l [i'piskəpl] biskoppelig; ~ **te,** bispeembete *n.*

equal ['i:kwəl] lik(e); jevnbyrdig; rolig; ens(artet); være lik med; ~ **to a task,** være en oppgave voksen; **not to be** ~ **led,** ikke ha noe side-

stykke; ~ity [i'kwɔliti] likhet
m; likestilling m/f; ~ize
['i:kwəlaiz] utjevne, stille på
like fot.

equanimity [i:kwə'nimiti]
sinnslikevekt m.

equation [i'kwei∫n] ligning
m/f; ~or, ekvator m.

equestrian [i'kwestriən] rytter-.

equilibrium [i:kwi'libriəm] li-
kevekt m/f.

equinox ['i:kwinɔks] jevndøgn
n.

equip [i'kwip] utruste; utstyre;
~ment, utstyr n; utrustning
m; tilbehør n.

equivalent [i'kwivələnt] av
samme verdi; tilsvarende.

equivocal [i'kwivɔkl] tvetydig.

era ['iərə] æra m, tidsalder m.

eradicate [i'rædikeit] utrydde.

erase [i'reiz] radere bort;
stryke ut; ~r, raderkniv m;
viskelær n.

erect [i'rekt] oppreist; reise;
opprette; oppføre; ~ion,
oppførelse m; opprettelse m.

ermine ['ə:min] hermelin m;
røyskatt m.

erode [i'roud] tære bort.

err [ə:] feile, ta feil.

errand ['erənd] ærend n;
~ boy, visergutt m.

erroneous [i'rounjəs] feilaktig,
gal.

error ['erə] feil(tagelse) m (n).

erudite ['erudait] lærd.

erupt [i'rʌpt] bryte fram; være

i utbrudd; ~ion, utbrudd n;
~ive, eruptiv.

escalator ['eskəleitə] rulletrapp
m/f.

escapade [eskə'peid] eskapade
m; sidesprang n; ~e, unn-
slippe; unngå; rømning m;
unnvikelse m; flukt m; he
had a narrow ~, det var så
vidt han slapp fra det.

escort ['eskɔ:t] eskorte m; [is'-]
ledsage.

especial [is'pe∫l] særlig, spesi-
ell; ~ly, særlig, spesielt,
især.

espionage [espiə'na:ʒ] spiona-
sje m.

esquire [is'kwaiə] fork. Esq,
herr (på brev); godseier m.

essay ['esei] prøve m/f, forsøk
n; essay n, avhandling m/f;
[e'sei] forsøke.

essential [i'sen∫l] vesentlig, ab-
solutt nødvendig.

establish [is'tæbli∫] fastsette;
opprette, etablere; ~ment,
opprettelse m, stiftelse m;
etablissement n.

estate [is'teit] eiendom m,
gods n, formue m; bo n; real
~, fast eiendom m; ~
agent, eiendomsmekler m.

esteem [is'ti:m] aktelse m, an-
seelse m; (høy)akte.

estimate ['estimit] vurdering
m/f; overslag n; skjønn n;
[-meit] vurdere, beregne;
taksere (at til); ~ion, vur-

dering m/f; skjønn n; aktelse m.

estuary ['estjuəri] elvemunning m.

eternal [i·'tə:nl] evig; endeløs; ~ **alize**, forevige; ~ **ity**, evighet m.

ethics ['epiks] moral m, etikk m.

ethnic ['epnik] folke-, etnisk.

eulogy ['ju:lədʒi] lovtale m.

Europe ['ju:rəp] Europa; ~ **an** [-'pi:ən] europeisk; europeer m.

evacuate [i'vækjueit] evakuere; tømme; rømme; ~ **ion**, evakuering m/f.

evade [i'veid] unngå; lure seg unna.

evaluate [i'væljueit] vurdere; verdsette; ~ **ion**, vurdering m/f, verdsettelse m.

evasive [i'veisiv] unnvikende.

eve [i:v] (hellig)aften m; Christmas ~, julaften m.

even ['i:vən] glatt, jevn; like (om tall); endog, selv; nettopp; jevne; ~ **if** el ~ **though**, selv om; **not** ~, ikke en gang.

evening ['i:vniŋ] aften m; ~-**dress**, selskapskjole m; selskapsantrekk n.

event [i'vent] begivenhet m; tilfelle n; **at all** ~**s** el **in any** ~, i alle tilfelle; ~ **ful**, begivenhetsrik; ~ **ual**, endelig; ~ **uality** [-ju'æliti] mulighet m, eventualitet m.

ever ['evə] noensinne, stadig, alltid; ~ **since**, helt siden, helt fra; **for** ~, for alltid; ~ **lasting**, evig(varende); ~ **more**, for evig.

every ['evri] (en)hver; ~ **one**, ~ **body**, enhver, alle; ~ **day**, hverdags-; hverdagslig; ~ **thing**, alt; ~ **where**, overalt.

evidence ['evidəns] bevis(materiale) n; vitneprov n; bevise; vitne; ~ **t**, innlysende, tydelig.

evil [i:vil] onde n; ond, slett.

evoke [i'vouk] fremmane, fremkalle.

ex [eks] fra; som har vært; ~ **-minister**, forhenværende minister m.

exact [ig'zækt] nøyaktig, punktlig; fordre, kreve; ~ **itude**, ~ **ness**, punktlighet m, nøyaktighet m.

exaggerate [ig'zædʒəreit] overdrive; ~ **ion**, overdrivelse m.

exalt [ig'zɔ:lt] opphøye; lovprise; ~ **ation**, opphøyelse m, oppløftelse m; fryd m.

exam [ig'zæm] fork. for **examination**.

examination [igzæmi'neiʃn] eksamen(sprøve) m; undersøkelse m; eksaminasjon m; undersøke; eksaminere; ~ **e**, undersøke; eksaminere; ~ **er**, eksaminator m.

example [ig'za:mpl] eksempel n; forbilde n; **for** ~, for eksempel.

exasperate [ig'za:spəreit] irritere, ergre.

excavate ['ekskəveit] grave ut; ~ **ion**, utgravning *m/f*.

exceed [ik'si:d] overskride; overgå; ~ **ingly**, umåtelig.

excel [ik'sel] overgå; utmerke seg (**in**, **at** i å); ~ **lence**, fortreffelighet *m*; ~ **lent**, utmerket; fortreffelig.

except [ik'sept] unntatt; uten; unnta; ~ **ion**, unntagelse *m*; innsigelse *m*; ~ **ional**, usedvanlig.

excerpt ['eksə:pt] utdrag *n*.

excess [ik'ses] overmål *n*; overskridelse *m*; overskudd *n*; ~ **es** *pl* utskeielser; ~ **ive**, overdreven; altfor stor.

exchange [iks'tʃeindʒ] utveksle; tuske, bytte; veksle; utveksling *m/f*; (om)bytte *n*; (vekslings)kurs *m*; valuta *m*; børs *m*; (telefon)sentral *m*; ~ **able**, som kan byttes (**for** mot).

exchequer [iks'tʃekə] finanshovedkasse *m/f*.

excise ['eksaiz] (forbruker-)avgift *m*.

excitable [ik'saitəbl] pirrelig, nervøs; ~ **e**, opphisse, egge; ~ **ement**, opphisselse *m*; spenning *m*; sinnsbevegelse *m*.

exclaim [iks'kleim] utbryte.

exclamation [eksklə'meiʃn] utrop *n*.

exclude [iks'klu:d] utelukke; ~ **sion**, utelukkelse *m*; ~ **sive**, utelukkende; eksklusiv.

excursion [iks'kə:ʃn] utflukt *m*, tur *m*; avstikker *m*; ~ **ist**, en som drar på utflukt *m*.

excusable [iks'kju:zəbl] unnskyldelig; ~ **e** [-z] unnskylde; frita; ~ **s** unnskyldning *m*.

execute ['eksikju:t] utføre; fullbyrde; iverksette; henrette; foredra (musikk); ~ **ion**, utførelse *m*; utpanting *m/f*; henrettelse *m*; ~ **ioner**, bøddel *m*; ~ **ive** [ig-'zekjutiv] utøvende, utførende; utøvende makt *m/f*; overordnet administrator *m*, leder *m*.

exemplary [ig'zempləri] mønstergyldig; ~ **ify**, belyse ved eksempler.

exempt [ig'zempt] frita(tt); (**from** for); ~ **ion**, fritagelse *m*.

exercise ['eksəsaiz] (ut-)øvelse *m*; bruk *m*; trening *m/f*, mosjon *m*; stil *m*; (opp)øve; trene, mosjonere.

exert [ig'zə:t] anstrenge; (ut-)øve, bruke.

exertion [ig'zə:ʃn] anstrengelse *m*, bruk *m*.

exhaust [ig'zɔ:st] (ut)tømme; utmatte; utpine (jord); ekshaust; ~ **-pipe**, ekshaustrør *n;* ~ **ion**, utmattelse *m;* uttømming *m;* ~ **ive**, uttømmende.

exhibit [ig'zibit] utstille, (frem)vise; utstillingsgjenstand *m;* ~ **ion** [eksi'biʃn] utstilling *m/f,* fremvisning *m;* stipendium *n.*

exhilarate [ig'ziləreit] live opp.

exhort [ig'zɔ:t] formane.

exigen|ce, ~ **cy** ['eksidʒəns, -si] kritisk stilling *m/f;* krav *n;* ~ **t,** kritisk; fordringsfull.

exile ['eksail] landsforvisning *m;* landflyktig(het) *(m).*

exist [ig'zist] eksistere, være til, leve; ~ **ence,** eksistens *m,* liv *n;* ~ **ent,** eksisterende.

exit ['eksit] utgang *m;* sorti *m;* død *m.*

exorbitan|ce [ig'zɔ:bitəns] urimelighet *m;* ~ **t,** overdreven, urimelig, ublu.

expan|d [iks'pænd] utvide (seg), utbre (seg); ~ **sion,** utvidelse *m;* utbredelse *m;* ~ **sive,** vidstrakt; meddelsom.

expect [iks'pekt] vente (seg); anta, formode; ~ **ant,** ventende; ~ **ation,** forventning *m.*

expedien|cy [iks'pi:diənsi] hensiktsmessighet *m;* ~ **ent,** hensiktsmessig, tjenlig; middel *n,* utvei *m;* ~ **te,** påskynde; ~ **tion,** raskhet *m;* ferd *m;* ekspedisjon *m.*

expel [iks'pel] fordrive, utvise.

expend [iks'pend] bruke (opp); ~ **diture,** utgift(er) *m;* forbruk *n;* ~ **se,** utgift(er); ~ **sive,** dyr, kostbar.

experience [iks'piəriəns] erfaring *m/f;* opplevelse *m;* erfare, oppleve; ~ **d,** erfaren.

experiment [iks'perimənt] eksperiment(ere) *n.*

expert ['ekspə:t] erfaren, kyndig; fagmann *m;* ekspert *m.*

expir|ation [ekspi'reiʃn] utånding *m/f;* opphør *n;* utløp *n;* ~ **e** [iks'paiə] utånde; utløpe.

expl|ain [iks'plein] forklare; gjøre greie for; ~ **anation** [eksplə'-] forklaring *m/f.*

explicit [iks'plisit] tydelig, uttrykkelig.

explode [iks'ploud] eksplodere.

exploit ['eksploit] bedrift *m;* [iks'ploit] utnytte.

explor|ation [eksplɔ'reiʃn] utforskning *m;* ~ **e,** utforske; ~ **er,** oppdagelsesreisende *m.*

explos|ion [iks'plouʒn] eksplosjon *m;* utbrudd *n;* ~ **ve,** eksplosiv; sprengstoff *n.*

exponent [eks'pounənt] eksponent *m,* talsmann *m.*

export [eks'pɔ:t] eksportere; ['eks-] utførsel *m;* eksport *m;* ~ **s,** utførselsvarer *m;* ~ **ation,** utførsel *m;* ~ **er,** eksportør *m.*

expose [iks'pouz] stille ut; utsette, blottstille; *fotogr* belyse; ~**ure**, utsetting *m/f*, utstilling *m/f*, avsløring *m/f*; *fotogr* eksponering *m/f*.

express [iks'pres] ekspress *m*, ilbud *n*; uttrykke(lig); ~**ion**, uttrykk *n*; ~**ive**, uttrykksfull.

expulsion [iks'pʌlʃn] fordrivelse *m*, utvisning *m*.

exquisite ['ekskwizit] utsøkt.

exsiccate ['eksikeit] uttørre.

extend [iks'tend] strekke ut; utvide; forlenge; strekke seg (to til); ~**sible**, strekkbar; ~**sion**, utstrekning *m*; utvidelse *m*; forlengelse *m*; ~**sive**, utstrakt, omfattende.

extent [iks'tent] utstrekning *m*, omfang *n*; **to a certain ~**, i *(el* til) en viss grad.

extenuate [eks'tenjueit] avsvekke, mildne; ~**ing circumstances**, formildende omstendigheter.

exterior [eks'tiəriə] ytre *n*, utside *m*; utvendig.

exterminate [eks'tə:mineit] utrydde; ~**tion**, utryddelse *m*.

external [eks'tə:nl] ytre; utvendig; utenriks-.

extinct [iks'tiŋkt] sloknet; utdødd; ~**ion**, slokking *m/f*; utslettelse *m*.

extinguish [iks'tiŋgwiʃ] slokke; utrydde; ~**er**, slokkingsapparat *n*.

extort [iks'tɔ:t] avpresse; fremtvinge; ~**ion**, utpresning *m*; utsugning *m*; fremtvingelse *m*; ~**ionate**, opp-.

extra ['ekstrə] ekstra; tilleggs-; ekstranummer *n*, ekstraforestilling *m/f* o.l.

extract [iks'trækt] trekke ut; ['ekstrækt] utdrag *n*; ekstrakt *n*, *m*; ~**ion**, uttrekning *m*; avstamning *m*.

extradite ['ekstrədait] utlevere (forbryter til et annet land).

extraneous [eks'treinjəs] fremmed; uvedkommende.

extraordinary [iks'trɔ:dnri] usedvanlig; merkelig.

extravagance [iks'trævigəns] urimelighet *m*; ekstravaganse *m*; ødselhet *m*; ~**t**, ekstravagant; ødsel.

extreme [iks'tri:m] ytterst(e); meget stor; ytterlighet; ekstrem; ~**ly**, ytterst, høyst.

extremity [iks'tremiti] ytterpunkt *n*; høyeste nød *m*; ~**ies**, ekstremiteter; hender og føtter.

exuberance [igzju:'bərəns] frodighet *m*; overflod *m*; eksaltasjon *m*; ~**t** frodig; overstrømmende.

exult [ig'zʌlt] juble, triumfere; ~**ation**, jubel *m*, triumf *m*.

eye [ai] øye *n*; lløkke *f*; nåløye *n*; se på, betrakte; mønstre; ~**ball**, øyeeple *n*; ~**brow**, øyenbryn *n*; ~-

glass, monokkel *m;* ~ lash,
øyenvippe *m/f;* ~ lid, øyen-
lokk *n;* ~ -opener, overras-

kende kjensgjerning *m;*
~ sight, syn(sevne) *n (m);*
~ witness, øyenvitne *n.*

F

f. = farthing; fathom; follo-
wing; foot.
fable ['feibl] fabel *m,* sagn *n;*
(opp)dikte, fable.
fabric ['fæbrik] (vevd) stoff *n;*
vevning *m,* struktur *m;*
~ ate, dikte opp; ~ ation,
oppdiktning *m,* falskneri *n.*
fabulous ['fæbjuləs] sagnaktig,
fabelaktig.
face [feis] ansikt *n;* overflate
m/f, forside *m/f;* mine *m;*
tallskive *m/f;* vende ansiktet
mot; vende ut mot; trosse;
stå overfor.
facetious [fəˈsiːʃəs] morsom
(især anstrengt).
facial ['feiʃl] ansikts-.
facile ['fæsail] lett(kjøpt);
føyelig; ~ itate [fəˈsiliteit]
lette; ~ ity, letthet *m/f;*
~ ities, hjelpemidler, adgang
m (for til).
fact [fækt] kjensgjerning *m;*
faktum *n;* matter of ~,
kjensgjerning *m;* nøktern,
prosaisk; in ~, faktisk.
faction ['fækʃən] gruppe *m,*
klikk(vesen) *m (n).*
factor ['fæktə] faktor *m;* ~ y,
fabrikk *m.*

faculty ['fækəlti] evne *m,* fa-
kultet *n.*
fad [fæd] innfall *n;* kjepphest
m.
fade [feid] falme; svinne.
fag [fæg] trelle; slite; slit *n;*
slang sigarettstump *m.*
faggot ['fægət] knippe *n.*
fail [feil] svikte; slå feil;
komme til kort; dumpe; gå
konkurs; la i stikken; for-
sømme; without ~, ganske
sikkert; ~ ure, svikt *m,* man-
gel *m;* unnlatelse *m;* fiasko
m; fallitt *m.*
faint [feint] svak, matt; besvi-
me(lse) *m.*
fair [fɛə] lys, blond; pen;
rimelig, rettferdig; ærlig, re-
delig; marked *n;* messe *f;* ~
copy, renskrift *n;* ~ play,
ærlig spill *n;* ~ ly, nokså;
~ ness, redelighet *m;* rime-
lighet *m;* ~ way, skipsled *m.*
fairy ['fɛəri] fe *m;* hulder *f;*
~ -tale, eventyr *n,* skrøne
m/f.
faith [feiθ] tro(skap) *m (m);*
tillit *m;* ~ ful, trofast;
~ less, troløs.
fake [feik] ettergjøre; forfal-

ske; forfalskning *m;* ~**r,** forfalsker *m,* svindler *m.*

falcon ['fɔ:(l)kən] falk *m.*

fall [fɔ:l] falle, synke; ~ **due,** forfalle, ~ **off,** falle fra, tape seg; ~ **out,** bli uenig; ~ **short,** komme til kort; fall *n,* nedgang *m;* helling *m/f;* li *f;* vassfall *n; amr* høst *m.*

false [fɔ:ls] falsk, usann; uekte; troløs; ~**hood,** usannhet *m.*

falsification [fɔ:lsifi'keiʃn] forfalskning *m;* ~**fy** [-fai] forfalske.

falter ['fɔ:ltə] bli usikker; stamme.

fame [feim] berømmelse *m,* ry *n;* ~**d,** berømt.

familiar [fə'miljə] kjent, fortrolig; utvungen; velkjent; ~**ity,** fortrolighet *m;* utvungenhet *m;* ~**ize,** gjøre fortrolig.

family ['fæmili] familie *m.*

famine ['fæmin] hungersnød *m.*

famish ['fæmiʃ] (ut)sulte.

famous ['feiməs] berømt.

fan [fæn] vifte *f;* kornrenser *m;* ventilator *m;* entusiast *m;* vifte; rense; egge, oppflamme, puste til.

fanatic [fə'nætik] fanatisk; fanatiker *m;* ~**ism,** fanatisme *m.*

fanciful ['fænsiful] fantasifull, lunefull.

fancy ['fænsi] fantasi *m;* innbilning(skraft) *m;* lune *n;* forkjærlighet *m;* innbille seg; synes om, like.

fantastic [fæn'tæstik] ~**ally,** fantastisk.

far [fa:] fjern, langt (borte); borteste, bortre; meget; **by** ~ **the best,** langt den beste.

fare [fɛə] takst *m;* billettpris *m;* passasjer *m;* kost *m,* mat *m;* klare seg; ~**well** farvel, avskjed *m.*

far-fetched ['fa:'fetʃt] søkt; unaturlig.

farm [fa:m] (bonde)gård *m;* drive gårdsbruk; (bort-)forpakte; ~**er,** gårdbruker *m,* bonde *m;* forpakter *m;* ~**ing,** jordbruk *n.*

far-off ['fa:'rɔf] fjern.

far-sighted ['fa:'saitid] langsynt; vidtskuende.

farther ['fa:ðə] fjernere, lengre; ~**est,** fjernest, lengst.

farthing ['fa:ðiŋ] kvartpenny *m; fig* døyt, grann.

fascinate ['fæsineit] fortrylle.

fashion ['fæʃn] måte *m,* manér *m;* mote *m,* snitt *n;* danne, forme; avpasse; ~**able,** fin, moderne, elegant.

fast [fa:st] fast, sterk; holdbar; hurtig; lettsindig; dyp (om søvn); for fort (om ur); vaskeekte (om farge); *s & v* faste.

fasten ['fa:sn] feste, gjøre fast; lukke; ~ **ing**, feste n, holder m, festemiddel n.

fastidious [fə'stidjəs] kresen.

fastness ['fa:stnis] fasthet m, støhet m; hurtighet m.

fat [fæt] fet, tykk; fett n.

fatal ['feitl] skjebnesvanger; dødbringende; ~ **ity** [fə'tæliti], skjebnebestemthet m; fatalitet m, ulykke m.

fate [feit] skjebne m; ~ **full**, skjebnesvanger.

father ['fa:ðə] far m; ~ **-in-law**, svigerfar m; ~ **hood**, farskap m; ~ **less**, farløs; ~ **ly**, faderlig.

fathom ['fæðəm] favn m; lodde; utgrunne.

fatigue [fə'ti:g] utmatte(lse) (m).

fatness ['fætnis] fedme m; ~ **ten**, fete, gjø; ~ **ty**, feit, tykksak m.

faucet ['fɔ:sit] især amr (tappe)kran f.

fault [fɔ:lt] feil m; skyld m, f; **find** ~ **with**, ha noe å utsette på, kritisere; ~ **finding**, kritikksyke m; ~ **less**, feilfri; ~ **y**, mangelfull.

favour ['feivə] gunst m, velvilje m, tjeneste m; begunstige; bære; ~ **able**, gunstig; ~ **ite**, favoritt, yndling m.

fear [fiə] frykt(e) m; være redd for; ~ **ful**, engstelig; fryktelig; ~ **less**, fryktløs.

feasibility [fizə'biliti] gjørlighet m; mulighet m; ~ **le**, gjørlig; mulig.

feast [fi:st] fest(måltid) m (n); høytid m; holde fest; beverte.

feat [fi:t] dåd m; kunststykke n; prestasjon m (av rang).

feather ['feðə] fjær m/f; sette fjær i; ~ **ing**, fjærdrakt m/f.

feature ['fi:tʃə] (ansikts)trekk n, drag n; hoveddel m; ~ **(film)**, hovedfilm m; særmerke; fremheve.

February ['februəri] februar.

fecund ['fi:kənd] fruktbar.

federal ['fedərəl] føderal-, forbunds-; ~ **lize**, ~ **te**, gå sammen i forbund; ~ **tion**, (stats)forbund n; (fag-)forbund n.

fee [fi:] godtgjørelse m; gebyr n; salær n; honorar n.

feeble ['fi:bl] svak, vek; ~ **-minded**, evneveik.

feed [fi:d] fôre, nære; mate (også maskiner); fôr n; næring m/f; måltid n; ~ **er**, som mater; bielv m.

feel [fi:l] føle; kjenne; føle seg, kjennes; følelse m; ~ **like** føles, ha lyst på (el til); ~ **er**, følehorn n; prøveballong m; ~ **ing**, følelse m (-sfull).

feet [fi:t] pl av **foot**, føtter.

feign [fein] late som.

felicitate [fe'lisiteit] lykkønske; ~ **ion**, lykkønskning m.

felicity [fe'lisiti] lykke *m;* lykksalighet *m.*

fellow ['felou] fyr *m,* kar *m;* kamerat *m,* felle *m;* make *m,* sidestykke *n;* medlem *n* av et lærd selskap; stipendiat *m;* ~ship, kameratskap *n;* fellesskap *n;* stipendium *n.*

felon ['felən] forbryter; ~y, forbrytelse.

felt, filt *m* (-e).

female ['fi:meil] kvinnelig, kvinne *m;* hunn *m* (om dyr).

fence [fens] gjerde *n;* heler *m;* innhegne, gjerde inn; fekte; ~er, fekter *m;* ~ing, fekting *m/f.*

fend: ~ off, avverge; parere; ~er, fender *m,* støtfanger *m; amr* (bil)skjerm *m.*

ferment [fə'mənt] gjæring *m/f;* esing *m/f;* ~ation, gjæring *m/f.*

fern [fə:n] bregne *m/f.*

ferocious [fə'rouʃəs] vill, sint.

ferret ['ferit] fritte *m,* ilder *m;* etterspore; oppspore.

ferry ['feri] ferje(sted) *f (n);* ~-boat, ferjebåt *m.*

fertile ['fə:tail] fruktbar; ~ity, fruktbarhet *m;* ~ize, gjøre fruktbar; gjødsle; (artificial) ~izer, kunstgjødsel *m/f.*

fervent ['fə:vənt] ivrig, brennende; ~our, varme *m,* inderlighet *m.*

festival ['festivl] fest(spill) *m (n);* høytid *m;* ~e, festlig; ~ity, festlighet *m.*

fetch [fetʃ] hente; innbringe.

fetter ['fetə] (fot)lenke *f,* lenke.

feud [fju:d] feide *m;* strid *m;* len *n;* ~al, føydal.

fever ['fi:və] feber *m;* ~ed, ~ish, febril(sk).

few [fju:] få; a ~, noen få.

fiancé [fiãn'sei] (om kvinne fiancée), forlovede *m.*

fibre ['faibə] fiber *m,* trevl *m.*

fickle ['fikl] vaklende, ustadig; ~ness, ustadighet *m.*

fiction ['fikʃn] (opp)diktning *m;* skjønnlitteratur *m;* ~itious, oppdiktet.

fiddle ['fidl] (spille) fele *f.*

fidelity [fi'deliti] troskap *m.*

fidget ['fidʒit] være urolig.

field [fi:ld] mark *m/f,* jorde *n,* åker *m;* (virke)felt *n;* område *n;* ~-glasses *pl,* (felt)-kikkert *m.*

fiend [fi:nd] djevel *m.*

fierce [fiəs] vill, barsk.

fiery ['faiəri] flammende, heftig, fyrig.

fifteen ['fif'ti:n] femten; ~teenth, femtende; ~th, femte, femtedel *m;* ~thly, for det femte; ~tieth, femtiende; ~ty, femti.

fig, fiken(tre) *m (n).*

fight [fait] kamp *m,* strid *m;* slagsmål *n;* kjempe; slåss.

figure ['figə] tall *n,* siffer *n;* skikkelse *m;* fremstille; tenke seg; figurere; oppte; regne; ~ out, regne ut; ~-

head, gallionsfigur *m;* toppfigur *m;* ~ **-skating,** kunstløp *n* på skøyter.

file [fail] brev-, dokumentordner *m;* arkiv *n,* kartotek *n;* en saks akter; fil *m/f;* rekke *f;* rode *m;* arkivere; inngi; file.

filial [ˈfiljəl] sønnlig, datterlig.

filigree [ˈfiligriː] filigran *n.*

fill [fil] fylle(s); plombere; bekle (stilling, embete); ~ **in,** fylle ut (skjema *o.l.*).

filling [ˈfiliŋ] fylling *f;* plombe *m;* ~ **station,** bensinstasjon *m.*

filly [ˈfili] hoppeføll *n.*

film, (fin) hinne *m/f;* film *m;* filme.

filter [ˈfiltə] filter *n;* filtrere; sive.

filth [filþ] smuss *n,* skitt *m;* ~ **-y,** skitten.

fin, finne *m;* styrefinne *m.*

final [fainl] sist, endelig; finale *m;* avgangseksamen *m;* ~ **-ly,** endelig, til slutt.

finance [f(a)iˈnæns] finans (-vesen, -vitenskap) *m (n-m);* ~ **-s,** finanser; finansiere; ~ **ial** [f(a)iˈnænʃl] finansiell, økonomisk.

find [faind] finne; støte på; skaffe; avsi (en kjennelse); ~ **ing,** funn *n;* kjennelse *m;* resultat *n.*

fine [fain] fin, vakker; pen; kjekk, prektig; ren, ublandet; spiss, tynn; forfine; rense; avklare, fortynne; bot *m,* mulkt *m;* mulktere.

finger [ˈfiŋgə] finger *m;* fingre med, føle på; ~ **-post,** veiviser *m;* ~ **-print,** fingeravtrykk *n;* ~ **-stall,** smokk *m.*

finish [ˈfiniʃ] ende, slutte, fullføre; opphøre med; etterbehandle; slutt *m;* innspurt *m;* siste hånd på verket; fullendelse *m,* fin utførelse *m* (~ **ing touch**).

Finland [ˈfinlənd] Finland.

Finn finne *m.*

Finnish [ˈfiniʃ] finsk.

fir [fəː] furu *m/f; dt* gran *m/f.*

fire [faiə] ild *m,* varme *m,* fyr *m;* brann *m;* bål *n;* lidenskap *m;* tenne; sette ild på; fyre av; *dt* gi sparken; **on** ~, i brann; ~ **-brigade,** brannvesen *n;* ~ **-department,** *amr* brannvesen *n;* ~ **engine,** brannbil, -sprøyte *m/f;* ~ **escape,** brannstige *m;* nødutgang *m;* ~ **-irons,** ildtang *m/f;* ~ **man,** brannmann *m;* fyrbøter *m;* ~ **place,** ildsted *n,* peis *m,* kamin *m;* ~ **plug,** hydrant *m;* ~ **proof,** ildfast; ~ **side,** peis *m,* arne *m;* ~ **-station,** brannstasjon *m;* ~ **works,** fyrverkeri *n.*

firing [ˈfaiəriŋ] skyting *m/f.* (av)fyring *m/f;* (opp)tenning *m/f.*

firm [fə:m] fast; standhaftig; firma m; ~ **ness**, fasthet m.

first [fə:st] først; beste karakter; **at** ~, først, til å begynne med; ~ **of all**, aller først; ~ **ly**, for det første; ~ **aid**, førstehjelp m/f; ~ **name**, fornavn n; ~ **night**, première m; ~ **rate**, førsteklasses.

firth [fə:þ] fjord m.

fish [fiʃ] fisk m; fiske.

fisherman ['fiʃəmən] fisker m; ~ **y**, fiske n.

fishing ['fiʃiŋ] fiske n; ~ **rod**, fiskestang f; ~ **tackle**, fiskeredskap, fiskeutstyr n.

fishmonger ['fiʃmʌŋgə] fiskehandler m.

fist, neve m.

fit, skikket; passende; dyktig; i god form; (til)passe; utstyre; anfall n; pass(form) m; ~ **out**, utruste; ~ **on**, sette på, prøve; ~ **up**, innrette; ~ **ness**, dugelighet m; ~ **ter**, montør m, installatør m; ~ **ting**, passende; montering m/f; ~ **tings**, tilbehør n; utstyr n; armatur m.

five [faiv] fem; ~ **fold**, femfold.

fix [fiks] feste; hefte; avtale; fastsette, bestemme; ordne; dt knipe f, vanskelig situasjon m.

fizz [fiz] bruse, skumme.

flabbergast ['flæbəga:st] forbløffe.

flabby ['flæbi], **flaccid** ['flæksid] slapp; pløset.

flag [flæg] flagg n; helle m/f; sverdlilje f; henge slapp; dabbe av, avta.

flagrant ['fleigrənt] åpenbar.

flair [flɛə] teft m, fin nese f.

flak [flæk] antiluftskyts n.

flake [fleik] flak n; fnugg n; snøfille f; ~ **off**, skalle av.

flame [fleim] s & v flamme m.

flank [flæŋk] flanke(re) m.

flannel ['flænl] flanell n.

flap [flæp] klaff m; klask n, slag n; dask(e); klaske.

flare [flɛə] flakke; bluss(e) n.

flash [flæʃ] glimt(e) n, blink(e) n; ~ **light**, lommelykt m/f; blinklys n; fotogr blitz(lys) m (n); lommelykt m/f; ~ **y**, gloret; prangende, vulgær.

flask [fla:sk] (kurv-)flaske m/f; lommelerke m/f; kolbe m.

flat [flæt] flat; ensformig; flau, matt; direkte; flate m/f; slette f; grunne f; leilighet m; dt punktering m/f; ~ **footed**, som har plattfot; ~ **iron**, strykejern n; ~ **ten**, gjøre flat.

flatter ['flætə] smigre; ~ **er**, smigrer; ~ **y**, smiger m.

flavour ['fleivə] velsmak m; aroma m; krydre; sette smak på.

flaw [flɔ:] revne m/f; mangel m, lyte n; ~ **less**, feilfri.

'lax [flæks] lin n; ~**en**, av lin.

'lay [flei] flå.

'lea [fli:] loppe m/f.

'lee [fli:] flykte; sky.

'leece [fli:s] saueskinn n; ull-
pels m; klippe (sau); flå,
plyndre **(of** for); ~**y**, ullen,
ull-.

'leet [fli:t] flåte m; vognpark
m.

'lesh [fleʃ] kjøtt n.

'lexibili|ty [fleksi'biliti] bøye-
lighet m; ~**ible** ['fleksibl]
bøyelig.

'licker ['flikə] blafre, flakke.

'lier, flyer ['flaiə] flyger m.

'light [flait] flukt m; flyging
m/f, flytur m; **of stairs**
trapp f.

'limsy ['flimzi] tynn, svak.

'linch [flintʃ] vike tilbake.

'ling [fliŋ] slynge; kast(e) n.

'lint [flint] flint m.

'lip, knips(e) n; slå.

'lippant ['flipənt] rappmunnet,
nesevis.

'lirt [flə:t] vifte med; koket-
tere, flirt(e) m; ~**ation,** flørt
m.

'lit, flagre, pile.

'litter ['flitə] flagre.

'loat [flout] flåte m; flottør m;
flyter m; dupp m; flyte,
drive; sveve; bringe flott;
flote; **merk** sette i gang.

'lock [flɔk] flokk m, bøling
m; ulldott m; flokkes.

'loe [flou] isflak n.

flog [flɔg] piske; ~**ging,** pis-
king m/f; pryl m.

flood [flʌd] flo m/f; flom m,
oversvømme(lse) m. ~**-gate,**
sluseport m; ~**light,** flom-
lys n; ~**-tide,** høyvann n.

floor [flɔ:] golv n; etasje m;
legge golv; slå i golvet; **first**
~, annen etasje; **ground** ~,
første etasje; **take the** ~, ta
ordet; ~ **walker,** inspektør
(i varehus).

flop [flɔp] slå, bakse (med
vingene); deise ned; bli
fiasko; fiasko m; ~**py,**
slapp.

florid ['flɔrid] rødmusset; *fig*
blomstrende.

florin ['flɔrin] florin m, gylden
m.

florist ['flɔrist] blomsterhand-
ler m.

flossy ['flɔsi] dunet.

flounder ['flaundə] flyndre
m/f; kave, mase.

flour ['flauə] mjøl n.

flourish ['flʌriʃ] florere; trives,
blomstre; vifte med; snirkel
m, sving m; fanfare m.

flow [flou] flom m; strøm m;
flo m/f; rinne, strømme.

flower ['flauə] blomst(ring) m
(m); blomstre.

flu [flu:] = **influenza.**

fluctuate ['flʌktjueit] bølge,
svinge, variere.

fluen|cy ['flu:ənsi] taleferdighet
m; ~ **t,** (lett-)flytende.

fluff [flʌf] bløte hår, dun n; ~ y, dunaktig, bløt.

fluid ['fluːid] flytende; fluidum n, væske m/f.

flurry ['flʌri] vindstøt n; befippelse m; kave; forfjamse.

flush [flʌʃ] rødme, strømme sterkt (om blod); spyle; full; rikelig; jevn, plan; rødme m; strøm m.

fluster ['flʌstə] gjøre forfjamset; forfjamselse m.

flute [fluːt] fløyte f.

flutter ['flʌtə] flagre, vimse; flagring m/f; røren; veddemål n.

fly [flai] flue m/f; svinghjul n; buksesmekk m; fly; flykte; (la) vaie (flagg); ~ ing fish, flyvefisk m; ~ ing squad, utrykningspatrulje m.

foal [foul] føll n; føde føll.

foam [foum] skum n; skumme; ~ y, skummende.

f.o.b. = **free on board**, fob.

focus ['foukəs] brennpunkt n, fokus n; fokusere.

fodder ['fɔdə] fôr(-e) n.

fog [fɔg] tåke m/f; ~ gy, tåket.

foil [fɔil] folie m; bakgrunn m; **be a** ~ **to**, tjene til å fremheve; forpurre, hindre.

fold [fould] fold m; sauekve f; folde, brette; ~ **up**, legge sammen; stanse, opphøre; ~ **er**, falsemaskin m; folder m; ~ **ing chair**, feltstol m; ~ **ing seat**, klappsete n.

foliage ['fouliidʒ] løv(verk) n.

folk [fouk] folk, mennesker, også ~ **s**; **my** ~ **s**, mine slektninger; ~ **sy**, folkelig.

follow ['fɔlou] følge (etter); fatte, forstå; ~ **up**, forfølge, arbeide videre med; ~ **er**, tilhenger m; ~ **ing**, følgende; tilslutning m, tilhengere.

folly ['fɔli] dårskap m.

fond [fɔnd] kjærlig, **be** ~ **of**, være glad i; ~ **le**, kjærtegne.

food [fuːd] føde m, mat m.

fool [fuːl] tosk m; narre, bedra; tøyse; ~ **ish**, tåpelig.

foot [fut] pl **feet**, fot m (som mål = 30,48 cm); fotfolk n den nederste del av noe; on ~, til fots; i gang; ~ **ball**, fotball m; ~ **board**, stigbrett n; ~ **fall**, fottrinn n; ~ **gear** fottøy n; ~ **hold**, fotfeste n; ~ **ing**, fotfeste n, ~ **lights**, teatr rampelys n, ~ **man**, lakei m; ~ **path**, sti m; ~ **print**, fotspor n, ~ **step**, fottrinn n; fotspor n.

for [fɔː] for; til; som; ~ **two hours**, i to timer; **as** ~, hva angår; ~ **example** el ~ **instance**, for eksempel.

forbear [fɔːˈbɛə] unnlate; ~ **ance**, overbærenhet m.

forbid [fəˈbid] forby; ~ **ding**, frastøtende, ubehagelig.

force [fɔːs] kraft m/f, makt m/f; (militær) styrke m; gyldighet *m;* tvinge; forsere, sprenge; ~ **open,** bryte opp; ~**d landing,** nødlanding *m;* ~**d sale,** tvangsauksjon *m;* ~ **dly,** tvungent.

´orcible ['fɔ:sibl] kraftig; tvangs-.

ford [fɔ:d] vade(sted) *n.*

´ore [fɔ:] foran, forrest; for-; ~ **bode** ['fɔ:boud] varsle, ane; ~ **cast** ['fɔ:kɑ:st] forutsigelse *m;* værvarsel *n;* ~ **castle** ['fouksl] ruff *m;* ~ **finger,** pekefinger *m;* ~ **front,** forreste linje *m;* ~ **go,** gå forut for; gi avkall på; ~ **ground,** forgrunn *m;* ~ **head** ['fɔrid] panne *f.*

´oreign ['fɔrin] utenlandsk; utenriks-; fremmed; **the For- eign Office,** det britiske utenriksdepartement *n;* ~ **er,** utlending *m.*

´ore|land ['fɔ:lənd] nes *n,* odde *m,* forberg *n;* ~ **leg,** forben *n;* ~ **lock,** pannelugg *m;* ~ **most,** forrest; ~ **noon,** formiddag *m;* ~ **runner,** forløper *m;* ~ **sail,** fokk *m;* ~ **see,** forutse; ~ **shadow,** forutantyde, bebude; ~ **sight,** forutseenhet *m.*

´orest ['fɔ:rist] skog *m;* ~ **er,** forstmann *m.*

´orfeit ['fɔ:fit] forbrutt; for- bryte, forspille; bot *m,* mulkt *m.*

´orge [fɔ:dʒ] smie *f,* smi; lage;

ettergjøre, forfalske; ~**r,** falskner *m;* ~**ry,** forfalsk- ning *m.*

forget [fəˈget] glemme; ~**ful,** glemsom; ~**fulness,** glem- somhet *m;* ~**-me-not,** for- glemmegei *m.*

forgive [fəˈgiv] tilgi, forlate; ~ **ness,** tilgivelse *m.*

fork [fɔ:k] gaffel *m,* greip *n;* grein *f;* veiskille *n;* forgreine seg.

form [fɔ:m] form *m/f;* skik- kelse *m;* måte *m;* system *n;* formel *m;* opptreden *m,* ma- nerer *m;* blankett *m;* skole- klasse *m;* forme, danne; **be in** ~, være i form; ~ **al,** formell; *amr* selskapsan- trekk; ~ **ality,** formalitet *m.*

former ['fɔ:mə] tidligere, forhenværende; **the** ~, førstnevnte; ~ **ly,** tidligere, før i tiden.

formidable ['fɔ:midəbl] frykte- lig, imponerende.

formul|a ['fɔ:mjulə] formel *m;* oppskrift *m, f;* ~ **ate,** formu- lere.

forsake [fəˈseik] svikte, forlate.

forth [fɔ:þ] fram; **and so** ~, osv.; ~ **coming,** forestående; forekommende; ~ **with,** straks.

fortieth ['fɔ:tiiþ] førtiende.

fortify ['fɔ:tifai] forsterke, be- feste; ~ **tude,** sjelsstyrke *m.*

fortnight ['fɔ:tnait] fjorten da- ger.

fortress ['fɔ:tris] festning *m*.

fortuitous [fɔ'tjuitəs] tilfeldig.

fortunate ['fɔ:tʃnit], heldig; **~ately**, heldigvis; **~e**, skjebne *m*; lykke *m*; formue *m*; **~ ~ teller**, spåmann *m*.

forty ['fɔ:ti] førti.

forward ['fɔ:wəd] forrest; frem(ad); videre; tidlig moden; fremmelig, for seg; sende videre, ekspedere; befordre; fremme; løper (i fotball).

foster ['fɔ:stə] fostre; pleie; oppmuntre.

foul [faul] skitten; stygg; motbydelig; floket; uærlig; skitne til, besudle; floke seg.

found [faund] grunnlegge, stifte; støpe; **~ation**, grunnleggelse *m*; grunnvoll *m*, fundament *n*; stiftelse *m*, legat *n*.

foundry ['faundri] støperi *n*.

fountain ['fauntin] kilde *m*; fontene *m*; utspring *n*; **~ pen** fyllepenn *m*.

four [fɔ:] fire(tall); **~-fold**, firedobbelt; **~-teen(th)**, fjorten(de); **~th** fjerde(del); **~thly**, for det fjerde.

fowl [faul] høns.

fox [fɔks] rev *m*.

fraction ['frækʃn] brøk(del) *m* (*m*); stykke *n*, stump *m*.

fragile ['frædʒail] skjør, skrøpelig.

fragment ['frægmənt] bruddstykke *n*.

fragrance ['freigrəns] duft *m*; vellukt *m*; **~t**, duftende velluktende.

frail [freil] svak, skrøpelig.

frame [freim] ramme *m*; struktur *m*; skjelett *n*; danne, bygge; gjøre utkast til; legge (plan); innramme; ta form, utvikle seg; **~work** indre bygning *m*, skjelett *n*.

France [fra:ns] Frankrike.

franchise ['fræntʃaiz] stemmerett *m*; rettighet *m*; amr offentlig bevilling *m*.

frank [fræŋk] oppriktig åpen(hjertig); frankere **~ness**, oppriktighet *m*, åpenhet *m*.

frantic ['fræntik] avsindig vill.

fraternal [frə'tə:nl] broderlig bror-; **~ity**, brorskap *n*, am sammenslutning *m* a (mannlige) studenter.

fraud [frɔ:d] svik *n*, bedrager *n*; **~ulent** svikefull, falsk.

freak [fri:k] grille *m*, lune *n* raring *m*.

freckle ['frekl] fregne *m*.

free [fri:] fri, uavhengig; le dig; rundhåndet; gratis; utvungen; befri, frigjøre **~booter**, fribytter **~dom**, frihet *m*; utvungen het *m*; **~handed**, gavmild **~-kick**, frispark *n* (fotball) **~-lance**, uavhengig journa list *m*, skuespiller *m* o.l. **~ mason**, frimurer *m*.

freeze [fri:z] (la) fryse; stivne (til is).

freight [freit] frakt(e) *m*; last *m/f*; fraktpenger; ~ **er**, lastebåt *m*.

French [fren(t)ʃ] fransk; **the** ~, franskmennene; ~ **man**, franskmann *m*; ~ **-woman**, fransk kvinne *m/f*.

frenzy ['frenzi] vanvidd *n*, raseri *n*.

frequency ['fri:kwənsi] hyppighet *m*; frekvens *m*; ~ **t**, hyppig; [fri'kwent] besøke hyppig.

fresh [freʃ] frisk, fersk; ny, uerfaren; *amr* fræsig, nærgående; ~ **en**, friske på; ~ **et** [-it] flom *m*; ~ **ness**, friskhet *m*; ~ **-water**, ferskvann *n*.

fret, gnage; slite på; tære; irritere; ergre (seg).

friar ['fraiə] munk *m*.

friction ['frikʃn] gnidning *m*, friksjon *m*.

Friday ['fraidi] fredag *m*; **Good** ~, langfredag.

fridge [fridʒ] *dt* kjøleskap *n*.

friend [frend] venn(inne) *m* (*m/f*); ~ **ly**, vennlig, vennskapelig; ~ **ship**, vennskap *n*.

fright [frait] skrekk *m*; ~ **en**, skremme; ~ **ful**, skrekkelig.

fringe [frindʒ] *v* & *s* frynse *m/f*; ~ **benefits** *pl* tilleggsgoder *n*.

frisk [frisk] hoppe og sprette; kroppsvisitere.

frivolity [fri'vɔliti] lettferdighet *m*; fjas *n*, tøys *n*; ~ **ous** ['frivələs] lettferdig, frivol; tøyset.

fro [frou]: **to and** ~, fram og tilbake.

frock [frɔk] bluse *m/f*, kittel *m*; (barne- og dame)kjole *m*; ~ **-coat** diplomatfrakk *m*.

frog [frɔg] frosk *m*; ~ **man**, froskemann *m*.

from [frɔm] fra, ut fra; mot; (på grunn) av; etter; ~ **above**, ovenfra.

front [frʌnt] forside *m/f*; fasade *m*; front *m*; forrest; front-; stå like overfor, vende mot; **in** ~ **of**, foran; ~ **-door**, gatedør *m/f*; ~ **ier**, grense *m/f*.

frost [frɔst] frost *m*; rim *n*; ~ **-bitten**, frostskadet; ~ **y**, frossen, frost-; iskald.

frown [fraun] rynke pannen; mørk mine *m/f*; ~ **upon**, misbillige.

frozen ['frouzn] (inne)frosset; ~ **up** *el* **over**, tilfrosset.

frugal ['fru:gl] sparsommelig; nøysom.

fruit [fru:t] frukt *m*, grøde *m/f*; ~ **ful**, fruktbar; fruktbringende; ~ **less**, fruktesløs.

frustrate ['frʌstreit] forpurre (planer); skuffe; narre; ~ **-ion**, forpurring *m/f*; skuffelse *m*.

fry [frai] yngel *m;* steke, ~**ing pan,** stekepanne *m/f.*

ft. = **foot, feet.**

fuel ['fjuəl] brensel *n.*

fugitive ['fju:dʒitiv] flyktende, flyktig, uvarig; flyktning *m.*

fulfil, oppfylle, fullbyrde; ~**ment,** oppfyllelse *n.*

full [ful] full, hel, fullstendig; utførlig; ~-**dress,** galla-; ~-**fledged,** fullt utviklet.

fumble ['fʌmbl] famle, rote (**for** etter).

fume [fju:m] røyk *m,* damp *m;* ryke; dunste; rase.

fun [fʌn] moro *m/f,* fornøyelse *m.*

function ['fʌŋkʃn] funksjon *m;* oppgave *m;* offentlig festlighet *m;* fungere; ~**ary,** offentlig funksjonær *m.*

fund [fʌnd] fond *n,* kapital *m;* ~**amental,** fundamental.

funeral ['fju:nərəl] begravelse *m.*

fungus ['fʌŋgəs] sopp *m.*

funnel ['fʌnl] trakt *m/f,* skorstein *m.*

funny ['fʌni] morsom; pussig.

fur [fə:] pels *m;* tungebelegg *n;* ~**s,** pelsverk *n;* ~ **coat,** pelskåpe *m/f;* ~**rier,** buntmaker *m.*

furious ['fju:riəs] rasende.

furnace ['fə:nis] smelteovn *m.*

furnish ['fə:niʃ] forsyne; utstyre; levere; møblere.

furniture ['fə:nitʃə] utstyr *n;* møbler; inventar *n,* utstyr *n.*

furrow ['fʌrou] (plog)fure *m.*

further ['fə:ðə] fjernere, lenger (borte); videre; ytterligere; mer; fremme; ~**more,** dessuten.

furtive ['fə:tiv] hemmelig-(hetsfull).

fury ['fju:ri] raseri *n;* furie *m.*

fuse [fju:z] (sammen)smelte; elektrisk sikring *m/f;* lunte *m/f;* ~**ion,** sammensmelting *m/f.*

fuss [fʌs] oppstyr *n;* ståhei *m;* mase, gjøre oppstyr; ~**y,** oppskjørtet, geskjeftig, maset.

futile ['fju:tail] unyttig, fåfengt; intetsigende.

future ['fju:tʃə] fremtid(ig) *m;* futurum *n.*

fuzzy ['fʌzi] floket, tufset.

G

gab [gæb] snakk(e) *m, n.*

gable ['geibl] gavl *m.*

gad [gæd]: ~ **about,** farte omkring, rangle; ~**fly,** brems *m,* klegg *m.*

gadget ['gædʒit] innretning *m,* greie *f.*

gag [gæg] knebel *m;* (improvisert) vits *m;* kneble; *teatr* improvisere.

gage ['geidʒ] pant *n.*

gaiety ['geiəti] lystighet *m.*

gain [gein] gevinst *m;* vinning *m/f;* vinne; tjene; oppnå.

gait [geit] gangart *m;* ~ er, gamasje *m.*

gale [geil] kuling *m;* storm *m.*

gall [gɔ:l] galle *m;* bitterhet *m;* galleple *n;* gnagsår *n;* ergre(lse) *(m).*

gallant ['gælənt] kjekk; tapper; ridderlig.

gallery ['gæləri] galleri *n; teatr* balkong *m;* stoll *m.*

galley ['gæli] bysse *f.*

gallon ['gælən] gallon *m* (= 4,546 l, i Amerika 3,785 l).

gallop ['gæləp] galopp(ere) *m.*

gallows ['gælouz] galge *m.*

galore [gə'lɔ:] i massevis.

galosh [gə'lɔʃ] kalosje *m.*

gamble ['gæmbl] (hasard)spill *n;* spille; ~ er, spiller *m.*

game [geim] spill *n;* lek *m;* kamp *m;* vilt *n;* kjekk, modig; villig; ~ -keeper, skogvokter *m;* **play the ~,** følge reglene.

gander ['gændə] gasse *m.*

gang [gæŋ] bande *m;* gjeng *m;* skift *n;* ~ **up on,** rotte seg sammen mot.

gangway ['gæŋwei] landgang *m;* fallrep *m.*

gaol [dʒeil] = **jail,** fengsel *n.*

gap [gæp] åpning *m;* kløft *m/f;* hull *n;* underskudd *n.*

gape [geip] gjespe; gape; måpe.

garage ['gæra:ʒ, *især amr* gə'ra:ʒ] garasje *m.*

garbage ['ga:bidʒ] avfall *n;* søppel *n.*

garden ['ga:dn] hage *m;* ~ er, gartner *m.*

gargle ['ga:gl] gurgle; gurglevann *n.*

garland ['ga:lənd] krans(e) *m.*

garlic ['ga:lik] hvitløk *m.*

garment ['ga:mənt] plagg *n.*

garnish ['ga:niʃ] smykke; garnere; garnityr *n.*

garret ['gærət] kvistværelse *n.*

garrison ['gærisn] garnison *m.*

garrulous ['gærələs] snakkesalig.

garter ['ga:tə] strømpebånd *n; amr* sokkeholder *m.*

gas [gæs] gass *m; amr* bensin *m;* gassforgifte.

gash [gæʃ] gapende sår *n;* flenge *m/f.*

gas-lighter ['gæslaitə] gasstenner *m;* ~ **oline** *amr* bensin *m;* ~ **-meter,** gassmåler *m.*

gasp, gisp(e) *n.*

gate [geit] port *m;* grind *m/f;* ~ **-money,** billettinntekt *m;* ~ **way,** port(hvelving) *m (m).*

gather ['gæðə] samle(s); plukke; øke; forstå **(from** av); ~ **ing,** (for)samling *m/f;* byll *m.*

gaudy ['gɔ:di] grell; gloret.
gauge [geidʒ] mål n; (spor-)-vidde m/f; måle(r) m; måle-instrument n.
gaunt [gɔ:nt] mager, skrinn.
gauntlet ['gɔ:ntlit] kjørehanske m, stridshanske m.
gauze [gɔ:z] gas(bind) m (n).
gay [gei] munter; lystig.
gaze [geiz] (at) stirre (på).
gazette [gə'zet] lysingsblad n.
gear [giə] utrustning m; tilbehør n; utstyr n; redskap n; tannhjul(sutveksling) n (m); gir(e) n; tilpasse; ~ **-box**, ~ **-case**, girkasse m/f; ~ **-lever**, amr ~ **-shift**, gir-stang m/f.
gem [dʒem] edelstein m.
gender ['dʒendə] gram kjønn n.
general ['dʒenərəl] alminnelig; general-, hoved-, general; ~ **ly**, vanligvis.
generate ['dʒenəreit] avle, frembringe; ~ **ion**, frembringelse m; utvikling m/f; slektledd n.
generosity [dʒenə'rɔsiti] høysinnethet m; gavmildhet m; ~ **rous** ['dʒenərəs] høysinnet; rundhåndet.
genial ['dʒi:njəl] vennlig; mild.
genitals ['dʒenitlz] kjønnsorganer.
genius ['dʒi:njəs] geni n, (skyts)ånd m.

gent [dʒent] dt fork for **gentleman**; pl herretoalett.
genteel [dʒen'ti:l] (terte)fin.
gentle ['dʒentl] mild; blid; lett; ~ **man**, dannet mann m, herre m; ~ **manlike**, dannet, fin; ~ **woman**, dannet dame m/f.
gentry ['dʒentri] lavadelen m; fornemme folk.
genuine ['dʒenjuin] autentisk; uforstilt.
geographer [dʒi'ɔgrəfə], ~ **y**, geograf(i) m.
geologist [dʒi'ɔlədʒist], ~ **y**, geolog(i) m.
germ [dʒə:m] kim m; spire m; bakterie m.
German ['dʒə:mən] tysk(er) ~ **y**, Tyskland.
gesture ['dʒestʃə] gestus m; gestikulere.
get [get], få, skaffe (seg), pådra (seg); få tak i, forstå; besørge, bringe; få i stand, stelle til; foranledige; komme (til); nå; komme i, begi seg; litt; **you have got to obey**, De er nødt til å adlyde; ~ **ahead**, komme seg fram; ~ **along**, komme av sted; klare seg; ~ **in**, stige inn, komme inn, bli valgt; ~ **off**, gå av (buss o.l.); slippe fra det; ~ **on**, ha det; komme godt ut av det med; ta på (klær); ~ **out**, fordufte; stige, komme ut; litt

ut; ~ **over**, overvinne, overstå; ~ **through to**, få forbindelse med (i telefonen); ~ **up**, stå opp; forberede; utstyre (bøker).

ghastly ['ga:stli] likbleik; uhyggelig, grufull.

ghost [goust] spøkelse *n;* ånd *m;* **the Holy Ghost**, den Hellige Ånd.

giant ['dʒaiənt] kjempe(messig) *m;* rise *m.*

gibberish ['gibəriʃ] kråkemål *n;* uforståelig tale *m,* sprøyt *n.*

gibe [dʒaib] spott(e) *m.*

giddy ['gidi] svimmel, ør.

gift, gave *m;* begavelse *m;* ~ **ed**, begavet.

gigantic [dʒaiˈgæntik] kjempemessig, gigantisk.

giggle ['gigl] fnise; fnising *m.*

gild, forgylle.

gill [gil] gjelle *m/f;* [dʒil] hulmål = ca. 14 cl; ~ **yflower** ['dʒili-] gyllenlakk *m.*

gilt [gilt] forgylling *m/f;* forgylt.

gimmick ['gimik] knep *n;* reklamepåfunn *n;* greie *f.*

ginger ['dʒindʒə] ingefær *m;* futt *m,* to *n;* rødblond; ~ **ale**, ~ **beer**, ingeførøl *n;* ~ **bread**, honningkake *m/f.*

gipsy ['dʒipsi] sigøyner *m.*

gird [gəːd] omgjorde; omslutte, spenne fast; ~ **le**, belte *n.*

girl [gəːl] pike *m/f;* ~ **guide**, speiderpike *m/f;* ~ **hood**, pikeår; ~ **ish**, jenteaktig.

gist [dʒist] hovedinnhold *n;* kjerne *m.*

give [giv] gi; skjenke; tildele; innrømme; bøye seg, gi etter; ~ **away**, skjenke, gi bort; røpe, forråde; ~ **back**, gi igjen; ~ **in**, gi etter, gi opp; ~ **on (to)**, vende ut mot; ~ **out**, utdele; kunngjøre; ~ **over**, overgi; oppgi; ~ **up**, avlevere, gi opp.

glacial ['gleiʃl] is-, ~ **er**, isbre *m.*

glad [glæd] glad; ~ **ly**, gjerne, med glede; ~ **ness**, glede *m/f.*

glade [gleid] lysning i skog *m.*

glamour ['glæmə] (stråle)glans *m,* trylleglans *m.*

glance [glɑːns] glimt *n;* øyekast *n;* blikk *n;* glimte; kaste et blikk; berøre et emne, hentyde.

gland [glænd] kjertel *m.*

glare [glɛə] skinne, blende; glo, skule (at på); blendende lys *n;* skarpt blikk *n;* ~ **ing**, grell; blendende.

glass [glɑːs] glass *n;* glassgjenstand *m,* drikkeglass *n;* speil *n;* kikkert *m;* barometer *n;* ~ **es**, briller.

glaze [gleiz] glasur *m;* glasere; sette rute (*el* glass) *n;* ~ **ier**, glassmester *m.*

gleam [gli:m] glimt *n*, lysstråle *m*, streif *n*; glimte.

glee [gli:] lystighet *m*, glede *m/f*; ~ **club**, sangforening *m/f*.

glen, skar *n*, fjelldal *m*.

glib, tungerapp.

glide [glaid] glidning *m*, glideflukt *m*; gli; ~ **er**, seilfly *n*.

glimmer ['glimə] glimte, flimre; glimt *n*; skimt *n*.

glimpse ['glimps] flyktig blikk *n*; glimt *n*; skimte.

glisten ['glisn] funkle, glitre.

glitter ['glitə] stråle, glitre; glitring *m/f*, glans *m*.

globe [gloub] kule *m/f*, klode *m*; globus *m*; kuppel *m*; ~-**trotter**, jordomreiser *m*.

gloom [glu:m] mørke *m*; tungsinn *n*; ~**y**, dyster, trist.

glorification [glɔrifiˈkeiʃn] forherligelse *m*; ~**fy**, forherlige; ~**ous**, strålende; ærefull, storartet.

glory ['glɔ:ri] heder *m*, ære *m/f*, glans *m*, herlighet *m*; glorie *m*; ~ **in**, være stolt av.

gloss [glɔ:s] glose *m/f*, ordforklaring *m/f*; glans *m*; gi glans; ~ **over**, bortforklare.

glove [glʌv] hanske *m*.

glow [glou] glød(e) *m*; ~-**worm**, sankthansorm *m*.

glue [glu:] lim(e) *n*.

glum [glʌm] dyster, trist.

glut [glʌt] overfylle; overmette; overflod *m*; overmettelse *m*; ~ **ton**, fråtser *m*, jerv *m*; ~ **tonous**, grådig.

gnat [næt] mygg *m*.

gnaw [nɔ:] gnage; fortære; nage; ~ **er**, gnager *m*.

gnome [noum] dverg *m*, nisse *m*.

go [gou] gå; reise, dra; kjøre; gå i stykker; være i gang, i omløp; nå; rekke (**to** til); selges; bli; befinne seg; futt, fremferd; **on the** ~, på farten; ~ **bad**, forderves; ~ **mad**, bli gal, forrykt; ~ **wrong**, gå galt; skeie ut; ~ **along with**, holde med; ~ **by**, gå forbi; gå (om tid); rette seg etter; ~ **on**, gå videre; fortsette; ~ **through**, gjennomgå; undersøke; ~ **up**, stige.

goad [goud] egge, drive; piggstav *m*.

goal [goul] mål *n* (i fotball og fig.); ~-**keeper**, målvakt *m*.

goat [gout] geit *f*; ~ **ee**, bukkeskjegg *n*, hakeskjegg *n*.

goblet ['gɔblit] beger *n*, pokal *m*.

god [gɔd] gud *m*; ~ **child**, gudbarn *n*; ~ **dess**, gudinne *m/f*; ~ **father**, gudfar *m*; ~ **like**, gudlignende, guddommelig; ~ **ly**, from; ~ **send**, uventet lykke *m*.

goggle ['gɔgl] rulle (med øynene); glo; **(a pair of)** ~ **s**, beskyttelsesbriller.

going ['gouiŋ], **be** ~ **to**, være i begrep med; skulle til å.

gold [gould] gull *n*, rikdom *m;* ~ **en**, gull-; gyllen.

golf [gɔlf] golfspill *n;* ~ **er**, golfspiller *m;* ~ **-links**, golf-bane *m*.

gong [gɔŋ] gongong *m*.

good [gud] god, snill; brukbar **(for** til); dyktig; flink **(at** i); frisk, sunn, ufordervet; *merk* solid, sikker; gyldig; noe godt, det gode; lykke *m,* velferd *m;* ~ **s**, varer; **for** ~, for godt, for bestandig.

good-bye [gud'bai] farvel; ~ **ly**, pen, anselig; ~ **look-ing**, pen, vakker; ~ **-mor-ning**, god morgen; ~ **-na-tured**, godmodig; ~ **ness**, godhet *m*.

goods-station, ~ **train**, godsstasjon *m*, -tog *n.*

goodwill ['gudwil] velvilje *m;* kundekrets *m;* firmaverdi *m.*

goose, *pl* **geese** [gu:s gi:s] gås *m/f;* ~ **berry**, stikkelsbær *n.*

gorge [gɔ:dʒ] strupe *m;* svelge, fråtse; fjellkløft *m/f.*

gorgeous [gɔ:dʒəs] prektig.

gory ['gɔ:ri] blodig.

gospel ['gɔspəl] evangelium *n.*

gossip ['gɔsip] sladder(kjerring) *m (f);* prat *m,* skvalder *m;* sladre, skvaldre, prate; ~ **y**, sladderaktig.

gout [gaut] gikt *m/f;* ~ **y**, giktisk.

govern ['gʌvən] regjere; styre; lede; beherske; ~ **ess**, guvernante *m/f;* ~ **ment**, regjering *m/f;* ~ **or**, styrer *m;* guvernør *m;* ør *m*, sjef *m.*

gown [gaun] (dame)kjole *m;* geistlig, akademisk kappe *m/f.*

grab [græb] gripe, snappe.

grace [greis] ynde *m,* gratie *m;* gunst *m;* nåde *m,* bordbønn *m;* pryde, smykke; hedre; ~ **ful**, grasiøs, yndig, fin.

gracious ['greiʃəs] nådig, vennlig; **good** ~, gode Gud!

grade [greid] trinn *n,* grad *m; amr* (skole)klasse *m;* karakter *m* (på skolen); gradere.

gradual ['grædjuəl] gradvis; ~ **te**, inndele i grader; ta (akademisk) eksamen; kandidat *m.*

grain [grein] (frø)korn *n;* tekstur *m;* korne (seg).

grammar ['græmə] grammatikk *m;* ~ **-school**, videregående skole *m.*

grammophone ['græməfoun] grammofon *m;* ~ **disk**, ~ **record**, grammofonplate *m.*

grand [grænd] storartet; fin, fornem; ~ **child**, barnebarn *n;* ~ **daughter**, sønnedatter *m/f;* datterdatter *m/f;* ~ **eur**

['grænd3ə] storhet *m*, storslagenhet *m;* ~ **father,** bestefar *m;* ~ **mother,** bestemor *m/f;* ~ **son,** sønnesønn *m;* dattersønn *m.*

grange [greind3] bondegård *m.*

grant [gra:nt] bevilgning *m;* gave(brev) *m (n);* bevilge; skjenke; tilstå, innrømme.

grape [greip] (vin)drue *m;* ~ **fruit,** grapefrukt *m.*

graph [græf] diagram *n.*

grapple ['græpl] gripe; gi seg i kast (**with** med).

grasp [gra:sp] grep *n;* gripe, forstå.

grass [gra:s] gress *n;* ~ **hopper,** gresshoppe *f;* ~ **widower),** gressenke- (mann) *f (m).*

grate [greit] gitter *n,* rist *m/f,* kaminrist *m/f;* knirke, skurre.

grateful ['greitful] takknemlig.

gratification [grætifi'keiʃn] tilfredsstillelse *m;* glede *m/f,* fornøyelse *m;* ~ **fy,** tilfredsstille, glede; ~ **tude** [-tju:d] takknemlighet *m.*

gratuitous [grə'tju:itəs] gratis; ~ **y,** drikkepenger; gratiale *m.*

grave [greiv] alvorlig, høytidelig; betydningsfull; grav *m/f;* gravere.

gravel ['grævəl] grus *m.*

graveyard ['greivja:d] kirkegård *m.*

gravitate [grævite'it] gravitere; bli sterkt tiltrukket; ~ **ation,** tyngdekraft *m;* ~ **y,** alvor *n;* betydning *m;* vekt *m/f;* tyngde *m.*

gravy [grei'vi] (kjøtt)saus *m.*

grease [gri:s] fett *m;* [-z] smøre, sette inn med fett.

greasy ['gri:zi] fettet; tilsmurt.

great [grei't] stor, storslått; fin, fornem, høytstående; **Great Britain,** Storbritannia; ~ **grandchild,** barnebarnsbarn *n;* ~ **grandfather,** oldefar *m;* ~ **ly,** i høy grad, meget; ~ **ness,** storhet *m;* størrelse *m.*

Greece [gri:s] Hellas.

greed [gri:d] (penge)begjær *n;* grådighet *m;* ~ **iness,** grådighet *m;* ~ **y,** grådig.

Greek [gri:k] gresk; greker *m.*

green [gri:n] grønn; umoden; grønt; gressvoll *m;* gjøre grønn; ~ **s** grønnsaker; ~ **grocer** grønnsakhandler *m.*

greet [gri:t] hilse (på); *fig.* motta, møte; ~ **ing,** hilsen *m.*

gregarious [gri'gæriəs] selskapelig.

grey [grei'] grå; ~ **hound,** mynde *m.*

grid, gitter *n,* rist *m.*

grief [gri:f] sorg *m,* ulykke *m.*

grievance ['gri:vəns] besværing *m,* klagemål *n;* plage *m;* ~ **e,**

bedrøve(s), gremme seg;
~ **ous**, hard, bitter, streng.

grill, stekerist *m*; griljere.

grim, barsk, uhyggelig, fæl.

grimace [gri'me's] grimase *m*.

grim|e [gra'm] skitt *m*, smuss
n; skitne til; ~y, smussig.

grin, glis(e), *n* smile bredt.

grind [gra'nd] knuse, male;
slipe; skjære (tenner); trelle,
slite; terpe (lekser); slit *n*;
pugg *n*; lesehest *m*; ~er,
jeksel *m*; ~ **stone**, slipestein
m.

grip, gripe, ta fatt i; tak *n*.
grep *n*; håndtak *n*.

grisly ['grizli] uhyggelig.

gristle ['grisl] brusk *m*.

grit, grus *m*, sand *m*; fasthet
m, mot *n*; ben i nesen.

grizzly ['grizli] grålig; ~
(**bear**), gråbjørn *m*.

groan [gro'n] sukke (**for** et-
ter); stønne; stønn *n*; sukk
n.

grocer ['gro'sə] kolonialhand-
ler *m*; ~**ies**, kolonialvarer;
~**y**, kolonialforretning *m*.

grog [grɔg] grogg *m*, brenne-
vin og vann.

groggy ['grɔgi] omtåket; sjang-
lende.

groin [gro'n] lyske

groom [gru:m] stallkar *m*;
også = **bridegroom** brud-
gom *m*; pleie, stelle.

groove [gru:v] grop *m/f*,
renne *m/f*, fure *m*; fals *m*.

grope [group] famle, føle seg
fram.

gross [grous] tykk; grov;
plump; brutto; gross *n* (12
dusin).

ground [graund] jord *m/f*,
grunn *m*; terreng *n*, lengde
m/f; plass *m*, tomt *m/f*;
grunn *m*, årsak *m/f*; (be-
grunne; bygge, basere; støte
på grunn; ~**s**, hage *m*;
parkanlegg *n*; grut *m*; moti-
ver; ~-**floor**, første etasje;
~**less**, grunnløs, uten
grunn.

group [gru:p] gruppe(re) *f*.

grouse [graus] rype *f*.

grove [grouv] lund *m*, holt *n*.

grovel ['grɔvl] krype (for).

grow [grou] vokse, gro; bli;
vokse, dyrke; ~ **old**, bli
gammel, eldes; ~**er**, dyrker
m, produsent *m*.

growl [graul] knurre,
brumme; knurr *n*.

grown-up ['grounʌp] voksen.

growth [grouθ] vekst *m*; utvik-
ling *m/f*; dyrking *m/f*; av-
ling *m/f*.

grub [grʌb] larve *m/f*; mat *n*;
fôr *n*; slit *n*; grave, rote;
slite, trelle.

grudge [grʌdʒ] uvilje *m*, nag
n; misunne.

gruel ['gru:əl] havresuppe
m/f.

gruesome ['gru:səm] gyselig.

gruff barsk, morsk.

grumble ['grʌmbl] mukke, beklage seg.

grumpy ['grʌmpi] gretten, sur.

grunt [grʌnt] grynt(e) n.

guarantee [gærən'ti:] garanti m; kausjon(ist) m; garantere.

guard [ga:d] vakt m/f; be voktning m; garde; vaktpos' m; vaktmann m; aktpågivenhet m; beskytter m; gitter n; rekkverk n; skjerm m (på sykkel); konduktør m vokte; beskytte; passe; forsvare; gardere seg (against for); ~ ian, beskytter m; formynder m.

guess [ges] gjette; amr anta, formode; gjetning m; formodning m; ~-work, gjetning m.

guest [gest] gjest m.

guidance ['gaidəns] ledelse m, rettesnor m; **for your** ~ : til Deres orientering.

guide [gaid] (vei)leder m; omviser n; (reise)håndbok m/f, veiledning m; (rett)lede; ~-post, veiviser m.

guild [gild] gilde n; laug n.

guilt [gilt] skyld m/f; ~y, skyldig.

guise [gaiz] forkledning m, utseende n; dekke.

guitar [gi'ta:] gitar m.

gulf [gʌlf] golf m, havbukt f, avgrunn m, gap n.

gull [gʌl] måke m/f, dumrian m.

gullet ['gʌlit] spiserør n.

gully ['gʌli] kløft m/f, renne m/f.

gulp [gʌlp] slurk m; jafs m; svelging m; svelge, sluke, tylle i seg.

gum [gʌm] gomme m, tannkjøtt n; gummi m; **chewing** ~ , tyggegummi m; gummiere.

gun [gʌn] kanon m, gevær n, børse f; amr revolver m, skyte med børse; ~ **man**, revolverbanditt m; ~ **ner**, kanonér m; ~ **powder**, krutt n, ~ **stock**, geværkolbe m.

gunwale ['gʌnəl] reling m/f.

gurgle ['gə:gl] klukke.

gush [gʌʃ] strømme, fosse; utgyte seg; strøm m.

gust [gʌst] vindstøt n.

gusto ['gʌstou] glede m/f, velbehag n.

gut [gʌt] tarm m; gut m (fortom av silke); streng m; ~ **s**, innvoller, tarmer; mot; ta innvollene ut; sløye; tømme grundig; plyndre; ~ **ted**, utbrent.

gutter ['gʌtə] renne m/f; takrenne m/f; rennestein m.

guy [gai] fugleskremsel n; amr fyr m, kar m.

gymnasium [dʒim'neizjəm] gymnastikksal m; ~ **t** ['dʒimnæst] gymnast m, turner m; ~ **tics** [-'næstiks] gymnastikk m.

gypsum ['dʒipsəm] gips *m.*
gypsy = **gipsy.**

gyrate ['dʒaireit] rotere.
gyre ['dʒaiə] omdreining *m/f.*

H

haberdashery ['hæbədæʃri] garn- og trådhandel *m; amr* herreekviperingsforretning *m.*
habit ['hæbit] vane *m;* drakt *m/f;* ~**ation,** bolig *m;* ~**ual** [hə'bitjuəl] (sed)vanlig; vanemessig; ~**uate,** venne.
hack [hæk] hakke; øyk *n;* sliter *m;* hakk(e) *n (f)* ~**neyed** forslitt, banal.
haddock ['hædək] kolje *m/f,* hyse *m/f.*
hag [hæg] hurpe *f,* heks *m/f.*
haggard ['hægəd] vill; mager, uttært.
haggle [hægl] prute.
Hague [heig] **the** ~, Haag.
hail [heil] hagl *n;* hagle; hilse; praie.
hair [hɛə] hår *n;* ~**cut,** klipp(ing) *m;* ~**dresser,** frisør *m,* friserdame *m/f;* ~**pin,** hårnål *m/f;* ~**splitting,** ordkløveri *m;* ~**y,** håret, lodden.
half [ha:f] halv; halvt, halvveis; halvdel *m;* semester *n,* halvår *n;* **three hours and a** ~, $3^{1}/_{2}$ time; **at** ~ **past 6,**

klokka halv sju; ~**breed,** halvblods *m;* ~**hearted,** halvhjertet, lunken; ~**moon,** halvmåne *m;* ~**penny** ['heipni] halvpenny *m;* ~**way,** halvveis; ~**year,** halvår *n;* semester *n;* ~**yearly,** halvårlig.
halibut ['hælibət] hellefisk *m,* kveite *m/f.*
hall [hɔ:l] hall *m,* sal *m;* forstue *m/f;* herresete *n.*
hallow ['hælou] hellige, innvie.
halt [hɔ:lt] stans(e) *m;* holdeplass *m;* halte.
ham [hæm] skinke *m/f.*
hamlet ['hæmlit] liten landsby *m.*
hammer ['hæmə] hammer *m.*
hammock ['hæmək] hengekøye *m/f.*
hamper ['hæmpə] stor kurv *m;* hindre, hemme.
hand [hænd] hånd *m/f;* mann *m,* arbeider *m;* håndskrift *m/f;* håndkort *n;* urviser *m;* levere; rekke; nær; **in** ~, i arbeid; under kontroll; **money in** ~, rede penger; **on** ~, forhånden; på lager; til rå-

dighet; **on (the) one** ~, på den ene side; **on the other** ~, på den annen side; derimot, men; **change** ~**s**, skifte eier; **come to** ~, innløpe, komme i hende; ~ **over**, overlevere, utlevere; **shake** ~**s**, ta hverandre i hånden; ~**bag**, håndveske *m/f*; ~**cuffs**, håndjern *n*; ~**ful**, håndfull.

handicap ['hændikæp] handikap(pe) *n*; hemme.

handicraft ['hændikra:ft] håndarbeid *n*; håndverk *n*; ~**ness**, behendighet *m*; fingernemhet *m*.

handkerchief ['hæŋkətʃif] tørkle *n*, lommetørkle *n*.

handle ['hændl] fingre på; håndtere; behandle; håndtak *n*; hank *m*.

handsome ['hænsəm] pen; kjekk; ~**writing**, håndskrift *m/f*; ~**y**, fingernem; bekvem, praktisk; for hånden.

hang [hæŋ] henge; henge opp; henge (i galgen).

hanging ['hæŋiŋ] hengning *m*; gardin *m*, draperi *n*.

hangman ['hæŋmən] bøddel *m* (ved hengning).

hangover ['hæŋouvə] bakrus *m*.

hanker ['hæŋkə] hige, lengte.

haphazard ['hæp'æzəd] tilfeldig; **at** ~, på måfå.

happen ['hæp(ə)n] hende; skje; ~**ing**, hending *m/f*.

happily ['hæpili] *adv* lykkelig; heldig; ~**iness**, lykke *m*; ~**y**, lykkelig; glad; treffende; heldig; ~~**-go-lucky**, sorgløs, likeglad.

harass ['hærəs] trette; plage.

harbour ['ha:bə] havn *m/f*; huse; nære (planer o.l.).

hard [ha:d] hard; stri; streng; vanskelig; tung; ~ **cash** (*el money*), rede penger, kontanter; ~ **of hearing**, tunghørt; **the** ~ **facts**, de nakne fakta; ~ **up**, opprådd, i pengeknipe; **work** ~, arbeide flittig; ~**en**, gjøre (*el* bli) hard; herde; ~**ly**, neppe; snaut; nesten ikke; ~**ness**, hardhet *m*; ~**ship**, motgang *m*; ~**s**, strabaser; ~**ware**, isenkram *m*; ~**y**, dristig, djerv.

hare [hɛə] hare *m*; ~**brained**, tankeløs; ~**lip**, hareskår *n*.

hark [ha:k] lytte (til).

harlot ['ha:lət] skjøge *m/f*, hore *f*.

harm [ha:m] *s & v* skade *m*; gjøre fortred; ~**ful**, skadelig; ~**less**, uskadelig, harmløs.

harmonious [ha:'mounjəs] harmonisk.

harness ['ha:nis] seletøy *n*; spenne for.

harp [ha:p] harpe *m/f*.

harrow ['hærou] harv(e) *m/f*.

harsh [ha:ʃ] grov, ru; hard, skurrende; barsk.

harvest ['ha:vist] høst(e) *m;* avl(e) *m;* ~**er (combine -er),** skurtresker *m.*

hash [hæʃ] hakke; skjære i stykker; hakkemat *m;* rot *n.*

hast|**e** [heist] hast *m,* fart *m;* **make ~,** skynde seg; **be in ~,** ha det travelt; ~**en,** haste, skynde seg; skynde på; ~**y,** hastig, brå; hissig.

hat [hæt] hatt *m.*

hatch [hætʃ] luke *m/f;* luke ut, klekke ut; yngle; kull *n.*

hate [heit] hat(e) *n;* ~**ful,** avskyelig; **hatred,** hat *n.*

hatter ['hætə] hattemaker *m.*

haught|**iness** ['hɔ:tinis] hovmod *n;* stolthet *m;* ~**y,** hovmodig.

haul [hɔ:l] hale, dra; frakte; kast *n;* fangst *m.*

haunch [hɔ:ntʃ] hofte *m/f;* ~**es,** ende *m,* bakdel *m.*

haunt [hɔ:nt] tilholdssted *n;* plage; spøke i.

have [hæv] ha; få; ~ **to do,** måtte gjøre; ~ **it out with,** snakke ut med.

havoc ['hævək] ødeleggelse *m.*

hawk [hɔ:k] hauk *m;* høkre, rope ut; ~**er,** gateselger *m.*

hay [hei] høy *n.*

hazard ['hæzəd] tilfelle *n,* treff *n;* fare *m;* hasard *m,* vågespill *n;* våge; sette på spill; løpe en risiko; ~**ous,** vågelig; risikabel.

haze [heiz] tåke *m/f;* dis *m.*

hazel-nut ['heizlnʌt] hasselnøtt *m/f.*

hazy ['heizi] disig; tåket.

he [hi:] han; den, det; **he who,** den som.

head [hed] hode *n,* forstand *m,* overhode *n;* sjef *m,* leder *m;* stykke kveg; øverste del, øverste ende, topp *m;* forreste del; spiss *m,* nes *n;* overskrift *m/f;* først; forrest, hoved-; led, føre; komme forut for, gå i forveien; stå i spissen; sette kursen **(for** mot); **come to a ~,** tilspisse seg; **make ~ against,** holde stand mot; ~**ache,** hodepine *m;* ~**dress,** hodepynt *m;* ~**er,** stup *n;* hodekulls fall *n* el sprang *n;* ~**gear,** hodeplagg *n;* ~**light,** frontlys *n;* ~**line,** overskrift *m/f;* ~**long,** hodekulls; ~**master,** rektor *m;* ~**piece,** hjelm *m; dt* intelligens *m;* ~**phone,** høretelefon *m;* ~**quarters,** hovedkvarter *n;* ~**stone,** gravstein *m;* ~**strong,** stri, sta; ~**waiter,** hovmester *m;* ~**way,** fremskritt *n;* fart *m;* ~**wind,** motvind *m;* ~**y,** egensindig; selvrådig; berusende.

heal [hi:l] lege, helbrede; gro **(up** igjen).

health [help] helse *m,* sunnhet *m;* ~ **-resort,** kursted *m;* ~**y,** sunn.

heap [hi:p] hop *m,* haug *m,* dynge *f;* dynge sammen.

hear [hiə] høre; erfare; få vite; ~ **ing,** hørsel *m;* hørevidde *m;* rettsmøte *n.*

hearse [hə:s] likvogn *m/f.*

heart [ha:t] hjerte *n;* mot *n;* det innerste; kjernen *m;* by ~, utenat; **out of** ~, motløs; ~ **beat,** hjerteslag *n;* ~ **burn,** halsbrann *m;* kardialgi *m;* ~ **en,** oppmuntre.

hearth [ha:þ] arne *m;* peis *m.*

heart|ily ['ha:tili] *adv* hjertelig, varmt; ivrig; kraftig; ~ **iness,** hjertelighet *m;* ~ **less,** hjerteløs; ~ **y,** hjertelig; ivrig; sunn; kraftig; sterk.

heat [hi:t] varme *m;* (opp)-hete.

heath [hi:þ] mo *m,* hei *f;* lyng *m;* ~ **en** ['hi:ðən] hedning *m;* hedensk.

heather ['heðə] lyng *m.*

heating ['hi:tiŋ] oppvarming *m/f;* **central** ~, sentralvarme *m.*

heave [hi:v] heve, løfte; stige og synke; svulme; ~ **to,** legge bi; ~ **up anchor,** lette anker.

heaven ['hevn] himmel(en) *m;* ~ **ly,** himmelsk.

heaviness ['hevinis] tunghet *m;* tyngde *m,* vekt *m/f.*

heavy ['hevi] tung, svær; solid; tungvint; kraftig; trettende;

~ **expenses,** store utgifter; ~ **with sleep,** søvndrukken; ~ **weight,** tungvektsbokser *m.*

Hebrew ['hi:bru:] hebreer *m;* hebraisk.

heckle ['hekl] avbryte stadig vekk; hekle.

hectic ['hektik] hektisk.

hedge [hedʒ] hekk *m;* innhegne; ~ **hog,** pinnsvin *n;* ~ **row,** hekk *m.*

heed [hi:d] ense, gi akt på; oppmerksomhet *m.*

heel [hi:l] hæl *m;* sette hæl på; krenge; legge seg over.

hefty ['hefti] svær, kraftig.

height [hait] høyde *m;* høydepunkt *n;* ~ **en,** forhøye, heve; forstørre.

heir [eə] arving *m;* ~ **ess,** kvinnelig arving; godt parti; ~ **loom,** arvestykke *n.*

hell [hel] helvete *n.*

helm, rorpinne *m;* ror *n;* ~ **et,** hjelm *m;* ~ **sman,** rormann *m.*

help, hjelp *m/f,* bistand *m; amr* tjener *m,* pike *m/f;* hjelp(er)ske *m,* botemiddel *n;* hjelpe; støtte; ~ **oneself,** forsyne seg; **I cannot** ~ **laughing,** jeg kan ikke la være å le; ~ **ful,** hjelpsom; nyttig; ~ **ing,** porsjon *m;* ~ **less,** hjelpeløs; ~ **meet,** ~ **mate,** hjelper(ske) *m.*

hem, søm *m;* fald(e) *m;* kremt(e) *n.*

hemisphere ['hemisfiə] halv-kule *m/f.*

hemp, hamp *m.*

hen, høne *f;* hunn *m* (av fugl).

hence [hens] herfra; fra nå av; derfor, følgelig; ~ **forth**, fra nå av.

her [hə:] henne; seg; hennes; sin, sitt, sine.

herb [hə:b] urt *m/f,* plante *m/f;* ~ **age**, planter; beite *n.*

herd [hə:d] buskap *m;* gjete; ~ **sman**, gjeter *m.*

here [hiə] her, hit; ~ **about(s)**, her omkring, på disse kanter; ~ **by** [-bai] herved.

hereditary [hi'reditəri] arvelig, arve-; ~ **ty**, arvelighet *m.*

hereupon [hiərə'pɔn] herpå, derpå; ~ **with**, hermed.

heritage ['heritidʒ] arv *m.*

hermit ['hə:mit] eremitt *m.*

hero ['hiərou] *pl* **-es**, helt *m;* ~ **ic**, heroisk; ~ **ine** ['heroin] heltinne *m/f;* ~ **ism**, helte-mot *n.*

herring ['heriŋ] sild *f.*

hers [hə:z] hennes; sin, sitt, sine.

herself [hə:'self] hun selv, henne selv, seg.

hesitate ['heziteit] nøle; ~ **tion**, nøling *m/f;* usikkerhet *m;* ubesluttsomhet *m.*

hew [hju:] hogge.

hiccough, **hiccup** ['hikʌp] hikke *v* & *s.*

hide [haid] hud *m/f,* skinn *n;* skjule, gjemme (seg).

hideous ['hidiəs] fryktelig, skrekkelig.

hiding ['haidiŋ] pryl *m,* bank *m;* ~ **-place**, skjulested *m.*

high [hai] høy, fornem; sterk, stor; høytliggende; dyr; høyt; ~ **brow**, intellektuell *m;* åndssnobb *m;* ~ **faluting**, høyttravende; ~ **life**, livet i de høyere kretser; ~ **light**, høydepunkt *n;* ~ **ly**, høyt; i høy grad, ytterst; ~ **minded**, høysinnet; ~ **ness**, høyde *m;* høyhet *m;* ~ **road**, landevei *m;* ~ **sea**, sterk sjøgang *m;* **the** ~ **seas**, det åpne havet; **be in** ~ **spirits**, være i godt humør; **be** ~ **strung**, over-spent; nervøs; ~ **tea**, af-tensmåltid *n* (med te); ~ **way(-man)** hovedvei *m,* landevei(srøver) *m* (*pl*).

hijack ['haidʒæk] kapre (fly etc.); ~ **er**, (fly)kaprer *m.*

hike [haik] (gå) fottur *m.*

hill [hil] haug *m,* bakke *m,* ås *m;* ~ **ock**, liten haug; ~ **side**, skrent *m,* skråning *m.*

hilt sverdfeste *n,* hjalt *n.*

him, ham; den, det; seg.

himself [him'self] han selv, selv; seg selv; seg; **by** ~, alene.

hind [haind] hind *m/f;* bak-; ~ **er** ['hində], hindre; for-hindre (**from** i å); hemme; ~ **rance**, hindring *m/f.*

hinge [hindʒ] hengsel *n;* ho-

vedpunkt *n*; ~ **upon**, av-
henge av.

hint, vink *n*, antydning *m*;
antyde, ymte.

hip, hofte *m/f*; ~ **flask**, lom-
melerke *m/f*; ~**-pocket**,
baklomme *m/f*.

hire [haiə] hyre, leie, feste; **on
~ purchase**, på avbetaling
m/f.

his [hiz] hans; sin, sitt, sine.

hiss [his] visle, pipe ut.

historian [histɔ·riən] histo-
riker *m*; ~**ic(al)**, historisk;
~**y** ['histəri] historie *m/f*.

hit, treffe, ramme, slå; slag *n*,
(full)treffer *m*; suksess *m*;
treffende bemerkning *m/f*.

hitch [hitʃ] rykke; hekte fast;
feste; rykk *n*, vanskelighet *m*;
hindring *m/f*; ~**hike** [-haik]
haike.

hitherto ['hiðətu:] hittil.

H.M.S. fork. for **His** (*el* **Her**)
Majesty's ship.

hive [haiv], (bi)kube *m*.

hoar(frost) ['hɔ:frɔst] rimfrost
m.

hoard [hɔ:d] forråd *n*; samle
sammen; dynge opp;
hamstre; ~**ing**, hamstring
m/f; oppsamling *m/f*, opp-
hopning *m*.

hoarse [hɔ:s] hes.

hoary ['hɔ:ri] gråhåret; eld-
gammel.

hobble ['hɔbl] kumpe, halte.

hoax [houks] lurer *n*; juks(e)
n.

hoe [hou] *s & v* hakke *m/f*.

hog [hɔg] svin *n*, gris *m*;
~**shead**, oksehode *n*, fat *n*
(ca. 238 liter); ~**skin**, svine-
lær *n*; ~**wash**, skyller, grise-
mat *m*.

hoist [hɔist] heise.

hold [hould] hold *n*, tak *n*,
grep *n*, lasterom *n*; **catch** (*el*
lay *el* **seize** *el* **take**) ~ **of**, (*ta*
fatt i; holde, fastholde,
romme, holde for, anse for,
mene, hevde, ikke gå i styk-
ker, stå stille, gjøre holdt,
vare ved; bestå; ~ **the line**
(i telefonen:) vent et øye-
blikk!; ~ **water**, være vann-
tett, *fig* gjelde, duge; ~
good (*el* **true**), vise seg å
være riktig; ~ **an office**, ha
et embete *n*; ~ **on**, holde
fast; vedbli; ~ **on to**, holde
fast i; ~ **out**, holde ut; ~
up, løfte; støtte; stanse;
stoppe (for å røve); holde
(f.eks. i trafikken); klare seg
godt (gjennom motgang);
~ **er**, forpakter *m*, innehaver
m; ~ **ing**, avholdelse *m*;
landeiendom *m*.

hole [houl] hull *n*, hule *m*,
forlegenhet *m*, knipe *m/f*;
lage huller i.

holiday ['hɔlədei] helligdag *m*,
fridag *m*, ferie *m*; ~**s**, ferie
m.

holiness ['houlinis] hellighet
m; fromhet *m*.

hollow ['hɔlou] hulning *m;* hule *m;* hul; dump; falsk; hule ut.

holly ['hɔli] kristtorn *m.*

holy ['houli] hellig.

homage ['hɔmidʒ] hyllest *m;* **do** *(el* **pay)** ~, hylle.

home [houm] hjem *n;* hjemme; hus-; innenlandsk; til målet, ved målet; bo, ha et hjem; finne hjem (om brevduer); **at** ~, hjemme; **be at** ~ **in a subject,** være inne i en sak; **make oneself at** ~, late som om man er hjemme; **from** ~, hjemmefra, bortreist; ~ **trade,** innenrikshandel *m;* **bring** ~ **to,** gjøre noe klart for; overbevist om; **drive** ~, slå i (om spiker); **see** ~, følge hjem; ~**ly,** jevn, enkel; stygg; ~**made,** hjemmelaget, innenlandsk; ~**sick,** som lengter hjem; ~**sickness,** hjemlengsel *m;* ~**spun,** hjemmevevd, hjemmegjort; ~**ward(s),** hjemover; ~**work** *(el* **lessons),** hjemmeoppgaver *m.*

homicide ['hɔmisaid] mord(er) *n (m).*

Hon. fork. for **honorary, honourable.**

hone [houn] *s & v* bryne *n.*

honest ['ɔnist] ærlig, rettskaffen; ~**y,** ærlighet *m,* redelighet *m.*

honey ['hʌni] honning *m;* ~ **moon,** hvetebrødsdager; bryllupsreise *m/f;* ~ **suckle,** kaprifolium *m.*

honorary ['ɔnərəri] æres-, heders-.

honour ['ɔnə] ære *m/f,* hedre *m;* verdighet *m;* æresfølelse *m,* æresbevisning *m,* honnør *m;* ære, prise, honorere (veksel o.l.); ~**able,** ærlig, hederlig, ærefull; som tittel: ærede.

hood [hud] hette *m/f,* lue *m/f,* kyse *m/f;* kalesje *m;* amr (bil)panser *n;* ~**wink,** narre, føre bak lyset.

hoof [hu:f] hov *m.*

hook [huk] hake *m,* krok *m;* få på kroken; hekte; stjele; ~**ed,** kroket, krum.

hooligan ['hu:ligən] bølle *m,* ramp *m.*

hoop [hu:p] tønnebånd *n,* bøyle *m.*

hooping-cough ['hu:piŋkɔf] kikhoste *m.*

hoot [hu:t] tute, ule, tuting *m/f,* uling *m/f;* ~**er,** sirene *m/f,* (bil)horn *n.*

hop [hɔp] hoppe, bykse, danse; hopp *n,* dans *m;* humle *m (bot).*

hope [houp] håp *n;* håpe; ~**ful,** forhåpningsfull.

horizon [hə'raizn] horisont *n.*

horn [hɔ:n] horn *n.*

hornet ['hɔ:nit] geitehams *m* (stor veps).

horny ['hɔːni] hornaktig.

horrible ['hɔrəbl] skrekkelig, forferdelig; avskyelig; ~ **d**, redselsfull; avskyelig; ~ **fy**, forferde, skremme.

horror ['hɔrə] forferdelse m; redsel m; avsky m.

horse [hɔːs] hest m; kavaleri n; stativ n; **on** ~ **back**, til hest; ~ **manship**, ridekunst m; ~ **power**, hestekraft m/f; hestekrefter (60 horse-power); ~ **race**, hesteveddeløp n; ~ **radish**, pepperrot m/f; ~ **shoe**, hestesko m; ~ **whip**, ridepisk m.

hose [houz] strømper; hage-slange m; oversprøyte.

hósier ['houʒə] trikotasjehand-ler m; ~ **y**, trikotasje n; strømpevarer.

hospitable ['hɔspitəbl] gjestfri.

hospital ['hɔspitl] hospital n, sykehus n; ~ **ity**, gjestfrihet m; ~ **ize** ['hɔspitəlaiz] amr sende til sykehus.

host [houst] vert m; (hær)-skare m; hostie m; ~ **age** ['hɔstidʒ] gissel m; ~ **el**, gjest-giveri n, studenthjem n; **youth** ~ **el**, ungdomsher-berge n; ~ **ess**, vertinne m/f; ~ **ile** ['hɔstail] fiendtlig(sin-net); ~ **ility**, fiendskap m; fiendtlighet m.

hot [hɔt] het, varm, hissig, heftig, sterk (om smak); li-denskapelig; ~ **dog**, amr

varm pølse med brød (el lompe).

hotel [houˈtel] hotell n.

hot-head, brushode n, sinna-tagg m; ~ **house**, drivhus n; ~ **water:** ~ ~ **bottle**, ~ ~ **heating**, ~ ~ **supply**, varmt-vannsflaske m/f, varmt-vannsforsyning m/f.

hound [haund] jakthund m; hisse, pusse (**on** på).

hour [auə] time m, tid m/f, klokkeslett n; ~ **s**, kontortid m/f, åpningstid m/f; **by the** ~, pr. time; i timesvis; ~ **ly**, hver time.

house [haus] pl **houses** ['hauziz] hus n; kongehus n, hus n, kammer n, ting n; teat hus n, publikum n; forsamling m/f; [hauz] huse, beskytte; holde til; ~ **hold**, husholdning m; ~ **keeper**, husmor m/f, hus-holder(ske) m; ~ **wife**, hus-mor m/f.

hovel ['hɔvəl] skur n.

hover ['hɔvə] sveve; ~ **craft**, luftputefartøy n.

how [hau] hvordan; hvor; i hvilken grad; ~ **are you?**, hvordan har De det?; ~ **do you do?**, god dag! det gleder meg (ved presentasjon); ~ **old**, ~ **often**, hvor gammel, hvor ofte; ~ **ever**, hvordan enn; likevel, dog, imidlertid.

howl [haul] hyle, ule, tute; hyl n, uling m/f.

h.p. fork. for **horse-power.**

H.R.H. fork. for **His** (el. **Her) Royal Highness.**

huckster ['hʌkstə] høker *m.*

huddle ['hʌdl] stuve (seg) sammen, dynge sammen; klynge *m/f,* dynge *m/f.*

hue [hju:] farge *m;* anstrøk *n.*

huff [hʌf] bli sint; bruke seg på; bli fornærmet; fornærmelse *m;* ~ **y,** hårsår, lett støtt.

hug [hʌg] omfavne(lse) *m,* klem(me) *m.*

huge [hju:dʒ] stor, veldig.

hull [hʌl] (skips)skrog *n;* hylster *n;* belg *m,* skalle, renske.

hum [hʌm] nynne, summe.

human ['hju:mən] menneskelig, menneske-; ~ **being,** menneske *n;* ~ **e** [hju'mein] human(istisk); ~ **ity** [hju-'mæniti] menneskelighet *m;* menneskeheten *m.*

humble ['hʌmbl] ydmyk, beskjeden; ydmyke.

humbug ['hʌmbʌg] svindel *m,* humbug(maker) *m;* sludder *n;* narre, lure.

humdrum ['hʌmdrʌm] ensformig, kjedelig.

humid ['hju:mid] fuktig; ~ **ity** [-'mid-] fuktighet *m.*

humiliate [hju:'milieit] ydmyke; ~ **ion,** ydmykelse *m;* **humility,** ydmykhet *m.*

humorous ['hju:mərəs] humoristisk.

humour ['hju:mə] humor *m,* humør *n,* lune *n;* føye, rette seg etter.

hump [hʌmp] pukkel *m.*

hunch [hʌntʃ] pukkel *m; dt* (forut)anelse *m;* pukkelrygg *m* (-et person).

hundred ['hʌndrəd] hundre; ~ **fold,** hundredobbelt; ~ **th,** hundrede (ordenstall); **hundredel** *m;* ~ **weight** (cwt.) = 50,8 kg.

Hungarian [hʌn'gɛəriən] ungarsk; ungarer *m;* ~ **y,** Ungarn.

hunger ['hʌngə] sult *m,* hunger *m;* hungre **(for, after** etter); ~ **ry,** sulten.

hunt [hʌnt] jage (etter); jakt *m/f;* ~ **er,** jeger *m;* ~ **ing, go hunting,** gå på jakt.

hurdle ['hə:dl] hinder *n* (ved veddeløp); *fig* forhindring *m;* ~ **r,** hekkeløper *m;* ~ **s,** hekkeløp *n,* hinderløp.

hurl [hə:l] kaste, slynge.

hurricane ['hʌrikən] orkan *m.*

hurried ['hʌrid] hastig, oppjaget.

hurry ['hʌri] hast *m,* hastverk *n;* haste, skynde på, skynde seg; **be in a** ~, ha det travelt.

hurt [hə:t] skade, såre, krenke; fortred *m,* skade *m,* sår *n;* krenkelse *m;* ~ **ful,** skadelig.

husband ['hʌsbənd] ektemann

m; spare på; ~**ry**, jordbruk *n;* husholdning *m.*

hush [hʌʃ] stille!; stillhet *m;* stille, døyve, berolige.

husk [hʌsk] belg *m,* skall *n;* skrelle, pille.

husky ['hʌski] kraftig, sterk; hes, rusten.

hustle ['hʌsl] støte, skubbe; skynde seg.

hut [hʌt] hytte *f,* brakke *f.*

hutch [hʌtʃ] bur *n* (f.eks. til kaniner).

hydro- ['haidrou-] i sammensetninger: vann-.

hydrogen ['haidrədʒən] hydrogen *n.*

hyena [haiˈiːnə] hyene *m.*

hygiene ['haidʒiːn] hygiene *m;* ~**ic,** hygienisk.

hymn [him] hymne *m;* salme *m;* lovsynge; ~**-book,** salmebok *m/f;* ~**al,** salme-; salmebok *m/f.*

hyphen ['haifən] bindestrek *m.*

hypnosis [hipˈnousis] hypnose *m;* ~ **tist** [hipˈnɔtist] hypnotisør *m;* ~**tize,** hypnotisere.

hypocrisy [hiˈpɔkrisi] hykleri *n;* skinnhellighet *m;* ~**te** ['hipəkrit] hykler *m.*

hypothesis [haiˈpɔθisis] hypotese *m.*

hysteria [hisˈtiəriə] hysteri *n;* ~**c(al),** hysterisk.

I

I [ai] jeg.

ice [ais] is *m;* islegge, dekke med is; ise; glasere; ~**berg,** isfjell *n;* ~**-cream,** iskrem *m.*

Iceland ['aislənd] Island.

icicle ['aisikl] istapp *m.*

icy ['aisi] iskald; is-.

idea [aiˈdiə] idé *m;* forestilling *m;* tanke *m,* hensikt *m;* ~**l,** ideal *n,* forbilde *n;* uvirkelig; ideell; ~**lism,** idealisme *m;* ~**lize,** idealisere.

identical [aiˈdentikl] identisk; ~**fy,** identifisere; ~**ty,** identitet *m.*

idiom ['idiəm] idiom *n;* språkeiendommelighet *m.*

idiot ['idiət] idiot *m;* åndssvak person *m.*

idle ['aidl] ledig; uvirksom; doven; unyttig, forgjeves; drive dank; *tekn* run ~, løpe tom; ~**ness,** lediggang *m;* lathet *m;* ~**r,** lediggjenger *m,* dovenfant *m.*

idol ['aidl] avgud *m;* ~**ize,** forgude.

idyll ['idil, *amr* 'aidil] idyll; hyrdedikt.

i. e. [ai iː] = id est (= that is) det er, det vil si, dvs.

if, hvis, om.

ignition [ig'niʃn] tenning *m/f.*

ignoble [ig'noubl] gemen, us-sel.

ignominious [igno'miniəs] skammelig, vanærende.

ignorance [ˈignərəns] uvitenhet *m;* ~ **ant,** uvitende; ~ **e,** ig-norere, overse.

ill, ond; dårlig; syk; onde *n;* ~ **-advised,** ubesindig; ~ **-bred,** uoppdragen.

illegal [iˈliːgəl] ulovlig.

illegible [iˈledʒəbl] uleselig.

illegitimate [iliˈdʒitimət] født utenfor ekteskap; urettmes-sig; ulovlig.

ill-fated [ˈilˈfeitid] ulykkelig; ungunstig; ~ **iterate** [iˈlitərət] analfabet *m;* ~ **icit,** ulovlig; ~ **-natured,** ondskapsfull; gretten; ~ **ness,** sykdom *m;* ~ **-tempered,** gretten, sur; ~ **-timed,** ubeleilig.

illuminate [iˈljuːmineit] be-, opplyse; ~ **ion,** be-, opplys-ning *m.*

illusion [iˈluːʒn] illusjon *m;* blendverk *n;* ~ **ive** [-siv] ~ **ory,** illusorisk.

illustrate [ˈiləstreit] illustrere; belyse; forsyne med bilder; ~ **ion,** illustrasjon *m;* belys-ning *m;* forklaring *m/f.*

image [ˈimidʒ] bilde *n;* av-bilde, gjenspeile.

imaginable [iˈmædʒinəbl] ten-kelig; ~ **ation,** innbilnings-

(kraft); fantasi *m;* ~ **e,** inn-bille seg; tenke seg.

imitate [ˈimiteit] etterligne; imitere; ~ **ion,** etterligning *m/f;* ~ **or,** etterligner *m.*

immaterial [iməˈtiəriəl] uve-sentlig; immateriell.

immature [iməˈtjuːə] umoden.

immediate [iˈmiːdjət] umiddel-bar; øyeblikkelig; ~ **ly,** straks.

immemorial [imiˈmɔːriəl] umin-nelig; eldgammel.

immense [iˈmens] umåtelig.

immerse [iˈməːs] dyppe.

immigrant [ˈimigrənt] inn-vandrer *m;* ~ **te,** innvandre; ~ **tion,** innvandring *m/f.*

imminent [ˈiminənt] fore-stående; overhengende.

immoderate [iˈmɔdərit] over-dreven; umåtelig.

immoral [iˈmɔrəl] umoralsk; ~ **ity,** umoral(skhet) *m (m).*

immortal [iˈmɔːtl] udødelig; ~ **ity,** udødelighet *m.*

immovable [iˈmuːvəbl] ubeve-gelig urokkelig.

immune [iˈmjuːn] fri; uimotta-gelig; immun.

imp [imp] djevelunge *m,* skøyer *m.*

impact [ˈimpækt] støt *n;* (inn)-virkning *m/f.*

impair [imˈpɛə] forringe, svekke.

impart [imˈpaːt] gi videre, meddele.

im|partial [im'pa:ʃl] upartisk; **~ passable**, ufremkommelig.

impasse [im'pa:s] blindgate *m/f.*

impatien|ce [im'peiʃns] utålmodighet *m;* **~ t**, utålmodig.

impeach [im'pi:tʃ] dra i tvil, anklage, stille for riksrett; **~ ment**, (riksretts)anklage *m.*

imped|e [im'pi:d] hindre, hemme; **~ iment** [im'pedi-] (for)hindring *m/f.*

impel [im'pel] drive fram, anspore.

impend [im'pend] være overhengende *el* nær; true.

impenetrable [im'penitrəbl] ugjennomtrengelig.

imperceptible [impə'septibl] umerkelig.

imperfect [im'pə:fikt] ufullkommen; mangelfull; *gram* imperfektum *n;* **~ ion**, ufullkommenhet *m.*

imperial [im'piəriəl] keiserlig; riks-; imperie-.

imperishable [im'periʃəbl] uforgjengelig.

impersona|l [im'pə:snl] upersonlig; **~ te**, personifisere; fremstille (på teater); **~ tion**, personifisering *m.*

impertinen|ce [im'pə:tinəns] nesevishet *m;* **~ t**, nesevis, uforskammet.

imperturbable [impə'tə:bəbl] uforstyrrelig.

impervious [im'pə:viəs] ugjen-

nomtrengelig; utilgjengelig **(to** for).

impetuous [im'petjuəs] heftig, voldsom.

impetus ['impitəs] stimulans *m,* (driv)kraft *m/f.*

impious ['impiəs] ugudelig.

implement ['implimənt] redskap *m (n),* verktøy *n.*

implicat|e ['implikeit] innvikle, implisere; **~ ion**, innblanding *m/f,* innvikling *m/f;* stilltiende forståelse *m.*

implicit [im'plisit] stilltiende; underforstått.

implore [im'plɔ:] bønnfalle.

imply [im'plai] antyde; implisere, innebære.

impolite [impə'lait] uhøflig.

import ['impɔ:t] innførsel *m;* betydning *m;* mening *m;* [im'pɔ:t] innføre, importere; innebære; **~ ance**, viktighet *m;* **~ ant**, viktig.

impose [im'pouz] pålegge; påtvinge; **~ upon**, narre, bedra; **~ ing**, imponerende; **~ ition**, pålegg *n;* påbud *n;* skatt *m;* straffelekse *m/f* på skole; bedrag *n,* lureri *n.*

impossib|ility [imposi'biliti] umulighet *m;* **~ le**, umulig.

impos|tor [im'pɔstə] bedrager *m;* **~ ure**, bedrageri *n.*

impotent ['impətənt] kraftløs.

impoverish [im'pɔvəriʃ] gjøre fattig.

impracticable [im'præktikəbl] ugjennomførlig.

impregna|ble [im'pregnəbl] uinntagelig; ~ **te** [-neit] impregnere, gjennomtrenge; [im'pregnit] impregnert.

impress ['impres] preg *n*, avtrykk *n;* [im'pres] (på-)trykke; prege, gjøre inntrykk på, imponere; ~ **ion**, inntrykk *n;* avtrykk *n;* opplag *n;* **be under the** ~ **ion that**, ha det inntrykk at; ~ **ive**, imponerende.

imprint ['imprint] avtrykk *n;* preg *n;* [im'print] merke, prege; innprente.

imprison [im'prizn] fengsle; ~ **ment**, fengsling *m*, fangenskap *n*.

improbab|ility [improbə'biliti] usannsynlighet *m;* ~ **le** [-'prob-] usannsynlig.

improper [im'propə] upassende.

improv|able [im'pru:vəbl] som kan forbedres; ~ **e**, forbedre(s), gjøre fremskritt; ~ ~ **on**, forbedre; ~ **ement**, forbedring *m/f;* utvikling *m/f;* fremgang *m.*

impruden|ce [im'pru:dns] uforsiktighet, ubetenksomhet *m;* ~ **t**, uklok, uforsiktig.

impuden|ce [im'pjudns] uforskammethet *m;* ~ **t**, uforskammet.

impulse ['impʌls] impuls *m;* tilskyndelse *m;* innfall *n.*

impure [im'pju:ə] uren.

in, i; på; ved; til; inn; inne; innen; om; inn i; inn til; med hensyn til; i og med i; ved å; **be** ~, være inne, hjemme; være på mote; ha makten.

in|ability [inə'biliti] udyktighet *m;* ~ **accessible**, utilgjengelig; ~ **accuracy**, unøyaktighet *m;* ~ **accurate**, unøyaktig.

inaction [in'ækʃn] uvirksomhet *m;* ~ **ve**, uvirksom.

in|adequate [in'ædikwit] utilstrekkelig; ~ **admissible**, utilstedelig; ~ **advertently**, av vanvare; ~ **alienable**, uavhendelig; umistelig; ~ **ane**, tom; tåpelig; ~ **animate**, ubesjelet, livløs; ~ **applicable**, uanvendelig; ~ **approachable**, utilnærmelig; ~ **appropriate**, upassende; malplassert.

inasmuch [inəz'mʌtʃ] **as**, for så vidt som, ettersom.

inattention [inə'tenʃn] uoppmerksomhet *m;* ~ **ve**, uoppmerksom.

inaugur|al [in'ɔ:gjurəl] innvielses-; ~ **ate** [-eit] høytidelig innsette; innvie; ~ **ation**, innsettelse *m;* innvielse *m.*

inborn ['in'bɔ:n] medfødt.

incantation [inkæn'teiʃn] besvergelse *m.*

incapa|bility [inkeipə'biliti] udyktighet *m;* ~ **ble**, udyktig; uskikket (of til); ~ city, udugelighet m.

in|carnate [in'ka:neit] legemliggjøre; [-it] legemliggjort; skinnbarlig; ~ cautious, uforsiktig.

incense ['insens] røkelse m.

incentive [in'sentiv] spore m, ansporende.

incessant [in'sesnt] uopphørlig.

inch [intʃ] tomme m (2,54 cm).

incident ['insidnt] (tilfeldig) hendelse m; tildragelse m; episode m; ~ al, tilfeldig.

incinerate [in'sinəreit] (for)-brenne, brenne opp; ~ or, (søppel)forbrenner m.

inci|se [in'saiz] skjære inn; ~ ion [in'siʒən] innsnitt n; ~ ive [in'saisiv] skjærende, skarp.

incite [in'sait] anspore, egge; ~ ment, tilskyndelse m, ansporing m/f; spore m.

inclination [inkli'neiʃn] helling m/f; bøyning m; tilbøyelighet m; ~ e [in'klain] skråne, helle; bøye; være (el gjøre) tilbøyelig (to til å); skråning m, bakkehell m; ~ ed, skrå; tilbøyelig (to til å).

inclu|de [in'klu:d] omfatte, ta med, inkludere; ~ sive, inklusive, innbefattet.

in|coherent [inkou'hiərent] usammenhengende.

income ['inkʌm] inntekt m/f;

~ tax, inntektsskatt m; ~ ing, ankommende, inngående.

in|comparable [in'kɔmpərəbl] som ikke kan sammenlignes; ~ compatible, uforenlig; ~ competent, uskikket; udyktig; ~ complete, ufullstendig; ~ comprehensible, uforståelig; ~ conceivable, ufattelig; ~ congruity, uoverensstemmelse m; ~ congruous, uoverstemmende; urimelig; ~ considerable, ubetydelig; ~ considerate, hensynsløs.

in|consistent [inkən'sistənt] selvmotsigende, inkonsekvent; ~ consolable, utrøstelig; ~ convenience, uleilighet m; bry(deri) n, ulempe m; bry, uleilige; ~ convenient, ubekvem, ubeleilig, brysom.

incorporate [in'kɔ:pəreit] oppta, innlemme; ~ d, innlemmet; Inc. i forb. med amer. firmanavn = aksjeselskap n.

in|correct [inkə'rekt] uriktig; ~ corrigible, uforbederlig.

increase [in'kri:s] øke; vokse, tilta; forhøye; [inkri:s] vekst m; økning m; tilvekst m; forhøyelse m.

incredible [in'kredəbl] utrolig; ~ ulous, tvilende; vantro.

increment ['inkriment] økning m; (lønns-)tillegg n.

inculcate ['inkʌlkeit] innprente, innskjerpe.

incur [in'kə:] pådra seg; inngå (forpliktelser).

incurable [in'kjuərəbl] uhelbredelig.

indebted [in'detid] som skylder, står i gjeld (**to** til); forgjeldet.

indecency [in'di:snsi] uanstendighet m; ~ **t**, usømmelig, uanstendig.

indecesion [indi'siʒn] ubesluttsomhet m.

indeed [in'di:d] virkelig, sannelig, riktignok; i svar: ja visst!

indefatigable [indi'fætigəbl] utrettelig.

indefensible [indi'fensəbl] uholdbar; uforsvarlig.

indefinite [in'definit] ubestemt, ubegrenset.

indelible [in'delibl] uutslettelig.

indelicacy [in'delikəsi] taktløshet m.

indemnify [in'demnifai] erstatte, holde skadesløs; ~ **ty**, skadeserstatning m.

indent [in'dent] skjære hakk i; gjøre takket; bulke; ['indent] hakk n, skår n; (eksport-) ordre m; ~ **ation**, hakk n; innskjæring m/f, innrykking m/f.

independence [indi'pendəns] uavhengighet m; ~ **t**, uavhengig.

indescribable [indi'skraibəbl] ubeskrivelig; ~ **destructible**, som ikke kan ødelegges; uforgjengelig.

index ['indeks] viser m; pekefinger m; indeks m, register n, innholdsfortegnelse m; registrere.

india-rubber ['indjə'rʌbə] viskelær n.

Indian ['indjən] indisk; indiansk; inder m; indianer m; ~ **summer**, varm ettersommer m.

indicate ['indikeit] angi, (an)vise; tilkjennegi; tyde på; indikere; ~ **ion**, tilkjennegivelse m; antydning m; angivelse m.

indict [in'dait] anklage; sette under tiltale; ~ **ment**, anklage m, tiltale m.

indifference [in'difrəns] likegyldighet m (**to** overfor); ~ **t**, likegyldig; middelmådig.

indigenous [in'didʒənəs] innfødt.

indigestible [indi'dʒestəbl] ufordøyelig; ~ **ion**, dårlig fordøyelse m.

indignant [in'dignənt] vred; indignert; ~ **ation**, harme m.

indiscreet [indis'kri:t] ubetenksom; indiskret.

indiscretion [indis'kreʃn] taktløshet m; tankeløshet m; indiskresjon m.

indiscriminate [indis'kriminit] kritikkløs(t); tilfeldig.

indispensable [indis'pensəbl] uunnværlig; absolutt nødvendig.

indisposed [indis'pouzd] utilpass, indisponert; utilbøyelig; ~ **ition**, utilpasshet *m;* uvilje *m.*

indisputable [indis'pju:təbl] ubestridelig.

indistinct [indis'tiŋkt] utydelig.

indistinguishable [indis'tiŋgwiʃəbl] som ikke kan skjelnes fra hverandre.

individual [indi'vidjuəl] personlig; individuell; særmerket; særskilt; individ *n;* enkeltperson *m.*

indivisible [indi'vizəbl] udelelig.

indolence ['indələns] treghet *m;* lathet *m;* ~ **t**, treg, lat.

indomitable [in'dɔmitəbl] utemmelig, ukuelig.

indoor ['indɔ:] inne-, innendørs; ~ **s**, innendørs.

indubitable [in'dju:bitəbl] utvilsom.

induce [in'dju:s] bevirke; overtale; bevege; ~ **ment**, tilskyndelse *m.*

indulge [in'dʌldʒ] føye; gi etter for; tilfredsstille; hengi seg **(in** til); ~ **nt**, overbærende, (altfor) ettergivende.

industrial [in'dʌstriəl] industriell; industri-; ~ **ialist**, in-dustridrivende; ~ **ialize**, in-dustrialisere; ~ **ious**, arbeidsom; flittig; ~ **y** ['indəstri] industri *m;* næringsvei *m;* flid *m,* strevsomhet *m.*

inebriate [i'ni:brieit] beruset; alkoholiker *m.*

ineffective [ini'fektiv], **inefficient** [ini'fiʃənt] virkningsløs, ineffektiv; udugelig.

inept [i'nept] malplassert, tåpelig.

inequality [ini'kwɔ:liti] ulikhet.

ineradicable [ini'rædikəbl] uut-ryddelig.

inert [i'nə:t] treg.

inestimable [in'estiməbl] uvurderlig.

inevitable [in'evitəbl] uunngåelig.

inexcusable [iniks'kju:zəbl] utilgivelig; ~ **pedient**, uhensiktsmessig; ~ **pensive**, billig; ~ **perienced**, uerfaren; ~ **plicable**, uforklarlig.

inexpressible [iniks'presəbl] ubeskrivelig, u(ut)sigelig; ~ **ive**, uttrykksløs.

inextricable [in'ekstrikəbl] uløselig (sammenfiltret).

infallible [in'fæləbl] ufeilbarlig.

infamous ['infəməs] beryktet; æreløs; nederdrektig.

infancy ['infənsi] barndom *m;* ~ **t**, spebarn *n,* lite barn *n;* ~ **tile** [-tail] barne-; infantil;

~try, infanteri n; ~ ~-man,
infanterist m.
infatuate [in'fætjueit] bedåre;
~ d with, blindt forelsket i.
infect [in'fekt] infisere, smitte;
~ion, smitte m, infeksjon
m; ~ious, smittende; smitt-
som.
infer [in'fə:] utlede, slutte
(from, av, fra); ~ence
['infərəns] (følge)slutning m.
inferior [in'fiəriə] lavere; un-
derlegen; dårlig(ere); under-
ordnet (person).
infest [in'fest] hjemsøke,
plage; ~ed with, befengt
med.
infidel ['infidl] vantro; ~ity
[-'del-] vantro m; utroskap
m.
infiltrate ['infiltreit] sive inn i;
infiltrere.
infinite ['infinit] uendelig; ~y
[in'-] uendelighet m.
infirm [in'fə:m] svak(elig);
~ary, sykestue m/f, pleie-
hjem n, sykehus n; ~ity,
svak(elig)het m; skrøpelighet
m.
inflame [in'fleim] oppflamme,
opphisse.
inflammable [in'flæməbl] (lett)
antennelig; brennbar; ~tion
[inflə'meifn] antennelse m;
betennelse m; opphisselse
m.
inflate [in'fleit] blåse opp;
lage inflasjon; ~ion, opp-
blåsing m/f; inflasjon m.

inflexibility [infleksə'biliti] u-
bøyelighet m; ~le, ubøyelig.
inflict [in'flikt] tilføye; tildele,
gi; på; plage m, straff m.
influence ['influəns] innfly-
telse m; påvirke, influere;
~tial, innflytelsesrik.
influx ['inflʌks] tilstrømning
m.
inform [in'fə:m] underrette;
meddele; ~al, uformell;
~ality, uformellhet m, en-
kelhet m; ~ation, opplys-
ninger, melding m/f; ~er,
angiver m.
infraction [in'frækfn] brudd n;
krenkelse m.
infringe [in'frindʒ] jur overtre;
~ment, overtredelse m.
infuriate [in'fju:rieit] gjøre ra-
sende.
infuse [in'fju:z] inngyte; la
trekke (f.eks. te); ~ion, til-
setning m, iblanding m/f.
ingenious [in'dʒi:njəs] opp-
finnsom; sinnrik; skarpsin-
dig; ~uity, skarpsinn n;
kløkt n; ~uous, troskyldig,
oppriktig.
ingratitude [in'grætitju:d]
utakknemlighet m.
ingredient [in'gri:diənt] be-
standdel m; ingrediens m.
inhabit [in'hæbit] bebo; ~ant,
beboer m; innbygger m.
inhale [in'heil] innånde.
inharmonious [inha:'mounjəs]
disharmonisk.

inherit [in'herit] arve; ~ **ance,** arv *m.*

inhibit [in'hibit] hindre, stanse; forby; ~ **ion,** hemning *m;* hindring *m/f;* forbud *n.*

inhospitable [in'hɔspitəbl] ugjestfri.

inhuman [in'hju:mən] umenneskelig.

inimical [in'imikl] fiendtlig.

initial [in'iʃl] begynnelses-; forbokstav *m;* ~ **te** [-ʃiit] innviet (person); [-ʃieit] begynne, innlede, innvie; ~ **tion,** begynnelse *m,* innledning *m;* innvielse *m.*

inject [in'dʒekt] sprøyte inn.

injure [in'dʒə] skade, beskadige; krenke; ~ **ious** [in'dʒuəriəs] skadelig; krenkende; ~ **y** [in'dʒəri] skade *m;* krenkelse *m.*

injustice [in'dʒʌstis] urettferdighet *m.*

ink [iŋk] blekk *n;* ~ **-pot,** blekkhus *n;* ~ **-stand,** skriveoppsats *m;* ~ **y,** blekket; blekksvart.

inland [in'lənd] innlands-; innenlands(k); innenriks; [in-'lænd] inne i landet.

inlet [in'let] innløp *n;* bukt *f.*

inmate [in'meit] beboer *m.*

inmost [in'moust] innerst.

inn, vertshus *n,* kro *m/f.*

innate ['i'neit] medfødt.

inner ['inə] indre.

innocence ['inəsens] uskyld, uskyldighet *m;* ~ **t,** uskyldig.

innovation [ino'veiʃn] fornyelse *m;* nyskapning *m.*

innumerable ['i'nju:mərəbl] utallig, talløs.

inoculate [in'ɔkjuleit] vaksinere; innpode.

inoffensive [inə'fensiv] harmløs.

inoperative [in'ɔpərətiv] virkningsløs.

inordinate [in'ɔ:dinit] overdreven.

inquest ['inkwest] undersøkelse *m,* rettslig likskue *n.*

inquire [in'kwaiə] **(for)** spørre etter; forespørre **(about,** om); ~ **into,** undersøke; ~ **y,** undersøkelse *m;* forespørsel *m.*

inquisitive [in'kwizitiv] vitebegjærlig, nysgjerrig.

insane [in'sein] sinnssyk; ~ **ity** [-'sæniti] sinnssykdom *m;* vanvidd *n.*

inscribe [in'skraib] skrive inn; ~ **ption** [in'skripʃn] innskrift *m/f;* påskrift *m/f.*

insect ['insekt] insekt *n.*

insecure [insi'kjuə] usikker.

insensibility [insensə'biliti] følelsesløshet *m;* ufølsomhet *m;* sløvhet *m;* ~ **ible,** følelsesløs; ufølsom.

inseparable [in'sepərəbl] uatskillelig.

insert [in'sə:t] sette *(el* rykke, skyte) inn.

inside [in'said] innerside *m/f;* indre *n;* inne i; **from the ~,** innenfra; ['insaid] innvendig.

insight ['insait] innsikt *m.*

insignificant [insig'nifikənt] ubetydelig.

insincere [insin'siə] uoppriktig, uekte.

insipid [in'sipid] flau, smakløs.

insist [in'sist] **(up)on,** insistere på; fastholde.

insistent [in'sistənt] vedholdende; stadig.

insolent ['insələnt] uforskammet.

insomnia [in'somniə] søvnløshet *m.*

inspect [in'spekt] inspisere, mønstre; **~ ion,** inspeksjon *m;* oppsyn *n;* **~ or,** inspektør *m.*

inspiration [inspə'reiʃn] innånding *m/f;* inspirasjon *m;* **~ e** [-'spaiə] innånde; inspirere.

inst. = instant ['instənt] denne måned, d.m.

instability [instə'biliti] ustabilitet *m;* **~ le** [in'steibl] ustabil.

install [in'stɔ:l] innsette (i et embete o.a.); installere.

instalment [in'stɔ:lmənt] avdrag *n;* porsjon *m,* del *m.*

instance ['instəns] tilfelle *n;* eksempel *n; jur* instans *m;* **at his ~,** på hans foranledning; **for ~,** for eksempel.

instant ['instənt] øyeblikkelig; øyeblikk *n;* **on the 15th ~,** på den 15. i denne måned; **~ ly,** straks.

instead [in'sted] isteden; **~ of,** istedenfor.

instep ['instep] vrist *m.*

instigate ['instigeit] tilskynde, egge.

instinct ['instiŋkt] instinkt *n;* **~ ive** [in'st-] instinktmessig.

institute ['institju:t] institutt *n;* fastsette; opprette; iverksette; **~ ion,** fastsettelse *m;* institusjon *m;* anstalt *m.*

instruct [in'strʌkt] undervise; veilede; instruere; **~ ion,** instruksjon *m;* undervisning *m/f;* veiledning *m;* **~ ions,** instruks *m,* ordre *m;* **~ ive,** lærerik.

instrument ['instrumənt] instrument *m;* verktøy *n;* dokument *n;* **~ al** [-'mentl] medvirkende; *mus* instrumental.

insufferable [in'sʌfərəbl] utålelig.

insufficient [insə'fiʃnt] utilstrekkelig.

insular ['insjulə] øy-; **~ te,** isolere; **~ tor,** isolator *m.*

insult ['insʌlt] hån *m,* fornærmelse *m;* [in'sʌlt] fornærme, håne.

insupportable [insə'pɔ:təbl] utålelig; uutholdelig.

insurance [in'ʃu:rəns] forsikring *m/f;* assuranse *m;* **~ e,** forsikre.

insurmountable [insə'maunt-əbl] uoverstigelig.

insurrection [insə'rekʃn] oppstand *m*.

intact [in'tækt] intakt.

integral ['intigrəl] hel; integrerende; vesentlig; integral-; ~**ity** [in'te-] helhet *m*; ubeskårethet *m*; rettskaffenhet *m*; ærlighet *m*.

intellect ['intilekt] forstand *m*; ~**ual** [-'lektjuəl] intellektuell *m*; forstands-, ånds-.

intelligence [in'telidʒəns] forstand *m*; intelligens *m*; meddelelse *m*; ~ **ent**, klok, intelligent; ~**ible**, forståelig.

intemperance [in'tempərəns] mangel på måtehold *n* (særlig drukkenskap); ~ **te**, umåteholden; især: drikkeferdig.

intend [in'tend] akte; ha til hensikt; ~**ed for**, bestemt til; ~**ed**, tilkommende (ektefelle).

intense [in'tens] intens; voldsom; ~**ification**, forsterkning; ~**ify**, forsterke; intensivere; ~**ity**, intensitet *m*; (lyd-, strøm-)styrke *m*; ~**ive**, intensiv.

intent [in'tent] anspent; opptatt (**on** med); hensikt *m*; ~**ion**, hensikt *m*; formål *n*; ~**ional**, tilsiktet.

intercede [intə'si:d] gå i forbønn.

intercept [intə'sept] snappe opp; avskjære; avverge.

interchange [intə'tʃeindʒ] utveksle; skifte ut; ['intə-] utveksling *m/f*; skiftning *m*.

intercom fork. for **intercommunication system** [intəkə-'mjuni'keiʃn 'sistim] internt (høyttaler) telefonanlegg *n*.

intercourse ['intə:ko:s] samkvem *n*; (handels)forbindelse *m*.

interdict [intə'dikt] forby.

interest ['intrist] interesse *m*; rente *m/f*; andel *m*; interessere; **take (an)** ~ **in**, interessere seg for; ~**ing**, interessant.

interfere [intə'fiə] gripe inn; blande seg opp i; ~ **with**, hindre, komme i veien for; ~ **nce**, innblanding *m/f*; *radio* forstyrrelse *m*.

interior [in'tiəriə] indre; innenlands-; interiør *n*; innvendig.

interloper ['intə:loupə] påtrengende person *m*; ubuden gjest *m*.

intermediary [intə:'mi:diəri] formidlende; mellommann *m*; formidler *m*; ~ **te**, mellomliggende; mellom-.

interment [in'tə:mənt] begravelse *m*.

interminable [in'tə:minəbl] endeløs, uendelig.

intermission [intə:'miʃn] avbrytelse *m; amr teatr* pause *m.*

intermit [intə:'mit] avbryte; utsette; ~ **tent**, periodisk.

intern [in'tə:n] internere; ~ **al** [in'tə:nl] indre, innvendig.

international [intə:'hæʃnl] internasjonal.

interpolate [intə:'poleit] innskyte, interpolere.

interpose [intə:'pouz] innskyte; sette *el* komme mellom; gripe inn i.

interpret [in'tə:prit] tolke, tyde, forklare; ~ **ation** [intə:pri'teiʃn] (for)tolkning *m;* ~ **er** [in'tə:pritə] tolk *m.*

interrogate [in'terəgeit] (ut)spørre, forhøre; ~ **ion**, forhør *n; note el* mark *el* point of ~ **ion**, spørsmålstegn *n;* ~ **ive** [-'rogativ] spørrende.

interrupt [intə'rʌpt] avbryte; ~ **ion**, avbrytelse *m.*

interval ['intəvəl] mellomrom *n;* intervall *n;* pause *m.*

intervene [intə:'vi:n] komme mellom; gripe inn; intervenere; ~ **tion**, intervensjon *m,* innblanding *m/f;* mellomkomst *m.*

interview ['intəvju:] møte *n;* samtale *m;* intervju *n;* intervjue.

intestine [in'testin] tarm *m.*

intimacy ['intiməsi] fortrolighet *m;* intimitet *m;* ~ **te** ['-mit] fortrolig, intim; ['-meit] antyde; tilkjennegi.

intimidate [in'timideit] skremme; ~ **ion**, skremming *m/f.*

into ['intu] inn i; til.

intolerable [in'tolərəbl] uutholdelig; utålelig; ~ **nt**, intolerant (of overfor).

intonation [intou'neiʃn] intonasjon *m;* tonefall *n.*

intoxicant [in'toksikənt] rusdrikk *m;* ~ **te**, beruse; forgifte; ~ **tion**, beruselse *m;* forgiftning *m.*

intrepid [in'trepid] fryktløs, uforferdet.

intricate ['intrikit] innviklet; floket; komplisert.

intrinsic [in'trinsik] indre.

introduce [intrə'dju:s] innføre; gjøre kjent; presentere (to for); introdusere; ~ **tion** [-'dʌkʃn] innførelse *m;* presentasjon *m;* letter of ~ **tion**, anbefalingsbrev *n;* ~ **tory**, innlednings-, innledende.

intrude [in'tru:d] trenge (seg) inn; forstyrre; ~ **r**, inntrenger *m,* påtrengende person *m.*

intrusion [in'tru:ʒn] inntrengning *m,* påtrengenhet *m;* ~ **ive**, påtrengende.

intuition [intju:'iʃn] intuisjon *m;* ~ **ve**, intuitiv.

inundate ['inʌndeit] oversvømme; ~ **ion**, oversvømmelse *m.*

invade [in'veid] trenge inn i,

gjøre innfall i; ~ r, angriper
m, overfallsmann m.

invalid [in'vælid] ugyldig;
['invalid] invalid m; [invæli:d]
gjøre (el bli) invalid; ~ate
[in'vælideit] gjøre ugyldig;
oppheve.

invaluable [in'væljuəbl] uvur-
derlig.

invariable [in'vɛəriəbl] uforan-
derlig.

invasion [in'veiʒn] invasjon m;
inngrep n (of i).

invent [in'vent] oppfinne;
~ ion, oppfinnelse m; ~or,
oppfinner m.

inventory ['inventri] inventar-
liste m/f, fortegnelse m.

inverse [in'və:s] omvendt;
~ sion, ombytting m/f; om-
vendt ordstilling m/f; ~t,
vende opp ned på, snu om
på, invertere; ~ ted, om-
vendt.

invest [in'vest] investere; ut-
styre.

investigate [in'vestigeit] (ut-,
etter-)forske, granske; ~ ion,
undersøkelse m, gransking
m/f.

investment [in'vestment] inves-
tering m/f, (penge)anbrin-
gelse m.

inveterate [in'vetərit] inn-
grodd; rotfestet.

invigorate [in'vigəreit] styrke;
oppmuntre.

invincible [in'vinsəbl] uover-
vinnelig.

inviolable [in'vaiələbl] ukren-
kelig.

invisible [in'vizəbl] usynlig.

invitation [invi'teiʃn] innby-
delse m, invitasjon m; ~ e
[in'vait] innby; oppfordre;
be om.

invoice ['invɔis] faktura m;
fakturere.

invoke [in'vouk] påkalle; an-
rope; besverge.

involve [in'vɔlv] innvikle; inn-
blande; involvere, medføre;
innebære.

invulnerable [in'vʌlnərəbl] usår-
bar.

inward ['inwəd] indre; innven-
dig; innad; ~ s, innvoller;
innad; ~ ly, innvendig; i
ens stille sinn.

iodine ['aiədi:n] jod m.

IOU (I owe you) ['aiəu'ju]
gjeldsbrev n.

Ireland ['aiələnd] Irland.

Irish ['airiʃ] irsk; **the** ~, irlen-
derne.

irksome ['ə:ksəm] trettende.

iron ['aiən] jern n; strykejern
n; av jern; jernhard; glatte,
stryke; ~ s, lenker;
~ -foundry, jernstøperi n.

ironic(al) [ai'rɔnik(l)] ironisk.

ironing ['aiəniŋ] stryking m/f;
~ monger, jernvarehandler
m; ~ -mould, rustflekk m;
~ ware, jernvarer; isenkram
m; ~ works, jernverk n.

irony ['airəni] ironi m.

irrational [i'ræ∫nl] irrasjonell; ufornuftig.

irreconcilable [irəkn'sailəbl] uforsonlig, uforenlig.

irrecoverable [iri'kʌvərəbl] uopprettelig, uerstattelig; **~ refutable**, ugjendrivelig; **~ regular**, uregelmessig; **~ regularity**, uregelmessighet m.

irrelevance [i'relivəns] noe som ikke har med saken å gjøre; **~ t**, (saken) uvedkommende, utenforliggende.

irreligious [iri'lidʒəs] gudløs; irreligiøs.

irremediable [iri'mi:diəbl] uopprettelig.

irremovable [iri'mu:vəbl] urokkelig, uavsettelig.

irreparable [i'repərəbl] ubotelig; uerstattelig.

irreproachable [iri'prout∫əbl] ulastelig.

irresistible [iri'zistəbl] uimotståelig.

irresolute [i'rezəlu:t] ubesluttsom; **~ respective of**, uten hensyn til.

irresponsibility [irispɔnsəbi'liti] uansvarlighet m; **~ le**, uansvarlig.

irretrievable [iri'tri:vəbl] uopprettelig; uerstattelig.

irrevocable [i'revəkəbl] ugjenkallelig.

irrigate [irigeit] overrisle; **~ ion**, overrisling m/f, vanning m/f.

irritability [iritə'biliti] irritabilitet m; ømfintlighet m; **~ ble** [iritabl] irritabel; **~ te**, irritere; **~ ting**, irriterende; **~ tion**, irritasjon m; ergrelse m.

is [iz] er; **that ~ to say**, det vil si.

island ['ailənd] øy f; **~ er**, øyboer m.

isn't [iznt] = **is not**.

isolate ['aisəleit] avsondre; isolere.

issue [isju:] *el* [ʼju:] utgang m; avløp n; avkom n; etterkommere; resultat n; utfall n; utgave m/f; opplag n; nummer n (av tidsskrift); spørsmål n; stridspunkt n; komme ut; strømme ut; utgå **(from** fra); resultere (**in** i); utstede; utlevere; u gi.

it, den, det.

Italian [i'tæljən] italiensk (språk); italiener(inne) m (m/f).

Italy [itali] Italia.

itch [it∫] kløe(e) (m).

item [aitəm] likeledes; punkt n, post m (i regnskap o.l.); avisnotis m.

iterate [itəreit] gjenta; **~ ion**, gjentagelse m.

itinerant [i'tinərənt] *el* ai'-] omreisende; vandrende; vandre-; **~ ary**, reiserute m/f, -beskrivelse m.

its, dens, dets.

itself [it'self] den selv, det selv, seg; **by ~**, for seg, særskilt.

jail [dʒeil] fengsel n; fengsle; **~ er**, fengselsbetjent m.

jam [dʒæm] syltetøy n; trengsel m; stimmel m; knipe m/f; presse; klemme; være i knipe; *radio* forstyrre.

janitor ['dʒænitə] dørvokter m; *amr* vaktmester m.

January ['dʒænjuəri] januar.

Japan [dʒə'pæn] Japan; **~ ese** [dʒæpə'ni:z] japansk; japaner(inne) m/f.

jar [dʒɑː] krukke m/f; støt n; skurring m/f; ryste; skurre, knirke, **~ upon**, støte; irritere.

jaundice ['dʒɔːndis] gulsott m/f.

javelin ['dʒævlin] (kaste)spyd n.

jaw [dʒɔː] kjeve m; prate.

jay [dʒei] nøtteskrike f.

jealous ['dʒeləs] sjalu; misunnelig; **~ y**, sjalusi m.

jeer [dʒiə] håne, spotte.

jelly ['dʒeli] gelé m; **~ fish**, manet m/f.

jeopardize ['dʒepədaiz] bringe i fare, sette på spill; **~ y**, fare; risiko m.

jerk [dʒəːk] rykk(e) n.

jersey ['dʒəːzi] jersey (stoff) m (n).

ivory ['aivəri] elfenben n.

ivy ['aivi] eføy m.

J

jest [dʒest] spøk(e) m; **~ er**, spøkefugl m; hoffnarr m.

jet [dʒet] stråle m; sprut m; jetfly n; sprute **(out** fram); **~-plane**, jetfly n.

jetty ['dʒeti] molo m, kai m/f.

Jew [dʒu:] jøde m.

jewel ['dʒu:əl] juvel m; **~ ler**, juvelér m; gullsmed m; **~ (le)ry**, *koll* juveler.

Jewess ['dʒu:is] jødinne m/f; **~ ish**, jødisk.

jilt [dʒilt] svikte (i kjærlighet).

jingle ['dʒiŋgl] ringle, klirre; ringling m/f, klirring m/f.

job [dʒɔb] arbeid n; jobb m; affære m; leie ut; arbeide på akkord; jobbe; spekulere; **~ ber**, akkordarbeider m; børsspekulant m.

jockey ['dʒɔki] jockey m; lure, svindle.

jog [dʒɔg] puffe, dytte; lunte avsted, jogge.

John [dʒɔn] Johannes, Johan, John, Hans.

join [dʒɔin] forbinde; slutte seg sammen (med); slutte seg til; tre inn i; **~ t**, sammenføyning m; fuge m; skjøt m; ledd n; steik m/f; føye sammen; felles-; corent.

joke [dʒouk] spøk(e) *m.*

jolly [ˈdʒɔli] lystig; livlig; morsom; svært, veldig.

jolt [dʒoult] støte; ryste; støt *n;* rysting *m/f.*

jostle [ˈdʒɔsl] puffe, skubbe.

jot [dʒɔt] tøddel *m,* døyt *m;* ~ **down,** rable ned.

journal [ˈdʒəːnl] dagbok *m/f;* tidsskrift *n;* avis *m/f;* ~**ism,** journalistikk *m;* ~**ist,** journalist *m.*

journey [ˈdʒəːni] reise *m/f* (til lands); ~**man,** håndverkersvenn *m.*

Jove [dʒouv] Jupiter; **by** ~, (så) sannelig!

jovial [ˈdʒouvjəl] munter; gemyttlig.

jowl [dʒaul] (under)kjeve *m,* kjake *m.*

joy [dʒɔi] fryd *m,* glede *m;* ~**ful, -ous,** glad, gledelig.

jubilee [ˈdʒuːbiliː] jubileum *n;* jubelår *n.*

judge [dʒʌdʒ] dommer *m;* kjenner *m;* dømme; anse for, bedømme.

judg(e)ment [ˈdʒʌdʒmənt] dom *m;* mening *f;* skjønn *n;* ~**-day,** dommedag *m.*

judicial [dʒuˈdiʃl] rettslig, retts-; juridisk; ~**ious** [-ˈdiʃəs] forstandig, klok.

jug [dʒʌg] mugge *m/f.*

juggle [ˈdʒʌgl] gjøre (trylle-)kunstner; narre; ~**r,** tryllekunstner *m;* ~**ry,** trylle-

kunst *m;* taskenspilleri *n;* bedrageri *n.*

juice [dʒuːs] saft *m/f;* ~**y,** saftig.

July [dʒuˈlai] juli.

jump [dʒʌmp] hopp(e) *n;* hoppe over; fare sammen; ~ **at,** kaste seg over; gripe med begge hender; ~**er,** hopper *m;* jumper *m,* genser *m;* ~**y,** nervøs, urolig.

junction [ˈdʒʌŋkʃn] forening *m/f;* forbindelse *m;* (jernbane)knutepunkt *n.*

June [dʒuːn] juni.

jungle [ˈdʒʌŋgl] jungel *m.*

junior [ˈdʒuːnjə] yngre; junior *m.*

juniper [ˈdʒuːnipə] einer *m.*

junk [dʒʌŋk] skrap, *n,* skrot *n;* ~**dealer,** skraphandler *m.*

jurisdiction [dʒuːrisˈdikʃn] jurisdiksjon *m,* domsmyndighet *m;* ~**prudence,** rettsvitenskap *m.*

jury [ˈdʒuːri] jury *m.*

just [dʒʌst] rimelig; rettferdig; riktig; nøyaktig; nettopp; bare; ~**ice,** rettferdighet *m;* berettigelse *m;* dommer *m.*

justification [dʒʌstifiˈkeiʃn] rettferdiggjørelse *m;* ~**y,** rettferdiggjøre; forsvare.

jut [dʒʌt] stikke fram.

juvenile [ˈdʒuːvinail] ungdommelig, ungdoms-.

juxtaposition [dʒʌkstəpəˈziʃn] sidestilling *m/f.*

K

kangaroo [kæŋgə'ru:] kenguru
m.

keel [ki:l] kjøl *m.*

keen [ki:n] skarp; bitende;
ivrig.

keep [ki:p] underhold *n;*
holde, beholde; besitte; un-
derholde; overholde; holde
ved like; opprettholde; føre
oppsikt med; vokte; passe;
føre (bøker); ha; oppholde;
holde seg; bli ved med; ~
company, holde med sel-
skap; ~ **silent,** være *el* tie
stille; ~ **away,** holde seg
borte; ~ **on,** beholde på; ~
on (doing something), fort-
sette med å gjøre noe; ~
out, holde ute; utelukke; ~
up with, holde tritt med; ~
somebody waiting, la noen
vente; ~ **down** *el* **under,**
undertrykke; ~ **in touch
with,** holde seg i kontakt
med; ~ **to,** holde seg til; ~
house, stelle hus; ~ **in
stock,** ha på lager; ~ **er,**
oppsynsmann *m;* vokter *m;*
røkter *m;* ~ **ing,** forvaring
m/f; ~ **sake,** souvenir *m;*
erindring *m/f.*

keg, kagge *m/f;* lite fat *n.*

kennel ['kenl] hundehus *n;*
hundekobbel *m;* kennel *m.*

kerb [kə:b] fortauskant *m.*

kerosene ['kerəsi:n] *især amr*
parafin *m.*

kettle ['ketl] kjele *m,* gryte
m/f.

key [ki:] nøkkel *m;* tangent *m*
(på klavér, skrivemaskin);
toneart *m;* ~ **board,** tastatur
n; klaviatur *n,* ~ **hole,** nøk-
kelhull *n;* ~ **note,** grunntone
m (også *fig);* ~ **stone,** slutt-
stein *m.*

kick, spark(e) *n;* spenn(e) *n;*
futt *m;* spenning *m/f.*

kid, geitekilling *m; dt* unge
m, smårolling *m;* erte; narre.

kidney ['kidni] nyre *m/f.*

kill, drepe, slå i hjel; gjøre
det av med; slakte; ~ **er,**
morder *m;* slakter *m.*

kilocycle ['kiloseikl] kilope-
riode *m, ty:* Kilohertz;
~ **gram(me),** kilogram *n;*
~ **metre,** kilometer *m.*

kin, slekt *m/f;* slektninger.

kind [kaind] snill, god, venn-
lig **(to** mot); slag(s) *n,* sort
m.

kindergarten ['kindəga:tn] bar-
nehage *m.*

kindle ['kindl] tenne på; ta
fyr.

kindhearted ['kaind'ha:tid]
godhjertet; ~ **ness,** godhet
m; vennlighet *m.*

kindred ['kindrid] slektskap *m;* slekt *m/f;* beslektet.

king [kiŋ] konge *m;* ~**dom,** kongerike *n.*

kinsman ['kinzmən] slektning *m.*

kiss [kis] kyss(e) *n.*

kit, utstyr *n;* utrustning *m;* oppakning *m;* ~**bag,** reiseveske *f.*

kitchen ['kitʃin] kjøkken *n;* ~**range,** komfyr *m.*

kite [kait] papirdrage *m;* glente *m;* prøveballong *m.*

kitten ['kitn] kattunge *m.*

knack [næk] knip *n;* ferdighet *m;* evne *m/f;* håndlag *n.*

knag [næg] knort *m,* knast *m;* ~**gy,** knortet, knastet.

knapsack ['næpsæk] ryggsekk *m;* ransel *m.*

knave [neiv] skurk *m;* kjeltring *m;* knekt (i kort) *m;* ~**ery,** kjeltringstrek *m.*

knead [ni:d] kna, elte.

knee [ni:] kne *n;* ~**breeches,** knebukser; ~**cap,** kneskjell *n.*

kneel [ni:l] knele (**to** for).

knickerbockers [nikəbɔkəz] knebukser, nikkers.

knife, *pl* **knives** [naif, naivz] kniv *m;* stikke med kniv.

knight [nait] ridder *m;* springer *m* (i sjakk); utnevne til ridder.

knit [nit] knytte; strikke.

knob [nɔb] knott *m;* knute *m;* ~**by,** knottet; bulet; knortet.

knock [nɔk] slag *n;* banking *m/f;* slå; støte; banke; ~ **down,** slå ned, slå overende; ~ **about,** farte, slentre omkring; ~ **at the door,** banke på døra; ~ **out,** slå ut (også *fig*); *fig* knusende slag *n;* ~ **er,** dørhammer *m.*

knoll [noul] haug *m;* knaus *m.*

knot [nɔt] knute *m;* sløyfe *m/f;* klynge *m/f;* gruppe *m/f;* mar knop *m;* knyte, binde; ~**ted,** knutet, knortet.

know [nou] vite; kjenne; kunne; kjenne til; få vite om; forstå seg på; **make** ~**n,** gjøre kjent; ~**ing,** erfaren, kyndig; ~**ledge** ['nɔlidʒ] kunnskap *m;* kjennskap *m.*

knuckle ['nʌkl] knoke *m.*

L

label ['leibl] merkelapp *m;* etikett *m;* sette merkelapp på.

laboratory [ləˈbɔːrətri] *el amr* ['læbrətəri] laboratorium *n.*

laborious [ləˈbɔːriəs] strevsom.

labour ['leibə] (grovt) arbeid *n*; slit *n*, strev *n*, møye *m/f*; fødselsveer; arbeidskraft *m/f*; arbeiderklassen; **the Labour Party**, Arbeiderpartiet; streve, slite, stri med; tynget av; **(heavy** *el* **manual)** ~ **er**, tungarbeider *m*; ~ **market**, arbeidsmarked *n*.

lace [leis] snor *m/f*, lisse *m/f*, tresse *m/f*; kniplinger; snøre, sette tresser *el* kniplinger på.

lack [læk] mangel *m*, mangle.

lackey ['læki] lakei *m*.

lacquer ['lækə] lakk(ferniss) *m* (*m*); lakkere.

lad [læd] gutt *m*, kar *m*.

ladder ['lædə] stige *m*, leider *m*; raknet stripe (i strømpe); ~ **-proof**, raknefri.

lade [leid] laste, belesse; ~ **ing**, ladning *m*, last *f*.

ladle ['leidl] øse *m/f*; sleiv *f*; øse.

lady ['leidi] dame *m/f*; frue *m/f*; Lady (tittel); ~ **like**, fin; damemessig.

lag [læg] forsinkelse *m*; isolasjon(materiale) *m* (*n*); *dt* straffange; somle.

lager (beer) ['la:gəbiə] pils(nerøl) *n*.

lagoon [lə'gu:n] lagune *m*.

lake [leik] innsjø *m/f*; lakkfarge *m*.

lamb [læm] lam *n*.

lame [leim] halt; vanfør; skrøpelig; gjøre halt, vanfør.

lament [lə'ment] klage *m*; klagesang *m*; jamre; beklage (seg); ~ **able**, beklagelig.

lamp [læmp] lampe *m/f*; ~ **post**, lyktestolpe *m*.

lampoon [læm'pu:n] smedeskrift *n*.

lance [la:ns] lanse *m/f*.

land [lænd] land(jord) *n* (*m/f*), land *n*; jord *m/f*; jordstykke *n*; grunneiendom *m*; landsette; bringe i land; landsette; losse; lande; havne; ~ **ed**, landeiendoms-; ~ **holder**, godseier *m*; grunneier *m*; ~ **ing**, landing *m/f*; trappeavsats *m*; ~ **ing-ground**, landingsplass *m*; stoppested *n*; ~ **ing place**, landingsplass *m*; kai *m/f*; ~ **ing stage**, landgangsbrygge *f*; flytebrygge *f*; ~ **lady**, vertinne *m/f* (i hotell, vertshus o.l.); ~ **locked**, beliggende midt inne i landet; ~ **lord**, (hus)vert *m*; hotellvert *m*, gjestgiver *m*; godseier *m*; ~ **mark**, grensemerke *n*, landmerke *n*; milepel *m*; ~ **scape**, landskap *n*; ~ **slide**, skred *n*.

lane [lein] smal vei *m*, smal gate *m/f*; kjørefelt *n*.

language ['læŋgwidʒ] språk *n*.

languid ['læŋgwid] matt, slapp, treg; ~ **ish**, bli slapp, matt; hensykne; lenges.

lank(y) ['læŋk(i)] radmager, skranglet.

lantern ['læntən] lanterne *m/f,* lykt *m/f.*

lap [læp] skjød *n,* fang *n; idr* runde *m;* lepje, slurpe i seg; innhylle; svøpe; folde; ~-**dog,** skjødehund *m.*

lapel [lə'pel] slag (på jakke o.l.) *n.*

lapse [læps] feil *m,* lapsus *m;* glidning *m;* forløp *n,* tidsrom *n,* feile; bortfalle; gli ut; henfalle (**into** til).

lard [la:d] spekk *m,* smult *n;* spekke; ~ **er,** spiskammer *n.*

large [la:dʒ] stor; vid; bred; rommelig; utstrakt; storsinnet; **at** ~, på frifot; **people at** ~, folk i sin alminnelighet; ~ **ly,** i stor utstrekning, overveiende; stor-; storsinnet; ~-**size(d),** i stort format *n.*

lark [la:k] lerke *m/f;* moro *m/f;* holde leven, tulle.

lash [læʃ] piskeslag *n,* snert *m;* øyenvippe *m/f;* piske; hudflette (også *fig.*).

lass [læs] pike *m/f.*

last [la:st] lest *m;* sist, forrige, siste; ytterst; høyest; størst; siste gang; vare, holde seg; ~ **but one,** nest sist; **at** ~, til sist; ~-**ing,** varig; ~ **ly,** til sist, endelig.

latch [lætʃ] klinke *m/f;* smekklås *m;* ~-**key,** (gatedørs)nøkkel *m.*

late [leit] sein; for sein; for-sinket; forhenværende, tidligere; (nylig) avdød; nylig (hendt); ny; **be** ~, komme for seint; ~-**comer,** etternøler *m;* ~ **ly,** nylig; i det siste; **at the** ~ **est,** seinest; **of** ~ nylig, i det siste.

lateral ['læt(ə)rəl] side-.

lath [la:þ] lekte *f;* kle med lekter.

lather ['la:ðə *el* 'læðə] (såpe)skum *n;* såpe inn; skumme.

Latin ['lætin] latin(sk) *n.*

latitude ['lætitju:d] bredde-(grad *m);* spillerom *n.*

latter ['lætə] (den, det) sistnevnte (av to); siste (annen); ~ **ly,** i det siste.

lattice ['lætis] gitter(verk) *n;* sprinkler.

laudable ['lɔ:dəbl] rosverdig.

laugh [la:f] latter *m;* le; ~ **at,** le av; ~-**able,** latterlig; ~ **ter,** latter *m.*

launch [lɔ:n(t)ʃ *el* la:n(t)ʃ] stabelavløping *m;* barkasse *m;* sende ut; sette på vannet.

laundress ['lɔ:ndris] vaskekone *m/f;* ~-**ry,** vaskeri *n,* vask(e-tøy) *m/n.*

laurel ['lɔrəl] laurbær *n.*

lavatory *fork* **lav** ['lævət(ə)ri] vaskerom *n;* toalettrom *n,* W.C.

lavish ['læviʃ] ødsle; ødsel.

law [lɔ:] lov *m;* (lov og) rett *m;* jus *m;* ~-**court,** domstol *m,* rett(slokale) *m;* ~ **ful,** lovlig; rettmessig; ~less, lovløs.

lawn [lɔ:n] gressplen m; ~-mower, gressklipper m.

lawsuit [ˈlɔ:s(j)u:t] rettssak m/f.

lawyer [ˈlɔ:jə] jurist m; advokat m.

lax [læks] slapp, løs; ~ative, avføringsmiddel n; ~ity, slapphet m.

lay [lei] retning m, stilling m/f; til beskjeftigelse m, jobb m, yrke n; kvad n, sang m; lekmanns-; ~ by, legge til side; spare; ~ down, nedlegge; oppgi; ofre; ~ on, smøre på, stryke på; ~ open, blottlegge; ~ out, legge fram; legge ut; anlegge (hage o.l.).

layer [ˈleiə] lag n, sjikt n.

layman [ˈleimən] lekmann m.

laziness [ˈleizinis] dovenskap m; ~y, doven, lat.

lead [led] bly n; mar lodd n.

lead [li:d] ledelse m, føring m/f; vink n; invitt m; teat hovedrolle m/f; føre, lede; føre (**to** til), trekke med seg; spille ut (et kort).

leaden [ˈledn] bly-, av bly.

leader [ˈli:də] fører m, leder m; ~ship, ledelse m, førerskap n.

leading [ˈli:diŋ] ledende.

leaf [li:f] pl **leaves**, blad n; pl løv n; blad n (i en bok);

dørfløy m/f; klaff m, bordlem m; ~ **let**, lite blad; brosjyre m, flygeblad n.

league [li:g] forbund n; liga m.

leak [li:k] lekkasje m; lekk(e), være lekk; ~age, lekkasje m; ~y, lekk, utett.

lean [li:n] tynn, mager; lene, støtte (seg); helle; ~ on, støtte seg til; ~ing, tendens m, tilbøyelighet m; ~ness, magerhet m.

leap [li:p] hopp n, sprang n; hoppe; ~-year, skuddår n.

learn [lə:n] lære; få vite; erfare; ~ **from**, lære av; ~ed [ˈlə:nid] lærd; ~er, elev m, lærling m, begynner m; ~ing, lærdom m.

lease [li:s] forpaktning m, leie m/f; bygsel m; (leie-) kontrakt m; bygsle bort; forpakte.

leash [li:ʃ] (hunde)reim f; koppel n.

least [li:st] minst; **at** ~ £10, minst 10 pund.

leather [ˈleðə] lær n; kle med lær; av lær; ~y, læraktig.

leave [li:v] lov m, tillatelse m; **sick** ~, sykepermisjon m; **take** ~ **of**, si farvel til; forlate, etterlate; reise bort fra; la (bli el. være) overlate; ~ **alone**, la være i fred.

lecture [ˈlektʃə] foredrag n; forelesning m; straffepreken _m;_ holde forelesning _m el_ foredrag _n; ~_ r, foreleser _m,_ foredragsholder _m;_ universitetslektor _m._

ledge [ledʒ] hylle _m/f;_ list _m/f._

ledger ['ledʒə] merk hovedbok _m/f._

lee [li:] mar le (side).

leech [li:tʃ] igle _m/f._

leek [li:k] purre _m (bot)._

leer [liə] lumsk sideblikk _n;_ skotte.

leeward ['li:wəd] mar le.

left, venstre; ~-handed, keivhendt.

left-luggage office [left lʌgidʒ 'ɔfis] (reisegods)-oppbevaring _m/f._

leg, ben _n;_ etappe _m._

legacy ['legəsi] testamentarisk gave _m;_ arv _m._

legal ['li:gl] lovlig, legal, rettslig; ~ization, legalisering _m/f; ~_ ize, legalisere, gjøre lovlig; stadfeste.

legation [li'geiʃn] legasjon _m._

legend ['ledʒənd] legende _m,_ sagn _n;_ tegnforklaring (på kart) _m._

leggings ['legiŋz] _pl_ gamasjer.

legible ['ledʒəbl] leselig.

legislate ['ledʒisleit] gi lover; ~ ive, lovgivende; ~ or, lovgiver _m; ~_ ure, lovgivende forsamling _m/f._

legitimacy [li'dʒitiməsi] lovlighet _m,_ rettmessighet _m,_ legi-

timitet _m;_ ekte fødsel _m; ~_ te [-mit] lovmessig, rettmessig; ektefødt; [-meit] legitimere.

leisure ['leʒə] fritid _m/f;_ ro _m; ~_ ly, makelig, rolig.

lemon ['lemən] sitron _m; ~_ ade [lemə'neid] (sitron)brus _m;_ limonade _m._

lend, låne (ut); yte (hjelp); egne seg for; ~ er, utlåner _m._

length [leŋþ] lengde _m;_ stykke _n,_ lengde (som mål): at ~, omsider, endelig; five feet in ~, fem fot i lengde; ~ en, forlenge.

lenient ['li:niənt] mild, skånsom.

lens [lenz] (glass)linse _m/f._

Lent, faste(tiden) _m (f)._

leper ['lepə] spedalsk _m; ~-_ rosy, spedalskhet _m; ~_ rous, spedalsk.

lesion ['li:ʒn] skade _m,_ kvestelse _m._

less, mindre, ringere; minus; ~ en, minke, avta; forminske; ~ er, mindre; minst (av to).

lesson ['lesn] lekse _m/f;_ undervisningstime _m;_ lærepenge _m._

lest, for at (ikke).

let, la, tillate; leie (out ut); senke, heise ned; ~ alone, la være i fred; ~ down, senke, heise ned; svikte, bedra; ~ **go**, slippe (taket) **(of** på); ~ **in**, slippe inn; ~ **on**, late som om; røpe; innrømme.

lethal ['li:pəl] dødelig.

letter ['letə] bokstav *m;* brev *n;* ~ **s**, litteratur *m;* **by** ~, pr. brev; ~ **-box**, postkasse *m/f;* ~ **-carrier**, *amr* postbud *n.*

lettuce ['letis] (blad)salat *m.*

level ['levl] vannrett linje *m/f;* nivå *n;* plan *n;* jevnhøyde *m;* vaterpass *n;* jevn, flat; vannrett; jevnhøy; planere; (ut)jevne; gjøre vannrett; nivellere; sikte **(at** på), rette mot; ~ **crossing** *jernb* overgang *m;* **on a** ~ **with**, på samme høyde som; ~ **of the sea**, havflaten *m/f;* ~ **-headed**, stø, sindig.

lever ['li:və] vektstang *m/f;* også *fig* brekkstang *m/f; fig* tak *n,* innflytelse *m.*

levity ['leviti] lettsinn *n.*

levy ['levi] utskrivning *m;* oppkreving *m/f;* skrive ut (skatt o.l.).

lewd [l(j)u:d] utuktig.

liability [laiə'biliti] forpliktelse *m;* ansvar *n;* ~ **ilities,** passiva; ~ **le,** ansvarlig; forpliktet **(to** til); tilbøyelig **(to** til).

liaison [li'eizɔn] *mil* forbindelse *m,* samband *n;* kjærlighetsaffære *m.*

liar ['laiə] løgner *m.*

libel ['laibl] smedeskrift *n;* injurie *m;* injuriere (i skrift).

liberal ['lib(ə)rəl] frisinnet; liberal; rundhåndet; rikelig; flott; ~ **ity** [-'ræl-] gavmildhet *m,* rundhåndethet *m;* frisinnethet *m,* liberalitet *m.*

liberate ['libəreit] frigi; befri **(from** fra).

liberty ['libəti] frihet *m;* særrett *m;* **at** ~, på frifot; fri, ledig.

librarian [lai'brɛəriən] bibliotekar *m;* ~ **y,** bibliotek *n.*

licence ['laisns] bevilling *m,* tillatelse *m,* lisens; tøylesløshet *m;* **(driving)** ~, førerkort *n;* ~ **se,** gi bevilling til; ~ **see** [-'si:] innehaver av lisens *m;* ~ **tious,** utsvevende; tøylesløs.

lick [lik] slikk(ing) *m (m/f); dt* slag *n;* slikke; slå, jule opp; fare av sted.

lid, lokk *n;* deksel *n;* øyelokk *n.*

lie [lai] løgn *m/f;* lyve; stilling *m/f,* beliggenhet *m;* ligge; gå, føre (om vei); ~ **down,** legge seg (ned); ~ **low,** ligge i støvet; holde seg i bakgrunnen.

lieu [lju:], **in** ~ **of,** i stedet for.

lieutenant [lef'tenənt] løytnant *m.*

life, *pl* **lives** [laif, laivz] liv *n;*

levetid *m/f;* livsførsel *m;*
levnetsbeskrivelse *m;* **~-an-
nuity,** livrente *m/f;* **~-belt,**
~-boat, livbelte *n,* -båt *m;*
~-buoy, livbøye *f;* **~-insu-
rance,** livsforsikring *m/f;*
~-jacket, redningsvest *m;*
~-less, livløs; **~-like,** realis-
tisk; **~-long,** livsvarig;
~-time, livstid *m/f.*
lift, heis *m;* løft(ing) *n (m/f);*
give him a ~, (a ham få sitte
på; løfte (seg), heve (seg),
oppheve; lette, stjele.
light [lait] lys *n,* dagslys *n;*
fyr(tårn, -stikk) opplysning
m; lyse, tenne; slå seg ned;
lys, blond; lett (om vekt)
fri; sorgløs; laber; **come to
~,** komme for dagen; **~-
on,** støte på; **~-en,** lyne;
lysne; opplyse; lette; opp-
muntre; **~-er,** tenner *m;*
fyrtøy *n;* lekter *m,* lastepram
m; **~-headed,** svimmel; tan-
keløs; **~-hearted,** sorgløs,
glad; **~-house,** fyrtårn *n;*
~-minded, lettsindig; tanke-
løs.
lightning [laitniŋ] lyn *n;*
~-conductor, lynavleder *m.*
lik(e)able sympatisk, liken-
des.
like [laik] lik(e), lignende; lik-
som; like, synes om; ville
helst; **~ that,** slik; **feel ~,**
ha lyst på; føle seg som;
what is he ~? hvordan er

han?; hvordan ser han ut?;
~-lihood, sannsynlighet *m;*
~-ly, sannsynlig(vis); **~-ness,**
likhet *m;* bilde *n;* **~-wise,**
likeledes.
liking [laikiŋ] forkjærlighet
m, smak *m.*
lilac [lailǝk] syrin *m.*
lilt, munter sang *m,* trall *m;*
tralle.
lily [lili] lilje *m/f.*
limb [lim] lem *n;* stor grein *f.*
lime [laim] kalk(e) *m;* lind
m/f; sur sitron *m.*
limit [limit] grense *m/f;* be-
grense; **~ation,** begrensning
m; preskripsjon *m;* **~-ed
company** (fork. **Ltd.)** aksje-
selskap *n.*
limp, halte, hinke; slapp;
~-id, klar, gjennomsiktig.
line [lain] linje *m/f;* snor *m/f;*
ledning *m;* snøre *n;* line
m/f; strek *m;* rad *m;* kø *m;*
fremgangsmåte *m;* retning
m; grunnsetning *m;* bransje
m; varesort *m;* jernbanespor
n; linjere (opp); stille på
linje; fôre, kle; **that's not
(in) my ~,** det ligger ikke
for meg; **~s,** retningslinjer;
drop me a ~, send meg et
par ord; **hold the ~,** (i
telefonen) vent et øyeblikk!;
~ out, skissere; **~ up,** stille
(seg) opp på linje, særlig
amr stille seg i kø.
lineage [liniidʒ] avstamning

m, slekt *m/f*; ætt(elinje) *m/f* *(m/f)*; ~**ment** ['liniəmənt] (ansikts)trekk *n*.

linen ['linin] lin(tøy) *n (n)*; lerret *n*; vask(etøy) *m (n)*; ~-**draper**, hvitevarehandler *m*.

liner ['lainə] ruteskip *n*; rutefly *n*.

linger ['lingə] nøle, somle, dvøye; holde seg; ~**ing**, nølende; langvarig.

lingo ['lingou] kråkemål *n*, kaudervelsk; ~**ual**, tunge-, språk; ~**uist**, språkforsker *m*; språkmann *m*.

liniment ['linimənt] salve *m/f*.

lining ['lainiŋ] fôr *n*.

link [liŋk] ledd *n*; bindeledd *n*; forbinde(s); lenke (sammen); ~**s**, golfbane *m*.

lion ['laiən] løve *m/f*.

lip [lip] leppe *m/f*; kant *m*; ~ **stick**, leppestift *m*.

liquefy ['likwifai] smelte; bli, gjøre flytende; ~**id**, flytende; klar; lett omsettelig; væske *m/f*; ~**idate** [-ideit] likvidere.

liqueur [li'kjuə] likør *m*.

liquor ['likə] væske *m/f*; brennevin *n*; **in** ~, full; ~**ice** ['likəris] lakris *m*.

lisp, lesping *m/f*; lespe.

list, liste *m/f*, fortegnelse *m*; *mar* slagside; (tre)list *m/f*; bånd *n*; stripe *m/f*; katalogisere; listeføre; kante.

listen ['lisn] lytte; høre etter; ~ **er**, lytter *m*.

literacy ['litrəsi] lese- og skrivekyndighet *m*; ~**l**, ordrett, bokstavelig; ~**ture** ['lit(ə)rə-tʃə] litteratur *m*.

litter ['litə] avfall *n*, søppel *m*; rot *n*; kull (av unger) *n*; båre *m/f*; rote, strø utover; få unger.

little ['litl] liten; lite; kort (om tid); smålig; **a** ~, litt; ~ **by** ~, litt etter litt.

live [liv] leve; bo; ~ **on**, leve av *el* på; leve videre; ~ **out**, overleve; bo utenfor arbeidsstedet; [laiv] levende; ~**lihood** ['laivlihud] levebrød *n*, utkomme *n*; ~**ly** ['laivli] livlig.

liver ['livə] lever *m/f*.

livestock ['laivstɔk] husdyrbestand *m*.

livid ['livid] gusten, bleik.

living ['liviŋ] levende; livsførsel *m*, levnet *n*, vandel *m*; levebrød *n*; prestekall *n*; ~**room**, dagligstue *m, f*.

lizard ['lizəd] firfisle *m/f*.

load [loud] byrde *m*, last *m/f*; ladning *m*; lesse (på); laste; lade (våpen); ~**ing**, lasting *m/f*.

loaf [louf] *pl* **loaves** [louvz] brød *n*; drive dank; ~**er**, dagdriver *m*.

loam [loum] leire *m/f*.

loan [loun] (ut)lån *n*; amr låne (ut).

loath [louþ] uvillig; ~**e** [louð] avsky, vemmes ved; ~**ing,** vemmelse *m;* avsky *m;* ~**some,** motbydelig.

lob [lɔb] lobbe, slå (ballen) høyt (i tennis); ~**by,** forværelse *n;* (parlaments)korridor *m;* vestibyle *m; teat* foajé *m.*

lobe [loub] lapp *m,* flikk *m;* (ear)~, øreflipp *m.*

lobster [lɔbstə] hummer *m.*

local [loukl] lokal, stedlig; kommunal; kroen *m* på stedet; lokaltog *n;* ~**ity,** beliggenhet *m,* sted *n;* ~**ize,** lokalisere; stedfeste.

locate [lou'keit *el* loukeit] lokalisere, stedfeste, ~**ion,** plassering *m/f;* sted *n;* opptakssted for film (utenfor studio).

lock [lɔk] lås *m;* sluse(kammer) *m/f* (n); (hår)lokk (n) *m;* låse(s); sperre; stenge; ~**er,** (låsbart) skap *n;* oppbevaringsboks *m;* ~**et,** medaljong *m;* ~**smith,** låsesmed *m.*

locomotion [loukə'mouʃn] bevegelse *m;* befordring *m;* ~**ve** [louka-] lokomotiv *n.*

lodge [lɔdʒ] hytte *f,* stue *m/f;* portnerbolig *m;* (frimurer) losje *m;* anbringe, deponere; (inn)losjere; sitte fast; ~**ing,** losji *n,* husrom *n;* **board and ~~,** kost og losji.

lofty [lɔfti] høy, opphøyet.

log [lɔg] tømmerstokk *m;* logg *m;* ~**book,** skipsjournal *m;* loggbok *f.*

logic [lɔdʒik] logikk *m;* ~**al,** logisk.

loin [lɔin] lend *n;* nyrestykke *n.*

loiter [lɔitə] slentre.

lonely [lounli]; ~**some,** ensom.

long [lɔŋ] lang; langvarig; langsiktig; lenge; **before ~,** om kort tid; **in the ~ run,** i det lange løp; ~ **for,** lengte etter; ~**distance (call),** rikstelefon(samtale) *m;* ~**ing,** lengsel *m;* lengselsfull; ~**sighted,** langsynt; skarpsindig; ~**-winded,** langtekkelig.

look [luk] blikk *n;* mine *m/f;* ~**s** (pent) utseende *n;* se ut til; synes; ~ **at,** se på; ~ **after,** holde øye med; ~ **about,** se seg om; ~ **down on,** se ned på; ~ **back (up)on,** se tilbake på; ~ **for** se (el lete) etter; regne med; ~ **forward to,** se fram til, glede seg til; ~ **in,** se innom; ~ **into,** undersøke; ~ **on,** se på, være tilskuer; ~ **out,** se seg for; ~ **over,** se over, gjennomse; ~ **to,** passe på, lite på; stole på; se hen til; ~ **up,** se opp; bedre seg; stige (i pris); slå opp (i ordbok); **he does not ~ his age,** han ser ikke ut til å være så gammel som han er; **~er-on,** tilskuer m; **~ing-glass,** speil n; **~-out,** utkik(k) m; utkik(k)smann m, -tårn n.

loom [lu:m] vevstol m; rage opp.

loop [lu:p] løkke f; sløyfe m/f; lage (el slå) løkke(r); **~hole,** (smutt)hull n.

loose [lu:s] løs; vid; løsaktig; løsne, slappe; **be at a ~ end,** ikke ha noe å foreta seg; **~n,** løsne, løse på.

loot [lu:t] plyndre; bytte n, rov n.

loquacious [lou'kweiʃəs] snakkesalig.

lord [lɔ:d] herre m; lord m, adelsmann m; medlem n av Overhuset; **the Lord,** Herren, Gud; **the Lord's Prayer,** Fader vår; **the Lord's Supper,** nattverden; **~ly,** fornem; **~ship,** herredømme n; (som tittel) **his Lordship,** hans nåde.

lorry ['lɔri] lastebil m.

lose [lu:z] miste, tape; forspille; saktne (om ur); **~er,** taper m.

loss [lɔs] tap n; **at a ~,** i forlegenhet; med tap.

lot [lɔt] loddtrekning m; skjebne m; (vare)parti n; dt **a ~ of people,** en masse mennesker.

lottery ['lɔtəri] lotteri n.

loud [laud] høy (om lyd); skrikende (om farge); **~-speaker,** høyttaler m.

lounge [laundʒ] salong m; vestibyle m; sofa m; dovne seg; slentre.

louse [laus] pl **lice** [lais] lus m/f; **~y,** luset; elendig; dt smekkfull (**with** av).

lovable ['lʌvəbl] elskelig.

love [lʌv] kjærlighet m; elskede m, kjæreste m; elske; være glad i; **fall in ~ with,** bli forelsket i; **make ~ to,** kurtisere; **~ly,** yndig; deilig; vakker; storartet; **~r,** elsker m; **~rs,** elskende (par).

loving ['lʌviŋ] kjærlig; øm.

low [lou] lav; ussel; simpel; tarvelig; fig nedslått; **~er,** senke, fire; gjøre lavere; nedsette (priser); se bister ut; lavere, nedre, under-; **~-spirited,** nedslått.

loyal ['lɔiəl] lojal; trofast; **~ty,** lojalitet m.

Ltd. = limited (A/S).

lubricate ['lu:brikeit] smøre; olje.

lucid ['lu:sid] lys, klar.

luck [lʌk] hell n; (lykke)treff n; **bad ~,** uhell n; **good ~ !** lykke til! **~ily,** heldigvis; **~y,** heldig.

lucrative ['lu:krətiv] innbringende, lønnsom.

ludicrous [ˈluːdikrəs] latterlig.

lug [lʌg] hale, slepe; ~ **gage,** bagasje *m;* reisegods *m.*

lukewarm [ˈl(j)uːkwɔːm] lunken.

lull [lʌl] lulle, bysse; berolige; stans *m,* opphold *n;* vindstille *m;* ~ **aby,** vuggesang *m.*

lumber [ˈlʌmbə] tømmer *n;* skrap *n;* fylle (med skrap o.l.); ~**room,** pulterkammer *n.*

luminous [ˈluːminəs] (selv)lysende, klar.

lump [lʌmp] klump *m;* masse *m;* stykke *n;* klumpe (seg) sammen; ta under ett; **a** ~ **sum,** en rund sum.

lunacy [ˈluːnəsi] sinnssykdom *m;* ~ **tic,** sinnssyk; ~ **tic asylum,** sinnssykehus *n.*

lunch [lʌntʃ] lunsj *m;* ~ **eon** (forretnings- *el* offisiell) lunsj *m.*

lung [lʌŋ] lunge *m/f.*

lurch [ləːtʃ] overhaling, krenging *m/f;* sjangle; **leave in the** ~, la i stikken.

lure [l(j)uːə] lokke(mat) *(m).*

lurid [ˈl(j)uːrid] uhyggelig, flammende.

lurk [ləːk] ligge på lur.

luscious [ˈlʌʃəs] søt(laten); frodig.

lush [lʌʃ] frodig, yppig; *am dt* fyllik *m.*

lust [lʌst] (vel)lyst *m/f;* begjær *n;* ~ **y,** kraftig, svær.

lustre [ˈlʌstə] glans *m;* prisme-lysekrone *m/f;* ~ **less,** glansløs.

luxurious [lʌgˈzjuəriəs] luksuriøs; overdådig.

luxury [ˈlʌkʃəri] luksus(artikkel) *m.*

lynx [liŋks] gaupe *m/f.*

lyric [ˈlirik] lyrisk (dikt); ~**s,** sangtekster; lyriske vers.

M

M.A. = Master of Arts.

macaroon [mækəˈruːn] makron *m.*

mace [meis] septer *n.*

machine [məˈʃiːn] maskin *m;* ~ **ry,** maskineri *n.*

machinist [məˈʃiːnist] maskinist *m;* maskinbygger *m;* maskinarbeider *m.*

mackerel [ˈmækrəl] makrell *m.*

mackintosh [ˈmækintɔʃ] vanntett tøy *n;* regnfrakk *m* av slikt tøy.

mad [mæd] gal, forrykt; især *amr* rasende.

madam [ˈmædəm] frue *m/f,* frøken *m/f* (i tiltale).

madden [ˈmædn] gjøre gal, ra-

sende; ~**house**, galehus *n;*
sinnssykeasyl *n;* ~**man**,
sinnssyk mann *m;* ~**ness**,
galskap *m.*

magazine [mægə'zi:n] magasin
n, lagerbygning *m;* tidsskrift
n.

maggot ['mægət] larve *m/f.*

magic ['mædʒik] magi(sk) *m;*
~**al**, magisk; trylle-; ~**ian**
[mə'dʒiʃn] trollmann *m;* ma-
giker *m.*

magnanimous [mæg'næniməs]
storsinnet; ~**animity** [-'nim-]
storsinnethet *m.*

magnificen|ce [mæg'nifisəns]
prakt *m,* storhet *m;* ~**t**,
storartet; prektig.

magni|fy ['mægnifai] forstørre;
~**tude**, størrelse *m;* viktighet
m.

magpie ['mægpai] skjære *f.*

mahogany [mə'hɒgəni] ma-
hogni *m.*

maid [meid] jomfru *m/f;* (tje-
neste)pike *m/f;* hushjelp
m/f; ~**en**, jomfru *m/f;* pike
m/f; jomfruelig; ugift; ube-
rørt; ren; ~**en name**, pike-
navn *n;* ~**en speech**, jom-
frutale *m.*

mail [meil] panser *n;* (brev)-
post *m;* sende med posten;
~**bag**, postsekk *m;* ~**boat**,
postbåt *m;* ~**box**, *amr* post-
kasse *m/f;* ~**carrier**, ~**man**,
amr postbud *n.*

maim [meim] lemleste.

main [mein] hovedsak *m/f;*
hovedledning *m;* hoved-;
~**ly**, hovedsakelig; ~**land**,
fastland *n;* ~**spring**, driv-
fjær *m/f;* -kraft *m/f;* ~**stay**,
hovedstøtte *m;* ~**tain**, opp-
rettholde; hevde, holde ved
like; forsørge; ~**tenance**,
opprettholdelse *m;* vedlike-
hold *n;* underhold *n.*

maize [meiz] mais *m.*

majestic [mə'dʒestik] *adv*
~**ically**, majestetisk; ~**y**
['mædʒisti] majestet *m.*

major [meidʒə] større; vik-
tig(st); myndig; major *m;*
mus dur *m.*

majority [mə'dʒɒriti] flertall *n.*

make [meik] gjøre; foreta;
lage; få til å; skape; danne;
foranstalte; frembringe; re
opp (seng); bevirke; tilbe-
rede; fabrikasjon *m;* fabri-
kat *n;* form *m;* (legems)byg-
ning *m;* ~ **sure of**, forvisse
seg om; ~ **good**, oppfylle
(et løfte); gjøre godt igjen;
~ **out**, se, skjelne; forklare;
tyde; tolke; finne ut; ~
over, overdra; ~ **up**, lage
til; utgjøre; dikte opp; bi-
legge, ordne (en trette); er-
statte; sminke (seg); ~ **up**
one's mind, bestemme seg;
~ **up for**, ta igjen; gi veder-
lag for; ~**r**, produsent *m;*
~**shift**, nødhjelp *m/f;* ~-
up, utstyr *n;* ytre *n;* sminke
m.

maladjustment ['mælə'dʒʌst-mənt] dårlig tilpasning *m.*

malady ['mælədi] sykdom *m.*

male [meil] hann *m.*

malediction [mæli'dikʃn] for-bannelse *m;* ~**ice** ['mælis] ondskap(fullhet) *m;* ~**icious** [mə'liʃəs] ondskapsfull.

malign [mə'lain] ond(skapsfull); skadelig; snakke ondt om; baktale; ~**ant** ['-lig-] ondsinnet; ondskapsfull; *med* ondartet.

mallet ['mælit] klubbe *m/f.*

malnutrition ['mæln(j)u:'triʃn] underernæring *m/f.*

malt [mɔ:lt] malt *n (m).*

mammal ['mæməl] pattedyr *n.*

man [mæn], *pl* **men**, mann *m;* menneske(slekten) *n* be-manne.

manacles ['mænəklz] *pl* hånd-jern *n.*

manage ['mænidʒ] håndtere; lede; styre; behandle; klare; greie; mestre; ~**able**, med-gjørlig; overkommelig; ~**ment**, håndtering *m/f;* forvaltning *m;* styre *n;* le-delse *m;* administrasjon *m;* ~**r**, leder *m;* bestyrer *m;* direktør *m;* impresario *m;* ~**rial** [-dʒiə-] styre-.

mandate ['mændeit] mandat *n;* fullmakt *m;* ~**ory**, bydende; påbudt.

mane [mein] man(ke) *f /m.*

manger ['meindʒə] krybbe *m/f.*

mangle ['mæŋgl] rulle (tøy); lemleste; sønderrive.

manhood ['mænhud] mann-dom(salder) *m (m);* mandig-het *m.*

mania ['meinjə] vanvidd *n;* mani *m.*

manifest ['mænifest] åpenbar; tydelig; legge for dagen; vise; ~**ation** [-'stei-] tilkjen-negivelse *m;* manifestasjon *m;* ~**o** [mæni'festou] mani-fest *n.*

manifold ['mænifould] mang-foldig; mangfoldiggjøre.

manipulate [mə'nipjuleit] be-handle; manipulere.

mankind [mæn'kaind] men-neskeheten *m;* ~**ly**, mandig. **manner** ['mænə] måte *m;* vis *n;* manér *m;* ~**s**, oppførsel, fremtreden *m;* ~**ism**, affek-terthet *m.*

manoeuvre [mə'nu:və] manø-ver *m;* manøvrere.

man-of-war ['mænəv'wɔ:ə] krigsskip *n.*

manor ['mænə] gods *n;* herre-gård *m;* ~-**house**, herresete *n,* -gård *m.*

manpower ['mæn'pauə] ar-beidskraft *m/f;* menneske-materiell *n.*

mansion ['mænʃn] herskapsbo-lig *m.*

manslaughter ['mænslɔ:tə] (uaktsomt) drap *n.*

mantelpiece ['mæntlpi:s] ka-minhylle *m/f.*

mantle ['mæntl] kappe *m/f*; s & *v* dekke *n*.

manual ['mænjuəl] hånd-; håndbok *m/f*; lærebok *m/f*.

manufactory [mænju'fækt(ə)ri] fabrikk *m*; ~ **ture**, fabrikasjon *m*; tilvirkning *m*; fabrikkere; fremstille; ~ **turer**, fabrikant *m*.

manure [mən'ju:ə] gjødsel *m/f*; gjødsle.

many ['meni] mange; ~ **a**, mang(t) en (et).

map [mæp] (land)kart *n*; kartlegge; ~ **out**, planlegge.

maple ['meipl] *bot* lønn *m/f*.

marble ['ma:bl] marmor *m*; klinkekule *m/f*; ~ **s**, marmorskulpturer.

march [ma:tʃ] marsj(ere); gå. **March** [ma:tʃ] mars.

mare [meə] hoppe *f*.

margin ['ma:dʒin] kant *m*; marg(in) *m*; (bok)rand.

marine [mə'ri:n] marine(soldat) *m*; sjø-; marine-; ~ **r** ['mærinə] sjømann *m*; matros *m*.

maritime ['mæritaim] maritim; sjø-; kyst-; skipsfarts-.

mark [ma:k] merke *n*, tegn *n*; kjennemerke *n*; fabrikkmerke *n*; karakter *m* (på skolen); blink *m*, mål *n*; merke; markere; kjennemerke; merke seg; gi karakter; ~ **ed**, tydelig; utpreget; markert.

market ['ma:kit] marked *n*; torg *n*; torgføre; markedsføre; ~ **ing**, markedsføring *m/f*; ~ **place**, torg *n*.

marksman ['ma:ksmən] (skarp)skytter *m*.

marmalade ['ma:m(ə)leid] (appelsin)marmelade *m*.

maroon [mə'ru:n] rødbrun.

marquee [ma:'ki:] stort telt (til fester o.l.).

marquess, ~ **is** ['ma:kwis] marki *m*.

marriage ['mæridʒ] ekteskap *n*; vielse *m*, bryllup *n*; ~ **able**, gifteferdig; ~ **certificate**, vielsesattest *m*.

married ['mærid] gift.

marrow ['mærou] marg *m*.

marry ['mæri] gifte seg (med); vie; gifte bort.

marsh [ma:ʃ] myr *f*, sump *m*; ~ **y**, myrlendt; sumpet.

marshal ['ma:ʃl] marskalk *m*; *amr* politimester *m*; ordne.

marten ['ma:tin] mår *m*.

martial ['ma:ʃl] krigs-; **court** ~, krigsrett *m*.

martin ['ma:tin] (tak)svale *m/f*.

martyr ['ma:tə] martyr *m*; ~ **dom**, martyrium *n*.

marvel ['ma:v(ə)l] (vid)under *n*; undre seg (**at** over); ~ **lous**, vidunderlig, storartet.

mascot ['mæskət] maskot *m*.

masculine ['mæskjulin] man-

dig, mannlig, maskulin;
hankjønns-.

mash [mæʃ] mos *m; v & s*
stappe *m/f;* knuse, mose.

mask [ma:sk] maske(re) *m/f.*

mason ['meisn] murer *m;* ~ **ry,**
mur(ing) *m (m/f);* murverk
n.

masquerade [mæskə'reid]
maskerade(ball) *m (n);* for-
stille seg; figurere som.

mass [mæs] messe *m;* masse
m; samle i masse, dynge
(seg) opp.

massacre ['mæsəkə] massak-
re(re) *m.*

massage ['mæsa:ʒ] massasje
m; massere.

massive ['mæsiv] massiv.

mast [ma:st] mast *f.*

master ['ma:stə] mester *m;*
herre *m;* leder *m;* lærer *m;*
skipsfører *m;* håndverksmes-
ter *m;* **Master of Arts,** ma-
gister (artium) *m;* mestre,
beherske; ~ **ful,** myndig;
~ **ly,** mesterlig; ~ **piece,**
mesterstykke *n;* ~ **ship,**
overlegenhet *m;* ~ **-stroke,**
mesterstykke *n;* ~ **y,** herre-
dømme *n;* beherskelse *m.*

mat [mæt] matte *m/f;* filtre
(seg); matt.

match [mætʃ] fyrstikk *m/f;*
motstykke *n;* like(mann) *m;*
ekteskap *n,* parti *n;* (idretts)-
kamp *m;* stå *(el* passe) til
hverandre; avpasse; komme

opp mot; skaffe maken til;
pare, gifte; ~ **box,** fyrstikk-
eske *m/f;* ~ **less,** uforligne-
lig, makeløs.

mate [meit] kamerat *m;* ekte-
felle *m;* styrmann *m;*
(sjakk)matt; pare (seg).

material [mə'ti:riəl] stofflig;
materiell; vesentlig; emne *n;*
materiale *n,* stoff *n* (til
klær); ~ **ize,** bli virkelig-
gjort.

maternal [mə'tə:nl] mors-.

maternity [mə'tə:niti] moder-
skap *n;* moderlighet *m.*

mathematics [mæþi'mætiks]
matematikk *m.*

matriculate [mə'trikjuleit] inn-
skrive; immatrikulere.

matrimony ['mætrim(ə)ni] ek-
teskap(et) *n,* ektestand *m.*

matron ['meitrən] matrone
m/f; forstanderinne *m/f;*
oversøster *m/f.*

matter ['mætə] stoff *n;* emne
n; sak *m/f;* ting *m; med
verk m,* materie *m;* sats *m;*
ha betydning; **printed** ~,
trykksaker; **a** ~ **of course,**
selvfølgelighet *m;* **in the** ~
of, med hensyn til; **what is
the** ~ **(with you)?,** hva er i
veien (med Dem)?; **no** ~,
det gjør ingenting; **no** ~
what, who, uansett hva,
hvem; ~ **of fact,** faktum *n;*
it doesn't ~, det spiller in-
gen rolle.

mattress ['mætris] madrass *m.*

mature [mə'tjuə] moden, modne(s); forfalle til betaling; ~ **ity**, modenhet *m;* forfall(stid) *n (m/f).*

maudlin ['mɔːdlin] sentimental, tåredryppende.

Maundy ['mɔːndi] **Thursday**, skjærtorsdag.

mauve [mouv] lilla(farget).

maxim ['mæksim] grunnsetning *m;* (leve)regel *m.*

maximum ['mæksiməm] maksimum *n.*

may [mei] kan; kan få lov til; tør; kan kanskje; må, måtte (om ønske); skal (om hensikt); ~ **I?** tillater De? ~ **be**, kanskje.

May [mei] mai; ~ **Day**, 1. mai.

mayor [mɛə] borgermester *m,* ordfører *m* (i by).

maze [meiz] labyrint *m.*

me [miː] meg.

meadow ['medou] eng *m/f.*

meagre ['miːgə] tynn; mager.

meal [miːl] måltid *n;* (grovmalt) mjøl *n;* ~ **-time**, spisetid *m/f;* ~ **y**, melet.

mean [miːn] simpel, lav; ussel; gjerrig; bety; mene; ville si; ha i sinne; mellom-; middels-; mellomting; ~ **s**, middel *n;* (penge)midler; **by all** ~ **s**, for all del, naturligvis; **by** ~ **s of**, ved hjelp av.

meaning ['miːniŋ] hensikt *m;*

betydning *m;* mening *m/f;* megetsigende; ~ **ness**, tarvelighet *m;* **in the** ~ **time**, ~ **while**, i mellomtiden.

measles ['miːzlz] meslinger; **German** ~, røde hunder.

measurable ['meʒ(ə)rəbl] målbar, som kan måles.

measure ['meʒə] mål *n;* utstrekning *m;* forholdsregel *m;* måtehold *n; mus* takt *m/f;* måle, ta mål av; bedømme; ~ **d,** avmålt; ~ **ment,** mål(ing) *m (m/f).*

meat [miːt] kjøtt *n.*

mechanic [mi'kænik] mekaniker *m;* mekanisk; ~ **cal,** mekanisk; ~ **cs,** mekanikk *m;* ~ **sm** ['mekənizm] mekanisme *m;* ~ **ze,** mekanisere.

medal ['medl] medalje *m;* ~ **ist,** medaljør *m;* medaljevinner *m.*

meddle ['medl] **in** *(el* with), blande seg opp *(el* inn) i.

medi(a)eval [medi'iːvl] middelaldersk.

mediate ['miːdieit] mekle; formidle.

medical ['medikl] medisinsk; lege-; ~ **ment** [mə'di-] legemiddel *n.*

medicine ['medsin] medisin *m;* legemiddel *n.*

medieval [medi'iːvl] middelaldersk.

mediocre ['medl] ~ middelmådig; ~ **ity** [-'ɔkriti] middelmådighet *m.*

meditate ['mediteit] tenke over; meditere; gruble; ~ive, ettertenksom.

Mediterranean [meditə'reinjən] the ~, Middelhavet.

medium ['mi:diəm] *pl* media, middel *n;* mellomting *m;* gjennomsnitts-, middels-.

medley ['medli] (broket) blanding *m/f,* potpurri *m.*

meek [mi:k] saktmodig; ydmyk; ~ness, saktmodighet *m.*

meet [mi:t] møte(s); støte på; treffe; oppfylle (forpliktelse); etterkomme, imøtekomme (oppfordring o.l.); ~ with, møte, støte på; ~ing, møte *n;* sammenkomst *m;* forsamling *m/f;* stevne *n.*

melancholy ['melənkəli] tungsinn *n;* tungsindig.

mellow ['melou] bløt, myk; (full)moden; mild; gjøre bløt; modne(s).

melodious [mi'loudjəs] velklingende, melodisk; ~y ['melədi] melodi *m.*

melon ['melən] melon *m.*

melt, smelte; tø opp; tine.

member ['membə] medlem *n;* del *m;* ~ship, medlemskap *n.*

memorable ['memərəbl] minneverdig; ~ial [mi'mo:riəl] minne(smerke) *n;* minne-; ~ials, opptegnelser; ~ize,

læreutenat; ~y, hukommelse *m;* minne *n;* **from** ~ ~, etter hukommelsen.

menace ['menəs] trusel *m;* true.

mend, reparere; bedre (seg).

mental ['mentl] sinns-, ånds-; åndelig; ~ home, psykiatrisk klinikk *m;* ~ity, mentalitet *m.*

mention ['menʃn] omtale *m;* nevne, omtale; **don't mention it**, ingen årsak.

menu ['menju:] meny *m,* spisekart *n.*

mercantile ['mə:kəntail] merkantil, handels-.

mercenary ['mə:sinri] leid; beregnende; leiesoldat *m.*

mercer ['mə:sə] manufakturhandler *m;* ~y, manufakturvarer.

merchandise ['mə:tʃəndaiz] varer; ~t, grossist *m;* storkjøpmann *m.*

merciful ['mə:siful] barmhjertig; ~iless, ubarmhjertig; ~y, barmhjertighet *m;* nåde *m.*

mercury ['mə:kjuri] kvikksølv *n.*

mere [miə] ren; bare; ~ly, bare, utelukkende.

merge [mə:dʒ] smelte, forene(s), fusjonere; ~r, sammensmelting *m/f,* fusjon *m.*

merit ['merit] fortjeneste *m;* god side *m/f;* fortrinn *n;* fortjene.

mermaid ['mə:meid] havfrue *m/f.*

merry ['meri] lystig, glad, munter; ~**-go-round**, karusell *m.*

mesh [meʃ] maske (i garn o.l.) *m/f*; ~**es**, nett *n.*

mess, rot *n*, forvirring *m/f*; messe *f (mar* og *mil)*; rote.

message ['mesidʒ] beskjed *m*; budskap *n*; ~**enger**, bud(bærer) *m/f*; ~**y**, rotet.

metal ['metl] metall *n*; ~**lic** [-'tæ-] metallisk.

meteorological [mi:tjərə'lɔdʒikl] meteorologisk; ~**ist** [-'rɔlədʒist] meteorolog *m*; ~**y**, meteorologi *m.*

method ['meθəd] metode *m*; fremgangsmåte *m*; ~**ical** [mə'θɔ-] metodisk.

meticulous [mi'tikjuləs] (altfor) nøyaktig; pinlig nøye.

metre ['mi:tə] versemål *n*; meter *m.*

metropolis [mi'trɔpəlis] hovedstad *m*; verdensby *m.*

mettle ['metl] fyrighet *m*, livfullhet *m.*

microphone ['maikrəfoun] mikrofon *m*; ~**scope**, mikroskop *n.*

mid, i sammensetn. midt-, midtre; ~**day**, middag *m*; kl. 12; ~**dle**, mellom-; middel-; midt-; midte(n) *m*; the **Middle Ages**, middelalderen *m*; ~**dlefinger**, langfinger

m; ~**dle-aged**, middelaldrende; ~**dle-sized**, halvstor; ~**dling**, middels; middelmådig.

midget ['midʒit] dverg *m.*

midnight ['midnait] midnatt; ~**riff**, mellomgolv *m*; ~**shipman**, sjøkadett *m*; ~**ships**, midtskips; ~**st**, **in** the ~ **of**, midt i; ~**summer**, midtsommer *m*, høysommer *m*; ~**way**, midtveis, halvveis; ~**wife**, jordmor *m/f*; ~**wifery** [-'wifəri] fødselshjelp *m/f.*

might [mait] makt *m/f*, kraft *m/f*; ~**y**, mektig, sterk; *dt adv* veldig.

mild [maild] mild, bløt; blid, saktmodig; lemfeldig.

mildew ['mildju:] mugg *m*; jordslag *n.*

mildness ['maildnis] mildhet *m*; varsomhet *m.*

mile [mail] (engelsk) mil *f* (= 1609,3 m); ~**age**, miletall *n*; avstand *m* i mil; bilgodtgjørelse pr. mile.

military ['militəri] militær; krigs-; militærmakt *m/f.*

milk, melk(e) *f*; ~**er**, melker; melkeku *f*; ~**maid**, budeie *f.*

mill, mølle *m/f*; fabrikk *m*; bruk *n*; male, knuse; valse; frese; piske; ~**er**, møller *m.*

milliard ['milja:d] milliard *m.*

milliner ['milinə] modist *m*; ~**y**, motehandel *m*; motepynt *m.*

milt, milt *m;* melke (hos fisk) *m.*

mimic ['mimik] mimisk, etterape(nde); herme; imitator *m;* ~**ry**, etteraping *m/f;* beskyttelseslikhet *m.*

mince [mins] (fin)hakke; skape seg; ~**-meat**, finhakket kjøtt; rosinfyll *n,* vanl. servert i ~**-pie.**

mind [maind] sinn(elag *n;* hug *m;* gemytt *n;* sjel *m/f;* ånd *m;* forstand *m;* mening *m/f;* tanke *m;* hensikt *m;* lyst *m/f;* tilbøyelighet *m;* ense; legge merke til; bekymre seg om; ha noe imot; ta seg nær av; passe på; **bear in** ~, huske på; **make up one's** ~, bestemme seg; **have a good (half a)** ~ **to**, ha god lyst til; **never** ~!, bry Dem ikke om det!; **I don't** ~, jeg har ikke noe imot det; **would you** ~ **taking off your hat?**, vil De være så snill å ta av hatten?; ~ **your own business!**, pass dine egne saker!; ~**ed**, til sinns; ~**ful**, påpasselig.

mine [main] min, mitt, mine (brukt substantivisk); gruve *m/f;* bergverk *n;* (l/gn-, land-)mine *m/f;* drive bergverksdrift; utvinne; (under)minere; grave; ~**r**, gruvearbeider *m.*

mingle ['miŋgl] blande (seg).

miniature ['minjətʃə] miniatyr(maleri) *n.*

minimum ['miniməm] det minste; minstemål *n.*

mining ['mainiŋ] gruvedrift *m/f.*

minister ['ministə] minister *m;* statsråd *m;* sendemann *m;* (dissenter)prest *m;* tjene; bidra til, hjelpe.

ministry ['ministri] ministerium *n;* prestetjeneste *m.*

minor ['mainə] mindre (betydelig); mindreårig; *mus* moll.

minority [mai'nɔriti] mindretall *n;* mindreårighet *m.*

minstrel ['minstrəl] (vise)sanger *m;* trubadur *m;* musikant *m.*

mint, myntverksted *n; bot* mynte *f,* (ut)mynte; lage; ~**age**, (ut)mynting; preging *m/f.*

minute [mai'nju:t] ørliten; nøyaktig, minutiøs; ['minit] minutt *n;* øyeblikk *n;* ~**s**, protokoll *m;* referat *n;* ~**hand**, minuttviser *m;* langviser *m.*

minx [miŋks] nesevis jentunge *m.*

miracle ['mirəkl] under *n;* ~**ulous** [mi'rækjuləs] mirakuløs.

mire ['maiə] mudder *n,* dynn *n;* søle *m/f.*

mirror ['mirə] speil(e) *n.*

mirth [mə:þ] munterhet *m*; ~**ful**, lystig, munter.

misadventure [misəd'ventʃə] uhell *n*.

misapprehension ['misæpri-'henʃn] misoppfatning *m*; ~ **behave**, vise dårlig oppførsel; ~ **behaviour**, dårlig oppforsel *m*; ~ **calculate**, beregne galt; ~ **carriage**, uheldig utfall *n*; ulykke *m/f*; (brevs) bortkomst *m*; abort *m*; ~ **carry**, slå feil; komme bort; abortere.

miscellaneous [misi'leinjəs] blandet.

mischief ['mistʃif] fortred *m*, ugagn *m*; skade *m*; ~ **vous**, skadelig; ondskapsfull; skøyeraktig.

misconduct [mis'kɔndʌkt] upassende oppførsel; ['-kɔn'dʌkt] forvalte dårlig.

misdeed ['mis'di:d] ugjerning.

misdoing ['mis'du:iŋ] forseelse *m*; misgjerning *m/f*.

miser ['maizə] gnier *m*.

miserable ['mizərəbl] elendig; ulykkelig; ~ **y**, elendighet *m*; ulykke *m/f*.

misfire ['mis'faiə] klikke; (om motor) feiltenne, ikke starte; ~ **fit**, noe som ikke passer; mislykket individ *n*; ~ **fortune**, ulykke *m/f*; uhell *n*; ~ **giving**, uro *m*; tvil *m*; *pl* bange anelser; ~ **hap**, uhell *n*; ~ **interpret**, mistyde, feil

tolke; ~ **judge**, bedømme galt; ~ **lay**, forlegge; ~ **lead**, villede; ~ **print**, trykkfeil *m*; ~ **represent**, fordreie; ~ **rule**, uorden *m*; vanstyre *n*; styre dårlig.

miss, frøken *m/f*; feilskudd *n*, bom *m*; savne; gå glipp av; bomme; forsømme; unngå.

missing ['misiŋ] manglende; be ~, mangle, savnes.

mission ['miʃn] ærend *n*; oppdrag *n*; kall *n*; misjon *m*; ~ **ary**, misjonær *m*.

mist, dis *m*; tåke *m/f*.

mistake [mis'teik] feil(tagelse) *m* (*m*); ta feil av; misforstå; forveksle (**for** med).

mister ['mistə] = **Mr.**, herr.

mistletoe ['misltou] misteltein *m*.

mistress ['mistris] herskerinne *m/f*; husfrue *m/f*; frue *m/f* (fork. til **Mrs.** ['misiz] foran navnet); lærerinne *m/f*; elskerinne *m/f*.

mistrust ['mis'trʌst] *s & v* mistro.

misunderstand ['misʌndə'stænd] misforstå; ~ **ing**, misforståelse *m*.

misuse ['mis'ju:z] misbruk(e) *n*.

mitigate ['mitigeit] formilde; lindre.

mitten ['mitn] (lo)vott *m*; halvhanske *m*.

mix [miks] blande (seg); omgås; ~ **up**, blande sammen,

forveksle; ~**ture,** blanding
m/f.

moan [moun] stønn(e) *n;*
klage *m.*

moat [mout] vollgrav *m/f.*

mob [mɔb] mobb *m,* pøbel *m;*
overfalle i flokk.

mobi|**lity** [mou'biliti] bevege-
lighet *m;* ~**ize,** mobilisere.

mock [mɔk] spotte (**at** over);
herme; ~**er,** spotter *m;*
~**ery,** spott *m,* forhånelse
m; herming *m/f.*

mode [moud] måte *m;* mote
m.

model ['mɔdl] modell(ere) *m;*
mønster(gyldig) *n.*

modera|**te** ['mɔdərit] måtehol-
den; moderat; [-reit] mode-
rere (seg); ~**ion,** måtehol-
d(enhet) *n (m).*

modern ['mɔdən] moderne.

modest ['mɔdist] beskjeden;
blyg; ~**y,** beskjedenhet *m.*

modi|**fication** [mɔdifi'keiʃn]
endring *m/f;* tillempning
m/f; ~**fy,** modifisere; end-
re.

moist [mɔist] fuktig; ~**en**
['mɔisn] fukte; ~**ure** [-ʃə]
fuktighet *m.*

molar ['moulə] jeksel *m.*

mole [moul] muldvarp *m/f;* fø-
flekk *m;* molo *m,* havne-
demning *m.*

moment ['moumənt] øyeblikk
n; viktighet *m;* ~**ary,** som
varer et øyeblikk *n;* forbigå-

ende; ~**ous** [-'mentəs]
(svært) betydningsfull.

monarch ['mɔnək] monark *m;*
~**y,** monarki *n.*

monastery ['mɔnəstri] kloster
n.

Monday ['mʌndi] mandag.

money ['mʌni] penger; ~**-or-**
der, postanvisning *m.*

mongrel ['mʌŋgrəl] kjøter *m.*

monitor ['mɔnitə] ordensmann
m (på skole); (billed)moni-
tor *m.*

monk [mʌŋk] munk *m.*

monkey ['mʌŋki] ape *m.*

mono|**gram** ['mɔnəgræm] mo-
nogram *n;* ~**logue,** enetale
m; ~**poly** [mə'nɔpəli] mono-
pol *n* (**of** på); ~**tonous**
[mə'nɔtənəs] ensformig; mo-
noton.

monst|**er** ['mɔnstə] uhyre *n;*
~**rosity** [-'strɔsiti] uhyrlighet
m; misfoster *n;* ~**rous**
['mɔnstrəs] kjempestor; van-
skapt.

month [mʌnθ] måned *m;* ~**ly,**
månedlig; månedsskrift *n.*

mood [mu:d] (sinns)stemning
m; toneart *m;* ~**y,** humør-
syk; nedtrykt.

moon [mu:n] måne *m;* ~ **light,**
måneskinn *n;* ~**shine,** slud-
der *n;* hjemmebrent (*el*
smugler-)sprit *m.*

moor [muə] hei *f,* mo *m,*
vidde *f;* **Moor,** maurer *m;*
fortøye; ~**ings,** fortøy-
ning(splass) *m.*

moot [mu:t] bringe på bane; omstridt.

mop [mɔp] mopp *m;* svaber *m;* tørke (opp).

moral ['mɔrəl] moralsk; moral *m;* ~**s**, seder, moral; ~**ity**, moral *m,* etikk *m.*

morbid ['mɔ:bid] sykelig.

more [mɔ:] mer; flere; **once ~**, en gang til; **no ~**, ikke mer; ~**over** [-'ouvə] dessuten; enn videre.

morgue [mɔ:g] likhus *n.*

morning ['mɔ:niŋ] morgen *m;* formiddag *m;* **tomorrow ~**, i morgen tidlig; **in the ~**, om morgenen; **this ~**, i morges.

morose [mə'rous] sur, gretten.

morphia ['mɔ:fiə] **morphine** ['mɔ:fi:n] morfin *m.*

morsel ['mɔ:səl] (mat)bit *m.*

mortal ['mɔ:tl] dødelig; ~**ity** [-'tæ-] dødelighet *m.*

mortar ['mɔ:tə] morter *m;* mørtel *m;* mure.

mortgag|e ['mɔ:gidʒ] pant *n;* heftelse *m;* prioritet *m;* pantsette; ~**ee**, panthaver *m.*

mortif|ication [mɔ:tifi'keiʃn] krenkelse *m,* ydmykelse *m;* **med** koldbrann *m;* ~**y**, krenke.

mosque [mɔsk] moské *m.*

mosquito [məs'ki:tou] mygg *m,* moskito *m.*

moss [mɔs] mose *m;* ~**y**, mosegrodd.

most [moust] mest; flest; høyst; det meste; de fleste; **at (the) ~**, i høyden; ~**ly**, for det meste.

moth [mɔθ] møll *m;* ~**eaten**, møllspist.

mother ['mʌðə] mor *m;* være (som en) mor for; ~**hood**, mo(de)rskap *n;* ~**-in-law**, svigermor *m/f;* ~**ly**, moderlig; ~ **tongue**, morsmål *n.*

motion ['mouʃn] bevegelse *m;* gang *m;* forslag *n;* **med** avføring *m/f;* ~**less**, ubevegelig.

motive ['moutiv] motiv *n,* beveggrunn *m;* driv-, aktiv.

motley ['mɔtli] broket, spraglet.

motor ['moutə] motor *m; dt* bil *m;* ~**(bi)cycle**, ~**bike**, motorsykkel *m;* ~**boat**, motorbåt *m,* ~**car**, bil *m;* ~**ing**, bilkjøring *m/f;* ~**ist**, bilist *m.*

mould [mould] mugg *m;* (støpe)form *m/f;* mugne; støpe; forme; ~**er**, former *m;* smuldre; ~**y**, muggen; gammeldags.

mound [maund] (jord)haug *m.*

mount [maunt] stige opp (på); (be)stige; montere, oppstille; berg *n.*

mountain ['mauntin] fjell *n,* berg *n;* ~**eer** [-'niə] fjellmann *f;* tindebestiger *m;* ~**ous**, fjellrik.

mourn [mɔːn] sørge (over); ~**er**, deltaker i likfølge *m*. ~**ful**, trist, sorgfull; ~**ing**, sorg *m*; sørgedrakt *m/f*.

mouse [maus], *pl* **mice** [maus, mais] mus *m/f*; drive musejakt.

mouth [mauþ] munn *m*; mule *m*; (elve)munning *m*; ta i munnen; deklamere; geipe; ~**ful**, munnfull *m*; ~**-organ**, munnspill *n*; ~**piece**, munnstykke *n*; talerør *n*; (telefon)rør *n*; ~**wash**, munnvann *n*.

movable ['muːvəbl] bevegelig; ~**s**, løsøre.

move [muːv] flytte; bevege (seg); drive; påvirke, overtale; fremsette forslag (om); bevegelse; trekk *n* (i sjakk osv.); flytning *m*; **on the** ~, på farten; ~ **in**, flytte inn; ~ **on**, gå videre; ~**ment**, bevegelse *m*; flytning *m*.

movie ['muːvi] film *m*; **the** ~**s**, filmen *m*, filmindustrien *m*; **go to the movies**, gå på kino.

moving ['muːviŋ] som beveger seg; rørende.

mow [mou] meie; slå; høystakk *m*.

M.P. = **Member of Parliament** *el* **Military Police.**

Mr(.), Mrs(.), = **Mister, Mistress.**

much [mʌtʃ] mye; meget; **make** ~ **of**, gjøre mye ut av; gjøre stas på; **so** ~ **the better,** så meget desto bedre.

muck [mʌk] møkk *f*, gjødsel *m/f*; skitne til; ~**rake**, (møkk)greip *n*.

mud [mʌd] mudder *n*, gjørme *m/f*; ~**dle**, forvirre, bringe i uorden; forvirring *m/f*; rot *n*; ~**dy**, sølet; gjørmet.

muffin ['mʌfin] (slags) tekake *m/f*.

muffle ['mʌfl] pakke (*el* tulle) inn; dempe (lyd); ~**r**, halstørkle *n*, skjerf *n*; lyddemper *m*.

mug [mʌg] seidel *m*; krus *n*; *slang* fjes *n*; *dt* pugge; ~**gy**, fuktig, lummer.

mulatto [mjuˈlætou] mulatt *m*.

mulberry ['mʌlbəri] morbær *n*; morbærtre *n*.

mulct mulkt(ere) *m/f*.

mule [mjuːl] muldyr *n*; stribukk *m*; ~**ish**, sta.

multifarious [ˌmʌltiˈfɛəriəs] mangfoldig, mangeartet.

multiple ['mʌltipl] mangfoldig; multiplum; ~**lication**, forøkelse *m*; multiplikasjon *m*; ~**ly**, formere (seg); multiplisere.

multitude ['mʌltitjuːd] mengde *m/f*; **the** ~, de brede lag.

mumble ['mʌmbl] mumle; mumling *m*.

mumps [mʌmps] kusma *m*.

munch [mʌntʃ] gomle, knaske.

mundane ['mʌndein] verdslig.

municipal [mjuˈnisipl] by-; kommunal; ~**ity**, bykommune *m*.

munificent [mju:'nifisnt] gav-
mild.
munitions _pl_ [mju:'niʃnz]
krigsmateriell _n._
mural ['mju:rəl] vegg-; mur-;
veggmaleri _n._
murder ['mə:də] mord _n;_
myrde; **~er,** morder _m;_
~ous, mordersk.
murmur ['mə:mə] mumling
_m/f;_ surr _n;_ murring _m/f;_
mumle; suse; mukke
(against, at over).
muscle ['mʌsl] muskel _m;_
~ular [-'kjulə] muskuløs.
muse [mju:z] muse _m;_ gruble.
museum [mju:'ziəm] museum
_n._
mushroom ['mʌʃru:m] spiselig
sopp _m;_ vokse raskt fram.
music ['mju:zik] musikk _m;_
noter; **~ al,** musikalsk; vel-
klingende; (moderne) ope-
rette _m;_ **~ hall,** varieté _m;_
~ian [mju:'ziʃn] musiker _m;_
~-stand, notestativ _n;_ **~-
stool,** pianokrakk _m._
mussel ['mʌsl] blåskjell _n;_
musling _m._
must [mʌst] most _m;_ fersk
druesaft _m/f;_ mugg _m;_ ube-
tinget nødvendighet _m;_ må,
måtte.
mustard ['mʌstəd] sennep _m._
muster ['mʌstə] mønstring
_m/f;_ mønstre.

musty ['mʌsti] muggen; mose-
grodd, avlegs.
mutability [mju:tə'biliti] for-
anderlighet _m;_ ustadighet _m;_
~ble, foranderlig; skif-
tende.
mute [mju:t] stum (person);
dempe.
mutilate ['mju:tileit] lemleste,
skamfere; forvanske.
mutineer [mju:ti'niə] deltaker
_m_ i mytteri _n,_ opprører _m;_
~ous, opprørsk; **~y,** myt-
teri _n;_ gjøre mytteri, opprør
_n._
mutter ['mʌtə] mumling _m/f;_
mumle, murre.
mutton ['mʌtn] fårekjøtt _n;_
~chop, lammekotelett _m._
mutual ['mju:tʃuəl] gjensidig;
felles.
muzzle ['mʌzl] mule _m,_ snute
_m/f;_ munning (på skytevå-
pen) _m/f;_ munnkurv _m._
my [mai] min, mitt, mine.
myrtle ['mə:tl] myrt _m._
myself [mai'self] jeg selv, meg
selv; meg.
mysterious [mis'tiəriəs] mys-
tikk; hemmelighetsfull; **~y,**
hemmelighet _m;_ mysterium
_n;_ gåte _m._
mystification [mistifi'keiʃn]
mystifikasjon _m;_ narreri _n;_
~fy, mystifisere.
myth [miθ] myte _m;_ sagn _n._

N

N. = North.

nag [næg] liten hest *m;* små-skjenne.

nail [neil] negl *m;* klo *m/f;* spiker *m;* spikre fast; feste.

naive [nɑ'i:v] naiv, godtro-ende.

naked ['neikid] naken; bar; ~ **ness,** nakenhet *m.*

name [neim] navn *m;* ry *n;* kalle, (be)nevne; omtale; ~ **less,** navnløs; ~ **ly,** nemlig (= **viz.**); ~ **plate,** navne-skilt *n;* ~ **sake,** navnebror *m.*

nanny ['næni] barnepike *m/f.*

nap [næp] lur *m;* lo *m/f* (på tøy).

nape [neip] **of the neck,** nakke *m.*

napkin ['næpkin] serviett *m.*

narcissus [nɑ:'sisəs] pinselilje *m/f.*

narcosis [nɑ:'kousis] bedøvelse *m,* narkose *m;* ~ **tic,** narko-tisk (middel) *n.*

narrate [næ'reit] berette; for-telle; ~ **ive** ['nærətiv] fortel-lende; fortelling *m/f;* ~ **or** [næ'reitə] forteller *m.*

narrow ['nærou] snever, smal, trang; snau, knepen; snever-synt; smålig; innsnevre(s); redusere; ~ **s,** trangt sund *n;*

~ **ly,** så vidt; nøye; ~ **-mind-ed,** sneversynt; smålig.

nasal ['neizl] nese-.

nasty ['nɑ:sti] ekkel, vemme-lig; ubehagelig.

nation ['neiʃn] nasjon *m;* folk *n;* ~ **al** ['næʃnl] nasjonal, folke-; stats-; ~ **als,** stats-borgere; ~ **ality** [-'æliti] na-sjonalitet *m;* statsborgerskap *n.*

native ['neitiv] føde-; hjem-; innfødt; stedegen; medfødt; ~ **country,** fødeland *n,* hjemland *n;* ~ **language,** morsmål *n.*

natural ['nætʃərəl] naturlig; ~ **science,** naturvitenskap *m;* ~ **ize,** naturalisere.

nature ['neitʃə] natur *m;* be-skaffenhet *m.*

naught [nɔ:t] null; ~ **y,** uskik-kelig; slem.

nausea ['nɔ:siə] kvalme *m;* ~ **ous,** kvalmende; ekkel.

nautical ['nɔ:tikl] sjø-, nau-tisk; ~ **mile,** sjømil *m.*

naval ['neivl] sjø-; flåte-; ma-rine-.

navel ['neivl] navle *m.*

navigable ['nævigəbl] seilbar; ~ **ate,** seile; navigere; styre; seile på; ~ **ation,** navigasjon *m;* seilas *m;* sjøfart *m;*

~ ator, navigatør *m;* sjøfarer *m.*

navvy ['nævi] anleggsarbeider *m.*

navy ['neivi] marine *m;* krigsflåte *m.*

near [niə] nær, nærliggende; gjerrig; nærme seg; **~ at hand,** like for hånden; **~ ly,** nesten; **~ ness,** nærhet *m;* smålighet *m;* **~ sighted,** nærsynt.

neat [ni:t] nett, fin, pen; rein; ublandet (alkohol).

necessary ['nesis(ə)ri] nødvendig; nødvendighet(sartikkel) *m;* **~ aries of life,** livsfornødenheter; **~ itate** [-'ses-] nødvendiggjøre; **~ ity,** nød(vendighet) *m (m);* behov *n;* trang *m.*

neck [nek] hals *m;* **~ lace** ['neklis] halsbånd *n;* **~ tie,** slips *n.*

need [ni:d] behov *n;* trang *m,* nød(vendighet) *m;* behøve; trenge; **~ ful,** nødvendig.

needle ['ni:dl] nål *m/f;* sy.

needless ['ni:dlis] unødvendig; unødig; **~ y,** trengende.

negation [ni'geiʃn] nektelse *m;* **~ ive** ['negətiv] nektende, negativ; nektelse *m;* avslå; forkaste.

neglect [ni'glekt] forsømmelse *m;* likegyldighet *m;* forsømme; **~ ful,** forsømmelig; likegyldig.

negligence ['neglidʒəns] forsømmelighet *m;* skjødesløshet *m.*

negligible ['neglidʒəbl] ubetydelig; uvesentlig.

negotiate [ni'gouʃieit] forhandle (om), få i stand; avslutte; omsette (veksel); **~ tion,** forhandling *m/f;* omsetning *m/f.*

negress ['nigris] negerkvinne *m/f;* **~ o,** *pl* **~ oes** [-ou(z)] neger *m.*

neigh [nei] vrinsk(e) *n.*

neighbour ['neibə] nabo *m;* **~ hood,** naboskap *n;* **~ ing,** nabo-.

neither ['naiðə *især amr* 'ni:ðə] ingen (av to); **~ ... nor,** verken .... eller.

nephew ['nevju *el amr* 'nefju] nevø *m.*

nerve [nə:v] nerve *m;* kraft *m/f,* mot *n; dt* frekkhet *m;* stålsette **(for** til); **~ e-racking,** enerverende; **~ ous,** nerve-; nervøs; **~ ousness,** nervøsitet *m.*

nest reir *n;* bygge reir.

nestle ['nesl] ligge lunt og trygt; putte seg ned.

net, nett *n,* garn *m;* fange (i garn); ren; netto; innbringe netto.

nether ['neðə] nedre, underste.

Netherlands ['neðələndz] *pl,* **the ~,** Nederland.

netting, nett(ing) *n; (m);* ståltrådnett *n.*

nettle ['netl] nesle *m;* ergre; ~**-rash**, elveblest *m.*

network ['netwə:k] nett(verk) *n (n)* (også fig).

neuter ['nju:tə] *gram* intetkjønn *n;* ~**-ral**, nøytral; ~**-rality**, nøytralitet *m;* ~**-lize**, nøytralisere; motvirke.

never ['nevə] aldri; ~ **more**, aldri mer; ~**theless**, ikke desto mindre.

new [nju:] ny; frisk, fersk; moderne; ~**-fangled**, nymotens; ~**-ly**, nylig, nettopp; ny-.

news [nju:z] nyhet(er) *m;* etterretning(er) *m;* ~**-agency**, telegrambyrå *n;* ~**boy**, avisgutt *m;* avisselger *m;* ~**pa-per**, avis *m/f;* ~ **print**, avispapir *n* (før trykkingen); ~**-reel**, lydfilmavis *m/f;* ~**-stall**, ~**-stand**, aviskiosk *m.*

New Year ['nju:'ji:ə] nyttår *n;* ~**'s Eve**, nyttårsaften *m.*

next [nekst] neste; nærmest; følgende; førstkommende; dernest; **what** ~ **?**, hva så?

nib, pennesplitt *m.*

nice [nais] pen; hyggelig, sympatisk; (hår)fin; kresen; ~**-ty**, nøyaktighet *m;* finesse *m.*

nick hakk *n,* snitt *n;* skjære hakk i.

nickel ['nikl] nikkel *m; amr* femcent(stykke) *m (n).*

nickname ['nikneim] (gi) klengenavn *n.*

niece [ni:s] niese *m/f.*

niggard ['nigəd] gjerrigknark *m;* ~**-ly**, gjerrig, knuslet.

night [nait] natt *m/f,* aften *m;* **by** ~, **in the** ~, **at** ~, om natten; **om aftenen**, kvelden; ~ **out**, frikveld *m;* **last** ~, **i går kveld;** ~**-dress** *(el* ~**-gown),** nattdrakt *m/f,* nattkjole *m;* ~**-fall**, mørkets frembrudd; ~**-ingale**, nattergal *m;* ~**-ly**, nattlig; hver natt; ~**mare**, mareritt *n.*

nil [nil] null, ingenting.

nimble ['nimbl] rask, vever; rask i oppfatningen.

nine [nain] ni; ~**-fold**, nidobelt; ~**pins**, kjegler; ~**teen**, nitten; ~**teenth**, nittende; ~**tieth**, nittiende; ~**ty**, nitti.

ninth [nainθ] niende(del).

nip, knip(e) *n,* klyp(e) *n;* bit(e) *m;* dram *m.*

nipple ['nipl] brystvorte *m/f;* nippel *m.*

nitre ['naitə] salpeter *m;* ~**ogen** ['-trədʒən] nitrogen *n;* ~**ous**, salpeterholdig.

no [nou] nei; (foran komparativ) ikke; ingen, intet, noe; **in** ~ **time**, på ett øyeblikk; ~ **one**, ingen.

nobility [nou'biliti] adel *m;* edelhet *m.*

noble ['noubl] adelig; edel; fornem; ~**man**, adelsmann *m.*

nobody ['noubədi] ingen.

nocturnal [nɔk'tə:nl] natt-.

nod [nɔd] nikk(e) n; blund(e) m.

noise [nɔiz] larm m, støy m, spetakkel n; ~ **eless**, lydløs; ~ **y**, støyende, larmende.

nominal ['nɔminl] nominell.

nominate ['nɔmineit] nominere, innstille; utnevne; ~ **ion**, nominasjon m.

non [nɔn] ikke-.

nonalcoholic, alkoholfri; ~ **-commissioned officer**, underoffiser m; ~ **-committal**, ikke bindende; diplomatisk; ~ **-conformist** [-'fɔ:-] dissenter m; ~ **descript**, ubestemmelig.

none [nʌn] ingen(ting); intet; ~ **too (clever)** ikke særlig (klok); ~ **the less**, ikke desto mindre.

nonpartisan [nɔn'pɑ:tizn] partiløs; ~ **plus**, forbløffe, gjøre opprådd; ~ **sense**, sludder, nonsens; ~ **sensical** [-'sensikl] tøyset; tåpelig; ~ **-stop**, uten stans.

nook [nuk] krok m.

noon [nu:n] kl. 12 middag; ~ **day**, middags; ~ **tide**, middagstid m/f.

noose [nu:s, nu:z] løkke f; rennesnare m/f.

nor [nɔ:] heller ikke, (etter **neither**) eller.

Nordic ['nɔ:dik] nordisk.

norm [nɔ:m] regel m, norm m; ~ **al**, normal; alminnelig.

Norse [nɔ:s] nordisk; norrøn.

north [nɔ:þ] nord; nord-; nordlig; **the North,** Norden; amr Nordstatene; ~ **-east**, nordøst; nordøstlig; ~ **erly**, nordlig; ~ **ern**, nordlig, nord-; ~ **ward(s)**, nordlig; nordover; ~ **-west**, nordvest(lig).

Norway ['nɔ:wei] Norge.

Norwegian [nɔ:'wi:dʒən] norsk; nordmann m.

nose [nouz] nese m/f; luktesans m; snute m/f; spiss m; forende m (av båt, fly o.a.); lukte, snuse.

nostalgia [nɔs'tældʒiə] hjemlengsel m; vemodig lengsel tilbake til gamle dager; nostalgi m; ~ **c**, nostalgisk.

nostril ['nɔstril] nesebor n.

not [nɔt] ikke.

notable ['noutəbl] bemerkelsesverdig; betydelig.

notation [nou'teiʃn] betegnelse m; notering m.

notch [nɔtʃ] hakk(e) n; skår n.

note [nout] tegn n, merke n; notis m; lite brev n; (penge)seddel m; nota m; note m, fig tone m; notere (seg); legge merke til; ~ **down**, notere; ~ **d**, berømt; ~ **worthy**, bemerkelsesverdig.

nothing ['nʌþiŋ] ingenting, ikke noe; ubetydelighet m,

småtteri *n;* slett ikke; **for ~,** forgjeves; gratis; **good for ~,** udugelig.

notice ['noutis] underretning *m,* varsel *n;* oppslag *n,* melding *m/f,* bekjentgjørelse *m;* oppsigelse *m;* notis *m* (i avis o.l.); oppmerksomhet *m;* legge merke til, ense; nevne; si opp; **give ~,** si opp; **~able,** merkbar; bemerkelsesverdig; **~-board,** oppslagstavle *m/f.*

notification, kunngjøring *m/f,* melding *m/f,* varsel *n;* **~fy,** bekjentgjøre; underrette.

notion ['nouʃn] begrep *n,* forestilling *m/f;* idé *m.*

notorious [nou'tɔ:riəs] alminnelig kjent; notorisk; beryktet.

notwithstanding ['nɔtwiþ'stændiŋ] til tross for; ikke desto mindre.

nought [nɔ:t] null *n.*

noun [naun] substantiv *n.*

nourish ['nʌriʃ] (er)nære; **~ing,** nærende; **~ment,** næring *m/f.*

novel ['nɔvəl] roman *m;* (helt) ny; **~ist,** romanforfatter *m;* **~ty,** nyhet *m.*

November [no(u)'vembə] november.

novice ['nɔvis] nybegynner *m;* novise *m/f.*

now [nau] nå; **~adays,** nåtildags.

nowhere ['nouwɛə] ingensteds.

nuclear ['nju:kliə] kjerne-; atom-; **~ power station,** atomkraftverk *n.*

nude [nju:d] naken; akt *m/f.*

nuisance ['nju:sns] plage *m/f,* ulempe *m/f,* besværlighet *m.*

null [nʌl] ugyldig, virkningsløs; **~ify,** ugyldiggjøre, annullere, oppheve.

numb [nʌm] nommen, valen.

number ['nʌmbə] tall *n;* nummer *n;* antall *n,* mengde *m/f;* nummer *n,* hefte *n;* telle; nummerere.

numeral ['nju:mrəl] talltegn *n,* tallord *n;* tall-; **~ic(al),** tallmessig; **~ous,** tallrik.

nun [nʌn] nonne *m/f.*

nurse [nə:s] sykepleierske *m/f;* barnepleierske *m/f;* amme *m/f;* gi bryst; amme, pleie; passe; nære; **~ry,** barneværelse *n;* planteskole *m.*

nut [nʌt] nøtt *m/f;* mutter *m;* problem *n;* **he is ~s,** han er sprø; **~cracker,** nøtteknekker *m.*

nutriment ['nju:trimənt] næring *m/f;* **~tious** [-'tri-] nærende.

nutshell ['nʌtʃəl] nøtteskall *n;* **in a ~,** i korthet *m.*

nymph [nimf] nymfe *m/f.*

O

oak [ouk] eik *f;* ~ **um,** drev *n.*

oar [ɔ:] åre *m/f;* ~ **sman,** roer.

oasis, *pl* **-es** [ou'eisis, -i:z] oase *m.*

oath [ouþ] ed *m;* banning *m/f.*

oatmeal ['outmi:l] havremjøl *n; dt* d.s.s. ~ **porridge,** havregrøt *m;* ~ **s,** havre *m/f.*

obduracy ['ɔbdjurəsi] forstokkethet *m;* hardhet *m;* ~ **te** [-rit] forherdet, forstokket.

obedience [ə'bi:djəns] lydighet *m* (**to** mot); ~ **t,** lydig.

obey [ə'bei] adlyde.

obituary [ə'bitjuəri] nekrolog *m.*

object ['ɔbdʒekt] gjenstand *m;* (for)mål *n;* objekt *n;* [əb'dʒekt] innvende (**to** mot); ~ **ion,** innvending *m/f.*

objective [əb'dʒektiv] mål *n; s* & *adj* objektiv *n.*

obligation [ɔbli'geifn] forpliktelse *m;* takknemlighetsgjeld *m;* ~ **ory** [-'li-] bindende, obligatorisk.

oblige [ə'blaidʒ] tvinge; forplikte; gjøre en tjeneste; **I am much ~ ed to you,** jeg er Dem stor takk skyldig; **be ~ ed to,** være nødt til; ~ **ing,** forekommende; tjenstvillig.

oblique [ə'bli:k] skrå, skjev; indirekte; forblommet.

obliterate [ə'blitəreit] utslette; tilintetgjøre.

oblivion [ə'bliviən] glemsel *m.*

oblong ['ɔblɔŋ] avlang.

obscene [ɔb'si:n] obskøn; uanstendig.

obscure [əb'skju:ə] mørk; dunkel; ukjent; formørke; fordunkle; skjule.

observable [əb'zə:vəbl] som kan (må) overholdes; merkbar; ~ **ance,** iakttagelse *m;* overholdelse *m;* ~ **ant,** oppmerksom; aktpågivende; ~ **ation,** iakttagelse *m;* bemerkning *m;* ~ **atory,** observatorium *n.*

observe [əb'zə:v] iaktta; observere; legge merke til; bemerke (**to** til); (høytidelig-) holde; ~ **r,** iakttaker *m;* observatør *m.*

obsess [əb'ses] besette; plage; ~ **ion,** besettelse *m;* fiks idé *m.*

obsolete ['ɔbsəli:t] foreldet.

obstacle ['ɔbstəkl] hindring *m/f.*

obstinacy ['ɔbstinəsi] hårdnakkethet *m;* stahet *m;* ~ **te,** sta; stivsinnet; hårdnakket (om sykdom).

obstruct [əb'strʌkt] sperre; hemme; hindre; ~ **ion,** sperring *m/f;* hindring *m/f;* ~ive, hindrende; hemmende.

obtain [əb'tein] få; oppnå; skaffe (seg); ~able, oppnåelig.

obviate ['ɔbvieit] forebygge.

obvious ['ɔbviəs] åpenbar, klar, innlysende.

occasion [ə'keiʒn] anledning *m;* begivenhet *m;* grunn *m;* forårsake, foranledige; bevirke; on the ~ of, i anledning av; ~al, leilighetsvis; tilfeldig.

occidental [ɔksi'dentl] vesterlandsk.

occupant, okkupant *m;* beboer *m;* innehaver *m;* ~ation, okkupasjon *m;* beskjeftigelse *m,* yrke *n;* ~y, besette, innta, okkupere; besitte, inneha (stilling); bebo; beskjeftige; be ~ied with *(el* in), være opptatt, beskjeftiget med.

occur ['ɔkə:] hende, forekomme; ~ to, falle en inn; ~rence, hendelse *m.*

ocean ['ouʃn] (verdens)hav *n.*

o'clock [ə'klɔk]: five ~, klokken fem.

October ['ɔk'toubə] oktober.

octopus ['ɔktəpəs] blekksprut *m.*

ocular ['ɔkjulə] øye-, syns-; ~ist, øyenlege *m.*

odd [ɔd] ulike; umake, over-

skytende; enkelt; sær, underlig, rar; fifty ~ years, noen og femti år; ~ jobs, tilfeldige jobber; ~ity, merkverdighet *m;* ~s, ulikhet *m;* sjanser *m.*

odour ['oudə] lukt *m/f;* duft *m.*

of [ɔv, əv] av; fra; for; etter, til; om; angående; the works ~ Shakespeare, Shakespeares verker.

off [ɔ:f] bort; av sted; borte, vekk; fri (fra arbeidet); forbi, til ende; fra, av; utenfor; *mar* på høyden av; avsides, borte; I must be ~, jeg må avsted; well ~, velstående.

offence [ə'fens] fornærmelse *m,* krenkelse *m;* forseelse *m;* give ~, vekke anstøt; ~d, fornærme, krenke, støte; forarge; forse seg (against mot); ~sive, fornærmelig; anstøtelig; motbydelig; offensiv *m.*

offer ['ɔfə] tilbud *n;* bud *n;* tilby; by; frembby; utby (til)by seg; ofre; ~ing, offer(gave) *n (m/f).*

off-hand ['ɔ:f'hænd] på stående fot; improvisert.

office ['ɔfis] kontor *n;* gjerning *m/f,* funksjon *m;* verv *n;* embete *n;* tjeneste *m;* departement *n;* ritual *n,* gudstjeneste *m;* ~r, offiser *m;* tjenestemann *m;* embetsmann *m;* politimann *m.*

official [əˈfiʃl] embets-; offisiell; tjeneste(mann) *m;* embetsmann *m.*

officious [əˈfiʃəs] geskjeftig, påtrengende; halvoffisiell.

offing [ˈɔːfiŋ] rum sjø *m;* **in the ~,** under oppseiling.

offshore [ˈɔfˈʃɔ] fralands-; et stykke fra land.

offspring [ˈɔːfspriŋ] avkom *n.*

often [ˈɔːfn] ofte; hyppig.

ogre [ˈougə] uhyre *n,* troll *n.*

oil [ɔil] olje *m/f;* olje, smøre; **~ -cloth,** voksduk *m;* **~ -field,** oljefelt *n;* **~ -skin,** oljelerret *n; i pl* oljeklær, oljehyre *n;* **~ -well,** oljekilde *m;* **~ -y,** oljet; oljeglatt; slesk.

O.K. [ˈouˈkei] = **okay,** alt i orden.

old [ould] gammel; **~ -fashioned,** gammeldags.

olive [ˈɔliv] oliven(tre) *m (n).*

Olympian [ouˈlimpiən] olympisk; **~c games,** olympiske leker.

omelet(te) [ˈɔmlit] omelett *m.*

omen [ˈoumən] tegn *n,* (for)varsel *m.*

ominous [ˈɔminəs] illevarslende.

omission [əˈmiʃn] utelatelse *m,* unnlatelse *m.*

omit [əˈmit] utelate; la være.

omnibus [ˈɔmnibəs] buss *m;* som tjener mange slags formål.

omnipotent [ɔmˈnipətənt] allmektig; **~scient,** allvitende; **~vorous,** altetende.

on [ɔn] på; om; over; ved; etter, ifølge; videre, framover; **be ~,** være i gang; være på scenen; være på (lys, vann).

once [wʌns] en gang; **at ~,** straks; **~ more,** en gang til.

one [wʌn] en, ett; eneste; den *el* det ene; man, en; **~ another,** hverandre; **~self,** refl. seg; en selv; **~way street,** enveiskjøring *m/f.*

onion [ˈʌnjən] løk *m.*

onlooker [ˈɔnlukə] tilskuer *m.*

only [ˈounli] eneste; kun, bare; alene; først, ikke før.

onset [ˈɔnset] angrep *n;* **~ward(s),** fram, framover.

ooze [uːz] mudder *n,* slam *n;* **~ out,** sive ut.

open [ˈoupn] åpen; fri; åpenhjertig; åpne (seg); **in the ~ (air),** i friluft, under åpen himmel; **~ing,** åpnings-, åpning *m/f;* mulighet *m;* **~ -minded,** fordomsfri.

opera [ˈɔpərə] opera *m;* **~glasses** *pl* teaterkikkert *m;* **~ -house,** opera (bygning) *m.*

operate [ˈɔpəreit] virke; drive, betjene (maskin); bevirke; *med* operere; **~ion,** virksomhet *m,* drift *m/f;* operasjon *m;* **~tive,** operativ;

virksom; i kraft; (fabrikk)-
arbeider *m;* ~ **or,** operatør
m, kirurg *m;* telefonist(inne)
m (m/f); telegrafist *m.*

opinion [ə'pinjən] mening *m/f;*
oppfatning *m;* skjønn *n;*
~ **ated,** sta, påståelig.

opponent [ə'pounənt] motstan-
der *m;* opponent *m.*

opportun|e ['ɔpətju:n] belei-
lig; gunstig; opportun;
~ **ity** [-'tju-] (gunstig) an-
ledning *m/f;* sjanse *m.*

oppose [ə'pouz] bekjempe,
motsette seg.

opposite ['ɔpəzit] motsatt;
overfor; motsetning *m;*
~ **ion** [ɔpə'ziʃn] motstand *m;*
opposisjon *m.*

oppress [ə'pres] tynge, trykke
på; undertrykke; ~ **ion,** un-
dertrykkelse *m;* nedtrykthet
m; ~ **ive,** trykkende; tyran-
nisk.

optician [ɔp'tiʃn] optiker *m;*
~ **s** ['ɔptiks] optikk *m.*

option ['ɔpʃn] valg *m;* for-
kjøpsrett *m;* opsjon *n;* ~ **al,**
valgfri.

opulence ['ɔpjuləns] overflod
m; rikdom *m;* ~ **t,** (søkk)rik.

or [ɔ:] eller; **either** — ~,
enten – eller; ~ **else,** ellers.

oral ['ɔrəl] muntlig.

orange ['ɔrindʒ] appelsin *m;*
appelsinfarget, oransje.

orator ['ɔrətə] taler *m;* ~ **y,**
bedehus *n;* talekunst *m,* vel-
talenhet *m.*

orb [ɔ:b] klode *m,* kule *m/f;*
~ **it,** *ast* bane *m;* kretse i
bane.

orchard ['ɔ:tʃəd] frukthage *m.*

orchestra [ɔ:kistrə] orkester *n.*

orchid ['ɔ:kid] orkidé *m.*

ordain [ɔ:'dein] (for)ordne,
fastsette; ordinere.

ordeal [ɔ:'di:l] (ild)prøve *m/f.*

order [ɔ:də] orden *m;* klasse
m/f, gruppe *m/f;* rang *m;*
ordre *m;* oppdrag *n;* bestil-
ling *m/f;* anvisning *m;* or-
den(stegn) *m (n);* ordne; be-
stemme; befale; bestille; in
~ **to,** for å; **out of** ~, i
uorden; ~ **ly,** (vel)ordnet,
ordentlig; ordonans *m.*

ordinal ['ɔ:dinl] ordenstall *n.*

ordinance ['ɔ:dinəns] (for)ord-
ning *m,* bestemmelse *m;* or-
dinans *m.*

ordinary ['ɔ:dnri] ordinær; al-
minnelig; vanlig.

ore [ɔ:] erts *m,* malm *m.*

organ ['ɔ:gən] organ *n;* orgel
n; ~ **ic** [ɔ:'gænik] organisk;
~ **ism,** organisme *m;* ~ **ist,**
organist *m,* orgelspiller *m;*
~ **ize,** organisere; ~ **izer,** or-
ganisator *m;* ~ **ization** [-ai-
'zeiʃn] organisasjon *m.*

origin ['ɔridʒin] opprinnelse
m; opphav *n;* herkomst *m;*
~ **al** [ə'ridʒinəl] opprinnelig,
original; ~ **ate,** skape;
grunnlegge; oppstå; ~ **ator,**
opphavsmann *m,* skaper *m.*

ornament ['ɔ:nəmənt] utsmyk-
ning *m;* pryd(gjenstand) *m;*
pryde, smykke; ~ **al** [-'men-]
pryd-; dekorativ.

orphan ['ɔ:fən] foreldreløst
barn *n;* ~ **age,** vaisenhus *n.*

orthodox ['ɔ:θədɔks] ortodoks;
rettroende.

orthography [ɔ'θɔgrəfi] rett-
skrivning *m.*

oscillate ['ɔsileit] svinge; va-
riere.

ostentation [ɔstən'teiʃn] brau-
tende opptreden *m;* brask
og bram; ~ **tatious,** brau-
tende; skrytende.

ostrich ['ɔstritʃ] struts *m.*

other ['ʌðə] annen, annet,
andre; the ~ **day,** forleden
dag; **each** ~, hverandre;
~ **wise,** annerledes; ellers.

ought [ɔ:t] bør; burde; **I** ~ **to
do it,** jeg bør gjøre det.

ounce [auns] unse *m* (28,35 g).

our [auə] *adjektivisk:* vår,
vårt, våre; ~ **house is quite
new,** vårt hus er ganske nytt;
~ **s,** *substantivisk:* vår, vårt,
våre; **the new house is ~ s,**
det nye huset er vårt; ~ **self-
es,** vi (oss) selv.

out [aut] ut; ute; utenfor; ~
of, ut av; (ut) fra; (på
grunn) av; ute av; **voyage**
~, utreise *m/f;* **way** ~, ut-
gang *m;* utvei *m;* ~ **bid,**
overby; ~ **break,** ~ **burst,**
utbrudd *n;* ~ **cast,** utstøtt,

forstøtt; hjemløs person *m;*
~ **come,** resultat *n;* ~ **cry,**
rop *n,* skrik *n,* nødskrik *n;*
~ **distance,** distansere, gå
forbi; ~ **do,** overgå;
~ **doors,** ute i det fri; ~ **er,**
ytre, ytter-; ~ **ermost,** yt-
terst; ~ **fit,** utrustning *m;*
utstyr *n;* ~ **grow,** vokse
~ **ing,** utflukt *m;* ~ **lay,**
(penge)utlegg *n;* ~ **let,** utløp
n, avløp *n;* marked *n;*
~ **line,** omriss *n;* utkast *n;*
angi hovedtrekkene av;
~ **live,** overleve; ~ **look,** ut-
sikt *m;* syn på tingene;
~ **number,** være overlegen i
antall; ~ **put,** produksjon(s-
ytelse) *m.*

outrage ['autreidʒ] vold(shand-
ling) *m (m);* grov forurett-
else *m;* fornærme grovt;
~ **ous** [aut'reidʒəs] skjendig.

outright ['autrait] rent ut; li-
kefrem; helt og holdent;
~ **run,** løpe fra; ~ **set,** be-
gynnelse *m;* ~ **side,** ytterside
m, utside *m;* yttergrense *m;*
utvendig; ytterst; utenpå;
uten-; ~ **sider,** utenforstå-
ende *m;* outsider *m;* ~ **size,**
av stor størrelse *m;* ~ **skirts,**
utkant *m;* ~ **standing,** frem-
ragende; utestående (beløp)
(n); ~ **stay,** bli lenger enn;
bli over tiden; ~ **strip,** løpe
fra; overgå; ~ **ward,** ytre;
utvendig; utvortes; utgå-

ende, ut-; ytre; ~ **wear**, slite ut; vare lenger enn; ~ **weigh**, veie mer enn; oppveie; ~ **wit**, overliste; ~ **worn**, utslitt.

oven ['ʌvn] (steke)ovn *m.*

over ['ouvə] over; utover; forbi; omme; til overs; tilbake; over ende; om igjen; **all** ~ **the world**, verden over; **all** ~, helt og holdent; over det hele; ~ **there**, der bort(e); ~ **here**, herover; ~ **night**, natten over; kvelden før; **read** ~, lese igjennom; ~ **all**, samlet, generell; ~ **alls**, kjeledress *m;* ~ **awe**, knuge; skremme; ~ **bearing**, myndig; hovmodig; ~ **board**, over bord; ~ **burden**, overlesse; ~ **cast**, overskye(t); ~ **coat**, ytterfrakk *m;* ~ **come**, overvelde; overvinne, beseire; ~ **crowd**, overfylle; ~ **do**, overdrive; steke *el.* koke for meget; ~ **due**, forsinket; forfallen; ~ **eat**, forspise seg; ~ **flow**, gå over sine bredder, oversvømme; oversvømmelse *m;* ~ **grown**, for stor for alderen, oppløpen; tilgrodd; ~ **hang**, henge, rage ut over; ~ **haul**, etterse, overhale; ~ **head(s)**, løpende omkostninger; ~ **hear**, komme til å høre, lytte til; ~ **land**, landverts; ~ **lap**, gripe over, del-

vis dekke; ~ **load**, overlesse; ~ **look**, overskue; ha utsikt over; se over; overse; ~ **power**, overmanne; ~ **rate**, overvurdere; ~ **reach**, ta seg vann for hodet; overliste, lure; ~ **ride**, ri over; sette seg ut over; tilsidesette; ~ **rule**, forkaste; oppheve; ~ **run**, bre seg over; overskride; ~ **sea(s)**, oversjøisk; ~ **seer**, oppsynsmann *m;* ~ **sight**, tilsyn *n;* forglemmelse *m;* ~ **sleep**, forsove seg; ~ **step**, overskride; ~ **stock**, overfylle; ha for stort lager *n,* besetning *m osv.;* ~ **strain**, overanstreng-e(lse) *(m).*

overt [ouvə:t] åpen(lys).

over|take [ouvəteik] innhente; ~ **throw**, kullkaste; felle; styrte; ~ **time**, overtid *m;* ~ **tired**, overtrett.

over|turn [ouvətə:n] velte; ~ **value**, overvurdere; ~ **weight**, overvekt(ig) *m;* ~ **whelm**, overflomme; overvelde; ~ **work**, arbeide for hardt, overanstrenge; overtidsarbeid *n;* ~ **wrought**, overarbeidet.

owe [ou] skylde.

owing ['ouiŋ] skyldig; utestående; ubetalt; ~ **to**, på grunn av.

owl [aul] ugle *m.*

own [oun] egen; eget; egne; **a**

house of my ~, et eget hus; eie, besitte; innrømme.

owner ['ounə] eier *m*; **~ ship**, eiendomsrett *m*; eie *m*.

ox, *pl* **oxen** [ɔks, 'ɔksn] okse *m*; kveg *n*.

oxygen ['ɔksidʒən] oksygen *n*.

oyster ['ɔistə] østers *m*.

oz. = ounce (vekt).

P

pace [peis] skritt *n*; gang(art) *m*; fart *m*; skritte, marsjere; *idr* bestemme farten for (løper, syklist osv.).

pacific [pə'sifik] fredelig, rolig; **~ y** ['pæsifai] berolige; stifte fred *m*; forsone.

pack [pæk] bylt *m*; oppakning *m*; kortstokk *m*; gjeng *m*; kobbel *n*; *amr* pakke; pakke (sammen); stue; legge ned hermetisk; **~ up**, pakke (sammen); **~ age**, pakke *m/f*; pakning *m*; emballasje *m*; kolli *n*; **~ er**, pakker *m*; **~ et**, pakke *m/f*; bunt *m*; pakettbåt *m*, postbåt *m*; **~ ing**, pakking *m*; emballasje *m*; **~ ~ -case**, pakkasse *m*.

pact [pækt] pakt *m*; avtale *m*.

pad [pæd] pute *m*; (bløtt) underlag *n*; vattere, polstre; fylle; **~ ding**, vatt(ering) *m*, stopp *m*; fyllekalk *m*.

paddle ['pædl] padle; plaske; padleåre *m/f*; skovl *m*.

paddock ['pædək] eng *m/f*; hestehage *m*.

padlock ['pædlək] hengelås *m*.

pagan ['peigən] hedensk; hedning *m*.

page [peidʒ] pasje *m*; pikkolo *m*; (bok-)side *m/f*.

pageant ['pædʒənt] (historisk) opptog *n*; **~ ry**, pomp og prakt; stas *m*.

pail [peil] spann *n*.

pain [pein] smerte *m*; lidelse *m*; bry *n*; gjøre vondt; smerte; **be in ~**, ha smerter; **~ ful**, smertefull; smertelig; pinefull; pinlig.

paint [peint] maling *m/f*; sminke; male; sminke (seg); skildre; beskrive; **~ er**, maler(inne) *m*; kunstmaler *m*; bygningsmaler *m* (ogs. **house ~**); **~ ing**, maleri *n*; malerkunst *m*.

pair [pɛə] par *n*; ektepar *n*; parhester; tospann *n*; pare(s); **a ~ of scissors**, saks *f*.

pal [pæl] *slang*: kamerat *m*.

palace ['pælis] palass *n*; slott *n*.

palat|able ['pælətəbl] velsmakende; tiltalende; ~**e**, gane *m.*

pale [peil] blek; blekne; pæl *m;* stake *m;* inngjerdet område *n.*

paling ['peiliŋ] plankegjerde *n.*

pall [pɔːl] likklede (til kiste) *n;* tape seg.

pallet ['pælit] halmmadrass *m.*

palm [paːm] palme *m;* håndflate *m/f;* ~ **it off on him,** prakke det på ham; ~**ist,** en som spår i hånden *m/f.*

palpable ['pælpəbl] følbar; påtagelig, håndgripelig.

palsy ['pɔːlzi] lamme(lse) *m.*

paltry ['pɔːltri] ussel.

pamphlet ['pæmflit] brosjyre *m;* flygeskrift *n.*

pan [pæn] panne *m/f;* gryte *m/f;* dt kritisere; ~**cake,** pannekake *m/f.*

pane [pein] (vindus)rute *m/f.*

panel ['pænl] felt *n;* fag *n;* fylling *m/f* (i vegg, dør); panel *n;* liste *m/f* (over trygdekassepasienter o.a.).

pang [pæŋ] plutselig, heftig smerte; kval *m;* stikk i hjertet.

panic ['pænik] panisk; panikk *m; få* (*el* gi) panikk.

panorama [pænə'raːmə] rundskue *n;* panorama *n.*

pansy ['pænzi] stemorsblomst *m.*

pant [pænt] stønn(e) *n,* gisp(e)

panther ['pænθə] panter *m.*

panties ['pæntiz] *dt* truse *m/f.*

pantry ['pæntri] spiskammer *n;* anretning *m/f.*

pants [pænts] bukser, benklær; (manns)underbukser.

pap [pæp] barnegrøt *m el* -velling *m/f.*

papal ['peipl] pavelig.

paper ['peipə] papir *n;* (**news~**) avis *m/f;* (**wall~**) tapet *n;* dokument *n;* verdipapir *n;* (skole)stil *m;* ~**s,** (legitimasjon-, anbefalings-)-papirer; ~**-hanger,** tapetserer *m;* ~ **mill,** papirfabrikk *m.*

par [paː] pari; **at ~,** til pari (kurs) *m;* **be on a ~ with,** være på høyde med.

parachute ['pærəʃuːt] fallskjerm *m.*

parade [pə'reid] parade *m;* mønstring *m/f;* stille til skue; (la) paradere.

paradise ['pærədais] paradis *n.*

paradox ['pærədɔks] paradoks *n;* ~**ical,** paradoksal.

paragraph ['pærəgraːf] avsnitt *n;* (kort) artikkel *m;* paragraftegn *n.*

parallel ['pærələl] parallell.

paralyse ['pærəlaiz] lamme; ~**sis** [pə'rælisis] lammelse *m;* ~**tic** [-li-] lam.

paramount ['pærəmaunt] høyest; størst; meget viktig.

paraphrase ['pærəfreiz] omskrivning *n;* omskrive.

parasite ['pærəsait] parasitt *m.*

parasol ['pærəsɔl] parasoll *m.*

parcel ['pa:sl] pakke *m/f;* (vare-)parti *n;* ~ **post,** pakkepost *m.*

parch [pa:tʃ] svi; tørke bort; ~ **ment,** pergament *n.*

pardon ['pa:dn] benådning *m/f;* tilgivelse *m,* forlatelse *m;* tilgi; benåde; **(I beg your)** ~, om forlatelse; hva behager.

parent ['pɛərənt] far *m;* mor *m/f;* ~ **age,** herkomst *m,* opphav *n;* foreldreforhold *n;* ~ **al,** foreldre-; ~ **s,** foreldre.

parings *pl* ['pɛəriŋz] skrell *n;* spån *n.*

parish ['pæriʃ] (kirke)sogn *n;* landkommune *m;* herred *n;* ~ **ioner** [-'ri-] sognebarn *n.*

park [pa:k] park *m;* parkere.

parliament ['pa:ləmənt] parlament *n;* ~ **arian** [-'tæə-] parlamentariker *m;* ~ **ary,** parlamentarisk.

parlour ['pa:lə] dagligstue *m/f;* **beauty** ~, skjønnhetssalong *m;* ~ **-maid,** stuepike *m/f.*

parochial [pə'roukjəl] sogne-, herreds-; trangsynt.

parody ['pærədi] parodi *m;* parodiere.

parole [pə'roul] æresord *n;* løslate på æresord; *jur* muntlig.

parrot ['pærət] papegøye *m;* etterplapre.

parsimonious [pa:si'mounjəs] knipen; knuslet; påholden.

parsley ['pa:sli] persille *m.*

parsnip ['pa:snip] pastinakk *m.*

parson ['pa:sn] prest *m;* ~ **age,** prestegård *m.*

part [pa:t] (an)del *m;* part *m;* stykke *n;* parti *n,* side *m/f; teat* og *fig* rolle *m/f;* mus stemme *m,* parti *n;* egn *m,* kant *m* (av landet); **in** ~, delvis; **take** ~ **in,** delta i; dele; atskille(s); skille; skille seg **(with,** av med); oppgi; forlate.

partake [pa:'teik] **of** *(el* **in)** delta i, være med på; ta til seg; nyte.

partial ['pa:ʃl] delvis; partisk; ~ **ity** [-'æl-] partiskhet *m,* forkjærlighet *m.*

participate [pa:'tisipeit] delta **(in** i).

particular [pə'tikjulə] særlig, spesiell; særegen; særskilt; kresen; **in** ~, særlig; ~ **s,** detaljer; ~ **ize,** spesifisere, ~ **ly,** særlig.

parting ['pa:tiŋ] avskjed *m;* skill *(i* håret) *m;* avskjeds-.

partisan [pa:ti'zæn] (parti-)tilhenger *(n) m;* partisan *m.*

partition [pa:'tiʃn] deling *m/f;* skillevegg *m;* dele.

partly ['pa:tli] delvis.

partner ['pɑ:tnə] deltaker *m;* kompanjong *m;* **sleeping** *(amr silent)* ~, passiv kompanjong *m;* ~**ship**, fellesskap *n;* kompaniskap *n.*

partridge ['pɑ:tridʒ] rapphøne *m/f.*

part-time ['pɑ:ʈaim] deltids-.

party ['pɑ:ti] (politisk) parti *n;* selskap *m;* *jur* part *m.*

pass [pɑ:s] passasje *m,* vei *m;* pass *n,* snevring *m/f;* passerseddel *m;* fribillett *m;* passere; gå forbi; gå over; gjennomgå; forsvinne; bestå (eksamen); sende rundt, videre; tilbringe (tid); vedta (lov); avsi (dom); ~ **as,** gå for å være; ~ **away,** gå bort; dø; ~ **able,** farbar; antagelig; ~ **ably,** nokså bra.

passage ['pæsidʒ] passasje *m,* gang *m;* gjennomgang *m;* overreise *m/f,* overfart *m/f;* skipsleilighet *m;* sted *n,* avsnitt *n* (i bok).

passenger ['pæsindʒə] passasjer *m.*

passion ['pæʃn] lidenskap *m;* pasjon *m;* sinne *n;* ~**ate,** lidenskapelig.

passive ['pæsiv] passiv.

passkey ['pɑ:ski:] hovednøkkel *m;* ~**port,** pass *n.*

past [pɑ:st] forgangen; forløpen; svunnen; tidligere; fortids-; forbi, *fig* utenfor (rekkevidden av); fortid *m/f;* **half** ~ **two,** halv tre.

paste [peist] klister *n;* pasta *m;* deig *m;* klistre (**up** opp); ~**board,** papp *m,* kartong *m.*

pastime ['pɑ:staim] tidsfordriv *n.*

pastoral ['pɑ:st(ə)rəl] hyrde-; pastoral-.

pastry ['peistri] finere bakverk *n;* terter o.l.; (kake)deig *m.*

pasture ['pɑ:stʃə] *s & v* beite *n.*

pasty ['peisti] deiget, deigaktig; ['pæsti] kjøttpostei *m.*

pat [pæt] klapp(e) *n;* fiks og ferdig.

patch [pætʃ] lapp *m,* bot *m/f;* flikke, bøte; ~**work,** lappverk *n.*

patent ['peitənt] åpen(bar); tydelig; patent *n;* patentere; ~**ee,** patentinnehaver *m.*

paternal [pətə:nl] faderlig; ~**ity,** farskap *n.*

path(way) [pɑ:þwei] sti *m;* bane *m.*

patience ['peiʃns] tålmodighet *m;* kabal *m;* ~**t,** tålmodig; pasient *m.*

patriot ['peitriət] patriot ~**ic,** [pætri'ɔtik] patriotisk; ~**ism,** patriotisme *m.*

patrol [pə'troul] patrulje(re) *m.*

patron ['peitrən] beskytter *m;* (fast) kunde *m;* beskytte; behandle nedlatende; være kunde hos.

pattern ['pætən] mønster *n;*

modell *m;* prøve *m;* ta til mønster.

paunch [pɔ:ntʃ] (tykk) mage *m.*

pause [pɔ:z] stans *m;* pause *m;* stanse; gjøre pause.

pave [peiv] brulegge; jevne; ~ **ment,** brulegning *m;* fortau *n.*

paw [pɔ:] pote *m,* labb *m;* stampe, skrape (om hest); plukke på.

pawn [pɔ:n] pant *n;* bonde *m* (i sjakk); pantsette; ~ **broker,** pantelåner *m.*

pay [pei] betaling *m/f;* lønn *m/f;* betale; lønne seg; ~ **for,** betale (det som er kjøpt); ~ **off,** betale ut, gjøre opp; ~ **a visit,** avlegge et besøk *n;* ~ **able,** betalbar; ~ **ing,** lønnsom, rentabel; ~ **ment,** betaling *m,f;* lønn *m/f.*

pea [pi:] ert *m/f.*

peace [pi:s] fred *m;* ro *m;* ~ **able,** fredelig; fredsommelig; ~ **ful,** fredelig.

peach [pi:tʃ] fersken *m.*

peacock ['pi:kok] påful *m.*

peak [pi:k] spiss *m;* topp *m;* tind *m;* avmagres; skrante.

peal [pi:l] skrall *n;* drønn *n;* (klokke)klang *m;* (orgel)brus *n;* klokkespill *n;* klinge; tone; brake.

peanut ['pi:nʌt] jordnøtt *m/f.*

pear [pɛə] pære *m/f.*

pearl [pə:l] perle *m/f.*

peas [pi:z] erter.

peasant ['pez(ə)nt] bonde *m;* ~ **ry,** bondestand *m;* bønder.

peat [pi:t] torv *m/f.*

pebble ['pebl] småstein *m.*

peck [pek] mål: 9,087 l; pikke, hakke **(at** på).

peculiar [pi'kju:ljə] eiendommelig; særlig; ~ **ity,** eiendommelighet *m.*

pecuniary [pi'kju:njəri] penge-.

pedal ['pedl] pedal *m;* bruke pedal; trå (sykkel).

peddle ['pedl] drive handel (på gaten) *m;* ~ **r,** kramkar *m.*

pedestrian [pi'destriən] fotgjenger *m;* ~ **crossing** fotgjengerovergang *m.*

pedigree ['pedigri:] stamtavle *m/f.*

pedlar ['pedlə] kramkar *m.*

peel [pi:l] skall *n;* skrelle.

peep [pi:p] kike, titte; pipe; glimt *n,* gløtt *n;* pip(p) *n.*

peer [piə] stirre; titte fram; likemann, like; adelsmann *m* med rett til å sitte i Overhuset; ~ **age,** adel(skap) *n.*

peeved [pi:vd] irritert; ~ **ish,** sær, gretten.

peg [peg] pinne *m;* stift *m;* knagg *m;* feste med pinne, plugge.

pellet ['pelit] liten kule *m.*

pell-mell ['pel'mel] hulter til bulter.

pelt, kaste på, la det hagle over; høljе ned (om regn); fell *m*, pels *m*.

pelvis ['pelvis] *anat* bekken *n*.

pen, kve *n*; penn *m*; skrive.

penal ['pi:nl] straffbar; straffe-; ~ **ize**, straffe; ~ **ty**, ['penlti] straff *m*; bot *m/f*.

pencil ['pensl] blyant *m*; ~ **case**, pennal *n*.

pend|ant ['pendant] (øre)dobbe *m*; vimpel *m*; pendant *m*; ~ **ing**, uavgjort, verserende; under; i påvente av, inntil; ~ **ulum**, pendel *m*.

penetrat|e ['penitreit] trenge inn i; gjennomtrenge; gjennombore; ~ **ing**, skarpsindig.

penguin ['peŋgwin] pingvin *m*.

peninsula [pi'ninsjulə] halvøy *f*.

penitent ['penitənt] angerfull.

pennant ['penənt] vimpel *m*.

penniless ['peniles] pengeløs.

penny ['peni] *pl* **pence** (enkelte: **pennies**), penny (eng. kobpermynt = $^1/_{100}$ pund); ~ **worth**, pennys verdi; så mye som fås for en penny.

pension ['penʃn] pensjon *m*; pensjonat *n*; pensjonere; ~ **ary**, pensjonist *m*; pensjons-.

pentagon ['pentəgən] femkant *m*; **the Pentagon**, forsvarsdepartementet i USA.

penthouse ['penthaus] sval *m/f*, bislag *n*; *amr* lite hus bygd på et (skyskraper)tak *n*.

people ['pi:pl] folk *n*; folkeslag *n*; *koll* folk, mennesker; befolke (**with** med).

pep *slang*: futt *m*, fart *m*, kraft *m/f*; ~ **per** ['pepə] pepper *n*; ~ **mint**, peppermynte *m*.

per [pə:] per, pr; ~ **annum** ['ænəm] om året.

perambulator ['præmbjuleitə] (**pram**) barnevogn *m/f*.

perceive [pə'si:v] merke; oppfatte; føle; skjønne.

percentage [pə'sentidʒ] prosentsats *m*; provisjon *m*.

perception [pə(:)'sepʃn] oppfatning(sevne) *m (m)*.

perch [pə:tʃ] stang *m/f*; vagle *n/m*; åbor *m*; høyt stade *n*; sette seg (*el* sitte) på vagle.

percolator ['pə:kəleitə] kaffetrakter *m*.

percussion [pə'kʌʃn] (sammen)støt *m*.

perfect ['pə:fikt] fullkommen; fullstendig; [pə'fekt] fullkommengjøre; perfeksjonere (seg); ~ **ion**, fullkommenhet *m*; perfeksjonering *m/f*.

perforat|e ['pə:fəreit] gjennomhulle; ~ **or**, hullmaskin *m*.

perform [pə'fɔ:m] utføre; oppfylle (plikt, løfte); prestere; *teat* oppføre, opptre; ~ **ance**, utførelse *m*; prestasjon *m*; oppfylling *m/f*;

oppførelse *m*, forestilling *m/f;* ~ **er**, opptredende skuespiller *m*, kunstner *m*.

perfume ['pə:fju:m] duft *m;* vellukt *m/f;* parfyme *m*.

perhaps [pə'hæps] kanskje.

peril ['peril] fare *m;* ~ **ous**, farlig.

period ['piəriəd] periode *m;* (undervisnings)time *m;* punktum *n;* ~ **ic(al)**, periodisk; ~ **ical**, tidsskrift *n*.

perish ['periʃ] omkomme, gå til grunne; ~ **able**, lett bedervelig.

perjur|e ['pə:dʒə] sverge falsk; ~ **y**, mened *m*.

permanen|ce ['pə:mənəns] varighet *m;* ~ **t**, varig; blivende; fast; ~ **t (wave)**, permanent(krøll) *m;* ~ **t way**, banelegeme *n*.

permeate ['pə:mieit] gjennomtrenge.

permi|ssion [pə'miʃən] tillatelse *m;* ~ **t**, [-'mit] tillate; ['pə:mit] (skriftlig) tillatelse *m*.

pernicious [pə'niʃəs] skadelig, ondartet.

perpetual [pə'petjuəl] evig; uopphørlig; fast; ~ **te** [-eit] gjøre evigvarende.

perplex [pə'pleks] forvirre; ~ **ity**, forvirring *m/f*.

persecute ['pə:sikju:t] forfølge; plage; ~ **ion** [-'kju-] forfølgelse *m;* ~ **or**, forfølger *m*.

persever|ance [pə:si'viərəns] ut-

holdenhet *m;* ~ **e**, holde ut; vedbli, fortsette (**in** med); ~ **ing**, utholdende; iherdig.

persist [pə'sist] vedbli, fortsette (**in** med); holde fast ved; ~ **ent**, iherdig; hårdnakket; vedvarende.

person ['pə:sn] person *m;* ytre *n;* **in** ~, personlig, selv; ~ **age**, personlighet *m;* ~ **al**, personlig; ~ **ate**, fremstille; etterligne; ~ **ify** [pə'sɔnifai] personifisere.

personnel [pə:sə'nel] personale *n*.

perspective [pə'spektiv] perspektiv *n*.

perspir|ation [pə:spə'reiʃn] svette *m;* ~ **e**, svette.

persua|de [pə'sweid] overtale; overbevise; ~ **sion**, overbevisning *m;* tro *m;* overtalelse *m;* ~ **sive** overtalende; overbevisende.

pert [pə:t] nesevis; kjepphøy.

pertain [pə'tein] **to:** høre (med) til; angå.

pertinent ['pə:tinənt] relevant, som angår saken.

perturb [pə'tə:b] uroe, forstyrre.

peruke [pə'ru:k] parykk *m*.

perusal [pə'ru:zl] gjennomlesing *m/f;* ~ **e**, lese grundig igjennom.

pervade [pə'veid] gå, trenge igjennom.

perverse [pə'və:s] fordervet;

pervers; vrang; ~**t**, forvrenge; forderve.

pessimism ['pesimizm] pessimisme *m*; svartsyn *n*; ~**t**, pessimist *m*.

pest, plage(ånd) *m*; skadedyr *n*.

pester ['pestə] bry, plage.

pet, kjæledegge *m*; selskapsdyr *n*; anfall *n* av dårlig humør; kjæle med; kjærtegne.

petition [pəˈtiʃn] (skriftlig) anmodning *m*; petisjon *m*; be; søke (om); søker *m*.

petrify ['petrifai] forstene.

petrol ['petrəl] bensin *m*.

petticoat ['petikout] underskjørt *n*.

pettiness ['petinis] ubetydelighet *m*; smålighet *m*; ~**ish**, lunet; furten; gretten; ~**y**, liten; ubetydelig; smålig.

pew [pju:] kirkestol *m*.

pewter ['pju:tə] tinn(saker) *n*.

phantom ['fæntəm] spøkelse *n*; fantasifoster *n*; fantom *n*.

pharmacy ['fa:məsi] farmasi *m*; apotek *n*.

pheasant ['feznt] fasan *m*.

phenomenon [fiˈnɔminən] *pl* ~**a**, fenomen *n*.

phial ['faiəl] (medisin)flaske *m/f*.

philanthropist [fiˈlænθrəpist] menneskevenn *m*; filantrop *m*.

philatelist [fiˈlætəlist] frimerkesamler *m*; ~**y** filateli *m*.

philological [filəˈlɔdʒikl] filologisk; ~**y** [fiˈlɔ-] filologi *m*.

philosopher [fiˈlɔsəfə] filosof *m*; ~**y**, filosofi *m*.

phlegm [flem] slim *n*; flegma *n*, sinnsro *m*; ~**atic** [flegˈmætik] flegmatisk; flegmatiker.

phone [foun] *dt* telefon *m*; telefonere; ~**tic**, fonetisk; ~**tics**, fonetikk *m*; lydlære *m*; ~**tist**, fonetiker *m*.

phoney ['founi] humbug *m*; juks *n*; forloren.

photo(graph) ['foutou, 'foutəgra:f] fotografi *n*.

photograph, fotografere; ~**er** [fəˈtɔgrəfə] fotograf *m*; ~**y**, fotografi *n*.

phrase [freiz] frase *m*; talemåte *m*; uttrykk(e) *n*.

physics ['fiziks] fysikk *m*; ~**al**, fysisk; legemlig; ~**ian** [fiˈziʃn] lege; ~**ist** ['fizisist] fysiker *m*.

physique [fiˈzi:k] legemsbygning *m*.

piano ['pjænou] piano *n*; **grand** ~, flygel *n*.

pick, hakke; velge; pirke i; plukke; ~, s hakke *m/f*; (ut)valg *n*; ~ **and choose**, velge og vrake; ~ **up**, ta opp; ta med; skaffe seg; tilegne seg; ~**axe**, *s & v* hakke; ~**ed**, utvalgt.

picket ['pikit] stang *m/f*; vaktpost *m*; streikevakt *m/f*.

pick|pocket, ['pikpɔkit] lomme- tyv *m*; **~ up** ['pikʌp] noe oppsamlet; fremgang *m*; (= **pick-me-up**) hjertestyrker *m*; liten varebil *m*; pickup *m* (på platespiller).

picnic ['piknik] landtur *m*; piknik *m*; dra på landtur.

pictorial [pik'tɔ:riəl] maler-, malerisk; illustrert (blad) *n*.

picture ['piktʃə] bilde *n*; maleri *n*; film *m*; **go to the ~s**, gå på kino; male; skildre; forestille seg.

picturesque [piktʃə'resk] male- risk.

pie [pai] postei *m*; pai *m*; skjære *f*.

piece [pi:s] stykke *n*; lappe; sette sammen; **~ up**, sette sammen; **a ~ of advice**, råd *n*; **in ~s**, i stykker; **~meal,** stykkevis; **~work**, akkord- arbeid *n*.

pier [piə] molo *m*, pir *m*.

pierce [piəs] gjennombore; trenge inn i; **~ing,** gjen- nomborende; gjennomtren- gende; skarp, grell.

piety ['paiəti] fromhet *m*.

pig, gris *m*, svin *n*.

pigeon ['pidʒən] due *m/f*; **~hole,** hull *n* (i dueslag); rom *n* i hylle, fag; oppbe- vare; legge på hyllen.

pig|headed ['pighedid] stivsin- net; **~iron,** råjern *n*.

pike [paik] spiss *m*; veibom *m*; gjedde *m/f*.

pile [pail] pæl *m*; haug *m*, stabel *m*; batteri *n*; stor byg- ning *m*; **atomic ~,** atom- reaktor *m*; *dt* formue *m*; lo *m/f*; **~ s,** hemorroider; **~ up,** opphope, dynge opp; belesse.

pilfer ['pilfə] naske; **~age,** nasking *m/f*.

pilgrim ['pilgrim] pilegrim *m*; **~age,** pilegrimsferd *m/f*.

pill, pille *m*.

pillage ['pilidʒ] plyndring *m/f*; plyndre.

pillar ['pilə] pilar *m*; søyle *m/f*; **~box,** søyleformet postkasse *m*.

pillion ['piljən] baksete (på motorsykkel) *n*.

pillory ['piləri] gapestokk *m*.

pillow ['pilou] (hode)pute *m/f*.

pilot ['pailət] los *m*; flyger *m*, pilot *m*; lose, føre (fly).

pimp [pimp] hallik *m*.

pimple ['pimpl] filipens *m*.

pin (knappe)nål *m/f*; stift *m*; bolt *m*; feste med nål(er); stift(er); holde fast.

pincers ['pinsəz] knipetang *m/f*.

pinch [pintʃ] knip(ing) *n*; klyp(e *n*; **at a ~,** i et knipetak; stjele; huke.

pine [pain] furu *m/f*; van- smekte; **~apple,** ananas *m*.

pink, nellik *m*; rosa (farge).

pinnacle ['pinəkl] tind *m*.

pint [paint] hulmål: 0,57 l.

pioneer [paiə'niə] foregangsmann *m;* pionér *m.*

pious ['paiəs] from.

pipe [paip] pipe *m/f;* fløyte *m/f;* rør *n;* pipe, blåse; **~ line**, rørledning *m.*

pirate ['pairit] sjørøver *m;* pirat *m;* plagiere.

pistol ['pistl] pistol *m.*

piston ['pistən] stempel (i motor) *n.*

pit, hull *n,* grav *m/f,* grop *m/f;* gruve *m,* sjakt *m/f; teat* parterre; stille opp imot.

pitch [pitʃ] bek *n;* (tone)høyde *m,* (skrues) stigning *m;* helling *m/f;* fast plass *m;* beke; feste (i jorden); slå opp (telt); kaste, kyle; falle, skråne; stampe, duve; **~ er**, krukke *m/f;* mugge *m/f;* **~-fork**, høygaffel *m.*

pitfall ['pitfɔ:l] fallgruve *m/f.*

pith [piθ] marg *m.*

pitiful ['pitiful] ynkelig; **~ iless**, ubarmhjertig; **~ y**, medlidenhet *m;* medynk *m; it is a* **~**, det er synd.

pivot ['pivət] (dreie)tapp *m;* akse *m;* midtpunkt *n;* dreie seg (**on om**).

placard ['plækɑ:d] plakat *m,* oppslag *n;* slå opp plakat(er).

place [pleis] plass *m,* sted *n,* rom *n;* stilling *m/f,* post *m; take* **~**, finne sted; plassere, anbringe.

placid ['plæsid] rolig; mild; **~ ity**, ro *m;* mildhet *m/f.*

plague [pleig] (bylle)pest *m;* (lande)plage *m.*

plaice [pleis] rødspette *m/f.*

plaid [plæd] pledd *n.*

plain [plein] tydelig, klar; grei; enkel; ordinær; lite pen; ærlig, likefrem; ensfarget; flate *m/f,* slette *f;* **~ ness**, enkelhet *m/f;* **~-spoken**, likefrem; oppriktig.

plaint [pleint] klage-(skrift) *m/f (n);* **~ iff** *jur* saksøker *m;* **~ ive**, klagende.

plait [pleit] (hår)flette *m/f;* flette.

plan [plæn] plan *m;* utkast *n;* planlegge.

plane [plein] plan *n,* flate *m/f;* fly *n;* høvel *m;* platan *m;* plan, flat; jevn; høvle.

plank [plæŋk] planke *m.*

plant [plɑ:nt] plante *m;* anlegg *n,* fabrikk *m;* (be)plante.

plaster ['plɑ:stə] murpuss *m;* kalk *m;* gips *m;* plaster *n;* pusse, gipse; plastre.

plastic ['plæstik] plast *m/f;* plastisk, bøyelig.

plate [pleit] tallerken *m;* metallplate *f;* sølvtøy *n;* plett-(saker) *m.*

platform ['plætfɔ:m] plattform *m;* perrong *m;* talerstol *m;* politisk program *n.*

platinum ['plætinəm] platina n.

plausible ['plɔːzəbl] plausibel.

play [plei] lek(e) m; spill(e) n; skuespill n; spillerom n; ~ (up)on words, lage ordspill; ~ fair ~, ærlig spill n; ~-bill, teaterplakat m; ~ ground, lekeplass m; ~ ing card, spillkort n; ~mate, lekekamerat m; ~wright, skuespillforfatter(-inne) m (f).

plea [pliː] jur anklagedes påstand m; partsinnlegg n; påskudd n; anmodning m; ~d, tale i retten; ~ ~ guilty, erkjenne seg skyldig; ~der, talsmann m.

pleasant ['plezənt] behagelig; hyggelig; ~ry, spøk m.

please [pliːz] behage; tiltale;. tilfredsstille; gjøre til lags; ønske; ~! vær så snill! ~ come in!, vær så god å komme inn!; Yes ~! ja takk! ~ed, tilfreds; ~ing, tiltalende; behagelig; ~ure ['pleʒə] fornøyelse m; glede m; behag n; ønske n.

pleat [pliːt] plisse(re) m; fold(e) m.

pledge [pledʒ] pant n; (høytidelig) løfte n; pantsette; forplikte (seg); skåle.

plentiful ['plentifl] rikelig; ~y, overflod m; rikdom m; ~ of, massevis av.

pliable ['plaiəbl] bøyelig.

pliers ['plaiəz] (nebb)tang m/f.

plight [plait] (sørgelig) forfatning m.

plod [plɔd] traske; streve.

plot [plɔt] jordstykke n; plan m; intrige m, sammensvergelse m; handling m/f; planlegge; intrigere.

plough [plau] plog m; pløye.

pluck [plʌk] rive; rykke; plukke; ribbe; rykk n, napp n; mot n; energi m; ~y, kjekk, modig.

plug [plʌg] plugg m, propp m, tapp m; spuns n; støpsel n; plombe m; tilstoppe; sette propp i; plombere; streve.

plum [plʌm] plomme m; rosin m.

plumage ['pluːmidʒ] fjærdrakt m.

plumb [plʌm] (bly)lodd n; loddrett; lodde; ~er, rørlegger m.

plump [plʌmp] trinn, lubben; fete; plump!, plumpe; falle.

plunder ['plʌndə] rov n; plyndre.

plunge [plʌndʒ] dukke; styrte; kaste seg; stupe; dukk(ing) n/m; styrting m/f; stup n.

plural ['pluərəl] flertall n; ~ity, majoritet m.

plus-fours pl nikkers m.

plush [plʌʃ] plysj m.

ply [plai] tråd m; bruke flittig; gå i fast rute; forsyne; ~wood, finér m, plywood m.

p.m. = **post meridiem**, etter middag; **at 4 p.m.**, kl. 16.

pneumonia [nju:'mounjə] lungebetennelse *m*.

poach [poutʃ] drive ulovlig jakt *el* fiske; pochere (egg); ~ **er**, krypskytter *m*.

pocket ['pɔkit] lomme *m/f*; stikke i lommen.

pod [pɔd] belg *m*, skolm *m*.

poem ['pouim] dikt *n*.

poet ['pouit] dikter *m*; ~ **ic(al)**, poetisk, dikterisk; ~ **ry**, poesi *m*; diktning *m*.

poignant ['pɔinənt] skarp, bitende; intens.

point [pɔint] spiss *m*, odd *m*; odde *m*; punkt *m*, prikk *m*; poeng *n*; side *m/f*, egenskap *m*; mål *n*, hovedsak *m*; springende punkt *n*; skilletegn *n*; punktum *n*; tidspunkt *n*, øyeblikk *n*; spisse; henvise, (ut)peke; betegne; peke på, fremheve; rette (**at** mot); **off the** ~, som ikke angår saken; **be on the** ~ **of**, stå i begrep med, være på nippet til; **to the** ~, som angår saken; ~ **out**, peke på; ~ **blank**, likefrem, bent ut; ~ **ed**, spiss; poengtert; ~ **er**, viser *m*; pekestokk *m*; vink *n*; pointer *m*.

poise [pɔiz] likevekt *m*; fri, sikker (kropps)holdning *m*; holde i likevekt; balansere.

poison ['pɔizn] gift *m/f*; forgifte; ~ **ous**, giftig.

poke [pouk] stikke; rote; snuse; dytt(e) *n*, puff(e) *n*; ~ **r**, ildraker *m*; poker *m*.

Poland ['poulənd] Polen.

polar ['poulə] pol-, polar-; ~ **bear**, isbjørn *m*.

pole [poul] stang *m/f*, stake *m*; stolpe *m*; pol *m*; **Pole**, polakk *m*.

police [pə'li:s] politi *n*; ~ **officer**, politibetjent *m*.

policy ['pɔlisi] politikk *m*; fremgangsmåte *m*; polise *m*.

polio(myelitis) ['pouliou(maiə'laitis)] poliomyelitt *m*.

polish ['pɔliʃ] polering *m/f*; politur *m*; polerings- *el* pussemiddel *n*; polere.

polite [pə'lait] høflig; ~ **ness**, høflighet *m/f*.

political [pə'litikl] politisk; ~ **ian** [pɔli'tiʃn] politiker *m*; ~ **s** ['pɔl-] politikk *m*.

poll [poul] avstemning *m*; valg *n*; stemmegivning *m*; **Gallup** ~, gallupundersøkelse *m*.

pollute [pə'l(j)u:t] forurense; ~ **ion**, forurensning *m*.

pomp [pɔmp] pomp *m*, prakt *m*; ~ **ous**, pompøs; praktfull; prangende; høyttravende.

pond [pɔnd] dam *m*.

ponder ['pɔndə] tenke, fundere (**on, over** over); ~ **ous**, vektig; tung.

pony ['pouni] ponni *m*.

poodle ['pu:dl] puddel *m.*

pool [pu:l] dam *m;* pytt *m;* ring *m,* pool *m;* pulje *m;* **(football)** ~ s, tipping *m/f;* slutte seg sammen.

poop [pu:p] *mar* hytte(dekk) *f (n);* akterdekk *n.*

poor [puə] fattig; stakkars; tarvelig, dårlig; ~ **ly,** dårlig, uvel.

pop [pɔp] knall(e) *n;* fork for popular; ~ **in,** stikke innom; ~ **up,** dukke opp.

pope [poup] pave *m.*

poplar ['pɔplə] poppel *m.*

poppy ['pɔpi] valmue *m.*

populace ['pɔpjuləs] the ~, (de brede lag av) befolkningen *m.*

popular ['pɔpjələ] folke-; folkelig; populær; ~ **ity** [-'læ-] popularitet *m;* ~ **ize,** gjøre populær; popularisere.

populate ['pɔpjuleit] befolke; ~ **ion,** befolkning *m.*

porcelain ['pɔ:slin] porselen *n.*

porch [pɔ:tʃ] bislag *n; amr* veranda *m.*

porcupine ['pɔ:kjupain] pinnsvin *n.*

pork [pɔ:k] svinekjøtt *n.*

porous ['pɔ:rəs] porøs.

porridge ['pɔridʒ] (havre)grøt *m.*

port [pɔ:t] havn(eby) *m;* babord; portvin *m.*

portable ['pɔ:təbl] transportabel; ~ **typewriter,** reiseskrivemaskin *m.*

portal ['pɔ:tl] portal *m,* port *m.*

portend [pɔ:'tend] varsle.

portent ['pɔ:tent] (ondt) varsel *n;* ~ **ous** [-'ten-] illevarslende.

porter ['pɔ:tə] portner *m;* dørvokter *m;* portner *m;* bærer *m.*

portfolio [pɔ:t'fouliou] (dokument)mappe *m/f;* portefølje *m.*

portion ['pɔ:ʃn] (an)del *m;* arvelodd *m;* medgift *m/f;* matporsjon *m;* dele ut.

portliness ['pɔ:tlinis] verdighet *m;* korpulens *m;* ~ **ly,** verdig; korpulent.

portmanteau [pɔ:t'mæntou] håndkoffert *m.*

portrait ['pɔ:trit] portrett *n;* ~ **ure,** portrettmaling *m.*

portray [pɔ:'trei] avbilde.

Portuguese ['pɔ:tʃu'gi:z] portugiser *m;* portugisisk.

pose [pouz] stilling *m/f;* positur *m;* posere; sitte modell; skape seg; fremsette.

posh [pɔʃ] elegant, flott.

position [pə'ziʃn] stilling *m/f;* posisjon *m.*

positive ['pɔzətiv] positiv; virkelig; uttrykkelig; bestemt; sikker, viss.

possess [pə'zes] eie; besitte; ~ **oneself of,** bemektige seg; ~ **ed,** besatt **(with** av); ~ **ion,** besittelse *m;* eie *n;* eiendel *m;* ~ **ive,** eie-, besittelses-; besettende; ~ **or,** eier *m.*

possibility [posə'biliti] mulighet *m/f;* ~**le**, mulig; ~**ly**, muligens, kanskje.

post [poust] pæl *m;* påle *m;* stolpe *m;* post *m;* stilling *m;* embete *n;* postvesen *n;* poste; postere; slå opp plakat; ~**age**, porto *m;* ~**age stamp**, frimerke *n;* ~**al**, post-; ~**card**, brevkort *n;* ~**er**, plakat *m.*

posterior [pos'tiəriə] senere; bakre; bak(ende) *m;* ~**ty** [po'ste-] etterslekt *m/f.*

posthumous ['postjuməs] posthum; etterlatt.

postman ['poustmən] postbud *n;* ~**mark**, poststempel *n;* ~**-office**, postkontor *n;* ~**box**, postkasse *m/f;* ~**paid**, franko, portofri(tt).

postpone [poust'poun] utsette; ~**ment**, utsettelse *m.*

posture ['postʃə] stilling *m/f,* holdning *m;* positur *m;* stille, sette; stille seg i positur.

pot [pot] potte *m/f;* kar *n;* gryte *m/f;* kanne *m/f;* sylte; salte ned.

potato [pə'teitou] potet *m.*

potency ['poutnsi] kraft *m/f,* styrke *m;* potens *m;* ~**t**, kraftig, sterk; mektig; potent; ~**tial** [pə'tenʃəl] potensiell, mulig.

potter ['potə] pottemaker *m;* keramiker *m;* pusle, stulle;

~**y**, keramikk *m;* pottemakerverksted *n.*

pouch [poutʃ] skinnpose *m;* taske *m;* pung *m;* **tobacco** ~, tobakkspung *m.*

poultry ['poultri] fjærfe *n;* høns.

pounce [pauns] slå ned (**(up)on** på); nedslag *n;* klo *m.*

pound [paund] pund *n* (vekt, mynt); innhegning *m/f,* kve *n;* banke; støte; hamre.

pour [po:] helle; skjenke; flomme, hølje (om regn); ~**out**, øse ut; skjenke.

pout [paut] surmule; geip(e) *m.*

poverty ['povəti] fattigdom *m.*

powder ['paudə] pulver *n;* pudder *n;* krutt *n;* pulverisere; pudre (seg); ~**-puff**, pudderkvast *m.*

power ['pauə] makt *m/f;* evne *m/f;* kraft *m/f;* mat potens *m;* ~**ful**, mektig; kraftig, sterk; ~**station**, kraftstasjon *m.*

practicable ['præktikəbl] som kan gjennomføres; brukbar; ~**l**, praktisk.

practice ['præktis] praksis *m;* skikk *m;* øvelse *m;* trening *m/f.*

practise ['præktis] praktisere; (ut)øve; øve seg i.

practitioner [præk'tiʃnə] praktiserende lege (el advokat) *m.*

praise [preiz] ros(e) *m.*

pram [præm] = **perambulator**, barnevogn *m/f.*

prance [pra:ns] spankulere; steile.

prawn [prɔ:n] (stor) reke *m/f.*

pray [prei] be; bønnfalle; ~**er** ['præə] bønn *m;* ~**ers**, andakt *m.*

preach [pri:tʃ] *rel* preke; ~**er**, predikant *m.*

precarious [pri'kɛəriəs] usikker; prekær; risikabel.

precaution [pri'kɔ:ʃn] forsiktighet(sregel) *m.*

precede [pri:'si:d] gå forut for; innlede; ~**nce**, forrang *m;* ~**nt** [pri'sidənt] foregående; ['president] presedens *m.*

precept ['pri:sept] forskrift *m.*

precious ['preʃəs] kostbar; dyrebar, kostelig; affektert.

precipi|ce ['presipis] stup *n;* bratt skrent *m;* ~**tate**, [pri'sipiteit] stupe, styrte (hodekulls); ~**tation**, styrt *n;* hastverk *n;* nedbør *m;* ~**tous**, stupbratt.

précis ['preisi] sammendrag *n.*

precis|e [pri'sais] nøyaktig; ~**ely**, akkurat, helt riktig; ~**ion**, [pri'siʒn] nøyaktighet *m;* presisjon *m.*

preclude [pri'klu:d] utelukke.

precocious [pri'kouʃəs] tidlig utviklet; veslevoksen.

precursor [pri'kə:sə] forløper *m;* ~**datory** ['predət(ə)ri] rø-

ver-; ~**decessor** ['pri:disesə] forgjenger *m;* ~**destine** [pri:'destin] forutbestemme.

predicament [pri'dikəmənt] forlegenhet *m;* knipe *m/f.*

predict [pri'dikt] spå; ~**ion**, forutsigelse *m.*

predominant [pri'dɔminənt] fremherskende; ~**-eminent**, fremragende.

prefab ['pri:fæb] *dt* ferdigbygd; ferdighus *n;* ~**ricate** [-'fæb-] prefabrikere.

preface ['prefis] forord *n;* innlede.

prefer [pri'fə:] foretrekke; forfremme; ~**able** ['prefərəbl] som er å foretrekke; ~**ence** [pre-] forkjærlighet *m;* forrang *m;* preferanse *m;* ~**ment** [-'fə:-] forfremmelse *m.*

pregnant ['pregnənt] gravid.

prejudice ['predʒudis] fordom *m;* skade *m;* gjøre forutinntatt, skade; ~**ial** [-'di-] skadelig.

preliminar|ies [pri'liminəriz] innledende skritt *n;* ~**y**, foreløpig, innledende.

premature [premə'tjuə] (alt)for tidlig; forhastet.

premediated [pri'mediteitid] overlagt; forsettlig.

premier ['premjə] først; førsteminister *m;* statsminister *m.*

premise ['premis] premiss(e) (*n*); forutsetning *m;* ~**s**, eiendom *m;* (forretnings)lokale *n;* **on the ~ s,** på stedet.

premium ['pri:mjəm] premie *m;* belønning *m/f;* bonus *m.*

preoccupied [pri:'ɔkjupaid] åndsfraværende; opptatt.

preparation [prepə'reiʃn] forberedelse *m;* **~ atory** [-'pær-] forberedende; **~ e** [pri'pɛə] forberede; tilberede.

prepay ['pri:'pei] betale i forveien; frankere.

preponderant [pri'pɔndərənt] fremherskende; overveiende.

prepossess [pri:pə'zes] forutinnta; gjøre gunstig stemt for; **~ ing,** tiltalende.

preposterous [pri'pɔstrəs] meningsløs; absurd.

prescribe [pri'skraib] foreskrive, ordinere; **~ ption,** resept *m.*

presence ['prezns] nærvær *n;* **~ t,** nærværende; tilstede(værende); nåværende; foreliggende; nåtid *m/f;* gave *m,* presang *m;* [pri'zent] forestille; presentere; fremsette; fremstille; overlevere, gi; **~ tation,** presentasjon *m;* overlevering *m;* **~ timent,** forutanelse *m;* **~ tly,** snart (etter).

preservation [prəzə'veiʃn] bevaring *m/f;* vedlikehold *n;* hermetisering *m/f;* **~ e,** bevare; frede; nedlegge (her-

metisk), sylte; **~ es,** syltetøy *n;* hermetisk mat.

preside [pri'zaid] innta forsetet, presidere.

president ['prezidənt] president *m;* formann (i forening o.l.) *m;* amr direktør *m.*

press, presse *m/f;* trengsel *m,* trykk *n,* jag *n,* press *n;* (lin-net)skap *n;* presse, trykke; trenge på; nøde; **~ ing,** presserende; **~ ure,** trykk *n;* press *n.*

prestige [pres'ti:ʒ] prestisje *m.*

presume [pri'zju:m] anta; formode; våge.

presumption [pri'sʌmpʃn] antagelse *m,* formodning *m/f;* anmasselse *m;* dristighet *m.*

pretence [pri'tens] foregivende *n,* påskudd *n;* **~ d to,** foregi; late som om; gjøre krav på; **~ sion,** foregivende *n;* krav *n,* fordring *m/f* **(to** på).

pretext ['pri:tekst] påskudd *n.*

pretty ['priti] pen; temmelig.

prevail [pri'veil] få overhånd, seire; herske, råde; **~ on,** overtale til.

prevalent ['prevələnt] (frem)herskende; rådende.

prevent [pri'vent] hindre; forebygge; **~ ion,** (for)hindring *m, f;* forebygging *m/f;* **~ ive,** forebyggende.

previous ['pri:vjəs] foregående; tidligere; **~ to,** før; **~ ly,** før, tidligere.

pre-war ['pri:'wɔ:] førkrigs-.

prey [prey] bytte n, rov n; **bird of** ~, rovfugl m; ~ **(up)on**, jage; plyndre; gnage, tære.

price [prais] pris m; verdi m; prise.

prick, stikk n; brodd m, spiss m; prikke; stikke (hull i); ~**ly**, pigget, tornet.

pride [praid] stolthet m; ~ **oneself on**, rose seg av.

priest [pri:st] geistlig; (katolsk) prest m.

prig, innbilsk narr m; pedant m; ~**gish**, pedantisk; narraktig.

prim, prippen, snerpet.

primacy ['praiməsi] forrang m; ledende stilling m, f; ~**ary**, primær, grunn-; hoved-; ~ ~ **school**, grunnskole m.

prime [praim] først; opprinnelig; hoved-; blomstring m/f; ungdomskraft m/f; ~**r**, abc-bok m/f.

primitive ['primitiv] primitiv; ur-; enkel.

prince [prins] prins m; fyrste m; ~**ly**, fyrstelig; ~**ss**, prinsesse m/f; fyrstinne m/f.

principal ['prinsəpl] hoved-; viktigst; hovedperson m; rektor m; sjef m; kapital m, hovedsum m; ~**ity** [-'pæliti] fyrstedømme n.

principle ['prinsəpl] grunnsetning m, prinsipp n.

print, trykk; preg n; prent n;

trykt skrift n; fotogr kopi m; avtrykk n; trykke; kopiere; utgi; ~**er**, boktrykker m.

printing ['printiŋ] trykking m/f; boktrykk n; ~ **office**, ~ **plant**, (bok)trykkeri n; ~**-press**, trykkpresse m/f.

prior ['praiə] tidligere (**to** enn); prior; ~**ity**, [prai'briti] fortrinn n, prioritet m; forkjørsrett m.

prison ['prizn] fengsel n; ~**er**, fange m.

privacy ['privəsi, 'praivəsi] avsondring m/f; ensomhet m, ro m; **in** ~, i enrom, under fire øyne; ~**te** ['praivit] privat; personlig; alene; fortrolig; mil menig m; **in** ~, i fortrolighet; ~**tion** [prai-'veiʃn] savn n; mangel m.

privilege ['privilidʒ] privilegium n; privilegere.

prize [praiz] premie m; pris m; prise, vurdere, skatte; ~ **up** (el **open**), bryte opp.

pro [prou] for-; ~**s and cons**, argumenter for og imot; dt profesjonell m.

probability [prɔbə'biliti] sannsynlighet m; ~**le**, sannsynlig.

probation [prə'beiʃn] prøve m; prøvetid m/f.

probe [proub] sonde(ring) m/f; sondere; undersøke.

problem ['prɔbləm] problem n; (regne)oppgave m.

procedure [prə'si:dʒə] prosedyre *m;* fremgangsmåte *m.*

proceed [prə'si:d] gå fremover; dra videre; fortsette; gå til verks; skrive seg (**from** fra); anlegge sak (**against** mot); ~ **ing,** fremgangsmåte *m;* ~ **ings,** rettergang *m;* ~ **s** ['prousi:dz] vinning *m/f;* utbytte *n.*

process ['prouses] prosess *m;* metode *m;* bearbeide; ~ **ion** [prə'seʃn] prosesjon *m.*

proclaim [prə'kleim] bekjentgjøre; proklamere; ~ **mation,** bekjentgjørelse *m.*

procuration [prɔkju'reiʃn] fullmakt *m/f;* prokura *m;* ~ **-e,** skaffe, få tak i; ~ **ement,** fremskaffing *m/f.*

prod [prɔd] stikke; anspore; stikk *n;* piggstav *m.*

prodigal ['prɔdigl] ødsel; øde-land *m.*

prodigious [prə'didʒəs] forbausende; veldig, uhyre; ~ **y** ['prɔdidʒi] vidunder *n;* uhyre *n.*

produce [prə'dju:s] frembringe; produsere; ta (*el* legge) fram; (la) oppføre, iscenesette; ['prɔ-] produkter; avling *m/f;* ~ **r,** produsent *m;* regissør *m.*

product ['prɔdəkt] produkt *n;* ~ **ion** [prə'dʌkʃn] produksjon *m;* forevisning *m;* ~ **ive,** produktiv; fruktbar.

profane [prə'fein] profan; verdslig; uinnvid; bespottelig; profanere; ~ **ity,** bespottelse *m;* banning *m/f.*

profess [prə'fes] erklære; påstå; bekjenne seg til; utøve (yrke); ~ **ion,** yrke *n;* profesjon *m;* bekjennelse *m;* ~ **ional,** yrkesmessig; profesjonell *m.*

proffer ['prɔfə] tilby; tilbud *n.*

proficiency [prə'fiʃnsi] dyktighet *m;* ferdighet *m/f;* ~ **t,** dyktig; sakkyndig.

profit ['prɔfit] fordel *m;* nytte *m/f;* fortjeneste *m;* gagne; nytte; ~ **able,** nyttig; lønnsom; innbringende; ~ **eer,** profitør *m;* drive som profitør.

profligate ['prɔfligit] ryggesløs; lastefull.

profound [prə'faund] dyp(sindig).

profuse [prə'fju:s] rikelig; ødsel; overstrømmende; ~ **ion,** overdådighet *m.*

progress ['prougres] fremgang *m;* fremrykking *m/f;* fremskritt *n;* utvikling *m/f;* vekst *m;* [prə-] avansere; gjøre fremskritt; ~ **ion,** det å gå fremover; progresjon *m;* ~ **ive,** progressiv; tiltagende; fremskrittsvennlig.

prohibit [prə'hibit] forby; hindre; ~ **ion** [proui'biʃn] (innførsels-, alkohol-)forbud *n;*

~ive, prohibitiv; urimelig (pris).

project ['prɔdʒekt] plan m; prosjekt n; [prɔ'-] fremkaste; planlegge; tenke på; rage, stikke fram; ~ion, fremspring n; planlegging m/f.

prolific [prɔ'lifik] fruktbar.

prologue ['prɔulɔg] prolog m.

prolong [prɔ'lɔŋ] forlenge.

promenade [prɔmi'na:d] spasertur m; spasere; promenere.

prominent ['prɔminənt] fremstående.

promise ['prɔmis] love; løfte n; ~ing, lovende.

promote [prɔ'mout] fremme; forfremme; ~ion, (frem)hjelp m/f; støtte m/f; forfremmelse m; sales ~, salgsfremmende tiltak.

prompt [prɔmpt] hurtig, villig, prompt; tilskynde.

prone [proun] utstrakt (på magen); ~ to, tilbøyelig til.

pronoun ['prounaun] pronomen n.

pronounce [prɔ'nauns] uttale; erklære; uttale seg.

pronunciation [prɔnʌnsi'eiʃn] uttale m.

proof [pru:f] prøve m; bevis n; prøvebilde n; korrektur m; -fast, -trygg, -sikker (i sammensetninger).

prop [prɔp] støtte(bjelke) m/f; ~ (up), støtte opp, avstive.

propagate ['prɔpəgeit] forplante (seg); utbre; spre; ~ion, forplantning m/f; utbredelse m, spredning m.

propel [prɔ'pel] drive fram; ~ler, propell m.

propensity [prɔ'pensiti] hang; tilbøyelighet m.

proper ['prɔpə] rett, riktig; (sær)egen; eiendommelig; egentlig; passende; ~ty, eiendom m; gods n; formue m; egenskap m.

prophecy ['prɔfisi] spådom m; profeti m; ~sy ['-sai] spå, profetere; ~t(ess), profet(inne) m; ~tic(al), [prɔ'fetikl], profetisk.

proportion [prɔ'pɔ:ʃn] forhold n; proporsjon m; (an)del m; ~al, ~ate, forholdsmessig.

proposal [prɔ'pouzl] forslag n; frieri n; ~e, foreslå; ha i sinne, ha til hensikt; fri (to til); ~ition, forslag n; erklæring m/f; dt sak m.

proprietor [prɔ'praiətə] eier m; ~ty, riktighet m; anstendighet m.

propulsion [prɔ'pʌlʃn] fremdrift m/f.

prose [prouz] prosa m.

prosecute ['prɔsikju:t] følge opp; anklage, sette under tiltale; ~ion [-'kju-] (straffe)forfølgelse m; søksmål n.

prospect ['prɔspekt] utsikt m; (fremtids)mulighet m; ~ive [-'spek-] fremtidig; eventuell.

prosper ['prɔspə] trives; ha hell med seg; ~ity [prɔs'periti] hell n, fremgang m; velstand m; ~ous ['prɔs-] heldig; velstående.

prostitute ['prɔstitjuːt] prostituert; prostituere.

prostrate ['prɔstreit] utstrakt (på magen); nedbrutt; [prɔ'streit] kaste over ende; ødelegge.

protect [prə'tekt] beskytte; ~ion, beskyttelse m; ~or, beskytter m.

protest ['proutest] protest m; innvending m/f; [prə'-] hevde; fremholde; protestere; ~ant ['prɔtistənt] protestant m (-isk).

proud [praud] stolt, kry.

provable ['pruːvəbl] bevislig; ~e, bevise; påvise; prøve; vise seg å være.

proverb ['prɔvə(ː)b] ordspråk n; ~ial [-'vəː-] ordspråklig.

provide [prə'vaid] sørge for; besørge; skaffe, forsyne (**with** med); foreskrive; ~d (**that**), forutsatt at.

providence ['prɔvidəns] forsyn n; forutseenhet m; ~t, omtenksom; forutseende.

province ['prɔvins] provins m; (virke)felt n.

provision [prə'viʒn] anskaffelse m; forholdsregel m; forsyning m/f; underhold n; jur bestemmelse m; ~s, proviant m; ~al, foreløpig.

provocation [prɔvə'keiʃn] utfordring m/f; provokasjon m; ergrelse; ~ive [-'vɔk-] utfordrende.

provoke [prə'vouk] provosere; utfordre; irritere.

prow [prau] baug m, forstavn m

prowl [praul] luske omkring.

proxy ['prɔksi] fullmakt m/f; fullmektig m; stedfortreder m/f.

prude [pruːd] snerpe m.

prudence ['pruːdns] klokskap m; forsiktighet m; ~t, klok; forsiktig.

prudery ['pruːdəri] snerpethet m; ~ish, snerpet.

prune [pruːn] sviske m; beskjære (trær o.l.).

pry [prai] speide; ~ **into**, snuse i.

P.S. = postscript, etterskrift m/f.

psalm [saːm] salme m, (især en av Davids salmer).

psychiatrist [sai'kaiətrist] psykiater m; ~y, psykiatri m.

psychological [saikə'lɔdʒikl] psykologisk; ~ist, psykolog m; ~y, psykologi m.

ptarmigan ['taːmigən] fjellrype m/f.

pub [pʌb] = **public house**, kro m/f, vertshus n.

puberty ['pjuːbəti] pubertet m.

public ['pʌblik] offentlig; felles; allmenn; offentlighet m;

publikum n; ~ **house,** kro m/f, vertshus n; ~ **school,** eng. privat universitetsforberedende internatskole m; amr offentlig skole; ~ **ation,** offentliggjørelse m; utgivelse m; skrift n; ~ **ity** [-'lisiti] offentlighet m; publisitet m; reklame m.

publish ['pʌbliʃ] bekjentgjøre; utgi, forlegge; ~ **er,** forlegger m; ~ **ing house,** (bok)forlag n.

pudding ['pudiŋ] pudding m.

puff [pʌf] blaff n; vindpust n; gufs n; drag n; pudderkvast m; ublu reklame m; puste, blåse, blaffe; pese; blåse opp; oppreklamere.

pug [pʌg] mops m.

pull [pul] trekking m/f, haling m/f; drag n; rykk n; trekke, dra, hale; rive; rykke; ruske; ro; ~ **down,** rive ned; ~ **off,** få i stand, klare; ~ **oneself together,** ta seg sammen; ~ **through,** greie seg gjennom (sykdom); ~ **up,** bremse, stanse.

pulley ['puli] rulle m, trinse m/f.

pulp [pʌlp] bløt masse m; fruktkjøtt n; papirmasse m; forvandle el bli til bløt masse.

pulpit ['pulpit] prekestol m.

pulpy ['pʌlpi] kjøttfull; bløt.

pulsate ['pʌlseit] pulsere; ~ **e,** puls(slag) m (n); banke, slå.

pump [pʌmp] pumpe; lense; pumpe m/f; dansesko m; ~ **kin,** gresskar m.

pun [pʌn] (lage) ordspill n.

punch [pʌntʃ] lage hull i; slå; dor n; neveslag n; punsj m.

punctual ['pʌŋktjuəl] punktlig.

punctuate ['pʌŋktjueit] sette skilletegn n; ~ **ion** [-'ei] tegnsetning m.

puncture ['pʌŋktʃə] punktering m/f; punktere.

pungent ['pʌndʒənt] skarp, gjennomtrengende (om smak, lukt).

punish ['pʌniʃ] straffe; ~ **able,** straffbar; ~ **ment,** straff m.

pupil ['pju:pl] elev m; pupill m.

puppet ['pʌpit] dukke m; marionett m.

puppy ['pʌpi] valp m; laps m, jypling m.

purchase ['pə:tʃəs] (inn)kjøp n; anskaffelse m; kjøpe; erverve; ~ **er,** kjøper m.

pure [pjuə] rein, pur.

purely ['pjuəli] rent, utelukkende.

purgative ['pə:gətiv] avføringsmiddel n.

purge [pə:dʒ] rense; fjerne; ta avføringsmiddel; utrensing m/f (ogs. pol).

purify ['pjuərifai] rense; ~ **ity,** renhet m.

purple ['pə:pl] purpur n.

purpose ['pə:pəs] hensikt m;

forsett *n;* formål *n;* ha til hensikt; akte; **on** ~, med hensikt; **to the** ~, saken vedkommende; ~**ful**, målbevisst; ~**less**, formålsløs; ~**ly**, med hensikt.

purr [pə:] male (om katt).

purse [pə:s] (penge)pung *m;* (hånd)veske *m/f;* penger, midler.

pursu|ance [pə'sju:əns], **in** ~ **of**, ifølge; ~**e**, forfølge; strebe etter; drive med; fortsette; ~**it**, [pə'sju:t] forfølgelse *m;* streben *m* (of etter); beskjeftigelse *m.*

purvey [pə:'vei] skaffe; levere; ~**or**, leverandør *m.*

push [puʃ] støt(e) *n,* skubb(e) *n,* puff(e) *n* (til); pågåenhet *m;* drive fram; oppreklamere; ~~**button**, *elektr* trykk(knapp) *m;* ~**ful**, ~**ing**, foretaksom; påtrengende.

put [put] sette; stille; legge; putte; stikke; uttrykke; fremsette (spørsmål); **to** ~ **it mildly,** mildest talt; ~ **aside,** legge til side; ~ **away,** legge til side; spare; ~ **back,** legge tilbake; stille tilbake (klokke); ~ **by,** legge til side; ~ **down,** legge fra

seg; skrive ned, notere; undertrykke, kue; døyve; ~ **forth,** fremsette; sende ut; utgi; ~ **forward,** fremsette; stille fram (ur); ~ **in,** legge inn; skyte inn; komme fram med; ~ **off,** skyve til side; legge vekk (klær); kaste; oppsette, utsette; støte bort; ~ **on,** ta på (seg); sette på; ~ **out,** legge ut; sette ut; sette fram; slokke; ~ **through,** sette igjennom; sette i telefonforbindelse med; ~ **up,** slå opp; legge vekk; gi husly; ~ **up at,** ta inn på (hotell); ~ **up with,** finne seg i.

putr|efaction [pju:tri'fækʃn] forråtnelse *m;* ~**efy** [-fai] (for)råtne; ~**id** [-id] råtten.

putty ['pʌti] kitt *n;* kitte.

puzzle ['pʌzl] gåte *m/f;* puslespill *n;* problem *n;* rådløshet *m;* forvirre; volde hodebry; spekulere; ~**d,** uforstående; rådvill.

pyjamas [pə'dʒa:məz] pyjamas *m;* nattdrakt *m.*

pylon ['pailən] ledningsmast *m/f.*

Pyrenees [piri'ni:z], **the** ~, Pyrenéene.

Q

quack [kwæk] kvekke; kvekking *m/f*; kvaksalver *m*.

quadrangle ['kwɔdrængl] firkant *m*; firkantet gårdsplass *m el* skolegård *m*.

quail [kweil] vaktel *m*; bli redd.

quaint [kweint] eiendommelig; pussig; underlig.

quake [kweik] riste, skjelve (**with**, **for** av); skjelving *m/f*; rystelse *m*; ~ **r**, kveker *m*.

qualification [kwɔlifi'keiʃn] kvalifikasjon *m*; forutsetning *m*; innskrenkning *m*; ~ **fy**, gjøre skikket, kvalifisere (seg); modifisere, avdempe; ~ **ty**, egenskap *m*; kvalitet *m*.

quantity ['kwɔntiti] mengde *m*.

quarrel ['kwɔrəl] strid *m*, trette *m*; kjekle; ~ **some**, trettekjær.

quarry ['kwɔri] steinbrudd *n*; bytte *n*, rov *n*; bryte (stein).

quart [kwɔːt] 1,136 liter.

quarter ['kwɔːtə] fjerdedel *m*; kvarter *n*; kvartal *n*; egn *m*, strøk *n*; bydel *m*; fjerding *m* (fjerdepart av slaktet dyr); nåde *m*; mål: 2,9 hl *m*, 1/4 eng. favn *m*; 1/4 yard *m*, 12,7 kg *n*; dele i fire; partere; innkvartere; ~ **s**, kvar-

ter *n*; losji *n*; ~ **ly**, fjerdedels-; kvartals-; ~ **master**, kvartermester *m*.

quaver ['kweivə] skjelve; vibrere.

quay [kiː] kai *f*; brygge *f*.

queen [kwiːn] dronning *m/f*.

queer [kwiə] merkelig; rar; spolere.

quell [kwel] dempe; undertrykke.

quench [kwenʃ] slokke; undertrykke.

query ['kwiəri] spørsmål *n*.

question ['kwestʃən] spørsmål *n*; problem *n*; sak *m*; tvil *m*; (ut)spørre; tvile på; **ask a person a ~**, **put a ~ to a person**, stille noen et spørsmål; **the person in ~**, vedkommende; ~ **able**, tvilsom; ~ **naire**, spørreskjema *n*.

queue [kjuː] kø *m*; hårpisk *m*; (~ **up**), stille seg kø.

quibble ['kwibl] ordspill *n*; spissfindighet *m*.

quick [kwik] hurtig; snar; gløgg; fin; fremskynde; skarp; levende kjøtt *n*; ømt punkt *n*; ~ **en**, kvikne til; ~ **ness**, livlighet *m*; raskhet *m*; skarphet *m*; ~ **sand**, kvikksand *m*; ~ **silver**, kvikksølv *n*.

quid [kwid] *dt* pund (sterling) *n.*

quiet ['kwaiət] rolig; stille; ro *m;* berolige; ~ **ness,** ~ **ude,** ro; stillhet *m.*

quilt [kwilt] vatteppe *n;* vattere; stoppe.

quinine [kwi'ni:n] kinin.

quirk [kwə:k] særhet *m;* innfall *n.*

quit [kwit] forlate; oppgi; fri (**of** fra), kvitt.

quite [kwait] ganske; fullstendig; ~ (**so**)!, helt riktig!

quiver ['kwivə] sitring *m/f;* kogger *n;* sitre; beve.

quiz [kwiz] spørre ut; spørrekonkurranse *m.*

quota [kwoutə] kvote *m;* andel *m.*

quotation [kwou'teiʃn] sitat *n;* prisnotering *m/f;* ~ **marks,** anførselstegn *n.*

quote [kwout] anføre, sitere; notere (**at** til).

R

rabbi ['ræbai] rabbiner *m.*

rabbit ['ræbit] kanin *m.*

rabble ['ræbl] pøbel(hop) *m.*

rabid ['ræbid] rasende; gal.

race [reis] rase *m,* slekt *m/f;* veddeløp *n;* kappseilas, -roing *m/f;* sterk strøm *m* (kapp)løpe; ile, jage; ~ **-course,** veddeløpsbane *m;* ~ **-horse,** veddeløpshest *m;* ~ **r,** veddeløpshest *m;* racer(-bil, -båt); renndeltaker *m.*

racial ['reiʃl] rase-.

racing ['reisiŋ] veddeløp(s-).

rack [ræk] pinebenk *m;* hylle *m/f;* stativ *n;* bagasjenett *n* (**luggage** ~); høyhekk *m;* strekke; anspenne; pine.

racket ['rækit] tennisracket *m;*

larm *m,* uro *m;* svindelforetagende *n;* pengeutpressing *m/f;* ~ **eer,** svindler *m;* pengeutpresser *m.*

radar ['reida:] (**set**), radar *m* (utstyr).

radiant ['reidiənt] strålende; ~ **te,** utstråle; ~ **tion,** utstråling *m/f;* ~ **tor,** radiator *m* (til oppvarming); kjøler *m* (i bil).

radical ['rædikl] rot-; radikal.

radio ['reidiou] radio(apparat) *m* (*n*); radiotelegrafere; ~ **active,** radioaktiv; ~ **gram,** radiotelegram *n;* røntgenbilde *n;* ~ **graph,** røntgenbilde *n;* ~ **scopy,** gjennomlysning *m* med røntgenstråler.

radish [ˈrædiʃ] reddik *m.*

raffle [ˈræfl] tombola *m.*

raft [ra:ft] (tømmer)flåte *m;* fløte.

rag [ræg] fille *f;* klut *m;* lapp *m* (**for** for).

rage [reidʒ] raseri *n;* lidenskap *m* (**for** for); rase.

ragged [ˈrægid] fillet; ujevn.

raid [reid] overfall *n;* streiftog *n;* overfalle; plyndre.

rail [reil] *jernb* skinne; rekkverk *n;* gjerdestav *m;* sette opp gjerde; ~ **ing,** gelender *n;* stakitt *n;* ~ **way,** *amr* ~ **road,** jernbane *m.*

rain [rein] regn(e) *n;* ~ **bow,** regnbue *m;* ~ **coat,** regnfrakk *m,* -kappe *m;* ~ **y,** regnfull, regn-.

raise [reiz] heve; løfte; reise; sette opp; forhøye; vekke; oppvigle; ta opp (lån); oppfostre; dyrke; *is amr* (lønns)forhøyelse *m.*

raisin [ˈreizn] rosin *m.*

rake [reik] rive *m/f,* rake *f;* libertiner *m;* rake; ransake.

rally [ˈræli] samle (seg); komme til krefter; småerte; samling *m;* stevne *m.*

ram [ræm] vær *m;* saubukk *m;* rambukk *m;* drive, støte, ramme (**into** inn i).

ramble [ˈræmbl] streife om; fantasere; spasertur *m.*

ramify [ˈræmifai] forgreine seg.

ramp [ræmp] rampe *m;* skråning *m/f;* storme.

rampant [ˈræmpənt] frodig; tøylesløs.

ranch [ra:n(t)ʃ] *amr* [ræ:n(t)ʃ] *amr* kvegfarm *m.*

rancid [ˈrænsid] harsk, ram.

random [ˈrændəm] tilfeldig; **at** ~, på måfå.

range [reindʒ] rekke *m/f;* (fjell)kjede *m;* område *n,* sfære *m,* spillerom *n;* skuddvidde *m;* komfyr *m;* ordne; stille opp; streife om; rekke; variere, veksle.

rank [ræŋk] rekke *m/f;* geledd *n;* rang *m,* grad *m;* rangere; yppig, frodig, illeluktende.

rankle [ˈræŋkl] nage.

ransack [ˈrænsæk] ransake.

ransom [ˈrænsəm] løsepenger; løskjøping *m/f;* løskjøpe.

rant [rænt] bruke floskler; buldre og bråke; fraser.

rap [ræp] rapp *n;* smekk *n;* banking *m/f;* banke, slå.

rape [reip] voldtekt *m/f;* voldta.

rapid [ˈræpid] hurtig; rivende; stri; ~ **s,** elvestryk *n;* ~ **ity** [-ˈpid-] hurtighet *m.*

rapt [ræpt] henrykt; ~ **ure,** henrykkelse *m.*

rare [rɛə] sjelden; tynn; *amr* rå, lite stekt; ~ **ify,** fortynne(s); forfine; ~ **eness,** ~ **ity,** sjeldenhet *m.*

rascal [ˈra:skl] skurk *m,* slyngel *m.*

rash [ræʃ] utslett *n;* overilt.

rasher [ˈræʃə] (tynn) bacon-
skive *m/f.*

rasp [raːsp] rasp *m, f* (e).

raspberry [ˈraːzbəri] bringebær
n.

rat [ræt] rotte *m/f.*

rate [reit] forhold *n;* (rente)-
sats *m;* takst *m,* pris *m;* rate
m; kommuneskatt *m;* hastig-
het *m;* ~ **of exchange**, valu-
takurs *m;* **at any** ~, i hvert
fall; verdsette, taksere **(at**
til); skjelle ut.

rather [ˈraːðə] heller, snarere;
nokså; temmelig.

ration [ˈræʃn] rasjon *m* (-ere).

rational [ˈræʃnəl] fornuftig.

rattle [ˈrætl] klapre; rasle;
~ **snake,** klapperslange *m.*

raucous [ˈrɔːkəs] hes.

ravage [ˈrævidʒ] herje; øde-
legge; hærverk *n.*

rave [reiv] tale i ørske; rase.

raven [ˈreivn] ravn *m;* [ˈrævn]
plyndre; ~ **ous** [ˈrævinəs]
skrubbsulten.

ravine [rəˈviːn] kløft *m/f,* juv
n.

ravish [ˈræviʃ] rane; henrykke;
voldta; ~ **ing,** henrivende.

raw [rɔː] rå; grov; umoden;
uerfaren; hudløs, sår.

ray [rei] (lys)stråle *m/f.*

rayon [ˈreiɔn] kunstsilke *m.*

raze [reiz] rasere; ~ **or,** bar-
berhøvel, -maskin, -kniv *m.*

re angående.

reach [riːtʃ] rekke; strekke;
nå; rekkevidde *m;* strekning
m.

react [riˈækt] reagere; ~ **ion,**
reaksjon *m;* tilbakevirkning
m/f; ~ **ionary,** reaksjonær.

read [riːd] lese; tyde; studere;
lyde; ~ **er,** leser *m;* foreleser
m; korrekturleser *m;* lesebok
m/f.

readily [ˈredili] beredvillig;
gjerne; ~ **ness,** beredthet *m.*

reading [ˈriːdiŋ] lektyre *m;*
(opp)lesning *m;* oppfatning
m; ~ **-room,** lesesal *m,* -væ-
relse *m.*

readjust [ˈriːəˈdʒʌst] revidere;
endre.

ready [ˈredi] ferdig; parat; be-
redt; beredvillig; for hån-
den; kvikk.

real [riəl] virkelig; faktisk;
ekte; ~ **property** ~ **e**
estate, fast eiendom *m;* ~ **ity**
[riˈæliti], virkelighet *m.*

realization [riəlaiˈzeiʃn] virke-
liggjørelse *m;* realisasjon *m,*
salg *n;* ~ **e** [ˈriəlaiz] virkelig-
gjøre; realisere; bli klar
over; innse; selge; tjene.

really [ˈriəli] virkelig.

realm [relm] (konge)rike *n.*

reap [riːp] skjære; høste;
~ **er,** skurlar *m;* slåmaskin
m.

reappear [ˈriːəˈpiə] komme til
syne igjen; utkomme på
nytt.

rear [riə] reise; oppføre; oppfostre; steile; bakerste del m; bakside m/f; baktropp m; bak-.

rearrange ['ri:ə'reindʒ] ordne på ny; omarbeide.

reason ['ri:zn] grunn m; årsak m; fornuft m; forstand m; resonnere; tenke; by ~ of, på grunn av; ~ able, fornuftig; rimelig, moderat.

reassemble ['ri:ə'sembl] samle (seg) igjen; ~ ure, berolige; gjenforsikre.

rebate [ri:'beit] rabatt m; avslag n.

rebel ['rebl] opprører m; [ri-'bel] gjøre opprør (against mot); ~ lion, opprør n; ~ lious, opprørsk.

rebuild [ri:'bild] gjenoppbygge; ombygge.

rebuke [ri'bju:k] irettesette(lse m).

recall [ri'kɔ:l] tilbakekalle(lse m); fremkalle(lse m); minnes; huske.

recede [ri'si:d] vike; gå tilbake.

receipt [ri'si:t] mottagelse m; kvittering m; matoppskrift m; kvittere; ~ s, inntekter.

receive [ri'si:v] motta; få; oppta; ~ er, mottaker-(apparat) m (n); (bl.a. i radio); mikrofon m; (høre)rør n (på telefon).

recent ['ri:snt] ny; fersk; ~ ly, nylig; i det siste.

reception [ri'sepfn] mottagelse m; opptak n.

receptive [ri'septiv] mottakelig.

recess [ri:'ses] fordypning m; nisje m, krok m; pause m; ~ ion, tilbaketrekning m; lavkonjunktur m.

recipe ['resipi] oppskrift m.

recipient [ri'sipiənt] mottaker m.

reciprocal [ri'siprəkl] gjensidig; ~ te, gjøre gjengjeld.

recital [ri'saitl] opplesning m; foredrag n; konsert m; beretning m; ~ e, si fram; foredra; deklamere; berette.

reckless ['reklis] uvøren; skjødesløs; hensynsløs.

reckon ['rekn] (be)regne; telle; anse for; anta; ~ up, regne sammen; ~ ing, (be)regning m.

reclaim [ri:'kleim] vinne tilbake; forbedre; tørrlegge.

reclamation [reklə'meifn] gjenvinning m/f; tørrlegging m/f.

recognition [rekəg'nifn] (an)-erkjennelse m; gjenkjennelse m; ~ ze ['rekəgnaiz] (an)erkjenne; gjenkjenne.

recoil [ri'kɔil] rekyl m; tilbakeslag n; vike (el springe) tilbake.

recollect [rekə'lekt] huske; minnes; ~ ion, erindring m/f.

recommend [rekə'mend] anbe-

fale; ~ **ation**, anbefaling
m/f.

recompense ['rekəmpens] er-
statning *m/f;* belønning
m/f; belønne; erstatte.

reconcile ['rekənsail] forsone;
bilegge; ~ **iation** [-sili'eiʃn]
forsoning *m/f.*

reconstruct [ri:kən'strʌkt]
gjenoppbygge; bygge om.

record ['rekɔ:d] rekord *m;*
opptegnelse, dokument *n;*
grammofonplate *m/f;* proto-
koll *m;* [ri'-] skrive ned; pro-
tokollere; ta opp (på plate *el*
bånd).

recover [ri'kʌvə] få tilbake;
gjenvinne; komme seg; ~ **y,**
gjenervervelse *m;* bedring
m/f.

recreate ['rekrieit] kvikke opp;
atsprede; ~ **ion,** atspredelse
m; rekreasjon *m;* friminutt
n.

recruit [ri'kru:t] rekrutt(ere)
m; verve.

rectify ['rektifai] berikkige.

rector ['rektə] sogneprest *m;*
rektor *m* (ved visse skoler);
~ **y,** prestegård *m.*

recuperate [ri'kju:pəreit] kom-
me til krefter; gjenvinne hel-
sen.

recur [ri'kə:] komme igjen;
skje igjen; ~ **rence,** tilbake-
vending *m/f;* gjentagelse *m;*
~ **rent,** tilbakevendende.

red rød (farge); radikal; kom-

munist; ~ **currant,** rips *m;*
~ **den,** bli rød; rødme;
~ **dish,** rødlig; ~ **tape,** by-
råkrati *n;* papirmølle *m, f.*

redeem [ri'di:m] kjøpe tilbake;
innløse; innfri; løskjøpe;
~ **able,** som kan kjøpes til-
bake, innløses.

redemption [ri'dempʃn] innløs-
ning *m;* gjenkjøp *n.*

redirect [ri:di'rekt] omadres-
sere, -dirigere.

redress [ri'dres] oppreisning
m; hjelp *m/f;* gi oppreis-
ning.

reduce [ri'dju:s] redusere;
sette ned; innskrenke;
~ **tion** [ri'dʌkʃn] nedsettelse
m; reduksjon *m;* innskrenk-
ning *m/f.*

redundant [ri'dʌndənt] (altfor)
rikelig; overflødig.

reed [ri:d] *bot* rør *n;* siv *n.*

reef [ri:f] (klippe)rev *n;* reve
(seil).

reel [ri:l] spole *m;* garnvinde
m/f; (trådsnelle); (film)rull
m; spole; hespe; sjangle;
tumle; vakle.

reelect [ri:i'lekt] gjenvelge;
~ **enter,** komme inn igjen;
~ **establish,** gjenopprette.

refer [ri'fə:] **to** (hen)vise til;
henholde seg til; angå; ~ **ee,**
oppmann *m;* (fotball-, bok-
se)dommer *m;*

reference ['refrəns] henvisning
m; referanse *m;* oversen-

delse *m;* forbindelse *m;* **with ~ to,** angående; **~ book,** oppslagsbok *m/f.*

refill [ri:'fil] påfyll *n;* [ri'fil] fylle på igjen.

refine [ri'fain] rense; forfine; raffinere; **~ment,** forfinelse *m;* foredling *m/f;* raffinering *m/f;* raffinement *n.*

refit [ri:'fit] reparere; [ri'fit] reparasjon *m.*

reflect [ri'flekt] kaste tilbake; gi gjenskinn; reflektere; **~ on,** tenke på *(el* over); kaste skygge på; **~ ion,** refleks(jon) *m;* gjenskinn *n;* overveielse *m;* kritisk bemerkning *m/f;* **~ ive,** tenksom.

reform [ri'fɔ:m] forbedring *m/f;* reform(ere) *m;* forbedre; [ri:'fɔ:m] danne på nytt; **~ ation** [refə'meifn] reformering *m/f;* forbedring *m/f;* **~ er,** reformator *m.*

refrain [ri'frein] avholde seg **(from** fra); refreng *n.*

refresh [ri'freʃ] forfriske; **~ ment,** forfriskning *m.*

refrigerate [ri'fridʒəreit] (av)kjøle; **~ tor,** kjøleapparat *n,* -skap *n.*

refuel [ri'fjuəl] fylle benzin.

refuge ['refju:dʒ] tilflukt *m* (ssted *n);* **~ e** ['refju'dʒi:] flyktning *m.*

refund [ri:'fʌnd] tilbakebetale.

refusal [ri'fju:zl] avslag *n;* vegring *m/f;* forkjøpsrett *m;*

~ e, [-z] avslå; avvise; nekte; unnslå seg; vegre seg; ['refju:s] avfall *n.*

refutation [refju'teifn] gjendrivelse *m;* **~ e,** gjendrive.

regain [ri'gein] gjenvinne.

regard [ri'ga:d] aktelse *m;* blikk *n;* hensyntagen *m;* **with** *(el* **in) ~ to,** med hensyn til; **with kind -s,** de beste hilsener; se på; legge merke til; betrakte; akte, ense; angå; **as ~ s,** hva ~ angår; **~ ing,** angående; **~ less of,** uten (å ta) hensyn til.

regenerate [ri'dʒenəreit] gjenføde(s); fornye(s).

regimen ['redʒimen] diett *m.*

region ['ri:dʒən] egn *m;* strøk *n.*

register ['redʒistə] protokoll *m;* liste *m/f;* register *n;* fortegnelse *m;* spjeld *n;* bokføre; protokollere; tinglese; skrive inn (reisegods); rekommandere (brev); **~ of-fice,** folkeregister *n;* **~ ed,** innskrevet; rekommandert.

regret [ri'gret] beklage(lse *m);* angre; anger *m;* savn(e) *n;* **~ table,** beklagelig.

regular ['regjulə] regelmessig; fast; regulær; ordentlig; **~ ity** [-'lær-] regelmessighet *m.*

regulate ['regjuleit] regulere; ordne; styre; **~ ion,** regulering *m/f;* ordning *m/f;* regel *m;* ~ **ions**, reglement *n*, forskrifter *m;* vedtekter *m*.

rehearsal [ri'hə:sl] teaterprøve *m/f;* ~ **e**, fremsi; *teat* prøve; innstudere.

reign [rein] regjering(stid) *m/f (m/f)*; regjere.

reimburse ['ri:im'bə:s] tilbakebetale; dekke (utlegg); ~ **ment**, tilbakebetaling *m, f*.

rein [rein] tøyle *(m);* tømme *m;* ~ **deer**, *rein m, f*, reinsdyr *n.*

reinforce ['ri:in'fɔ:s] forsterke; ~ **ment**, forsterkning *m/f.*

reiterate [ri:'itəreit] ta opp igjen (og opp igjen).

reject [ri'dʒekt] forkaste; vrake; avslå; avvise; ~ **ion**, forkastelse *m;* vraking *m/f;* avslag *n.*

rejoice [ri'dʒɔis] glede (seg); fryde (seg) **(at, in** over); ~ **ing**, fryd *m;* glede *m.*

rejuvenate [ri'dʒu:vineit] forynge(s).

relapse [ri'læps] tilbakefall *n;* falle tilbake; få tilbakefall.

relate [ri'leit] berette; ~ **to**, angå; stå i forbindelse med; ~ **d**, beslektet **(to** med).

relation [ri'leiʃn] fortelling *m/f;* slektning *m;* forbindelse *m*, forhold *n;* ~ **ship**, slektskap *n;* forhold *n.*

relative ['relativ] slektning *m;*

relativ; forholdsvis; ~ **to**, angående.

relax [ri'læks] slappe (av); koble av; løsne; ~ **ation**, (av)slapping *m/f;* avkobling *m/f.*

release [ri'li:s] slippe fri; løslate; ettergi (gjeld), frafalle (rett); *film* sende ut (på markedet); utløse; frigivelse *m;* løslatelse *m;* utsendelse *m;* utløser *m.*

relent [ri'lent] formildes; gi etter; ~ **less** ubøyelig.

reliability [rilaiə'biliti] pålitelighet *m;* ~ **ble**, pålitelig; ~ **nce**, tillit *m;* tiltro *m.*

relic ['relik] levning *m;* relikvie *m.*

relief [ri'li:f] lindring *m/f;* lettelse *m;* hjelp *m/f;* sosialhjelp *m/f;* avløsning *m/f;* unnsetning *m/f;* relieff *n.*

relieve [ri'li:v] lette; understøtte; hjelpe; unnsette.

religion [ri'lidʒən] religion *m;* ~ **ous**, religiøs; samvittighetsfull.

relinquish [ri'linkwiʃ] slippe; oppgi; frafalle.

reluctant [ri'lʌktənt] motvillig; uvillig.

rely [ri'lai] **on**, stole på.

remain [ri'mein] (for)bli; være igjen; vedbli å være; ~ **der**, rest *m.*

remark [ri'ma:k] bemerkning *m/f;* bemerke; ~ **able**, bemerkelsesverdig; merkelig.

remedy ['remidi] (hjelpe)middel *n*; legemiddel *n*; avhjelpe, råde bot på.

remember [ri'membə] huske; erindre; ~ **rance**, minne *v*; erindring *m/f*.

remind [ri'maind] minne (**of** om, på); ~ **er**, påminnelse *m*; kravbrev *n*.

remit [ri'mit] sende tilbake; (over)sende; remittere; minske(s); ettergi; ~ **tance**, remisse *m*.

remnant ['remnənt] levning *m*; (tøy)rest *m*.

remorse [ri'mɔ:s] samvittighetsnag *n*; ~ **ful**, angrende.

remote [ri'mout] fjern; avsides.

removal [ri'mu:vəl] fjernelse *m*; flytting *m/f*; avskjedigelse *m*; ~ **e**, fjerne; rydde bort; avskjedige; flytte.

remunerate [ri'mju:nəreit] (be)lønne; godtgjørelse *m*.

render ['rendə] gjengjelde; gi tilbake; gjengi, oversette; yte, gi; gjøre.

renew [ri'nju:] fornye.

renounce [ri'nauns] oppgi; gi avkall på; fornekte; (i kort:) renons *m*.

renovate ['renoveit] restaurere.

renown [ri'naun] berømmelse *m*; ~ **ed**, berømt.

rent, (hus)leie *m/f*; revne *m/f*, sprekk *m/f*; rift *m*; leie; forpakte; ~ **al**, leieavgift

m/f; leieinntekt *m/f*; ~ **free**, avgiftsfri.

renunciation [rinʌnsi'eiʃn] forsakelse *m*; avkall *n*.

reorganization ['ri:ɔ:gənai-'zeiʃn] omdannelse *m*; reorganisasjon *m*; ~ **e**, omdanne; reorganisere.

repair [ri'pɛə] reparasjon *m*; istandsettelse *m*; reparere.

reparation [repə'reiʃn] oppreisning *m/f*; erstatning *m/f*.

repatriate [ri:'pætrieit] sende tilbake til fedrelandet.

repay [ri'pei] betale tilbake; ~ **ment**, tilbakebetaling *m/f*.

repeal [ri'pi:l] oppheve(lse *m*).

repeat [ri'pi:t] gjenta; ~ **edly**, gjentatte ganger; ~ **er**, repeterur *n*, -gevær *n*; gjensitter *m*.

repel [ri'pel] drive tilbake; avvise; frastøte.

repent [ri'pent] angre; ~ **ance**, anger *m*; ~ **ant**, angrende.

repercussion [ripə'kʌʃn] tilbakeslag *n*; ettervirkning *m*.

repetition [repi'tiʃn] gjentagelse *m*; repetisjon *m*.

replace [ri'pleis] sette tilbake; erstatte; ~ **ment**, tilbakesettelse *m*; erstatning *m/f*.

replenish [ri'pleniʃ] supplere, komplettere.

reply [ri'plai] svar(e) *n*.

report [ri'pɔ:t] melding *m/f*; rapport *m*; beretning *m/f*;

rykte n; referat n; smell n, knall n; berette; melde (seg); rapportere; ~ **er**, referent m, reporter m.

repose [ri'pouz] hvile (m).

represent [repri'zent] fremstille; forestille; representere; oppføre; ~ **ation** [-'tei-] fremstilling m/f; oppførelse m; forestilling m/f; representasjon m; ~ **ative** [zen-] som forestiller; representant m; representativ.

repress [ri'pres] undertrykke; ~ **ion**, undertrykkelse m.

reprieve [ri'pri:v] frist m; utsettel(se) m; benådning m.

reprimand ['reprima:nd] (gi) reprimande (c).

reprint [ri:'print] trykke opp igjen; opptrykk n, ny utgave m/f.

reproach [ri'prout∫] bebreide; bebreidelse m; ~ **ful,** bebreidende.

reproduce [ri:prə'dju:s] fremstille igjen; frembringe på ny; reprodusere; ~ **tion** [-'dʌk-] ny frembringelse m; forplantning m/f; reproduksjon m.

reproof [ri'pru:f] bebreidelse m; ~ **ve** [-v] bebreide.

reptile [reptail] krypdyr n.

republic [ri'pʌblik] republikk m; ~ **an,** republikansk; republikaner m.

repudiate [ri'pju:dieit] forkaste; avvise; fornekte.

repugnance [ri'pʌgnəns] motvilje m; avsky m; ~ **t,** frastøtende; motvillig.

repulse [ri'pʌls] drive tilbake; avvise; tilbakevisning m/f; ~ **ive,** frastøtende; motbydelig.

reputable ['repjutəbl] aktet, vel ansett; hederlig; ~ **ation** [-'tei-] rykte m; anseelse m; ~ **e** [ri'pju:t] anseelse; rykte; holde, anse for.

request [ri'kwest] anmodning m; ønske n; etterspørsel m; anmode om, be om; **by ~,** etter anmodning.

require [ri'kwaiə] forlange; kreve; trenge; behøve; ~ **ment,** fordring m/f, krav n; behov n.

requisite ['rekwizit] nødvendig, påkrevd; nødvendighet(sartikkel) m; fornødenhet m; ~ **ion** [-'zi∫n] bestille; rekvirere; rekvisisjon m; krav n.

rescue befri(else m); redning m/f; redde.

research [ri'sə:t∫] forskning m/f.

resemblance [ri'zembləns] likhet m; ~ **e,** ligne.

resent [ri'zent] ta ille opp; føle seg fornærmet over; ~ **ful,** fortørnet; ~ **ment,** fortørnelse m; harme m.

reserve [ri'zə:v] reserve m; forbehold n; reservere; forbeholde; ~ **d,** forbeholden.

reside [ri'zaid] bo; være bosatt; ~ **nce** ['rezidəns] opphold *n*; bosted *n*; residens *m*; ~ **nce permit**, oppholdstillatelse *m*; ~ **nt**, bosatt; fastboende.

residue ['rezidju:] levning *m*; rest *m*.

resign [ri'zain] oppgi; frasi seg; ta avskjed; ~ **ation** [rezig'neiʃn] fratredelse *m*; avskjedsansøkning *m*; resignasjon *m*; ~ **ed**, resignert.

resin ['rezin] harpiks *m*, kvae *m*.

resist [ri'zist] motstå; ~ **ance**, motstand *m*.

resolute ['rezəlu:t] besluttsom; ~ **eness**, besluttsomhet *m*; ~ **ion** [-'lu:ʃn] beslutning *m/f*; besluttsomhet *m*; oppløsning *m/f*.

resolve [ri'zɔlv] (opp)løse; beslutte; beslutning *m/f*.

resort [ri'zɔ:t] tilholdssted *n*; instans *m*; utvei *m*; **health** ~, kursted *n*.

resound [ri'zaund] gjenlyde.

resource [ri'sɔ:s] hjelpekilde *m*; ~ **s**, resurser; pengemidler; krefter; ~ **ful**, oppfinnsom; rådsnar.

respect [ri'spekt] aktelse *m*, respekt *m*; hensyn *n*; henseende *m* el *n*; akte, respektere; ta hensyn til; angå; **in this** ~, i denne henseende; ~ **able**, aktverdig; skikkelig;

~ **ful**, ærbødig; ~ **ing**, angående; ~ **ive**, hver sin, respektive; ~ **ively**, henholdsvis.

respiration [respə'reiʃn] åndedrett *n*.

respite ['respit] frist *m*.

respond [ri'spɔnd] svare; ~ **to**, svare på; reagere på; ~ **se**, svar *n*; reaksjon *m*.

responsibility [rispɔnsə'biliti] ansvar(lighet) *n* (*m*); ~ **ble**, ansvarlig; ~ **ve**, mottagelig (**to** for).

rest, hvile *m*; støtte *m*; pause *m*; rest *m*; **the** ~, de øvrige, de andre; hvile (ut); støtte (seg); ~ (**up**)**on**, bygge på; bero på; ~ **ful**, rolig; ~ **ive**, stri, sta; rastløs.

restaurant ['restərɔn, -ra:ŋ, -rɔnt] restaurant *m*.

restless ['restlis] rastløs; urolig; ~ **ness**, uro *m*.

restoration [restə'reiʃn] istandsetting *m/f*, restaurering *m/f*; ~ **e** [ri'stɔ:] restaurere; gi tilbake; gjenopprette; helbrede.

restrain [ri'strein] holde tilbake, beherske; ~ **t**, tvang *m*; (selv)beherskelse *m*.

restrict [ri'strikt] begrense; innskrenke; ~ **ion**, innskrenkning *m/f*; begrensning *m/f*; hemning *m/f*.

result [ri'zʌlt] resultat *n*; resultere.

resume [ri'zju:m] ta tilbake; gjenoppta; sammenfatte.

resurrection [rezə'rekʃn] gjenopplivelse *m;* oppstandelse *m.*

retail ['ri:teil] detalj(handel) *m;* [ri'teil] selge i detalj; ~ **er,** detaljist *m.*

retain [ri'tein] holde fast; beholde.

retaliate [ri'tælieit] gjengjelde.

retard [ri'ta:d] forsinke.

reticent ['retisənt] forbeholden.

retire [ri'taiə] trekke (seg) tilbake; gå av; ~ **ment,** avgang *m;* fratredelse *m;* tilbaketrukkenhet *m.*

retort [ri'to:t] skarpt svar *m;* svare (skarpt).

retract [ri'trækt] trekke tilbake; ~ **able,** som kan trekkes inn (*el* tilbake).

retreat [ri'tri:t] retrett *m;* tilbaketog *n;* trekke seg tilbake.

retrench [ri'trenʃ] innskrenke, skjære ned.

retrieve [ri'tri:v] gjenvinne; få igjen; gjenopprette.

retroactive [retrou'æktiv] tilbakevirkende; ~ **spect** ['retro-], ~ **spective view** [-'spek-] tilbakeblikk *m.*

return [ri'tə:n] tilbaketur *m;* hjemkomst *m;* tilbakelevering *m/f;* tilbakebetaling *m/f;* avkastning *m/f;* rapport *m;* komme (*el* reise, gi,

betale) tilbake; besvare; **by** ~ **(of post** *el* **mail),** omgående; ~ **ticket,** returbillett *m;* **many happy** ~ **s (of the day),** til lykke med fødselsdagen.

reunion [ri:'ju:njən] gjenforening *m/f;* møte *n,* sammenkomst *m.*

Rev. = Reverend.

reveal [ri'vi:l] røpe, avsløre, åpenbare.

revel ['revl] fest *m,* kalas *n;* feste, ture.

revenge [ri'vendʒ] hevn *m;* hevne; ~ **ful,** hevngjerrig.

revenue ['revinju:] (stats)inntekter.

revere [ri'viə] hedre; ære; ~ **nce** ['revərəns] ærefrykt *m;* ærbødighet *m;* ha ærbødighet for; ~ **nd,** ærverdig; **the Rev. Amos Barton,** pastor Amos Barton.

reverie ['revəri] dagdrøm(mer) *m.*

reverse [ri'və:s] motsetning *m/f;* motsatt side *m/f;* omslag *n;* uhell *n;* motgang *m;* bakside *m/f;* revers *m;* omvendt; vende om; ~ **sible,** som kan vendes, omstilles; ~ **t,** vende tilbake **(to** til).

review [ri'vju:] tilbakeblikk *n;* anmeldelse *m;* tidsskrift *n; mil* revy; ta et tilbakeblikk over; se igjennom; anmelde; ~ **er,** anmelder *m.*

revise [ri'vaiz] lese igjennom; revidere; ~ **ion** [ri'viʒn] gjennomsyn n; revisjon m; rettelse m.

revival [ri'vaivl] gjenoppvekkelse m; fornyelse m; ~ **e**, livne til igjen; gjenopplive.

revoke [ri'vouk] tilbakekalle.

revolt [ri'voult] (gjøre) opprør n; opprøre.

revolution [revə'lu:ʃn] omveltning m/f; revolusjon m; omdreining m/f; ~ **ary**, revolusjonær; ~ **ize** [-aiz] revolusjonere.

revolve [ri'vɔlv] rotere; dreie (seg); overveie.

reward [ri'wɔ:d] belønning m/f; belønne; gjengjelde.

rheumatic [ru:'mætik] revmatisk; ~ **ism** ['ru:-] revmatisme m.

rhinoceros [rai'nɔsərəs] neshorn n.

rhubarb ['ru:ba:b] rabarbra m.

rhyme [raim] rim(e) n.

rhythm ['riðm] rytme m; takt m; ~ **ic(al)**, rytmisk.

rib, ribben n; ribbe m/f; spile m.

ribbon ['ribən] bånd n; fargebånd n; remse m/f; sløyfe f.

rice [rais] ris m.

rich [ritʃ] rik (**in** på); fruktbar; kraftig (om mat); ~ **es**, rikdom m.

rickety ['rikiti] skrøpelig.

rid, befri; frigjøre; fri; **get** ~ **of**, bli kvitt.

riddle ['ridl] gåte f; grovt sold n; gjette, løse; sikte.

ride [raid] ritt n; kjøretur m; ride; kjøre; ~ **r**, rytter m.

ridge [ridʒ] rygg m; åsrygg m.

ridicule ['ridikju:l] spott(e) m; latterliggjøre(lse m); ~ **ous** [ri'dikjuləs] latterlig.

riff-raff ['rifræf] pøbel m.

rifle ['raifl] rifle m/f, gevær n; rane, røve.

rift, revne m/f, rift m/f; revne(t).

rig, rigg(e) m; ~ **ging**, takkelasje m; rigg m.

right [rait] rett; riktig; høyre; rett(ighet) m; he ~, ha rett; ~ **eous** [-ʃəs] rettferdig.

rigid ['ridʒid] stiv; streng.

rigorous ['rigərəs] streng.

rim, kant m; felg m.

rind [raind] bark m; skorpe m/f; svor m.

ring, ring m; sirkel m; arena m; manesje m; krets m, klikk m; ringing m/f; ringe; lyde; klinge; ~ **leader**, anfører m; hovedmann m.

rink [riŋk] kunstig skøytebane m.

rinse [rins] skylle; skylling m/f.

riot ['raiət] bråk n; spetakkel n; tumult m; ~ **s**, opptøyer; lage bråk; bråke; ~ **ous**, opprørsk; vill, uhersket.

rip, rive; rakne; ~ **up**, rippe opp i; rive opp.

ripe [raip] moden; **~n**, modne(s).

ripple ['ripl] kruse; skvulpe; krusning *m/f.*

rise [raiz] reise seg; stige; stå opp; gå opp; heve seg; komme fram, avansere; det å tilta; stigning *m/f;* vekst *m;* oppgang *m.*

rising ['raiziŋ] reisning *m/f.*

risk, risiko *m;* risikere; **~y**, risikabel, vågelig.

rival ['raivəl] rival(inne) *m;* konkurrent *m;* rivalisere; **~ry**, rivalisering *m/f.*

river ['rivə] elv *m/f;* flod *m.*

rivet ['rivit] nagle *m;* klinke.

road [roud] (lande)vei *m;* gate *m/f;* **~s**, red *m;* **~way**, kjørebane *m.*

roam [roum] streife, vandre om.

roar [rɔ:] brøl(e) *(n),* brus(e) *n.*

roast [roust] steike; brenne (kaffe); steik *m.*

rob [rɔb] (be)røve; **~ber**, røver *m;* **~bery**, røveri *n.*

robe [roub] fotsid kappe *m/f;* embetsdrakt *m.*

robin ['rɔbin] rødstrupe *m.*

rock [rɔk] klippe *m;* isbit *m;* gynge, vugge.

rocket ['rɔkit] rakett *m.*

rocking chair, gyngestol *m.*

rocky ['rɔki] berglendt; ustø.

rod [rɔd] kjepp *m;* stav *m.*

roe [rou] (fiske)rogn *m;* rådyr *n.*

rogue [roug] kjeltring *m;* skøyer *m.*

role, rôle [roul] rolle *m.*

roll [roul] rulling *m/f;* rull *m;* valse *m;* rundstykke *n;* rulle, liste *m/f;* rulle; trille; valse; kjevle; slingre; **~ up**, rulle (seg) sammen; **~ call**, navneopprop *n;* **~ er**, valse *m;* **~er skate**, rulleskøyte.

Roman ['roumən] romersk; romer(inne) *m (f).*

romantic [ro'mæntik] romantisk.

roof [ru:f] tak *n;* legge tak på; **~ of the mouth**, den harde gane *m.*

rook [ruk] tårn (i sjakk) *n;* svindler *m.*

room [ru:m] rom *n;* værelse *n;* plass *m; amr* bo; **~s**, bolig.

roost [ru:st] vagle *m;* hønsehus *n;* sitte på vagle; sove; **~er**, *amr* hane *m.*

root [ru:t] rot *m;* knoll *m;* slå rot; rote i (jorda); **~ out**, utrydde.

rope [roup] tau *n;* rep *n;* binde med et tau.

rose [rouz] rose *m/f;* **~y**, rosenrød; rosa.

rot [rɔt] råtne *m;* forråtnelse *m;* tøv *n;* tøve.

rotate [rou'teit], *amr* ['rou-] rotere; veksle.

rotten ['rɔtn] råtten; bedervet; elendig.

rough [rʌf] ujevn; ru; knudret; grov; rå; lurvet; barsk; tarvelig; primitiv; bølle *m/f;* utkast *n;* ~ **it,** tåle strabaser; ~**en,** gjøre *(el* bli) ujevn, ru; ~-**neck,** bølle *m, f;* oljeriggarbeider *m;* ~**ness,** råhet *m;* grovhet *m.*

round [raund] rund; hel; likefrem; tydelig; rundt (om); omkring; gjøre rund; (av)runde; dreie rundt; omgi; ring *m;* runding *m/f;* runde *m;* omgang *m;* sprosse *m/f;* ~ **trip,** rundreise *m/f; amr* reise *(m/f)* tur–retur.

roundabout [raundəbaut] rundkjøring *m;* omsvøp *n.*

rouse [rauz] vekke.

rout [raut] vill flukt *m;* jage på flukt; beseire.

route [ru:t] (reise)rute *m/f.*

routine [ru:ti:n] rutine *m.*

rove [rouv] streife omkring; vandre; ~**r,** vandrer *m.*

row [rou] rad *m;* rekke *m/f;* ro.

row [rau] spetakkel *n;* bråk *n.*

rower [rouə] roer *m;* ~ **ing boat,** robåt *m.*

royal [rɔiəl] kongelig; ~**ty,** kongelighet *m;* kongeverdighet *m;* kongelige personer; avgift *m/f;* honorar *n.*

rub [rʌb] gni; stryke; skrubbe; gniing *m/f.*

rubber [rʌbə] gummi *m;* viskelær *n;* (i kort) robber *m;* ~**s,** kalosjer.

rubbish [rʌbiʃ] avfall *n;* skrot *n;* sludder *n.*

ruby [ru:bi] rubin *m.*

rucksack [rʌksæk] ryggsekk *m;* rypesekk *m.*

rudder [rʌdə] ror *n;* styre *n.*

ruddy [rʌdi] rødmusset; frisk.

rude [ru:d] grov; rå; udannet; uhøflig (**to** mot); ~**ness,** grovhet *m;* uhøflighet *m.*

ruffian [rʌfjən] råtamp *m.*

ruffle [rʌfl] rysj *m;* kruset strimmel *m;* kruse.

rug [rʌg] lite teppe *n;* sengeforlegger *m;* reisepledd *n.*

ruin [ru:in] ruin(er) *m;* ødelegge(lse *m);* ~**ous,** ødeleggende; ruinerende.

rule [ru:l] regel *m;* forskrift *m/f;* styre *n;* regjering *m/f;* linjal *m;* lede; herske; regjere; linjere; **as a** ~, som regel; ~**r,** hersker *m;* linjal *m.*

rum [rʌm] rom *m;* pussig.

rumble [rʌmbl] rumle; ramle; rumling *m/f.*

ruminate [ru:mineit] tygge drøv; gruble over.

rumour [ru:mə] rykte *n.*

rummage [rʌmidʒ] gjennomrote; ransake; ransaking *m/f.*

rump [rʌmp] bakdel *m;* lårsteik *m;* rumpe *m/f.*

run [rʌn] løpe; springe; renne; flyte; strømme; *teat* oppføres, spilles; være i

gang; la løpe; ferdes; trafik-
kere; kjøre; lyde (tekst, me-
lodi); drive (fabrikk, ma-
skin, forretning); løp *n*;
renn *n*; gang *m*; ferd *m*; ~
down, forfølge; jakte på; ut-
matte; kjøre ned (f.eks. med
bil); ~ **into**, støte på; be-
løpe seg til; ~ **into debt**,
stifte gjeld; ~ **out (of)**, ~
short (of), slippe opp (for);
~ **up to**, beløpe seg til;
runabout, liten, åpen bil (*el.*
motorbåt) *m*; ~**way**, flykt-
ning *m*; *bot* utløper *m*;
~**ning-board**, stigbrett *n*,
stigtrinn *n*; ~**way**, rullebane
m.

rupture ['rʌptʃə] brudd *n*.
rural ['ru:rəl] landlig; land-.
rush [rʌʃ] fare av sted; styrte,
storme; suse; jage på, sette
fart i; fremskynde; jag *n*;
fremstyrting *m/f*; tilstrøm-
ning *m/f*; sus *n*; *bot* siv *n*.
Russia ['rʌʃə] Russland; ~**n**,
russisk, russer *m*.
rust [rʌst] rust(e) *m*.
rustic ['rʌstik] landlig;
bondsk; enkel.
rustle ['rʌsl] rasle; rasling *m/f*.
rusty ['rʌsti] rusten.
rut [rʌt] hjulspor *n*; brunst *m*.
ruthless ['ru:θləs] ubarmhjer-
tig; hard.
rye [rai] rug *m*.

S

**S. = Saint; South; s. =
second(s); shilling(s); stea-
mer.**
S.A. = South Africa *el* **Ame-
rica; Salvation Army.**
sable ['seibl] sobel *m*; sort.
sabre ['seibə] sabel *m*.
sack [sæk] sekk *m*; pose *m*;
løs kjole *el* jakke *m*; plynd-
ring *m/f*; plyndre; (gi) av-
skjed *m*.
sacred ['seikrid] hellig.
sacrifice ['sækrifais] offer *n*;
ofring   *m/f*;   (opp)ofre;
~**lege** [-lidʒ] vanhelligelse

sad [sæd] bedrøvet; trist; be-
drøvelig;   ~**den**,   bedrøve;
bli bedrøvet.
saddle ['sædl] (ride)sal *m*; sale.
sadness ['sædnis] tristhet *m/f*.
safe [seif] trygg; sikker; u-
skadd, i god behold; pålite-
lig; pengeskap *n*; ~**guard**,
beskytte(lse *m*), vern(e) *n*;
~**ty**, sikkerhet *m/f*; ~**ty
pin**, sikkerhetsnål *m/f*; ~**ty
razor**, barberhøvel *m*.
sag [sæg] sig(e) *n*; synke.
sagacious [sə'geiʃəs] klok;
skarpsindig; ~**ity** [sə'gæsiti]
skarpsindighet *m/f*; klok-
skap *m*.

sage [seidʒ] klok, vis(mann m).

sail [seil] seil(as) n (m); seilskute f; seile; ~ or, sjømann m; matros m.

saint [seint] helgen m.

sake [seik] for ~, for the ~ of, for ~ skyld; for my ~, for min skyld.

salacious [sɔ'leiʃɔs] slibrig; vellystig.

salad [sæləd] salat m.

salaried [sælərid] lønnet; ~ y, gasje m.

sale [seil] salg n; avsetning m; **(public)** ~, auksjon m; ~ able, salgbar; ~ sman, salgsrepresentant m; butikkekspeditør m; ~ swoman, ekspeditrise m/f.

salient [seiljənt] fremspringende; tydelig.

saliva [sɔ'laivə] spytt n.

sallow [sælou] selje m/f; gusten (hud).

sally [sæli] utfall n; vittighet m/f.

salmon [sæmən] laks m.

saloon [sɔ'lu:n] salong m; amr bar m; kneipe m/f.

salt [sɔ:lt] salt(e) n; ~ cellar, saltkar n; ~ petre, salpeter m; ~ works, saltverk n; ~ y, salt(aktig).

salubrious [sɔ'lu:briəs] sunn.

salutation [sælju'teiʃn] hilsen m.

salute [sɔ'lu:t] hilse; saluttere;

hilsen m; honnør m, salutt m.

salvage [sælvidʒ] berging m/f; redning m; berget skip n (el ladning); berge, redde.

salvation [sæl'veiʃn] relg frelse; **the Salvation Army,** Frelsesarméen.

same [seim] the ~, den, det, de samme; at the ~, likevel.

sample [sa:mpl] (vare)prøve m; smaksprøve; (ta) prøve (av).

sanctify [sæŋktifai] helliggjøre; innvie; ~ imonious, skinnhellig; ~ ion, stadfestelse m; godkjennelse m; sanksjon m; godkjenne; bifalle; ~ uary, helligdom m; fristed n, asyl m.

sand [sænd] sand m; ~ s, sandstrand m/f; sandstrekning(er); ~ blast, sandblåse; ~ glass, timeglass n; ~ wich, smørbrød n; ~ wichman, plakatbærer m; ~ y, sandet; (rød)blond.

sane [sein] forstandig; normal.

sanitary [sænitəri] sanitær; hygienisk.

sanitation [sæni'teiʃn] sunnhetsvesen n; sunnhetspleie m; hygiene m; åndelig sunnhet m; sunn fornuft m.

sap [sæp] saft m/f; sevje m; tappe saften (el kraften) av; underminere; pugge.

sapphire ['sæfaiə] safir *m.*

sarcas|m ['sɑ:kæzm] spydighet *m;* sarkasme *m;* ~ **tic** [sɑ:-'kæstik] spydig; sarkastisk.

sardine [sɑ:'di:n, 'sɑ:di:n] sardin *m.*

satchel ['sætʃəl] (skole)veske *m/f;* ransel *m.*

satellite ['sætəlait] drabant *m;* lydig følgesvenn *m;* satellitt *m.*

sati|ate ['seiʃieit] (over)mette; ~ **ation**, (over)metthet *m/f;* ~ **ety** [sə'taiəti] (over)metthet *m.*

satis|faction [sætis'fækʃn] tilfredshet *m/f;* tilfredsstillelse *m;* oppreisning *m;* ~ **factory,** tilfredsstillende; ~ **fied,** tilfreds; ~ **fy,** tilfredsstille; forvisse; overbevise.

saturate ['sætʃəreit] *kjem* mette; gjennombløte.

Saturday ['sætədi] lørdag *m.*

sauce [sɔ:s] saus *m;* sause; krydre *(fig.)*; ~ **pan,** kasserolle *m;* ~ **r,** skål *m/f* (til kopp).

saucy ['sɔ:si] nesevis; smart.

sausage ['sɔsidʒ] pølse *m/f.*

savage ['sævidʒ] vill; grusom; villmann *m;* barbar *m;* ~ **ry,** villskap *m.*

save [seiv] redde; bevare **(from** fra); trygge; spare **(opp);** unntagen.

saving ['seiviŋ] sparsommelig;

besparelse *m;* ~ **s,** sparepenger.

saviour ['seivjə] frelser *m.*

savour ['seivə] smak *m;* aroma *m;* smake, dufte **(of** av); ~ **y,** velsmakende; velluktende; delikat; pikant.

saw [sɔ:] sag(e) *m/f;* ~ **dust,** sagmugg *m;* ~ **-mill,** sagbruk *n.*

Saxon ['sæksn] (angel)sakser *m;* (angel)saksisk.

say [sei] si; **have one's ~,** si sin mening; **that is to ~,** det vil si; **I ~ !,** det må jeg si!; si meg; hør her!; ~ **ing,** ordtak *n;* ytring *m.*

scab [skæb] skorpe *m/f;* skabb *m;* streikebryter *m.*

scaffold ['skæfəld] stillas *n;* skafott *n;* ~ **ing,** stillas *n.*

scald [skɔ:ld] skålde.

scale [skeil] vekt(skål) *m/f;* skjell *n;* (tone)skala *m;* målestokk *m;* måle; veie; skalle av; bestige.

scalp [skælp] skalp(ere) *m/f.*

scan [skæn] granske; skandere.

scandal ['skændl] skandale *m;* sladder *m;* ~ **ize** [-aiz] forarge; ~ **ous,** skandaløs.

Scandinavia [skændi'neivjə] Skandinavia; ~ **n,** skandinavisk; skandinav *m.*

scant|iness ['skæntinis] knapphet *m/f;* ~ **y,** knapp, snau.

scapegoat ['skeipgout] syndebukk *m.*

scar [ska:] arr *n;* skramme *m;* flerre; sette arr.

scarce [skɛəs] knapp; sjelden; ~ **ely**, neppe; knapt; ~ **ity**, mangel **m** (**of** på).

scare [skɛə] skremme; skrekk *m;* ~ **crow**, fugleskremsel *m.*

scarf [ska:f] skjerf *n;* sjal *n;* slips *n;* lask *m.*

scarlet [ˈska:lit] skarlagen-(rød); ~ **fever**, skarlagensfeber *m.*

scatter [ˈskætə] spre (utover); strø; spre seg.

scene [si:n] scene *m;* skueplass *m;* opptrinn *n;* hendelse *m;* ~ **s**, scenedekorasjoner, kulisser; ~ **ry**, sceneri *n;* kulisser; natur(omgivelser).

scent [sent] (vel)lukt *m/f;* duft *m;* ha ferten av, være, lukte.

sceptic [ˈskeptik] skeptiker *m;* ~ **al**, skeptisk; tvilende.

schedule [ˈʃedju:l, *amr* ˈskedʒl] fortegnelse *m;* (tog)tabell *m;* (time)plan *m;* fastsette tidspunkt for.

scheme [ski:m] plan *m;* prosjekt *n;* utkast *n;* skjema *n;* planlegge.

scholar [ˈskɔlə] lærd *m;* (humanistisk) vitenskapsmann *m;* stipendiat *m;* ~ **ly**, lærd; vitenskapelig; ~ **ship**, lærdom *n;* vitenskap *m;* stipendium *n.*

school [sku:l] skole *m;* (fis-

ke)stim *m;* lære; utdanne; skolere; at ~, på skolen; ~ **ing**, undervisning *m/f;* skolering *m/f.*

science [ˈsaiəns] (natur)vitenskap *m;* ~ **tific** [saiənˈtifik] (natur)vitenskapelig; ~ **tist**, (natur)vitenskapsmann *m.*

scissors [ˈsizəz]: (**a pair of**) ~, saks *f.*

scold [skould] skjenne på; skjelle; at ~, på skolen; ~ **ing**, skjenn(epreken) *n* (*m*).

scope [skoup] spillerom *n; fig* område *n.*

scorch [skɔ:tʃ] svi; brenne; fare av sted.

score [skɔ:] skår *n;* hakk *n;* innsnitt *n;* regnskap *n;* poengsum *m;* partitur *n;* snes *n;* merke; notere; nedtegne; føre regnskap; vinne; score.

scorn [skɔ:n] forakt(e) *m;* ~ **ful**, foraktelig.

Scot [skɔt] skotte *m.*

Scotch [skɔtʃ] skotsk; skotsk whisky; skotsk (dialekt); **the** ~, skottene; ~ **man**, skotte *m.* **Scotland** [ˈskɔtlənd] Skottland.

scoundrel [ˈskaundrəl] kjeltring *m;* skurk *m;* usling *m.*

scour [ˈskauə] skure; skuring *m/f.*

scourge [skə:dʒ] svepe *m;* svøpe *m;* piske; plage.

scout [skaut] speider *m;* speide; **boy** ~, speidergutt *m.*

scrabble ['skræbl] rable.

scramble ['skræmbl] krabbe; klatre; krafse, streve (**for** etter); **~d eggs**, eggerøre *m/f.*

scrap [skræp] lite stykke *n*; levning *m*; lapp *m*; utklipp *n*; avfall *n*; kassere; **~-iron**, skrapjern *n.*

scrape [skreip] skrape; skure; **~r**, skraper *m.*

scratch [skrætʃ] risp *n*; kloring *m/f*; klore; rispe; skrape.

scrawl [skrɔ:l] rable (ned); rabbel *n.*

scream [skri:m] skrik(e) *n.*

screen [skri:n] skjerm(e) *m*; skjermbrett *n*; filmlerret *n*; film-; verne; sortere; filme.

screw [skru:] skrue *m*; propell *m*; gnier *m*; skru; vri; presse; **~-driver**, skrujern *n.*

scribble ['skribl] rabbel *n*; rable, smøre sammen.

script [skript] (hånd)skrift *m/f*; skriveskrift *m/f*; film .dreiebok *m/f*; **the (Holy) ~ure(s)**, Bibelen, Den hellige skrift.

scrub [skrʌb] kratt(skog) *n (m)*; skrubbe; skure.

scruple ['skru:pl] skruppel *m.*

scrupulous ['skru:pjuləs] meget samvittighetsfull; skrupuløs.

scrutinize ['skru:tinaiz] granske; **~y**, gransking *m/f.*

scullery ['skʌləri] oppvaskrom

sculptor ['skʌlptə] billedhugger *m*; **~ure** [-ʃə] skulptur *m.*

scum [skʌm] (av)skum *n.*

scurf [skə:f] flass *n*; skurv *m*; skjell.

scuttle ['skʌtl] kullboks *m*, fare av sted.

scythe [saið] (slå med) ljå *m.*

sea [si:] hav *n*; sjø *m*; **~s, at sea**, til sjøs, på sjøen; **~-board**, kyst(linje) *m*; **~-faring**, sjøfarende, sjø-; **~gull** [gʌl] måke *m, f*; **~-level** hav(over)flate *m.*

seal [si:l] segl *n*; signet *n*; sel *m*; forsegle; besegle; plombere.

sealing ['si:liŋ] selfangst *m*; forsegling *m/f*; **~-wax**, lakk *m.*

seam [si:m] søm *m (n)*; lag *n*; *geol* gang *m*, lag *n*; fure *m*, rynke *m*; **~ed**, furet.

seaman ['si:mən] matros *m.*

seamstress ['semstris] sydame *m/f.*

sear [siə] brenne; svi.

search [sə:tʃ] (under)søke; gjennomsøke; lete (**for** etter); visitere; sondere; granske; søking *m/f*; leting *m/f*; gransking *m/f*; **in ~ of**, på leting etter; **~-light**, lyskaster *m*; søkelys *n.*

seasick ['si:sik] sjøsyk.

seaside ['si:'said] kyst *m*; **~ resort**, kystbadested *n.*

season ['si:zn] årstid *m/f*; sesong *m*; rett tid *m/f* (for noe); modne; krydre; ~ **able**, beleilig; ~ **ing**, krydder *n*; ~ **ticket**, sesongbillett *m*.

seat [si:t] sete *n*; benk *m*; sitteplass *m*; bosted *n*; sette; anvise plass.

seaweed ['si:wi:d] *bot* tang *m*.

seaworthy ['si:wə:ði] sjødyktig.

seclude [si'klu:d] stenge ute; avsondre.

second ['sekənd] annen, andre; nummer to; sekundant *m*; hjelper *m*; sekund *n*; støtte, sekundere; ~ **ary**, underordnet; ~ **hand**, annenhånds; brukt; antikvarisk; ~ **rate**, annenrangs.

secrecy ['si:krisi] hemmelighet *m*; hemmeligholdelse *m*; ~ **t**, hemmelig; hemmelighet *m*; ~ **tary** ['sekrətri] sekretær *m*; ~ **of State**, minister *m*; *amr* utenriksminister *m*.

secrete [si'kri:t] skjule, gjemme bort; utsondre.

sect [sekt] sekt *m/f*.

section ['sekʃn] snitt *n*; avdeling *m/f*; avsnitt *n*; seksjon *m*.

secular ['sekjulə] verdslig.

secure [si'kjuə] sikker, trygg; sikre, feste; sikre *(el* skaffe) seg.

security [si'kjuəriti] sikkerhet *m*; trygghet *m*; kausjon *m*; ~ **ies**, verdipapirer.

sedative ['sedətiv] beroligende (middel).

sedition [si'diʃn] oppvigleri *n*.

seduce [si'dju:s] forføre; ~ **r**, forfører *m*.

see [si:] se; innse; forstå; besøke, treffe; omgås; påse, passe på; se etter; følge; **I** ~, jeg skjønner; **wish to** ~ **a person**, ønske å tale med noen; ~ **a thing done**, sørge for at noe blir gjort; ~ **a person off**, følge (til stasjonen); ~ **out**, følge ut; ~ **(to it) that**, sørge for at.

seed [si:d] frø *n*; sæd *m*; ~ **ling**, frøplante *m/f*; ~ **y**, frørik; medtatt; loslitt.

seeing ['si:iŋ] **worth** ~, verd å se; ~ **(that)**, ettersom.

seek [si:k] søke; forsøke.

seem [si:m] synes; se ut; ~ **ing**, tilsynelatende; ~ **ly**, sømmelig; passende.

seethe [si:ð] syde; koke.

segregate ['segrigeit] skille ut; avsondre; isolere; ~ **ion** [-'gei-] utskillelse *m*; (rase)-skille *n*.

seize [si:z] gripe; forstå; konfiskere; ~ **ure**, pågripelse *m*; beslagleggelse *m*.

seldom ['seldəm] sjelden (adv).

select [si'lekt] velge *(el* plukke) ut; utvalgt; utsøkt, fin; ~ **ion**, (ut)valg *m*.

self *pl*, **selves** selv; (eget) jeg; ~ **-centered**, egosentrisk;

~ -**command,** selvbeherskelse *m;* ~ -**confidence,** selvtillit *m;* ~ -**conscious,** forlegen; sjenert; ~ -**control,** selvbeherskelse *m;* ~ -**denial,** selvfornektelse *m;* ~ -**defence,** selvforsvar *n;* ~ -**government,** selvstyre *n;* ~ -**interest,** egennytte *m;* ~ -**ish,** egoistisk; ~ -**less,** uselvisk; ~ -**possessed,** behersket; ~ -**seeking,** egoistisk; ~ -**sufficient,** selvhjulpen; ~ -**willed,** egenrådig.

sell selge(s), ~ **er,** selger *m;* (god) salgsvare *m;* ~ **ing price,** salgspris *m*

seltzer ['seltsə] (**water**), selters *m.*

semblance ['sembləns] utseende *n;* likhet *m; fig* skinn *n.*

semester [si'mestə] *amr* semester *n.*

semi- halv-.

semolina [semə'li:nə] semule(gryn) *n.*

senate ['senit] senat *n.*

send, sende; ~ **for,** sende bud etter.

senile ['si:nail] senil.

senior ['si:njə] eldre; eldst(e); overordnet *m;* senior *m.*

sensation [sen'seiʃn] følelse *m;* fornemmelse *m;* sensasjon *m.*

sense [sens] sans *m;* sansning *m;* følelse *m;* forstand *m;*

betydning *m;* ~ **less,** bevisstløs; sanseløs; meningsløst.

sensibility [sensi'biliti] følsomhet *m;* ~ **ble,** følelig; merkbar; fornuftig; ~ **tive,** sensibel; følsom.

sensual ['senʃuəl] sanselig.

sentence ['sentəns] *jur* dom *m;* setning *m;* dømme (**to** til).

sentiment ['sentimənt] følelse *m;* mening *m/f;* ~ **al,** ['-men-] sentimental.

sentinel ['sentinl] **sentry** ['sentri] skiltvakt *m/f;* post *m.*

separate ['seprit] særskilt; (at)skilt; separere; skilles, gå fra hverandre; ~ **ion,** atskillelse *m.*

September [sep'tembə] september *m.*

sequel ['si:kwəl] fortsettelse *m;* følge *m;* ~ **nce,** rekkefølge *m;* rekke *m/f;* sekvens *m.*

serene [si'ri:n] klar; ren; rolig.

sergeant ['sa:dʒənt] sersjant *m;* overbetjent *m.*

serial ['siəriəl] rekke-; følgetong *m;* (film)serie *m;* ~ **es,** rekke *m/f;* serie *m.*

serious ['siəriəs] alvorlig.

sermon ['sə:mən] preken *m.*

serpent ['sə:pənt] slange *m;* ~ **ine** [-tain] buktet.

servant ['sə:vənt] tjener *m;* hushjelp *m/f;* civil ~, statstjenestemann *m*

serve [sə:v] tjene; betjene; servere; gjøre tjeneste; *tennis* serve.

service ['sə:vis] tjeneste *m;* nytte *m;* tjenestgjøring *m/f;* servering *m/f;* betjening *m/f;* statstjeneste *m,* (embets)verk *n;* gudstjeneste *m;* krigstjeneste *m;* servise *n;* ~ **able,** nyttig; brukbar.

session ['seʃn] sesjon *m;* samling *m/f;* møte *n.*

set, sette; innfatte; fastsette (tid for); bestemme; anslå; ordne; stille (et ur etter, **a clock by);** gå ned (om himmellegemer); bli stiv, størkne; fast, stivnet; stø; bestemt; synking *m/f;* sett *n,* samling *m/f;* (radio- *el* TV-)apparat *n;* spisestell *n;* lag *n;* (omgangs)krets *m;* snitt *n,* fasong *m; tennis* sett *n;* ~ **about to,** ta fatt på; ~ **forth,** sette fram; ~ **free,** befri; ~ **off,** starte; fremheve; ~ **out,** dra av sted; fremføre; ~ **to,** ta fatt (på); ~ **up,** oppføre; sette opp; fremsette; ~ **back,** tilbakeslag *n;* ~ **ting,** nedgang *m;* innfatning *m;* ramme *m;* omgivelser.

settle ['setl] sette; bosette; etablere; ordne; avgjøre; betale, gjøre opp; gjøre det av med; festne seg; komme til ro; synke; bunnfelles; ~ **down,** slå seg ned; bosette seg; slå seg til ro; ~ **d,** fast, bestemt; ~ **ment,** anbrin-

gelse *m;* bosetning *m;* ordning *m;* overenskomst *m;* oppgjør *n;* nybyggerkoloni *m;* ~ **r,** kolonist *m.*

seven, sju; ~ **fold,** sjufold; sjudobbelt; ~ **teen(th),** sytten(de); ~ **th,** sjuende; sjuendedel *m;* ~ **tieth,** syttiende; ~ **ty,** sytti.

sever ['sevə] skille(s); bryte(s).

several ['sevrəl] atskillige; flere; forskjellige; respektive.

severe [si'viə] streng; hard; skarp; voldsom.

sew [sou] sy; hefte (bok); ~ **er,** syer(ske) *m;* ['sjuə] kloakk *m.*

sex [seks] kjønn *n.*

sexton ['sekstən] kirketjener *m.*

sexual [sek'juəl] kjønns-, kjønnslig.

shabby ['ʃæbi] loslitt.

shackle ['ʃækl] lenke *m/f.*

shade [ʃeid] skygge *m;* nyanse *m,* avskygning *m;* skjerm *m;* kaste skygge på; skygge (for); skjerme; sjattere.

shadow ['ʃædou] skygge *m;* skyggebilde *n;* skygge (for).

shady ['ʃeidi] skyggefull.

shaft [ʃa:ft] skaft *m; poet* pil *m/f,* spyd *n; tekn* aksel *m;* sjakt *m/f;* ~ **s,** skjæker.

shaggy ['ʃægi] ragget.

shake [ʃeik] ryste; ruske; riste; svekke; skjelve; rysting *m/f;* skaking *m/f;* håndtrykk *n;* ~ **y,** ustø; vaklende; sjaber.

shall [ʃæl] skal; vil.

shallow [ʃæləu] grunn; overfladisk; grunne *m.*

sham [ʃæm] falsk; uekte; humbug *m;* foregi; hykle.

shamble [ʃæmbl] subbe.

shame [ʃeim] skam(følelse) *m;* skjensel *m;* beskjemme; ~ **faced,** skamfull; ~ **ful,** skjendig; ~ **less,** skamløs.

shampoo [ʃæmpuː] hårvask *m;* sjampo *m;* sjamponere.

shanty [ʃænti] *mar* oppsang *m;* hytte *f;* koie *f.*

shape [ʃeip] skikkelse *m;* form *m;* snitt *n;* figur *m;* danne; forme; **in bad** ~, i dårlig stand *m;* ~ **ly,** velformet; velskapt.

share [ʃɛə] (an)del *m;* part *m;* aksje *m;* (for)dele; ha sammen (**with** med); ~ **holder,** aksjonær *m.*

shark [ʃɑːk] hai *m.*

sharp [ʃɑːp] skarp; spiss; gløgg; lur; **at ten** ~, presis kl. 10; **look** ~! kvikt nå! ~ **en,** skjerpe; kvesse; spisse; ~ **er,** bedrager *m;* ~ **ener,** (blyant)spisser *m;* ~ **ness,** skarphet; skarpsindighet *m;* ~ **-sighted,** skarpsindig.

shatter [ʃætə] splintre(s).

shave [ʃeiv] skave; barbere;

streife; barbering *m/f;* ~ **ing,** barbering *m/f;* ~ **ings,** høvelspon *n;* ~ **ingbrush,** barberkost *m.*

shawl [ʃɔːl] sjal *n.*

she [ʃiː] hun; hunn- (om dyr); det (om skip).

sheaf [ʃiːf] bunt *m;* nek *n.*

shear [ʃiə] klippe (især sau); ~ **s,** saue- *el* hagesaks *f.*

sheath [ʃiːþ] skjede *m;* slire *m/f.*

shed [ʃed] utgyte; spre; felle (tårer, tenner etc.); skur *n.*

sheep [ʃiːp] sau *m.*

sheer [ʃiə] skjær; ren.

sheet [ʃiːt] ark *n;* flak *n;* flate *m/f;* plate *m/f;* laken *n;* mar skjøt *n;* ~ **-glass,** vindusglass *n;* ~ **-iron,** jernblikk *n.*

shelf, *pl* **shelves** [ʃelf, -vz] hylle *m/f;* avsats *m;* grunne *m/f;* sandbanke *m.*

shell [ʃel] skall *n;* skjell *n;* musling *m;* (patron)hylse *m/f;* patron *m;* granat *m;* skalle; bombardere; ~ **fish,** skalldyr *n;* ~ **-proof,** bombesikker.

shelter [ʃeltə] ly *n;* vern *n;* beskytte; huse; gi ly.

shelve [ʃelv] legge på hylle; skrinlegge.

shepherd [ʃephəd] (saue)gjeter *m;* gjete; vokte.

sheriff [ʃerif] sheriff *m;* foged *m;* *amr* omtr. lensmann *m.*

shield [ʃiːld] skjold *n;* vern *n;* forsvar *n;* beskytte, verge.

shift [ʃift] skifte; omlegge; flytte på; forskyve seg; greie seg; finne utvei; skifte *n;* ombytting *m/f;* arbeidsskift *n;* utvei *m;* klesskift *n;* ~**y,** upålitelig.

shilling [ˈʃiliŋ] shilling *m* (¹/₂₀ pund).

shimmer [ˈʃimə] flimre; flimring *m/f.*

shine [ʃain] skinn *n;* glans *m;* skinne; stråle; pusse.

shingle [ˈʃiŋgl] takspon *n;* grus *n (m)* singel *m;* spontekke.

shiny [ˈʃaini] skinnende; blank.

ship [ʃip] skip *n;* (inn)skipe; mønstre på; ~-**broker,** skipsmekler *m;* ~**ment,** skiping *m/f,* parti *n;* sending *m/f;* ~**owner,** skipsreder *m;* ~**ping,** skipsfart *m;* tonnasje *m;* ~**wreck,** skibbrudd *n;* forlise; ~**yard,** skipsverft *n.*

shire [ˈʃaiə] eng. grevskap *n;* fylke *n.*

shirk [ʃə:k] skulke.

shirt [ʃə:t] skjorte *n;* skjortebluse *m;* ~**ing,** skjortestoff *n.*

shiver [ˈʃivə] splint(re) *m;* skjelve; (kulde)gysing *m/f;* ~**y,** skjelvende; kulsen.

shoal [ʃoul] stim(e) *m;* grunne *m.*

shock [ʃɔk] støt *n;* sjokk *n;* ryste; sjokkere; ~**ing,** anstøtelig; sjokkerende.

shoe [ʃu:] sko *m;* sko; beslå; ~ **black,** skopusser *m;* ~ **horn,** skohorn *n;* ~**maker,** skomaker *m;* ~ **lace,** ~ **string,** skolisse *m/f.*

shoot [ʃu:t] skyte; gå på jakt; styrte; lesse av; tømme; spire fram; ta opp (film); skudd *n;* jakt *m/f;* stryk *n* (i elv).

shooting [ˈʃu:tiŋ] skyting *m/f;* (film)opptak *n;* jakt(rett) *m;* sting *m;* **go** ~, gå på jakt; ~ **star,** stjerneskudd *n.*

shop [ʃɔp] butikk *m;* verksted *n;* handle, gå i butikker; ~ **assistant,** ekspeditør *m;* ekspeditrise *m/f;* ~ **keeper,** detaljhandler *m;* kjøpmann *m;* ~ **lifter,** butikktyv *m;* ~ **window,** utstillingsvindu *n.*

shore [ʃɔ:] kyst *m;* strand *m/f.*

short [ʃɔ:t] kort; liten (av vekst); kortvarig; kortfattet; snau; knapp; ~ **wave,** kortbølge *m/f;* **in** ~, kort sagt; ~**s, shorts** *m;* ~**age,** mangel *m;* knapphet; ~ **circuit,** kortslutning *m;* ~**coming,** brist *m;* mangel *m;* ~**cut,** snarvei *m;* ~**en,** forkorte; ~**hand,** stenografi *m;* ~**lived,** kortvarig; ~**ly,** snart; ~**ness,** korthet *m;* ~**sighted,** kortsynt; nærsynt.

shot [ʃɔt] skudd *n;* hagl *n;* prosjektil(er) *n;* skuddvidde *m/f;* skytter *m; fotogr* og *film* (øyeblikks)opptak *n.*

shoulder [ʹʃouldə] skulder *m;* ta på seg; ta på skuldrene.

shout [ʃaut] rop(e) *n;* brøl(e) *n.*

shove [ʃʌv] skubb(e) *n;* skyve.

shovel [ʹʃʌvl] skuffe *m/f;* skyfle.

show [ʃou] vise (seg); fremvise; forevise; stille ut; ~ **off,** vise seg; briljere; utstilling *m/f;* fremvisning *m;* forestilling *m/f;* ytre skinn *n;* forstillelse *m;* ~ **-case,** montre *m.*

shower [ʹʃauə] byge *m;* skur *m;* (~**-bath,**) dusj(bad) *n;* dusje; ~**y,** byget.

show-room, utstillingslokale *n;* ~**y,** prangende.

shred [ʃred] remse *m;* strimmel *m;* trevl *m.*

shrewd [ʃruːd] skarp(sindig).

shriek [ʃriːk] hyl(e) *n;* skrik(e) *n.*

shrill [ʃril] skingrende.

shrimp [ʃrimp] reke *m/f;* pusling *m/f.*

shrine [ʃrain] helgenskrin *n.*

shrink [ʃriŋk] skrumpe inn; krympe; vike tilbake for.

shrivel [ʹʃrivl] skrumpe inn.

shrub [ʃrʌb] busk *m.*

shrug [ʃrʌg] trekke på skuldrene; skuldertrekning *m.*

shudder [ʹʃʌdə] gyse; gysing *m/f.*

shuffle [ʹʃʌfl] skyve, slepe; stokke (kort); blande.

shun [ʃʌn] unngå; sky.

shut [ʃʌt] lukke(s); lukke seg; lukket; ~ **down,** lukke; stanse arbeidet; ~**down,** stansing av arbeidet (i en fabrikk); ~ **in,** innelukke; ~ **up,** stenge (inne); holde munn; ~**ter,** skodde *m;* vinduslem *m; fotogr* lukker *m.*

shuttle [ʹʃʌtl] skyttel(fart) *m;* pendle; ~**cock,** fjærball *m.*

shy [ʃai] sky; genert; skvetten; bli sky; kaste; ~**ness,** skyhet *m.*

sick [sik] syk (**of** av); sjøsyk; kvalm; matt; lei og kei (**of** av); ~**-bed,** sykeseng *m/f;* ~**en,** bli syk.

sickle [sikl] sigd *m.*

sick-leave, sykepermisjon *m;* ~**ly,** sykelig; skrøpelig; usunn; kvalmende; ~**ness,** sykdom *m;* kvalme *m.*

side [said] side *m/f;* kant *m;* parti *n;* side-; ta parti (**with** for); ~**board,** anretningsbord *n;* ~**-car,** sidevogn *m/f;* ~**light,** sidelys *n;* streiflys *n;* ~**long,** sidelengs; ~**slip,** (om bil) gli til siden; ~**walk,** *amr* fortau *n;* ~**ways,** ~**wise,** sidelengs.

sieve [siv] sil(e) *m/f;* sikte.

sift [sift] sikte; sile; prøve; strø.

sigh [sai] sukk(e) *n.*

sight [sait] syn(sevne) *n (m);*

observasjon *m;* severdighet *m;* sikte *n* (på skytevåpen); få øye på; få i sikte; sikte inn *el* på; rette (skytevåpen); **catch ~ of,** få øye på; **~-seeing,** beskuelse *m* av severdigheter.

sign [sain] tegn *n;* vink *n;* skilt *n;* gjøre tegn; merke; undertegne.

signal [ˈsignəl] signal(isere) *n;* eklatant; utmerket.

signature [ˈsignətʃə] underskrift *m/f.*

significance [sigˈnifik(ə)ns] betydning *m/f;* viktighet *m;* **~t,** betydningsfull; betegnende.

signify [ˈsignifai] betegne; bety.

signpost [ˈsainpoust] veiskilt *n;* veiviser *m.*

silence [ˈsailəns] stillhet *m;* taushet *m;* få til å tie; **~t,** stille; taus.

silk, silke *m;* **~en,** silke-; av silke; **~y,** silkeaktig.

sill, vinduskarm *m;* dørterskel *m.*

silliness [ˈsilinis] dumhet *m;* **~y,** dum; enfoldig; tosket.

silver [ˈsilvə] sølv *n.*

similar [ˈsimilə] lignende; lik; maken; **~ity,** likhet *m.*

simmer [ˈsimə] småkoke; putre.

simple [ˈsimpl] enkel; lett.

simplicity [simˈplisiti] enkelhet

m; letthet *m;* troskyldighet *m;* **~fy,** forenkle.

simply [ˈsimpli] simpelthen.

simultaneous [siməlˈteinjəs] samtidig; simultan-.

sin, synd(e) *m.*

since [sins] siden; ettersom.

sincere [sinˈsiə] oppriktig; **~ity** [sinˈseriti] oppriktighet *m.*

sinew [ˈsinjuː] sene *m;* kraft *m/f.*

sing [siŋ] synge; **~er,** sanger *m.*

singe [sindʒ] svi.

single [ˈsiŋgl] enkelt; eneste; enslig; ugift; utvelge, plukke ut; *tennis* enkeltspill *n;* single; **~-breasted,** enkeltspent, enkeltknappet; **~ file,** gåsegang; **~-handed,** uten hjelp.

singular [ˈsiŋgjulə] entall *n;* enestående; usedvanlig; underlig.

sinister [ˈsinistə] illevarslende; skummel.

sink [siŋk] synke; senke; grave, bore; vask *m;* oppvaskkum *m;* kloakk *m.*

sinner [ˈsinə] synder *m.*

sinuous [ˈsinjuəs] buktet, slynget.

sip, nippe **(at** til); tår *m.*

sir [səː] (i tiltale) min herre; **Sir,** tittel foran knight's *el* baronet's fornavn (og etternavn).

sirloin ['sə:lɔin] mørbradsteik *m/f.*

sister ['sistə] søster *m/f;* ~**in-law,** svigerinne *m/f.*

sit, sitte; holde møte(r); (om høne) ruge (**on** på); passe (om klær); ~ **down,** sette seg; ~ **up,** sette seg opp; sitte oppe (utover natten).

site [sait] beliggenhet *m;* plass *m;* (bygge)tomt *m/f.*

sitting ['sitiŋ] det å sitte; møte *n;* sesjon *m;* ~**-room,** dagligstue *m/f.*

situated ['sitjueitid] beliggende; ~**ion** [sitju'eiʃn] situasjon *m;* beliggenhet *m;* stilling *m/f,* post *m.*

six [siks] seks; ~**fold,** seksdobbelt; ~**teen,** seksten; ~**teenth,** sekstende(del); ~**th,** sjette(del); ~**thly,** for det sjette; ~**ty,** seksti.

size [saiz] størrelse *m;* dimensjon *m;* (sko- osv.) nummer *n;* sortere; beregne.

skate [skeit] skøyte *f;* gå på skøyter; ~ **ing-rink,** (kunstig) skøytebane *m;* rulleskøytebane *m.*

skeleton ['skelitn] skjelett *n.*

sketch [sketʃ] skisse(re) *m.*

ski [ski:] ski *m;* gå på ski.

skid, skrense; støtteplanke *m.*

skier ['ski:ə] skiløper *m;* ~ **ing,** skiløping *m/f.*

skilful ['skilful] dyktig.

skill, dyktighet *m;* ferdighet *m;* ~**ed,** faglært; dyktig.

skim (off), skumme (av); ~ **milk,** skummet melk *m/f.*

skin, hud *m;* skinn *n;* skall *n* (på frukt); hinne *f;* snerk *m;* flå, skrelle; gro til; heles; ~ **ny,** radmager.

skip, hopp *n;* byks *n;* sprett *n;* hoppe; springe; hoppe tau; hoppe over; puffe; ~ **per,** skipper *m;* kaptein *m;* lagleder *m.*

skirmish ['skə:miʃ] skjærmyssel *m;* småslåss.

skirt [skə:t] skjørt *n;* flik *m;* frakkeskjøt *m;* ~**s,** (ofte) utkant *m;* gå (*el* ligge) langsmed; streife.

skull [skʌl] hodeskalle *m.*

sky [skai] himmel *m;* **in the** ~, på himmelen; ~ **light,** takvindu *n;* overlys *n;* ~ **scraper,** skyskraper *m.*

slab [slæb] plate *m/f;* steinhelle *m/f;* skive *m/f* (av brød, kjøtt o.l.).

slack [slæk] slapp; slakk; sløv; ~**en,** slappe (av); slakke; minske (seil); ~**er,** slappfisk *m.*

slag [slæg] slagg *n.*

slam [slæm] smell *n;* slem (i bridge); smelle igjen (døra).

slander ['slɑ:ndə] baktale; bakvaske(lse) *m;* ~**er,** baktaler *m;* ~**ous,** baktalende.

slang [slæŋ] slang *m.*

slant [slɑ:nt] skrå retning *m/*

f; synspunkt n; skråne;
helle; ~ing, skrå.
slap [slæp] dask(e) m; slag n;
slå; klapse.
slash [slæ∫] flenge (i); hogge.
slate [sleit] skifer(tavle) m; **a
clean** ~, rent rulleblad m.
slaughter ['slɔːtə] slakting m/f;
nedsabling m/f, blodbad n;
slakte; ~ **house,** slakteri n.
slave [sleiv] slave m; ~ **ry,**
slaveri n.
slay [slei] slå ihjel.
sled(ge) [sledʒ] slede m; kjelke
m; kjøre med slede; ake.
sledge(hammer) ['sledʒhæmə]
slegge m/f.
sleek [sliːk] glatt(e).
sleep [sliːp] søvn m; sove;
~ **er,** sovende; sovevogn
m/f; jernbanesville m;
~ **iness,** søvnighet m.
sleeping-bag ['sliːpiŋbæg] so-
vepose m; ~ **-car,** sovevogn
m/f; ~ **-sickness,** sovesyke
m.
sleep|less ['sliːplis] søvnløs;
~ **lessness,** søvnløshet m;
~ **walker,** søvngjenger m;
~ **y,** søvnig.
sleet [sliːt] sludd n.
sleeve [sliːv] erme n.
sleigh [slei] slede m; kjøre
med slede.
slender ['slendə] slank; smek-
ker; tynn; skrøpelig; ~ **ness,**
slankhet m.
slice [slais] skive m/f; del m,

stykke n; sleiv m/f, spade
m; spatel m; skjære i skiver;
skjære opp.
slick [slik] glatt(e); elegant.
slide [slaid] gli; skli; sklie f;
ras n; skred n; rutsjebane m;
~ **-rule,** regnestav m.
slight [slait] sped; ubetydelig;
forbigå(else) (m).
slim [slim] slank; slanke seg.
slime [slaim] slam n; slim n.
sling [sliŋ] slynge f; fatle m;
kaste; slynge.
slip [slip] smutte; liste seg;
slippe bort (fra); glidning
m; feil m; strimmel m; un-
derkjole m; putevar n; ~ **on
(off),** ta på (av) (kjole osv.);
~ **of paper,** seddel m; ~ **per,**
tøffel m; ~ **pery,** glatt.
slit, spalte m; rift m/f; revne
m; skjære, sprette, klippe
opp.
slogan ['slougən] slagord n.
slop [slɔp] skyllevann n; pytt
m; søle; skvalpe; ~ **py,** sø-
let; slurvet.
slope [sloup] skråning m; hel-
ling, skråne.
slosh [slɔ∫] skvalpe; skvalping
m/f.
slot [slɔt] sprekk m; spalte m;
~ **machine,** (salgs- el spille)-
automat m.
slouch [slaut∫] henge slapt; ~
along, slentre avsted.
slovenly ['slʌvnli] sjusket.
slow [slou] langsom; sen;

tungnem; kjedelig, langtek-
kelig; **my watch is ten minu-
tes** ~, klokken min går ti
minutter for sakte.

sludge [slʌdʒ] snøslaps *n; l*
sørpe *m/f;* mudder *n.*

sluice [slu:s] sluse *m/f;* skylle.

slumber [ˈslʌmbə] slumre;
slummer *m;* ~ **ous**, søvndys-
sende; søvnig.

slump [slʌmp] plutselig pris-
fall *m;* falle brått (om priser
o.l.).

slur [slə:] snakke (*el* skrive)
utydelig.

slush [slʌʃ] slaps; søle *m/f.*

sly [slai] slu; listig; lur.

smack [smæk] klask *n;* smat-
ting *m/f;* smellkyss *n;* smak
m; smake (*of* av); smatte;
smaske.

small [smɔ:l] liten; ubetyde-
lig; smålig; ~**pox**, kopper;
~ **talk**, lett konversasjon *m.*

smart [sma:t] skarp; våken;
gløgg; flott; fiks; velkledd;
smart; svi; gjøre vondt.

smash [smæʃ] smadre(s); slå;
slenge; slag *n;* ~ **ing**, knu-
sende; flott.

smattering [ˈsmætəriŋ] overfla-
disk kjennskap *m/n.*

smear [smiə] fettflekk *m;*
smøre (til); bakvaske.

smell [smel] lukt(esans) *m/n;*
lukte.

smelt, smelte (malm).

smile [smail] smil(e) *n.*

smite [smait] slå; ramme.

smith [smiþ] smed *m.*

smithy [ˈsmiði] smie *m/f.*

smock [smɔk] arbeidskittel *m.*

smog [smɔg] (smoke og fog)
røyktåke *m/f.*

smoke [smouk] ryke; røyk(e)
m; dt sigar *m;* sigarett *m;*
~ **r**, røyker *m;* røykekupé *m.*

smoking [ˈsmoukiŋ]: **no** ~ !,
røyking forbudt!; ~ **-com-
partment**, røykekupé *m.*

smoky [ˈsmouki] røykfylt.

smooth [smu:ð] glatt; jevn;
rolig; glatte, berolige.

smoulder [ˈsmouldə] ulme.

smug [smʌg] selvtilfreds.

smuggle [ˈsmʌgl] smugle; ~ **r**,
smugler *m.*

smut [smʌt] (sot)flekk *m;*
smuss *n;* skitt *n;* sote;
smusse; ~ **ty**, sotet; skitten;
uanstendig.

snack [snæk] matbit *n;* lett
måltid *n.*

snag [snæg] ulempe *m.*

snail [sneil] snegl *m* (med
hus).

snake [sneik] slange *m.*

snap [snæp] snappe; glefse;
knipse; glefs *n;* smekk *m;*
~ **shot**, øyeblikksfotografi *n.*

snare [snɛə] (fange i) snare
m/f.

snarl [sna:l] snerre; knurre.

snatch [snætʃ] snappe; gripe
(**at** etter); kjapt grep *n;* napp
n.

sneak [sni:k] snike (seg); luske; sladre(hank *m*).

sneer [sniǝ] smile hånlig.

sneeze [sni:z] nys(e) *n*.

sniff [snif] snuse; snufse; rynke på nesen (**at** av).

sniper [snaipǝ] snikskytter *m*.

snob [snɔb] snobb *m*; ~ **bery**, snobbethet *m*; ~ **bish**, snobbet.

snore [snɔ:] snork(e) *n*; ~ **t**, snøfte; fnyse.

snout [snaut] snute; tryne *n*.

snow [snou] snø *m*; ~ **storm**, snøstorm *m*; ~ **y**, snøhvit; snødekket.

snub [snʌb] irettesette; avbryte.

snuff [snʌf] snus(e) *m*; utbrent veke *m*; snyte (et lys).

snug [snʌg] lun; koselig; legge seg (godt) til; krype sammen.

so [sou] så(ledes); altså; **and** ~ **on**, og så videre; ~ **-and-so**, den og den.

soak [souk] gjennombløte; trekke til seg.

soap [soup] såpe *m/f*; såpe inn; ~ **suds**, såpeskum *n*.

soar [sɔ:r] fly høyt; svinge stige sterkt (om pris o.l.).

sob [sɔb] hulke; hulking *m/f*.

sober [soubǝ] nøktern; edru; edruelig; sindig.

sobriety [souˈbraiǝti] nøkternhet *m*; edruelighet *m*.

so-called, såkalt.

soccer [sɔkǝ] (vanlig) fotball *m*.

sociable [souʃǝbl] selskapelig; omgjengelig.

social [souʃl] sosial; samfunns-; selskapelig.

society [sǝˈsaiǝti] samfunn(et); sosieteten; forening *m/f*; selskap *n*.

sock [sɔk] sokk *m*; slag *n*.

socket [sɔkit] holder *m*; øyenhule *m/f*; hofteskål *m/f*; *elektr* stikkontakt *m*.

sod [sɔd] grastorv *m/f*.

soda [soudǝ] soda *m*; natron *n*; (~ **-water**), sodavann *n*.

sofa [soufǝ] sofa *m*.

soft [sɔft] bløt; myk; svak; dempet; blid; ~ **en** [sɔfn] bløtgjøre; mildne; ~ **ness**, bløthet *m*; mildhet *m*.

soil [sɔil] jord(smonn) *m* (*n*); jordbunn *m*; skitt *m*; søle, skitne til.

sojourn [sɔdʒǝ:n] opphold(e seg) *n*.

soldier [souldʒǝ] soldat *m*; ~ **y**, soldater.

sole [soul] såle *m*; sjøtunge *m/f*; eneste; ene-; utelukkende.

solemn [sɔlǝm] høytidelig; ~ **ity** [sɔlemniti] høytidelighet *m*.

solicit [sǝˈlisit] be innstendig om; anmode om; ~ **or**, (rådgivende) advokat *m*.

solid ['sɔlid] fast; massiv; solid; pålitelig; ~**ify** [sə'lidifai] (få til å) størkne; ~**ity** [sə'liditi] fasthet m; soliditet m.

solitary ['sɔlitəri] ensom; enslig; ~**ude**, ensomhet m.

solution [sə'lu:ʃn] (opp)løsning m.

solve [sɔlv] løse (problem o.l.).

solvency ['sɔlvənsi] betalingsevne m; ~**t**, solvent.

some [sʌm] noen, noe; en eller annen, et eller annet; visse, somme; omtrent; ~**body**, noen, en eller annen; ~**how**, på en eller annen måte; ~**one**, noen; ~**thing**, noe, et eller annet; ~**time**, en gang, en dag; ~**times**, undertiden; av og til; ~**what**, noe; litt; temmelig; ~**where**, et eller annet sted.

somersault ['sʌməsɔ:lt] (slå) saltmortale.

son [sʌn] sønn m; ~**-in-law**, svigersønn m.

song [sɔŋ] sang m, vise m/f.

soon [su:n] snart; tidlig; gjerne; ~**er**, snarere; heller.

soot [sut] sot m.

soothe [su:ð] berolige.

sooty ['suti] sotet; svart.

sop [sɔp] oppbløtt brødbit m; godbit m; pyse m; bløte opp.

sophisticated [sɔ'fistikeitid] til-

gjort; verdenserfaren; forfinet.

sorcery ['sɔ:səri] trolldom m.

sordid ['sɔ:did] skitten; elendig; smålig.

sore [sɔ:] sår n; byll m; ømt sted; sår; øm(tålig); ~**ness**, sårhet m; ømhet m.

sorrow ['sɔrou] sorg m; bedrøvelse m; sørge; ~**y**, bedrøvet; sørgmodig; lei; **(I am) so** ~~! unnskyld! **I am** ~~ **for him**, jeg har vondt av ham.

sort [sɔ:t] sort m; slag(s) n; sortere; ordne.

soul [soul] sjel m/f.

sound [saund] lyd m; klang m; sonde m; sund n; sunn, frisk; sterk; uskadd; hel; dyp, fast (om søvn); velbegrunnet; sondere; lodde; prøve, få til å røpe; lyde; klinge; gi signal; **safe and** ~, i god behold.

soup [su:p] suppe m/f.

sour [sauə] gretten; surne; gjøre sur; forbitre.

source [sɔ:s] kilde m; opprinnelse m.

south [sauþ] sør; syden; sørover; i sør; sør-; ~**-east**, sør-(lig); ~**erly** ['sʌðəli] sørlig, sønnen-; ~**ern**, sørlig, sør-; sydlandsk; ~**erner**, sydlending m; amr sørstatsmann m; ~**ward** ['sauþwəd] sørover.

south-west ['sauþwest] sørvest; ~ **er**, sørvestvind *m;* sydvest *m* (plagg).

sovereign ['sɔvrin] høyest; suveren; hersker *m;* monark *m;* ~ **ty**, suverenitet *m.*

sow [sau] purke *f;* [sou] så (til).

spa [spa:] kursted *n.*

space [speis] rom *n;* plass *m;* areal *n;* tidsrom *m;* spalteplass *m;* ~ **ious**, rommelig.

Spain [spein] Spania.

span [spæn] spenn *n;* spann *n* (hester); spennvidde *m/f;* spenne (over); omspenne.

Spaniard ['spænjəd] spanier *m;* ~ **sh**, spansk (også språket).

spank [spæŋk] klaske; daske.

spanner ['spænə] skrunøkkel *m;* skiftenøkkel *m.*

spare [spɛə] unnvære; avse; la være; skåne, spare; knapp; sparsom; ledig; reserve-; ~ **(bed)room** gjesteværelse *n;* ~ **parts**, reservedeler; ~ **time**, fritid *m/f.*

sparing ['spɛriŋ] sparsom.

spark [spa:k] gnist(re) *m;* tenne (om motor); ~ **(ing)-plug**, tennplugg *m;* ~ **le**, gnist(re) *m;* funkle; boble.

sparrow ['spærou] spurv *m.*

spasm ['spæzm] krampe *m.*

spatial ['speiʃəl] romlig, rom-.

spawn [spɔ:n] (legge) rogn *m/f;* gyte; avle.

speak [spi:k] tale; snakke; ~ **out**, snakke ut (el høyt); ~ **er**, taler *m;* ordstyrer *m;* president i Underhuset.

spear [spiə] spyd *n;* lanse *m;* spidde.

special ['speʃəl] spesiell; særlig; spesial-; ekstra(nummer, -tog); ~ **ist**, fagmann *m;* ~ **ity** [speʃi'æliti] spesialitet *m;* ~ **ize** ['speʃəlaiz] spesialisere (seg).

specific [spi'sifik] særegen; spesiell; spesifikk; ~ **ication**, spesifisering *m, f;* ~ **y** ['spesifai] spesifisere.

specimen ['spesimin] prøve *m;* eksemplar *n.*

speck [spek] flekk *m.*

spectacle ['spektəkl] syn *n;* opptog *n;* **a pair of ~ s**, et par briller.

spectacular [spek'tækjulə] iøynefallende; prangende.

spectator [spek'teitə] tilskuer *m.*

speculate ['spekjuleit] gruble (on over); spekulere.

speech [spi:tʃ] tale *m;* ~ **less**, målløs, stum.

speed [spi:d] hast(e) *m;* hurtighet *m;* fart *m;* fare; ile; ~ **up**, sette opp farten; ~ **limit**, fartsgrense *m/f;* ~ **y**, hurtig; rask; snarlig.

spell [spel] (kort) periode *m;* tørn

m; trylleformular m/n; fortrylle(lse m); stave; avløse; ~ **bound**, fortryllet, fjetret.

spelling ['spelɪŋ] rettskrivning m; stavemåte m.

spend [spend] (for)bruke; tilbringe; ~ **thrift**, ødeland m.

spew [spju:] spy (ut).

sphere [sfɪə] sfære m; klode m.

spice [spais] krydder(i) n; krydre.

spider ['spaidə] edderkopp m.

spike [spaik] spiss m; pigg m; nagle m; aks n; nagle fast.

spill, spille; søle; kaste av.

spin, spinne; virvle; snurre rundt; om fly: gå i spinn.

spinach ['spinidʒ] spinat m.

spine [spain] ryggrad m; bokrygg m; torn m.

spinning-mill, spinneri n; ~ **-wheel**, rokk m.

spinster ['spinstə] ugift kvinne m.

spire [spaiə] spir n.

spirit ['spirit] ånd m; spøkelse n; sinn(elag) n; humør n; lyst m; mot n; livlighet m; sprit m; oppmuntre; ~ **s**, brennevin n; **in high** ~ **s**, opprømt; i godt humør; **in low** ~ **s**, nedslått; ~ **ed**, livlig; energisk; kraftig; ~ **ual**, åndelig; geistlig.

spit, spidd n; odde n; spytt(e) n; frese (om katt); sprute; ~ **fire** ['spitfaiə] hissigpropp m.

spite [spait] ondskap(sfullhet) m; **in** ~ **of**, til tross for; ~ **ful**, ondskapsfull.

spittle [spitl] spytt n.

splash [splæʃ] skvett(e) m; plask(e) n; søle til; **make a** ~, vekke sensasjon m.

spleen [spli:n] milt m; livstretthet m; dårlig humør n.

splendid [splendid] strålende; glimrende; storartet; ~ **dour**, glans m; prakt m.

splice [splais] spleise; skjøte.

splint, med skinne; ~ **er**, splint m; flis f; spon m.

split, sprekk m; spalting m/f; splitte(lse m); spalte; kløyve; dele seg.

splutter ['splʌtə] sprute; spruting m/f; oppstyr m.

spoil [spoil] bytte n; rov n; ødelegge; skjemme bort; spolere; ~ **-sport**, gledesdreper m.

spoke [spouk] eike m; trinn n; ~ **sman**, talsmann m.

sponge [spʌndʒ] svamp m; vaske (el pusse ut) med svamp; ~ **-cake**, sukkerbrød n; ~ **r**, snyltegjest m.

sponsor ['sponsə] fadder m; garantist m; en som betaler radio- el TV-program; støtte; garantere.

spontaneous [spɒn'teinjəs] spontan; umiddelbar.

spook [spu:k] spøkelse m.

spool [spu:l] spole m; filmrull m; (fiske)snelle m/f; spole.

spoon [spu:n] skje *m/f.*

sport [spɔ:t] atspredelse *m;* lek *m;* moro *m/f;* idrett *m;* leke; drive sport; **~sman,** sportsmann *m;* jeger *m;* **~s-wear,** sportsklær.

spot [spɔt] flekk *m;* sted *n;* bit *m,* smule *m;* flekke; oppdage; **~less,** uten flekker; lytefri; **~light,** prosjektør *m;* søkelys *n.*

sprain [sprein] forstuing *m/f;* forstue.

sprawl [sprɔ:l] ligge henslengt; bre seg.

spray [sprei] kvist *m;* sprøyt *m;* sprøytevæske *m;* (over)-sprøyte.

spread [spred] spre (utover); bre (utover); dekke (bordet); spre seg; utstrekning *m;* omfang *n;* utbredelse *m.*

spree [spri:] rangel *m;* moro *m/f.*

sprig [sprig] kvist *m;* kvast *m.*

spring [spriŋ] vår *m;* kilde *m;* hopp *n;* (driv)fjær *m/f;* spennkraft *m/f;* springe; sprette; bryte fram; oppstå **(from ~ av);** **~-board,** springbrett *n;* **~ mattress,** springmadrass *m;* **~-tide,** springflo *m/f;* **~y** ['spriŋi] spenstig.

sprinkle ['spriŋkl] stenke; skvette; **~r,** sprøytevogn *m/f;* sprinkleranlegg *n.*

sprout [spraut] spire *m;* skudd

n; spire; **Brussels ~s,** rosenkål *m.*

spruce [spru:s] gran *m/f;* fjong, fin.

spry [sprai] kvikk; livlig.

spur [spə:] spore *m;* (an)-spore.

sputter ['spʌtə] sprute; snakke fort og usammenhengende; frese.

spy [spai] spion(ere) *m;* **~-glass,** liten kikkert *m.*

squabble ['skwɔbl] kjekl *n;* kjekle.

squad [skwɔd] lag *n;* patrulje *m;* **~ron,** skvadron *m;* eskadron *m.*

squalid ['skwɔlid] skitten; ussel.

squall [skwɔ:l] skrike; vræle; skrål *n;* vindstøt *n,* byge *m.*

squander ['skwɔndə] ødsle bort; spre(s).

square [skwɛə] firkantet; kvadratisk; rettvinklet; undersetsig, firskåren; ærlig; real; kvitt, skuls; oppgjort (om mellomværende); **~ with,** ikke skylde noe; firkant *m;* kvadrat *n;* åpen plass *m;* gjøre opp, ordne; bestikke; **~-built,** firskåren; **~ mile,** kvadratmil *f.*

squash [skwɔʃ] kryste; presse; fruktsaft *m/f;* gresskar *n.*

squat [skwɔt] sitte på huk; ta opphold uten tillatelse; liten; undersetsig.

squeak [skwi:k] pip(e) *n.*

squeal [skwi:l] hvin(e) *n.*

squeeze [skwi:z] klem(me) *m;* trykk(e) *n;* press(e) *n.*

squint [skwint] skjele.

squire ['skwaiə] godseier *m.*

squirm [skwə:m] vri seg.

squirrel ['skwirəl] ekorn *n.*

squirt [skwə:t] sprøyt(e) *n.*

S.S. = steamship.

St. = Saint; Street.

stab [stæb] stikke; dolke.

stability [stə'biliti] fasthet *m;* stabilitet *m;* ~ **zation** [steibi-lai'zeiʃn] stabilisering *m/f;* ~ **ze,** stabilisere.

stable ['steibl] stabil; fast; varig; trygg; stall *m.*

stack [stæk] stabel *m;* (korn-, høy-)stakk *m;* stable; stakke (høy).

stadium ['steidjəm] stadion *n.*

staff [sta:f] stab *m;* personale *n;* **on the ~,** (fast) ansatt.

staff [sta:f] *pl* **staves** [steivz] stav *m;* stang *m/f;* stokk *m.*

stag [stæg] (kron)hjort *m;* ~ **party,** herreselskap *m.*

stage [steidʒ] plattform *m;* stillas *n;* skueplass *m;* scene *m;* teater *n;* stadium *n;* sette i scene; ~ **-craft,** regikunst *m;* ~ **-manager,** regissør *m.*

stagger ['stægə] rave; forbløffe; raving *m, f.*

stagnant ['stægnənt] stillestående; ~ **nate,** stagnere.

stain [stein] farge; flekke;

vanære; flekk *m;* skam *m;* ~ **less,** plettfri; rustfri (stålvarer).

stair [steə] trapp(etrinn) *m/f (n);* ~ **case,** trapp *m/f;* trappegang *m.*

stake [steik] stake *m;* påle *m;* innsats *m;* våge, sette på spill; **at ~,** på spill.

stale [steil] bedervet; flau;; doven (om øl); gammelt (brød); fortersket; ~ **mate,** matt (i sjakk); stopp, dødt punkt *n.*

stalk [stɔ:k] stengel *m;* stilk *m;* liste seg fram; spankulere.

stall [stɔ:l] bås *m;* spiltau *n;* markedsbu *f; teat* orkesterplass *m.*

stallion ['stæljən] hingst *m.*

stamina ['stæminə] utholdenhet *m.*

stammer ['stæmə] stamme.

stamp [stæmp] stempel *n;* preg *n;* avtrykk *m;* frimerke *n;* karakter *m;* stamping *m/ f;* stemple; frankere; stampe; ~ **ede** [stæm'pi:d] panikk *m.*

stand [stænd] stå; ligge (om bygning); bestå; svare; tåle; stans *m;* bod *m;* (utstillings)-stand *m;* standpunkt *n;* tribune *m;* **make a ~,** ogs.: gjøre motstand; ~ **by,** stå ved; holde seg parat; ~ **off,** holde seg på avstand; ~

one's ground, holde stand; ~ up for, gå i bresjen for.

standard ['stændəd] fane *f;* flagg *n;* norm *m;* standard *m;* målestokk *m;* myntfot *m;* normal-; ~ of living, levestandard *m;* ~ize, standardisere.

standing ['stændiŋ] stående; fast; stilling *m/f;* rang *m.*

standpoint ['stændpɔint] standpunkt *n;* synspunkt *n.*

standstill ['stæn(d)stil] stans *m;* stillstand *m.*

stanza ['stænzə] vers *n;* strofe *m.*

staple ['steipl] stapel- (vare) *m;* **stapling machine,** stiftemaskin *m.*

star [sta:] stjerne *m/f;* opptre i hovedrollen.

starboard ['sta:bəd] styrbord.

starch [sta:tʃ] stive(lse *m).*

stare [stɛə] stirre; stirring *m/f.*

starfish ['sta:fiʃ] sjøstjerne *m/f.*

stark [sta:k] stiv; ren(t); fullstendig.

starling ['sta:liŋ] stær *m.*

start [sta:t] fare opp; dra av, gårde; starte; begynne; sette i gang; sett *n;* rykk *n;* begynnelse *m;* start *m;* ~er, starter *m;* ~ing-point, utgangspunkt *n.*

startle ['sta:tl] forskrekke.

starv\ation [sta:'veiʃn] sult *m;* hungersnød *m;* ~e, sulte.

state [steit] tilstand *m;* stilling *m/f;* stand *m;* rang *m;* stat *m;* stas *m;* ytre; erklære; fremsette; ~liness, stateligtig; ~ly, statelig; prektig; ~ment, beretning *m;* erklæring *m/f;* fremstilling *m/f;* ~ ~ of account(s), kontoutskrift *m/f;* ~ room, lugar *m; amr* kupé; ~sman, statsmann *m.*

station ['steiʃn] stasjon *m;* (samfunns)stilling *m/f;* anbringe; stasjonere; ~er, stasjonær; fast; ~er, papirhandler *m;* ~ery, skrivesaker.

statistic\al [stə'tistikl] statistisk; ~s, statistikk *m.*

statue ['stætju:] statue *m.*

stature ['stætʃə] legemshøyde *m;* (åndelig) vekst *m.*

status ['steitəs] status *m;* posisjon *m.*

stave [steiv] (tønne)stav *m;* strofe *m.*

stay [stei] opphold *n;* stag *n;* bardun *m;* **(a pair of)** ~s, korsett *n;* oppholde seg; stanse; (for)bli; bo; ~ away, holde seg borte; ~ out, bli ute.

stead [sted] sted *n;* **in his** ~, i hans sted; **instead of,** istedenfor; ~**fast,** fast; standhaftig; ~**iness,** støhet *m;* ~**y,** stø, fast; regelmessig; rolig; (at)stadig; vedholdende.

steak [steik] biff *m.*

steal [sti:l] stjele; liste seg.

steam [sti:m] damp(e) *m;* ~ **-boiler,** dampkjele *m;* ~ **-engine,** dampmaskin *m;* ~ **er,** ~ **ship,** dampskip *n.*

steel [sti:l] stål *n;* herde (til stål), stålsette.

steep [sti:p] steil; bratt; stiv (pris); skrent *m;* stup *n;* dyppe; legge i bløt.

steeple [sti:pl] spisst (kirke-)tårn *n;* ~ **chase,** hinderløp *n.*

steer [stiə] (ung) okse *m;* styre; ~ **age,** styring *m/f;* dekksplass *m;* ~ **ing-wheel,** ratt, *n.*

stem [stem] (tre)stamme *m;* stilk *m;* stett *m;* forstavn *m;* demme opp; stamme (**from** fra).

stench [stentʃ] stank *m.*

stenographer [stenografə] stenograf; ~ **y,** stenografi *m.*

step [step] skritt *n;* (fot)trinn *n;* trappetrinn *n;* tre; skritte; trå; (**on** på); ~ **father,** stefar *m.*

sterling [stə:liŋ] ekte; gedigen; **a pound** ~, et pund sterling.

stern [stə:n] hard; streng; akterstevn *n;* ~ **ness,** strenghet *m.*

stevedore [sti:vdɔ:] stuer *m.*

stew [stju:] stuing *m/f;* lapskaus *m;* småkoke.

steward [stju:əd] forvalter *m;* intendant *m;* stuert *m.*

stick [stik] stokk *m;* kjepp *m;* stang *m/f;* stykke *n;* stikke; støte; feste; sitte fast; klebe; ~ **around,** holde seg i nærheten; ~ **to,** holde fast ved; ~ **ing-plaster,** heftplaster *n;* ~ **y,** klebrig; seig; vanskelig; lummer.

stiff, stiv; stri; vrien; sterk (drikk); ~ **en,** stivne; gjøre stiv.

stifle [staifl] kvele; undertrykke.

still, ennå; enda; likevel; stille; rolig; berolige; stagge; ~ **ness,** stillhet *m.*

stilt, stylte.

stimulant [stimjulənt] stimulerende; oppstiver *m,* stimulans *m;* ~ **ate,** stimulere; ~ **ation,** stimulering *m/f.*

sting [stiŋ] brodd *m;* nag *n;* stikk(e) *n;* svi, smerte; ~ **y** [stindʒi] gjerrig.

stink [stiŋk] stank *m;* stinke (**of** av).

stir [stə:] røre *n;* bevegelse *m;* liv *n;* røre (seg); rote opp i; ~ **up,** opphisse; vekke.

stirrup [stirəp] stigbøyle *m.*

stitch [stitʃ] sting *n;* maske *m;* sy; hefte sammen.

stock [stɔk] stokk *m;* stamme *m;* ætt *f;* lager *n;* beholdning *m;* bestand *n;* besetning *m;* skjefte *n;* bedding *m/f;* kapital *m;* statsobligasjon(er) *m;* aksje(r) *m;* **in** ~, på lager; ha på lager; føre; ~ **broker,** fondsmekler *m;* ~ **company** *amr* aksjeselskap *n;* ~ **exchange,** (fonds)børs *m;* ~ **holder,** aksjonær *m.*

stocking ['stɔkiŋ] strømpe *m.*

stoke [stouk] fyre (i), passe fyren; ~ **r,** fyrbøter *m.*

stolid ['stɔlid] tung; sløv.

stomach ['stʌmək] mage(sekk) *m;* appetitt *m;* finne seg i.

stone [stoun] stein *m;* vekt = 14 eng. pund; steine; ta steinene ut av.

stony ['stouni] steinhard; steinet.

stool [stu:l] krakk *m;* taburett *m;* stolgang *m;* avføring *m/f.*

stoop [stu:p] bøye seg; lute.

stop [stɔp] stanse; (til)stoppe; hindre; fylle; plombere; sperre; innstille (sine betalinger); slå seg til ro; opphølde seg; opphør(e) *n;* stans *m;* avbrytelse *m;* hindring *m/f;* skilletegn *n;* **(full** ~, punktum *n;)* *mus* klaff *m;* register *n;* ~ **gap,** nødhjelp *m/f;* ~ **page,** stans *m;* tilstopping *m/f;* hindring *m/f;* ~ **ping,** fylling *m/f;* plombe *m/f.*

storage ['stɔ:ridʒ] lagring *m/f;* lagerrom *n;* lageravgift *m/f.*

store [stɔ:] forråd *n;* lager *n;* *amr* butikk *m;* ~ **s** *pl,* de-

partment ~, varemagasin; oppbevare; lagre; ~ **house,** lagerbygning *m;* ~ **-keeper,** lagerformann *m;* *amr* butikkeier *m.*

storey, story ['stɔ:ri] etasje *m.*

stork [stɔ:k] stork *m.*

storm [stɔ:m] (sterk) storm *m;* uvær *n;* storme; ~ **y,** stormfull.

story ['stɔ:ri] historie *m;* fortelling *m/f;* skrøne *m/f;* etasje *m;* **short** ~, novelle *m.*

stout [staut] kraftig; traust; tapper; kjekk; korpulent; sterkt øl; ~ **ness,** styrke *m;* kjekkhet *m;* korpulens *m.*

stove [stouv] ovn *m.*

stow [stou] stue; ~ **age,** stuing *m/f;* pakking *m/f;* ~ **away,** blindpassasjer *m.*

straddle ['strædl] skreve; sitte over skrevs.

straggler ['stræglə] etternøler *m;* omstreifer *m.*

straight [streit] rett; strak; like; grei; rettskaffen; ~ **on,** rett fram; gpar ~; omde; ~ **forward,** likefrem; redelig.

strain [strein] spenning *m/f;* påkjenning *m;* rase *m;* (an)spenne; (over)anstrenge; forstue; ~ **ed,** tvungen, anstrengt; ~ **er,** sil *m.*

strait [streit] sund *n,* strede *n;* forlegenhet *m;* ~ **en,** innsnevre.

strand [strænd] strand(e) *m/f.*

strange [streindʒ] fremmed; merkelig; ~ **r,** fremmed *m.*

strangle ['stræŋgl] kvele.

strap [stræp] stropp *m;* rem *m/f;* spenne fast; slå (med rem).

straw [strɔ:] strå *n;* halm *m;* ~ **berry,** jordbær *n.*

stray [strei] forville seg; flakke omkring; omstreifende.

streak [stri:k] strek *m;* stripe *m/f;* trekk *n;* snev *m;* fare av sted; ~ **y,** stripet.

stream [stri:m] strøm *m;* elv *m/f;* bekk *m;* strømme; flagre; ~ **er,** vimpel *m.*

street [stri:t] gate *m/f.*

strength [streŋθ] styrke *m;* ~ **en,** styrke.

strenuous ['strenjuəs] iherdig; energisk; anstrengende.

stress [stres] (etter)trykk *n;* spenning *m/f;* betoning *m/f;* betone.

stretch [stretʃ] strekke (seg); tøye; strekning *m;* strekk *n;* anstrengelse *m;* periode *m;* ~ **er,** strekker *m;* sykebåre *m.*

strew [stru:] (be)strø; spre.

strict [strikt] streng; nøye.

stride [straid] (frem)skritt *n;* langt skritt; skride.

strident ['straidnt] skingrende.

strife [straif] strid *m.*

strike [straik] slå; treffe; støte mot; støte på; slå (om

klokke *m);* stryke (flagg *n,* seil *n);* gjøre inntrykk; avslutte (handel); ta fyr, tenne på (fyrstikk); slå ned (lyn); streik(e); ~ **out,** slette ut; ~ **up,** spille opp; **be (go) on ~,** streike.

striking ['straikiŋ] påfallende; slående; treffende.

string [striŋ] snor *m/f;* hyssing *m;* streng *m;* bånd *n;* forsyne med strenger; *mus* stemme; stramme; **the ~ s,** strengeinstrumentene; ~ **y,** trevlet.

stringent ['strindʒənt] streng; stringent.

strip [strip] strimmel *m;* trekke av; kle av (seg); berøve (**of**); *tekn* ta fra hverandre.

stripe [straip] stripe *f.*

strive [straiv] streve; kjempe (**against** mot).

stroke [strouk] slag *n;* tak *n;* støt *n;* (pensel)strøk *n;* (stempel)slag *n;* takt(åre) *n;* hell *n;* stryke.

stroll [stroul] spasere; tur *m.*

strong [strɔŋ] sterk; kraftig; ~ **hold,** (høy)borg *m.*

structure ['strʌktʃə] struktur *m;* oppbygning *m;* byggverk *n.*

struggle ['strʌgl] kjempe; stri; kamp *m;* strev *n.*

strum [strʌm] klimpre; klimpring *m/f.*

strut [strʌt] spankulere.

stub [stʌb] stump *m;* talong *m;* ~ **ble**, gress- *el* skjeggstubb *m.*

stubborn ['stʌbən] stri; hårdnakket; stivsinnet; sta.

stud [stʌd] stift *m;* krage- *el* skjorteknapp *m;* stutteri *n.*

student ['stju:dənt] student *m.*

studied ['stʌdid] lærd; overlagt; uttenkt; tilsiktet.

studio ['stju:diou] atelier *n;* studio *n.*

studious ['stju:djəs] flittig; ivrig; omhyggelig.

study ['stʌdi] studium *n;* arbeidsværelse *n;* studere.

stuff [stʌf] (rå)stoff *m;* emne *n;* skrap *n,* juks *n;* stoppe (ut); fylle; proppe; stappe; ~ **ing**, farse *m,* fyll *f/n;* stopp *m;* polstring *m/f;* ~ **y**, innelukket; trykkende; prippen.

stumble ['stʌmbl] snuble.

stump [stʌmp] stump *m;* stubbe *m;* humpe; forvirre; ~ **y**, firskåren; stubbet.

stun [stʌn] bedøve; overvelde.

stunt [stʌnt] forkrøple; gjøre kunststykker; trick *n.*

stupefaction [stju:pi'fækʃn] forbløffelse *m;* ~ **fy** ['stju:pifai] forbløffe; bedøve.

stupendous [stju:'pendəs] veldig; overveldende.

stupid ['stju:pid] dum; sløv; ~ **ity** [stju'piditi] dumhet *m.*

sturdy ['stə:di] robust; kraftig; traust.

stutter ['stʌtə] stamme.

sty [stai] svinesti *m; med* sti *m.*

style [stail] stil *m;* type *m;* mote *m;* griffel *m;* titulere; benevne; ~ **ish**, stilig; flott.

suave [swa:v] beleven; urban.

subconscious ['sʌb'kɔnʃəs] underbevisst.

subdivide [sʌbdi'vaid] underinndele; ~ **sion** [sʌb'diviʒən] underavdeling *m/f.*

subdue [səb'dju:] undertrykke; dempe.

subheading ['sʌb'hediŋ] undertittel *m.*

subject ['sʌbdʒikt] statsborger *m;* undersått *m;* gjenstand *m;* emne *m;* sak *m/f;* (studie)fag *n;* ~ **to**, under forbehold av; underkastet, -lagt; [səb'dʒekt] underkaste; undertvinge; utsette; ~ **ion**, underkastelse *m.*

subjunctive [səb'dʒʌŋktiv] konjunktiv *m.*

sublet ['sʌb'let] fremleie.

sublime [sə'blaim] opphøyet.

submarine ['sʌbməri:n] undersjøisk; undervanns(båt *m).*

submerge [səb'mə:dʒ] dukke (ned); senke under vannet.

submit [səb'mit] underkaste (seg); forelegge (**to** for).

subordinate [sə'bɔ:dinit] underordnet; [-eit] underordne.

subscribe [səb'skraib] skrive under; subskribere; abonnere **(to** på); tegne (et bidrag); ~ **r,** abonnent *m;* bidragsyter *m.*

subscription [səb'skripʃn] undertegning *m* (to av); abonnement *n;* (tegning av) bidrag *n.*

subsequent ['sʌbsikwənt] (på-)følgende; ~ **ly,** siden; dernest.

subsid|e [səb'said] synke; legge seg; avta; ~ **iary** [səb'sidjəri] hjelpe-; side-; ~ ~ **(company),** datterselskap *n;* ~ **ize** ['sʌbsidaiz] subsidiere; ~ **y,** statsstøtte *m/f;* subsidier.

subsist [səb'sist] ernære seg; klare seg; ~ ense, utkomme *n;* eksistens *m;* tilværelse *m.*

substance ['sʌbstəns] substans *m;* stoff *n;* hovedinnhold *n;* kjerne *m.*

substantial [səb'stænʃəl] betydelig; solid.

substitute ['sʌbstitju:t] stedfortreder *m;* vikar *m;* erstatning *m;* sette istedenfor; vikariere **(for** for).

subtle ['sʌtl] fin; subtil; skarp(sindig); ~ **ty,** finesse *m.*

subtract [səb'trækt] trekke fra.

suburb ['sʌbə:b] forstad *m;* ~ **an** [sə'bə:bn] forstads-.

subway ['sʌbwei] fotgjengerundergang; *amr* undergrunnsbane *m.*

succeed [sək'si:d] følge etter;

etterfølge; lykkes, ha hell med seg; ~ **to,** arve.

success [sək'ses] gunstig resultat *n;* hell *n;* suksess *m;* ~ **ful,** heldig; vellykket; ~ **ion,** arvefølge *n;* tronfølge *n;* rekke(følge) *m;* ~ **or,** etterfølger *m.*

succinct [sək'siŋkt] kort; fyndig.

succulent ['sʌkjulənt] saftig.

succumb [sə'kʌm] bukke under; ligge under **(to** for).

such [sʌtʃ] sådan; slik; ~ **a man,** en slik mann; ~ **and** ~, den og den; en viss; ~ **is life,** slik er livet.

suck [sʌk] suge; die; ~ **er,** noe som suger; *amr slang* grønnskolling *m;* ~ **le,** die; gi bryst.

sudden ['sʌdn] plutselig; **all of a** ~, plutselig.

suds [sʌdz] såpeskum *n.*

sue [sju:] anklage; saksøke **(for** for); be, bønnfalle.

suet ['sjuit] talg *m/f.*

suffer ['sʌfə] lide **(from** av); tåle; tillate; ~ **er,** lidende; ~ **ing,** lidelse *m.*

suffice [sə'fais] strekke til; være nok.

sufficien|cy [sə'fiʃənsi] tilstrekkelig mengde *m;* ~ **t,** tilstrekkelig.

suffocate ['sʌfəkeit] kvele(s).

sugar ['ʃugə] sukker *n;* sukre.

suggest [sə'dʒest] foreslå; antyde; ~ed price, veiledende pris; ~ion, antydning m; forslag n; suggestion m; ~ive, tankevekkende; suggestiv.

suicide ['s(j)u:isaid] selvmord(er) n (m).

suit [s(j)u:t] drakt m; dress m; farge m (i kort); søksmål n; rettssak m; begjæring m/f; passe; kle; tilfredsstille; ~ed, (vel)egnet; ~able, passende (to, for for); ~case, liten håndkoffert m; ~e [swi:t] følge n; sett n; suite m; ~or, frier m; saksøker m.

sulky ['sʌlki] furten; tverr.

sullen ['sʌlən] trist; tverr.

sultriness ['sʌltrinis] lummerhet m; ~ry, lummer; trykkende.

sum [sʌm] (penge)sum m; telle sammen.

summarize ['sʌməraiz] sammenfatte; resymere; ~y, resymé n; utdrag n; kortfattet.

summer ['sʌmə] sommer m.

summit ['sʌmit] topp m.

summon ['sʌmən] stevne; innkalle; ~s, stevning m.

sun [sʌn] sol m/f; sole (seg); ~beam solstråle m; ~burn, solbrenthet m; ~burnt, solbrent; Sunday ['-di] søndag m; ~dial, solur n; ~down, solnedgang m.

sundries ['sʌndriz] diverse (utgifter); ~y, diverse.

sunglasses ['sʌngla:siz] solbriller; ~-helmet, tropehjelm m.

sunrise ['sʌnraiz] soloppgang m; ~set, solnedgang m; ~shade, parasoll m; ~shine, solskinn n; ~stroke, solstikk n.

superb [s(j)u:'pə:b] prektig; storartet.

supercilious [s(j)u:pə'siliəs] overlegen; ~ficial, overfladisk; ~fluous [s(j)u'pə:fluəs] overflødig; ~human, overmenneskelig; ~intend, lede; overvåke; ~ ~ent, inspektør m; leder m.

superior [s(j)u:'piəriə] over-, høyere; overlegen; utmerket; overordnet; foresatt; ~ity [-'ɔriti] overlegenhet m.

superlative [s(j)u:'pə:lətiv] superlativ m; høyest; av høyeste grad m; fremragende.

superman ['s(j)u:pəmæn] overmenneske n; ~natural, overnaturlig; ~numerary, overtallig; ~scription, over-, påskrift m/f; ~sede, fortrenge; avløse; ~sonic [-'sɔnik] overlyds-; ~stition, overtro m; ~stitious [-'stiʃəs] overtroisk; ~structure, overbygning m; ~vise, føre oppsyn med; ~vision, tilsyn n; kontroll m; ~visor, inspektør m.

supper ['sʌpə] aftensmat *m;* supé *m.*

supple ['sʌpl] myk; smidig.

supplement ['sʌpliment] tillegg *n;* (avis) bilag *n;* supplement *n;* supplere; ~ **ary** [-'men-] supplerende; tilleggs-.

supplier [sə'plaiə] leverandør *m;* ~ **y,** tilførsel *m;* levering *m/f;* forsyning *m/f;* forråd *n;* tilbud *n;* levere; forsyne.

support [sə'pɔ:t] støtte *m/f;* understøttelse *m;* støtte; bære; underholde; forsørge; tåle; ~ **er,** tilhenger *m;* en som støtter *m.*

suppose [sə'pouz] anta; formode; ~ **ition** [sʌpə'ziʃn] antagelse *m.*

suppress [sə'pres] undertrykke; avskaffe; ~ **ion,** undertrykkelse *m.*

supremacy [s(j)u'preməsi] overhøyhet *m;* overlegenhet *m;* ~ **e,** høyest; øverst.

sure [ʃuə] sikker; trygg; viss; tilforlatelig; **make** ~ **(that)** forvisse seg (om at); ~ **ly,** sikkert; ~ **ty,** sikkerhet *m;* kausjon(ist) *m (m).*

surf [sə:f] brenning *m/f.*

surface ['sə:fis] overflate *m/f.*

surge [sə:dʒ] brottsjø *m;* stor bølge *m/f.*

surgeon ['sə:dʒən] kirurg *m;* ~ **ry,** kirurgi *m;* operasjonssal *m.*

surmise [sə:'maiz] antagelse *m;* [sə'maiz] anta.

surname ['sə:neim] tilnavn *n;* etternavn *n.*

surpass [sə:'pa:s] overtreffe; overgå.

surplus ['sə:pləs] overskudd *n.*

surprise [sə'praiz] overraske(lse *m).*

surrender [sə'rendə] overgivelse *m;* overgi (seg); utlevere.

surround [sə'raund] omgi; omringe; ~ **ings,** omgivelser.

survey [sə:'vei] overblikk *n;* [sə:'vei] se over; besiktige; måle opp; ~ **or,** takstmann *m;* landmåler *m.*

survive [sə'vaiv] overleve; ~ **al,** det å overleve; (fortids)levning *m;* ~ **or,** overlevende.

susceptible [sə'septəbl] mottagelig; følsom.

suspect [sə'spekt] mistenke; ane; ['sʌs-] mistenkt; mistenkelig.

suspend [sə'spend] henge (opp); la avbryte; stanse; suspendere; ~ **ers,** sokke- *el* strømpeholder *m; amr* bukseseler.

suspense [sə'spens] uvisshet *m;* spenning *m/f.*

suspension [sə'spenʃn] opphenging *m;* utsettelse *m;* suspensjon *m;* ~ **bridge,** hengebru *f.*

suspicion [sə'spiʃn] mistanke *m;* ~ **ious,** mistenksom; mistenkelig.

sustain [səs'tein] støtte; ut-holde; lide (tap); ~ **tenance** ['sʌstinəns] underhold n; livsopphold n.

swagger ['swægə] skryte; spankulere; swagger m.

swallow ['swɔlou] svale m/f; svelging m/f; svelge.

swamp [swɔmp] myr f; sump m; oversvømme.

swan [swɔn] svane m.

swarm [swɔ:m] sverm(e) m; yre; kry.

sway [swei] svinging m/f; helling m/f; makt m/f, innflytelse m (**over** over); svaie; beherske.

swear [swɛə] sverge; banne.

sweat [swet] s & v svette m; ~ **er**, ullgenser m.

Sweden ['swi:dn] Sverige; ~ **e**, svenske m; ~ **ish**, svensk.

sweep [swi:p] feie; sope; fare henover; (**chimney**) ~, skorsteinsfeier m; ~ **er**, gatefeier m; ~ **ing**, også omfattende; gjennomgripende.

sweet [swi:t] søt; yndig; blid; ~ **s**, sukkertøy n; ~ **en**, gjøre søt; sukre; ~ **heart**, kjæreste m; ~ **ish**, søtlig; ~ **ness**, søthet m; ynde m.

swell [swel] svulme (opp); stige; vokse; svulming m/f; dønning m; flott, elegant; prima; snobb; fin fyr m; ~ **ing**, hevelse m; svulst m.

swelter ['sweltə] gispe av varme.

swerve [swə:v] dreie av.

swift, hurtig; rask.

swim, svømme; ~ **ming**, svømming m; ~ **ming-pool**, svømmebasseng n.

swindle ['swindl] bedra, svindle; svindel m; ~ **r**, svindler m; bedrager

swine [swain] svin n.

swing, svinge; huske; dingle; sving(ing) m); rytme m; spillerom n; swing m (dans).

swirl [swə:l] virvel m; virvle.

Swiss [swis] sveitsisk; sveitser m; **the** ~, sveitserne.

switch [swit] kjepp m; pisk m; elektrisk strømbryter m; skifte; pens(e) m; ~ **on**, slå på (lys); ~ **-board**, sentralbord n.

Switzerland ['switsələnd] Sveits.

swoon [swu:n] besvime(lse m).

swoop [swu:p] slå ned (på **on**); nedslag n.

sword [sɔ:d] sverd n; kårde m; sabel m; ~ **sman**, fekter m.

syllable ['siləbl] stavelse m.

syllabus ['siləbəs] pensum n; leseplan m.

symbol ['simbəl] symbol m; ~ **ic(al)** [-'bɔl-] symbolsk.

sympathetic [simpə'θetik] sympatisk; deltakende, medfølende; ~ **ize** ['simpəθaiz] sympatisere, ha medfølelse (med **with**); ~ **y**, sympati m.

symphony ['simfəni] symfoni m.

synchronize ['siŋkrənaiz] synkronisere; samordne.
synopsis [si'nɔpsis] oversikt *m;* utdrag *n.*
synthesis ['sinþisis] syntese *m;* ~ **ize**, *tekn* fremstille kunstig.

syringe ['sirindʒ] *med* sprøyte *m/f;* sprøyte (inn).
syrup ['sirəp] sukkerholdig (frukt)saft; sirup *m.*
system ['sistim] system *n;* ~ **atic**, systematisk; ~ **atize**, systematisere.

T

tab [tæb] merkelapp *m* hempe *m/f.*
table ['teibl] bord *n;* tavle *m/f* plate *m/f;* tabell ~~-cloth**, bordduk *m;* ~~-spoon**, spiseskje *m/f.*
tacit ['tæsit] stilltiende; taus; ~ **urn** ['tæsitə:n] fåmælt.
tack [tæk] stift *m; mar* slag *n,* baut *m;* feste; hefte med stifter; *mar* baute.
tackle ['tækl] takkel *n;* talje *m,* redskap greier; ta fatt på; *fotball* takle.
tact [tækt] takt *m;* finfølelse *m;* ~ **ful**, taktfull; ~ **ical**, taktisk; ~ **ics**, taktikk *m.*
tag [tæg] merkelapp *m;* omkved *n;* sisten (lek); feste.
tail [teil] hale *m;* bakende *m,* ~ **s,** *dt* snippkjole *m.*
tailor ['teilə] skredder *m;* sy, være skredder; ~~-made** **(costume)**, skreddersydd (drakt).
taint [teint] plett(e) *(m),* flekk(e) *(m).*

take [teik] ta; gripe; fange; arrestere; fakke; ta bort, med, imot; foreta; gjøre; utføre; kreve; oppfatte; forstå; fenge (om ild); anse **(for** for); ~ **place,** finne sted; ~ **in,** ta inn; ta imot; motta; oppfatte; lure; abonnere (på avis); ~ **off,** ta av seg (klær); slå av; forminske; kopiere; starte, gå opp (om fly); ~ **out,** ta ut; trekke ut; fjerne (flekk); utta, løse; ~ **to,** like; ha sympati for; ~ **up,** ta opp; anta; slå seg på; **be ~ n ill,** bli syk; ~~-off,** start *m;* parodi *m.*
tale [teil] fortelling *m/f;* **(fairy)** ~ eventyr *n.*
talk [tɔ:k] snakk *n;* samtale *m;* kåseri *n;* snakke; samtale; ~ **ative,** pratsom.
tall [tɔ:l] høy; stor; utrolig; ~ **boy,** høy kommode *m.*
tallow ['tælou] talg *m.*
tally ['tæli] karvestokk *m;* regnskap *n;* føre regnskap; stemme (med **with**).

tame [teim] tam; temme; kue;
~ **ness**, tamhet *m.*

tamper ['tæmpə] **with**: klusse
med.

tan [tæn] garvebark *m;* sol-
brenthet *m;* garve; gjøre, bli
solbrent.

tangible ['tændʒəbl] håndgri-
pelig.

tangle ['tæŋgl] *s & v* floke *m.*

tank [tæŋk] beholder *m;* tank
m; tanke; ~ **ard**, ølkrus *n;*
~ **er**, tankskip *n.*

tanner ['tænə] garver *m.*

tantalize ['tæntəlaiz] pine,
erte.

tap [tæp] kran *m;* tønnetapp
m; (tappet) drikkevare *m;*
lett slag *n;* banke lett; tappe.

tape [teip] måle (*el* klebe-,
lyd)bånd *n;* feste med bånd;
red ~, *fig* papirmølle *m/f;*
~ **recorder**, båndopptaker
m.

taper ['teipə] (tynt voks)lys *n;*
smalne av; minke, avta.

tapestry ['tæpistri] billedvev
m; billedteppe *n.*

tap-room ['tæpru:m] skjenke-
stue *m/f;* bar *m.*

tar [ta:] tjære *m/f;* tjærebre.

tardy ['ta:di] sen; treg.

target ['ta:git] (skyte)skive
m/f, mål *n.*

tariff ['tærif] tariff *m;* takst *m.*

tarnish ['ta:niʃ] ta glansen av;
anløpe(s); matthet *m.*

tart [ta:t] terte *m/f;* tøs *f;*
besk.

tartan ['ta:tən] tartan *m,* rutet
skotsk tøy *n.*

task [ta:sk] oppgave *m/f;*
plikt *m;* verv *n;* lekse *m/f;*
gi en oppgave; overan-
strenge.

tassel ['tæsl] kvast *m,* dusk *m.*

taste [teist] smak *m;* smake
(på); ~ **ful**, smakfull; ~ **less**,
smakløs.

tatters ['tætəz] filler; ~ **ed**, fil-
let.

taunt [tɔ:nt] hån(e) *m.*

taut [tɔ:t] tott, stram.

tavern ['tævən] vertshus *n.*

tawdry ['tɔ:dri] prangende;
forloren.

tax [tæks] skatt *m;* beskatte;
bebyrde; beskylde; klandre;
~ **ation**, beskatning *m.*

taxi(cab) ['tæksi(kæb)] drosje-
(bil) *m/f.*

taxpayer ['tækspeiə] skattebe-
taler *m.*

tea [ti:] te *m.*

teach [ti:tʃ] lære (fra seg);
undervise; ~ **er**, lærer(inne)
m.

teaching ['ti:tʃiŋ] lære *m/f,*
undervisning *m/f.*

team [ti:m] spann *n;* kobbel
n; lag *n;* ~ -**spirit**, lagånd *m.*

teapot ['ti:pɔt] tekanne *m/f.*

tear [tɛə] rive (i stykker); få
rift i; slite i; rift *m/f;* [tiə]
tåre; ~ **s**, gråt *m.*

tease [ti:z] erte; plage.

technical ['teknikl] teknisk.

technicolor ['teknikʌlə] farge-film *m.*

technique [tek'ni:k] teknikk *m.*

tedious ['ti:diəs] trettende; langtekkelig; kjedelig.

teem [ti:m] vrimle, myldre.

teen-ager ['ti:neidʒə] tenåring *m.*

teetotaller [ti:'toutlə] avholds-mann *m.*

telegram ['teligræm] telegram *n.*

telegraph ['teligra:f] telegraf *m;* telegrafere; ~ **ist** [ti'legrə-fist] telegrafist *m.*

telephone ['telifoun] telefon *m;* telefonere.

tele|printer ['teli'printə] fjern-skriver *m;* ~ **scope**, kikkert *m;* ~ **vision**, fjernsyn *n.*

tell, fortelle; si (til); be; sladre; skjelne; gjøre virk-ning (**on** på); ta på, leite på; ~ **a person to do something**, gi noen beskjed om å gjøre en ting.

temper ['tempə] modifisere (ved tilsetning); blande (i riktig forhold); mildne; dempe; lynne *n;* humør *n;* lune *n;* **lose one's** ~, miste selvbeherskelsen; bli sint; ~ **ance**, måtehold *n;* ~ **ature** [-pritʃə] temperatur *m.*

tempest ['tempist] storm *m.*

temple ['templ] tempel *n;* tin-ning *m.*

temporal ['tempərəl] tids-; ti-

melig; verdslig; ~ **ary**, mid-lertidig; ~ **ize**, nøle; se tiden an; forsøke å vinne tid.

tempt, friste; forlede; ~ **ation**, fristelse *m.*

tenant ['tenənt] leieboer *m;* forpakte(r *m);* leie.

tend, tendere; vise (*el* ha) tilbøyelighet *m* (**to, towards** til); passe; vokte.

tenden|cy ['tendənsi] retning *m/f;* tendens *m;* ~ **tious** [-'denʃəs] tendensiøs.

tender ['tendə] tilbud *n;* anbud *n;* vokter *m;* tender *m;* tilby; sart; følsom; øm; mør; ~ **ness**, sarthet *m;* ømhet *m.*

tenet ['tenit] tros-, læresetning *m.*

tenfold ['tenfould] tidobbelt.

tennis-court ['tenisko:t] tennis-bane *m.*

tenor ['tenə] (hoved)innhold *n; mus* tenor *m.*

tense [tens] spent; stram; *gram* tid(sform *m);* ~ **ion**, spenning *m;* stramming *m.*

tent, telt *n.*

tenth [tenþ] tiende(del) *(m).*

tepid ['tepid] lunken.

term [tə:m] termin *m;* (tids)-grense *m/f;* periode *m;* se-mester *n;* uttrykk *n;* ~ **s**, betingelser; benevne, kalle; **be on good (bad)** ~ **s with**, stå på god (dårlig) fot med.

termin|al ['tə:minl] ende-; yt-ter-; endestasjon *m;* ~ **ate**,

begrense; (av)slutte; ~ ation
[-'neiʃn] ende(lse) m; (av)-
slutning m; ~us, endesta-
sjon m.

terrace ['terəs] terrasse m.

terrible ['terəbl] skrekkelig;
~ fic [tə'rifik] fryktelig; vel-
dig; ~ fy, skremme; for-
ferde.

territory ['terit(ə)ri] (land)om-
råde n; territorium n.

terror ['terə] skrekk m; redsel
m; ~ ize, terrorisere.

terse [tə:s] klar, konsis (stil).

test, s & v prøve m/f; under-
søke(lse m).

testify ['testifai] (be)vitne.

testimonial [testi'mounjəl] vit-
nemål n; attest m; ~ y ['testi-
məni] vitnemål n; vitne-
prov n.

testy ['testi] gretten; amper.

tether ['teðə] tjor(e) n.

text [tekst] tekst m; skriftsted
n; ~-book, lærebok m/f.

textile ['tekstail] vevet; teks-
til-; ~ s, tekstilvarer.

texture ['tekstʃə] vev m; teks-
tur m; fig struktur m.

than [ðæn] enn.

thank [θæŋk] takke; ~ you
very much!, mange takk!;
no, ~ you!, nei takk!; ~ s,
takk; ~ s to, takket være;
~ ful, takknemlig; ~ less,
utakknemlig; ~ sgiving,
takksigelse m; **Thanksgiving
Day,** amr takkefest, i alm.
siste torsdag i november.

that [ðæt] den, det, den (el
det) der, i pl disse, de der;
som; at, så at, for at.

thatch [θætʃ] halmtak n; tak-
halm m; tekke.

thaw [θɔ:] tøvær n; smelte; tø.

the [foran konsonant ðə, med
sterk betoning ði: foran vo-
kallyd ði] den, det, de; ~ ...
~ , jo ... desto.

theatre ['θiətə] teater n; audi-
torium n; skueplass m.

theft [θeft] tyveri n.

their [ðεə] deres; sin; ~ s,
deres; sin.

them [ðem, ubetont ð(ə)m]
dem; (etter prep. ogs.) seg;
~ selves, seg; seg selv.

theme [θi:m] tema n; stil m.

then [ðen] da; den gang; der-
etter; så; derfor; daværende.

theology [θi'ɔlədʒi] teologi m.

theory ['θiəri] teori m; ~ ist,
teoretiker m.

there [ðεə] der, dit; ~ is, ~
are, det er, det finnes; ~
you are! der har du det! vær
så god!

thereabout(s) [ðεərəbauts]
deromkring; ~ after, beret-
ter; ~ by, derved; ~ fore,
derfor; følgelig; ~ upon,
derpå; som følge derav; like
etterpå.

thermometer [θə'mɔmitə] ter-
mometer n; ~ s flask, ~ s
bottle ['θə:məs] termosflaske
m/f.

these [ði:z] *(pl* av **this),** disse.
they [ðei] de; folk; man.

thick [þik] tykk; tett; uklar;
grumset; ~ **en,** bli tykk;
gjøre tykk; ~ **et,** tykning *n;*
kratt *n;* ~ **ness,** tykkelse *m.*

thief [þi:f], *pl* **thieves** [þi:vz]
tyv *m.*

thieve [þi:v] stjele; ~ **ish,** tyv-
aktig.

thigh [þai] lår *n.*

thimble [ˈþimbl] fingerbøll *n.*

thin [þin] tynn; mager; ty-
nne(s) ut.

thing [þiŋ] ting *n;* vesen *n;*
~ **s,** saker; forhold; klær.

think [þiŋk] tenke **(of, about**
på; **about, over** over); mene;
tro; synes; ~ **ing,** tenkning
m.

third [þə:d] tredje(del); ~ **ly,**
for det tredje.

thirst [þə:st] tørst *m;* tørste
(for, after etter); ~ **y,** tørst.

thir|teen [ˈþə:ti:n] tretten;
~ **teenth,** trettende; ~ **tieth,**
trettiende; ~ **ty,** tretti.

this [ðis] *pl* **these,** denne,
dette, disse; ~ **morning,** i
morges, i formiddag.

thorn [þɔ:n] torn *m;* ~ **y,** tor-
net.

thorough [ˈþʌrə] grundig; full-
stendig; inngående; ~ **fare**
(hoved)trafikkåre *m,f.*

those [ðouz] de (der); dem *(pl*
av **that).**

though [ðou] skjønt; selv om;

(sist i setningen) likevel; **as**
~, som om; **even** ~, selv
om.

thought [þɔ:t] tanke *m;* tanke-
gang *m;* tenkning *m;* ~ **ful,**
tankefull; hensynsfull **(of**
mot); ~ **less,** tankeløs; ube-
kymret.

thousand [ˈþauzənd] tusen;
~ **th,** tusende.

thrash [þræʃ] treske; jule,
denge.

thread [þred] tråd *m;* garn *n;*
træ i nål, på snor; ~ **bare,**
loslitt.

threat [þret] trusel *m;* ~ **en,**
true (med).

three [þri:] tre; ~ **fold,** tre-
fold; tredobbel.

thresh [þreʃ] treske (korn).

threshold [ˈþreʃhould] terskel
m.

thrice [þrais] tre ganger.

thrift [þrift] sparsommelighet
m; ~ **less,** ødsel; ~ **y,** spar-
sommelig.

thrill [þril] sitring *m/f;* skjel-
ving *m;* gysing *m/f;* spen-
ning *m;* sitre; grøsse; be-
geistre.

thrive [þraiv] trives.

throat [þrout] svelg *n;* strupe
m; hals *m;* **have a sore** ~, ha
vondt i halsen.

throb [þrɔb] banke *m,f;* slag
n; banke, hamre, pulsere.

throne [þroun] trone *m.*

throng [þrɔŋ] trengsel *m;*
mengde *m;* stimle sammen.

through [pru:] (i)gjennom; ved; ferdig; gjennomgangs; ~ **out**, over hele; gjennom hele.

throw [prou] kaste; ~ **away**, kaste bort; sløse (med); ~ **out**, kaste ut; avvise.

thrush [prʌʃ] trost m.

thrust [prʌst] støt(e) n; stikk(e) n.

thumb [pʌm] tommelfinger m; fingre med; bla i.

thunder ['pʌndə] torden m; tordne; ~ **bolt**, lynstråle m; ~ **storm**, tordenvær n.

Thursday ['pə:zdi] torsdag m.

thus [ðʌs] så(ledes), på denne måte; derfor.

thwart [pwɔ:t] på tvers; tofte m/f; motarbeide; hindre.

thyme [taim] timian m.

tick [tik] putevar n; tikking m/f; tikke, merke av.

ticket ['tikit] billett m; adgangskort n; (lodd)seddel m; ~ **-collector**, billettør m.

tickle ['tikl] kile; ~ **ish**, kilen; ømtålig.

tide [taid] tidevann n; strøm m; retning m.

tidings ['taidiŋz] tidender; etterretninger; nytt.

tidy ['taidi] nett; pen; rydde.

tie [tai] bånd n; slips n; binde; knytte; forbinde.

tiger ['taigə] tiger m.

tight [tait] tett; fast; stram; trang; gniten; pussa; ~ **en**, stramme(s); spenne (belte).

tigress ['taigris] hunntiger m.

tile [tail] tegl(sten) n (m); takstein m; (golv)flis m/f.

till, (inn)til; ~ **now**, hittil; **not** ~, ikke før; først; pengeskuff m; dyrke; pløye opp; ~ **er**, rorkult m; dyrker m.

tilt, helling m/f; turnering m/f; vippe.

timber ['timbə] tømmer n.

time [taim] tid m; klokkeslett n; mus takt m/f; gang m; avpasse; ta tiden; beregne; **at** ~ **s**, undertiden; **at the same** ~, samtidig; **by that** ~, innen den tid; **in** ~, i rett tid; i tide; **for the** ~ **being**, foreløpig; inntil videre; **have a good** ~, ha det hyggelig (morsomt); ~ **ly**, som kommer i rett tid; ~ **-table**, timeplan m; togtabell m.

timid ['timid] engstelig; sky.

tin [tin] tinn n; blikkboks m; (hvit)blikk n; fortinne; legge ned hermetisk.

tincture ['tiŋktʃə] skjær n; anstrøk n.

tinge [tindʒ] fargeskjær n; anstrøk n; snev m.

tingle ['tiŋgl] krible; suse.

tinkle ['tiŋkl] klirre; single.

tin|**man** ['tinmən] blikkenslager m; ~ **-opener**, bokseåpner m.

tint, (farge)tone m; sjattering m/f; farge; gi et anstrøk.

tiny ['taini] ørliten.

tip, spiss *m;* tipp *m;* tupp *m;* lett slag; avfallsplass *m;* drikkepenger; vink *n;* beslå (på spissen); slå lett på; vippe; tippe; gi drikkepenger *el* vink; ~**-off,** vink *n;* ~**sy,** pussa; beruset.

tire ['taiə] *amr* sykkel- *el* bildekk *n;* gjøre *el* bli trett; ~**d,** trett; ~**some,** kjedelig.

tissue ['tisju:] vev *n;* ~ (**paper),** silkepapir *n.*

tit(mouse) ['tit(maus)] meis *m.*

titillate ['titileit] kile.

title ['taitl] tittel *m; jur* rett *m;* skjøte *n;* titulere; ~**d,** adelig.

titter ['titə] fnis(e) *m el n.*

titular ['titjulə] titulær.

to [tu, tə] til; for; (for) å.

toad [toud] padde *m/f;* ~**stool,** fluesopp *m;* ~**y,** spyttslikker *m;* krype; smiske.

toast [toust] ristet brød *n;* skål(tale *m) m;* riste; skåle.

tobacco [tə'bækou] tobakk *m;* ~**nist,** tobakkshandler *m.*

toboggan [tə'bɔgən] kjelke *m.*

today [tə'dei] i dag.

toe [tou] tå *m/f;* spiss *m;* røre med tåa.

toffee ['tɔfi] fløtekaramell *m.*

together [tə'geðə] sammen.

toil [tɔil] slit *n;* slite; streve.

toilet ['tɔilit] toalett *n;* antrekk *n;* påkledning *m.*

token ['toukn] tegn *n;* merke *n;* erindring *m.*

tolerable ['tɔlərəbl] tålelig; utholdelig; ~**nce,** toleranse *m;* ~**nt,** tolerant; ~**te,** tåle; finne seg i; tolerere; ~**tion,** toleranse *m.*

toll [toul] vei-, bropenger; ringe; klemte; ~**call,** rikstelefonsamtale *m.*

tomato [tə'ma:tou], *pl* ~**es,** tomat *m.*

tomb [tu:m] grav(mæle) *m (n);* ~**stone,** gravstein *m.*

tomboy ['tɔmbɔi] galneheie *f;* vilter jente *f.*

tomcat ['tɔmkæt] hannkatt *m.*

tome [toum] bind *n* (av bok).

tomorrow [tə'mɔrou] i morgen.

ton [tʌn] tonn *n.*

tone [toun] tone *m;* klang *m;* tone(fall *n).*

tongs [tɔŋz] *pl* (**a pair of)** ~, (en) tang *m.*

tongue [tʌŋ] tunge *m/f;* språk *n;* bruke munn på.

tonic ['tɔnik] styrkende (middel).

tonight [tə'nait] i aften; i natt.

tonnage ['tʌnidʒ] tonnasje *m.*

tonsil ['tɔnsl] *anat* mandel *m.*

too [tu:] også; (alt)for.

tool [tu:l] verktøy *n;* redskap *n;* ~**-kit,** verktøykasse *f.*

tooth [tu:þ], *pl* **teeth,** tann *m/f;* ~**ache,** tannpine *m;* ~**-brush,** tannbørste *m.*

top [tɔp] topp *m;* øverste del;

overside *m;* spiss *m;* mers *n;* snurrebass *m;* overst; prima; rage opp; være fremherskende; overgå; toppe; **~-hat,** flosshatt *m;* **~most,** høyest; øverst.

topic ['tɔpik] emne *n;* tema *n;* ~ **al,** aktuell.

torch [tɔ:tʃ] fakkel *m;* **(electric)** ~ lommelykt *m/f.*

torment ['tɔ:mənt] kval *m,* pinsel *m;* [tɔ:'-] pine; plage.

torpid ['tɔ:pid] sløv; treg.

torrent ['tɔrənt] strøm *m;* striregn *n.*

torrid ['tɔrid] brennende het.

tortoise ['tɔ:təs] skilpadde *m/f.*

tortuous ['tɔ:tjuəs] kroket; buktet.

torture ['tɔ:tʃə] tortur(ere) *m.*

toss [tɔs] kast(e) *n.*

total ['toutl] hel; total; samlet sum *m;* ~ **up to,** beløpe seg til; ~ **ity** [tou'tæliti] helhet *m.*

totter ['tɔtə] vakle; stavre.

touch [tʌtʃ] (be)røre; ta på; føle på; ~ **up,** friske opp; berøring *m;* anstrøk *n;* **get in(to)** ~ **with,** komme i forbindelse med; ~ **ing,** rørende; angående; ~ **y,** pirrelig; nærtagende.

tough [tʌf] seig; vanskelig; vrien; barsk; ~ **ness,** seighet *m.*

tour [tuə] (rund)reise *m;* tur *m;* turné *m;* reise (omkring).

tourist ['tuərist] turist *m;* ~ **agency,** ~ **office,** *amr* ~ **bureau,** reisebyrå *n.*

tow [tou] buksering *m;* stry *n;* slepe; buksere.

toward(s) [tə'wɔ:d(z)] mot; i retning av; (hen)imot.

towel ['tauəl] håndkle *n.*

tower ['tauə] tårn *n;* heve seg; kneise; ~ **ing,** tårnhøy.

town [taun] by *m;* ~ **council,** bystyre *n;* ~ **hall,** rådhus *n;* ~ **ship,** kommune *m;* ~ **sman,** bysbarn.

toy [tɔi] leketøy *n.*

trace [treis] spor *n;* merke *n;* (etter)spore; oppspore; streke opp; ~ **able,** påviselig.

track [træk] spor *n;* far *n;* fotspor *n;* vei *m;* sti *m;* jernbanelinje *m/f;* **sport** bane *m;* (etter)spore.

trac¦tion ['trækʃn] trekking *m/f;* trekk *n;* ~ **tor,** traktor *m.*

trade [treid] handel *m;* bransje *m;* næring *m/f;* håndverk *n;* (frakt)fart *m;* handle; ~ **-mark,** varemerke *n;* fabrikkmerke *n;* ~ **r,** næringsdrivende *m;* handelsskip *n;* ~ **(s) union,** fagforening *m.*

tradition [trə'diʃn] overlevering *m/f;* tradisjon *m.*

traffic ['træfik] trafikk *m;* ferdsel *m;* handel *m;* trafikkere; handle; ~ **jam,** trafikk kaos *n.*

tragedy ['trædʒidi] tragedie *m;* ~ **ic(al),** tragisk.

trail [treil] slep *n;* hale *m;* løype *f;* vei *m;* spor *n;* slepe; (opp)spore; ~ **er,** (bil)tilhenger *m.*

train [trein] tog *n;* slep *n;* rekke *m/f;* rad *m;* følge *n;* opptog *n;* utdanne (seg); trene; ~ **ee** [trei'ni:] læregutt *m.*

trait [treit] (karakter- *el* ansikts-)trekk *m;* ~ **or,** forræder *m;* ~ **orous,** forrædersk.

tram(-car) ['træm(ka:)] sporvogn *m/f;* trikk *m.*

tramp [træmp] fottur *m;* trampbåt *m;* landstryker *m;* ludder *n;* trampe; vandre; traske; ~ **le,** tråkke.

tramway ['træmwei] sporvei *m;* trikk *m.*

tranquil ['træŋkwil] rolig.

transact [træn'zækt] utføre; ~ **ion,** forretning *m.*

transcend [træn'send] overgå; overskride; ~ **cribe,** skrive om; transskribere; ~ **cript** ['trænskript] gjenpart *m;* kopi *m.*

transfer ['trænsfə:] overføring *m/f;* forflytting *m/f;* [-'fə:] overføre; forflytte; ~ **able,** som kan overføres; ~ **ence** ['træns-] overføring *m,f.*

transform [træns'fɔ:m] om-

danne; omforme; forvandle; ~ **ation,** omforming *m/f;* forvandling *m/f.*

transfuse [træns'fju:z] inngyte; overføre (blod); ~ **gression,** overtredelse *m).*

transit ['trænzit] transitt *m;* gjennomgang *m,* -reise *m/f;* ~ **ion** [-'ziʃn] overgang *m.*

translate [træns'leit] oversette; ~ **ion,** oversettelse *m;* ~ **or,** oversetter *m.*

transmission [trænz'miʃn] *tekn, fys, rad* overføring *m/f;* ~ **t,** oversende; overføre.

transparent [træns'pɛərənt] gjennomsiktig; ~ **pire,** svette; sive ut; ~ **port** ['trænspɔ:t] befordring *m/f;* transport *m; fig* henrykkelse *m;* [-'pɔ:t] befordre; transportere.

trap [træp] felle *m/f;* ~ **s,** greier; fange i felle; besnære; ~ **door,** (fall-)lem *m;* luke *m/f.*

trapper ['træpə] pelsjeger *m.*

trash [træʃ] skrap *n;* sludder *n;* ~ **y,** verdiløs; unyttig.

travail ['træveil] slit *n;* fødselsveer.

travel ['trævl] reise (i); være på reise; reise *m/f;* ~ **ler,** reisende *m;* passasjer *m.*

trawl [trɔ:l] trål(e) *m.*

tray [trei] brett *n;* bakke *m.*

treacherous ['tretʃərəs] forrædersk; ~ **y,** forræderi *n.*

tread [tred] tre; tråkke; trinn *n*; gange *m*; ~ **le** pedal *m*.

treason ['tri:zn] (høy)forræderi *n*.

treasure ['treʒə] skatt *m*; klenodie *n*; gjemme (på); verdsette; ~ **er**, kasserer *m*; skattmester *m*; ~ **y**, skattkammer *n*; (hoved)kasse *m/f*; statskassen *m*.

treat [tri:t] behandle; traktere; spandere; traktement *n*; nytelse *m*; ~ **with**, underhandle med; ~ **ise** ['tri:tiz] avhandling *m/f*; ~ **ment**, behandling *m/f*; ~ **y**, traktat *m*.

treble ['trebl] tredobbelt; diskant.

tree [tri:] tre *n*.

tremble ['trembl] skjelve.

tremendous [tri'mendəs] veldig; skrekkelig.

trench [trentʃ] grøft *f*; skyttergrav *m*; grave; grøfte; skarp; bitende; ~ **-coat**, vanntett ytterfrakk *m*.

trend, retning *m/f*; tendens *m*; strekke seg.

trespass ['trespəs] gå *el* trenge seg inn på annenmanns eiendom; ~ **er**, uvedkommende.

tress, lokk *m*; flette *m/f*.

trial ['traiəl] prøve(lse) *m*; forsøk *n*; rettergang *m*; sak *m/f*; **on** ~, på prøve; for retten.

triangle ['traiæŋgl] trekant *m*.

tribe [traib] stamme *m*; slekt *m*; flokk *m*, skare *m*.

trick [trik] knep *n*; kunststykke *n*; lure; ~ **out**, spjåke til.

trickle ['trikl] risle; pible.

trick(s)y ['trik(s)i] lur; kinkig.

trifle ['traifl] bagatell *m*; tøve; ~ **ing**, ubetydelig; tøvete.

trigger ['trigə] avtrekker *m* (på skytevåpen).

trill, trille, slå triller.

trim, nett; fiks; velordnet; trimme; bringe i orden; klippe; stusse; orden *m*; stand *m*; pynt *m*; ~ **mings**, besetning *m*; pynt *m*.

trinity ['triniti] treenighet *m*.

trinket ['triŋkit] smykke *n*.

trip, utflukt *m*; tur *m*; kortere reise; trippe; snuble.

tripe [traip] innmat *m*; vrøvl *n*; ~ **s**, innvoller.

triple ['tripl] tredobbelt.

trite [trait] forslitt; banal.

triumph ['traiəmf] triumf *m*; triumfere (**over** over); ~ **ant** ['Amf-] triumferende.

trivial ['triviəl] hverdagslig; triviell; ubetydelig.

trolley ['trɔli] tralle *m/f*; ~ **(bus)** trolleybuss *m*.

troop [tru:p] tropp *m*; flokk *m*; *pl* tropper; samle seg; marsjere.

trophy ['troufi] trofé *n*; seierstegn *n*.

tropical ['trɔpikl] tropisk; **the ~ s,** tropene.

trot [trɔt] trav(e) n; **~ ter,** travhest m.

trouble ['trʌbl] vanskelighet m; ubehagelighet m; ugreie f; besvær n; plage m; bry n; uleilighet m; røre i (vann); forstyrre; forurolige; bry; plage; besvære; **~ some,** besværlig; brysom; plagsom.

trough [trɔf] trau n.

trousers ['trauzəz] bukser.

trousseau ['tru:sou] brudeutstyr n.

trout [traut] aure m, ørret m.

truant ['tru:ənt] skulker m.

truce [tru:s] våpenstillstand m.

truck [trʌk] tralle m/f; transportvogn m; godsvogn m; amr lastebil m; tuskhandel m; frakte med godsvogn el lastebil.

trudge [trʌdʒ] traske.

true [tru:] sann; tro(fast); riktig; ekte; **come ~,** gå i oppfyllelse; **be ~ of,** være tilfelle med.

truffle ['trʌfl] trøffel m.

truly ['tru:li] i sannhet; oppriktig; **yours ~,** ærbødigst (foran underskriften i et brev).

trump [trʌmp] trumf(e) m; **~ up,** dikte opp.

trumpet ['trʌmpit] trompet m; støte i trompet; utbasunere.

trunk [trʌŋk] (tre)stamme m; kropp m; hoveddel m; snabel m; (stor) koffert m; **~ s,** turn-, badebukser; **~ line,** hovedlinje m/f; **~ call,** rikstelefonsamtale m; **~ dialling,** fjernvalg n.

trust [trʌst] tillit m **(in** til); betrodde midler; **on ~,** på kreditt; **in ~,** til forvaring; merk trust; stole på; **~ ee,** tillitsmann m, verge m; **~ ful, ~ ing,** tillitsfull.

trustworthiness ['trʌstwə:ðinis] pålitelighet m; **~ y,** pålitelig.

truth [tru:þ] sannhet m; **~ ful,** sannferdig.

try [trai] forsøke; undersøke; prøve; sette på prøve; anstrenge; røyne på; **~ on,** prøve på (seg klær); **~ ing,** anstrengende; vanskelig; ubehagelig.

tub [tʌb] balje f; kar n; **(bath)~** badekar n.

tube [tju:b] rør n; munnstykke n; amr (radio)rør n; tube m; undergrunnsbanen (i London).

TUC (The Trades Union Congress) Landsorganisasjonen (i England).

tuck [tʌk] legg n (på klær); sy i legg; stikke, folde **(in** inn); **~ up,** brette opp.

Tuesday ['tju:zdi] tirsdag m.

tug [tʌg] slepebåt m (ogs. **~ boat);** slepe, taue; hale.

tuition [tju(:)iʃn] undervisning *m/f;* betaling for undervisning.

tulip ['tju:lip] tulipan *m.*

tumble ['tʌmbl] tumle; rulle; ramle ned; ~**r,** øl- *el* vannglass *n;* akrobat *m.*

tumour ['tju:mə] svulst *m.*

tumult ['tju:mʌlt] tumult *m;* forvirring *m/f;* tummel *m;* ~**uous** ['mʌl-] stormende; urolig.

tuna ['tju:nə] tunfisk *m.*

tune [tju:n] melodi *m; mus* harmoni *m;* stemme; out of ~, ustemt; ~ **in** (to) rad stille inn (på).

turbot ['tə:bət] piggvar *m.*

turbulent ['tə:bjulənt] urolig; opprørt; stormende.

tureen [tju'ri:n] terrin *m.*

turf [tə:f] grastorv *m/f;* veddeløpsbane *m.*

Turkey ['tə:ki] Tyrkia; **turkey,** kalkun *m.*

Turkish ['tə:kiʃ] tyrkisk.

turmoil ['tə:mɔil] bråke; uro *m/f.*

turn [tə:n] dreie (rundt); vende; snu; svinge; omvende; forandre (seg) (**into** til); vende noen bort (**from** fra); bøye av; bli; surne, skilles; ~ **a corner,** dreie om hjørnet; ~ **down,** *dt* avslå; ~ **off, on,** skru av, på (vannkran osv.); ~ **out,** kaste, vise ut; vise seg å

være; frembringe; produsere (varer); ~ **to,** ta fatt på; ~ **up,** vende opp; skru opp; vise seg uventet; omdreining *m;* krumning *m;* vending *m/f;* omslag *n;* omskifting *m/f;* forandring *m/f;* tur *m,* slag *n;* tur *m,* omgang *m* (**by** ~**s,** skiftevis); **do somebody a good** ~, gjøre noen en tjeneste; **it is my** ~, det er min tur; ~ **ing-point,** vendepunkt *n.*

turnip ['tə:nip] turnips *m.*

turnout ['tə:naut] utstyr *n;* kjøregreier; streik *m;* fremmøte *n;* (netto) produksjon *m;* ~**over,** omsetning *m;* ~**pike** veibom *m;* ~~**(road),** *amr* avgiftsbelagt motorvei *m;* ~~**up,** oppbrett *n.*

turtle ['tə:tl] skilpadde *m/f;* turteldue *m/f.*

tusk [tʌsk] støttann *m/f.*

tutor ['tju:tə] (hus)lærer *m;* studieleder *m.*

tuxedo [tʌk'si:dou] *amr* smoking *m.*

tweezers ['twi:zəz] pinsett *m.*

twelfth [twelfθ] tolvte.

twelve [twelv] tolv; ~**fold,** tolvdobbelt.

twentieth ['twentiiθ] tyvende.

twenty ['twenti] tyve; ~**fold,** tyvedobbelt.

twice [twais] to ganger.

twig, kvist *m;* ~**gy,** grenet; mager.

twilight ['twailait] tusmørke n; grålysning m/f; skumring m/f.

twin, tvilling m; dobbelt-.

twine [twain] snoing m/f; hyssing m; sno; tvinne.

twinkle ['twiŋkl] blinke; glitre; funkle.

twirl [twə:l] virvle; snurre.

twist, vridning m/f; omdreining m/f; tvist m; vri; sno; tvinne.

twitch [twitʃ] napp(e) n; rykk(e) n.

twitter ['twitə] kvitter n; kvitre.

two [tu:] to; ~ **fold**, dobbelt; ~ **pence** ['tʌpəns] to pence.

type [taip] type m; forbilde n; mønster n; preg n; sats m; skrive på maskin; ~ **writer**, skrivemaskin m.

typhoon [tai'fu:n] tyfon m.

typist ['taipist] maskinskriver(ske) m.

typical ['tipikl] typisk (**of** for).

tyrannize ['tirənaiz] tyrannisere; ~ **ny**, tyranni n; ~ **t** ['tairənt] tyrann m.

tyre [taiə] bil- el sykkeldekk n.

U

udder ['ʌdə] jur n.

ugliness ['ʌglinis] stygghet m; ~ **y**, stygg, heslig.

U. K. = United Kingdom.

ulcer ['ʌlsə] sår n; (**gastric**) ~, magesår n.

ultimate ['ʌltimit] sist; endelig.

umbrella [ʌm'brelə] paraply m.

umpire ['ʌmpaiə] oppmann m; dommer m (sport).

unable [ʌn'eibl] ute av stand (**to** til); ~ **abridged**, uforkortet; ~ **acceptable**, uantagelig.

unaccustomed [ʌnə'kʌstəmd] uvant; ~ **to**, ikke vant til.

unacquainted [ʌnə'kweintid] ukjent; ~ **affected**, uberørt; enkel; naturlig; ~ **alterable**,

uforanderlig; ~ **amiable**, uelskverdig.

unanimity [ju:nə'nimiti] enstemmighet m; ~ **ous** [ju'næniməs] enstemmig.

unanswerable [ʌn'a:nsərəbl] som ikke kan besvares; ugjendrivelig; ~ **armed**, ubevæpnet; ~ **assuming**, beskjeden; ~ **attainable**, uoppnåelig; ~ **attended**, forlatt; ~ **available**, utilgjengelig; ikke for hånden; ~ **avoidable**, uunngåelig.

unaware [ʌnə'wɛə] uvitende (**of** om); ~ **s**, uforvarende.

unbalanced [ʌn'bælənst] ubalansert; ulikevektig; ~ **bar**, åpne; ~ **bearable**, uutholdelig; ~ **becoming**, ukledelig; ~ **believing**, vantro; ~ **bend**, slappe av; tø opp; ~ **bias(s)ed**, fordomsfri; ~ **bidden**, ubuden; ~ **bind**, løse; ~ **bolt**, åpne; ~ **bound**, ubundet.

un|broken ['ʌn'broukn] ubrutt; ~ **burden**, lesse av; lette (of for); ~ **button**, knappe opp; ~ **ceasing**, uopphørlig; ~ **certain**, usikker; ~ **checked**, uhindret.

uncle ['ʌŋkl] onkel m.

uncomfortable [ʌn'kʌmfətəbl] ubehagelig; ubekvem; ~ **common**, usedvanlig; ~ **concerned**, ubekymret; uinteressert; ~ **conditional**, ubetinget; ~ **conscious**, bevisstløs; ubevisst.

un|contested ['ʌnkən'testid] ubestridt; ~ **convinced**, ikke overbevist; ~ **couple**, kople fra; ~ **cover**, avdekke; ~ **damaged**, ubeskadiget; ~ **decided**, uavgjort; ubestemt; ~ **defined**, ubestemt; ~ **deniable**, unektelig.

under ['ʌndə] under; nede; nedenfor; underordnet; under-; ~ **bid**, underby; ~ **clothing**, undertøy n; ~ **cut**, underselge; trykke prisnivået; rykke grunnen bort under; ~ **developed**, underutviklet; ~ **done**, halvrå; ~ **estimate**, undervurdere;

~ **expose**, *fotogr* undereksponere; ~ **fed**, underernært; ~ **go**, gjennomgå; ~ **graduate**, student *m*; ~ **ground (railway)**, undergrunnsbane *m*; ~ **line**, understreke; ~ **mine**, underminere; ~ **neath**, under; ~ **sign**, undertegne; ~ **sized**, under gjennomsnittsstørrelse; ~ **stand**, forstå; oppfatte; erfare; høre; ~ **statement**, for svakt uttrykk *n*; ~ **take**, foreta; ~ **taking**, foretakende *n*; påta seg; ~ **value**, undervurdere; ~ **wear**, undertøy *n*.

un|deserved ['ʌndi'zə:vd] ufortjent; ~ **desirable**, uønsket; brysom; plagsom; ~ **developed**, uutviklet; ~ **digested**, ufordøyet; ~ **disturbed**, uforstyrret; ~ **do**, knytte opp; pakke opp; ~ **doubted(ly)**, utvilsom(t); ~ **dress**, kle av (seg); ~ **due**, utilbørlig; ~ **dying**, uforgjengelig; ~ **earthly**, overnaturlig; overjordisk; ~ **easy**, urolig; engstelig; uspiselig; ~ **educated**, uutdannet; ~ **employed**, arbeidsløs.

un|equal ['ʌn'i:kwəl] ulik; ~ **essential**, uvesentlig; ~ **even**, ujevn; ~ **expected** uventet; ~ **explored**, ikke utforsket; ~ **fading**, ekte (farge); ~ **failing**, ufeilbar; ~ **fair**, urimelig; urettferdig; ~ **fashionable**, umoderne; ~ **fasten**, løse; åpne; ~ **favourable**, ugunstig; ~ **feeling**, ufølsom; ~ **finished**, uferdig; ~ **fit**, uskikket; ~ **fold**, utfolde (seg); ~ **foreseen**, ikke forutsett; ~ **fortunate**, beklagelig; uheldig; ~ **ly**, dessverre; ~ **furnished**, umøblert; ~ **gainly**, klosset; ~ **grateful**, utakknemlig; ~ **happy**, ulykkelig; ~ **healthy**, usunn; ~ **hook**, ta av kroken; hekte opp; ~ **hurt**, uskadd.

uniform ['ju:nifɔ:m] ensartet; uniformere; uniform m/f.

unimaginative ['ʌni'mædʒinətiv] fantasiløs; ~ **impaired**, usvekket; ~ **influenced**, ikke påvirket; ~ **injured**, uskadd; ~ **insured**, ikke assurert; ~ **intelligent**, uintelligent; ~ **intelligible**, uforståelig; ~ **intentional**, utilsiktet.

union ['ju:njən] forening m/f, lag n; enighet m; union m; ekteskap(elig forbindelse) n; **(trade)** ~, fagforening m/f; rørkobling m/f.

unique [ju'ni:k] enestående.

unit ['ju:nit] enhet m; ~ **e**, [ju'nait] forene; **the United Kingdom**, kongeriket Storbritannia og (Nord-) Irland; **the United States (of America)**, De forente stater;

~ **y** ['juniti] enhet m; enighet m.

universal [ju:ni'və:səl] universell; altomfattende; verdens-; alminnelig; ~ **ality** [-'sæl-] altomfattende karakter m; ~ **e**, univers n; verden m; ~ **ity**, universitet n.

unjust ['ʌn'dʒʌst] urettferdig; ~ **kind**, uvennlig; ~ **known**, ukjent; ~ **lawful**, ulovlig.

unless [ən'les, ʌn'-] med mindre; hvis ikke.

unlike ['ʌn'laik] ulik; motsatt; ~ **limited**, ubegrenset; ~ **load**, losse; lesse av; ~ **lock**, låse opp; ~ **matched**, uovertruffet; ~ **mentionable**, unevnelig; ~ **merciful**, nådeløs; ~ **mindful**, glemsom; uten tanke (of på); ~ **mistakable**, umiskjennelig; ~ **mitigated**, absolutt; ren(dyrket).

unmoved ['ʌn'mu:vd] uberørt; uanfektet.

unnatural [ʌn'nætʃrəl] unaturlig; ~ **necessary**, unødvendig; ~ **noticed**, ubemerket; ~ **obtrusive**, beskjeden.

unpack ['ʌn'pæk] pakke ut; ~ **palatable**, usmakelig; ~ **paralleled**, uten sidestykke n; ~ **pleasant**, ubehagelig; ~ **popularity**, upopularitet m; ~ **precedented**, uhørt; enestående; ~ **prejudiced**, fordomsfri; ~ **prepared**, uforberedt; ~ **pretentious**, beskjeden;

~ **principled**, prinsippløs; ~ **profitable**, ulønnsom; ~ **promising**, lite lovende; ~ **qualified**, uskikket; absolutt; ubetinget; ~ **questionable**, ubestridelig; utvilsom; ~ **ravel**, løse (opp); greie ut; ~ **reasonable**, urimelig; ufornuftig; ~ **refined**, uraffinert; udannet; ~ **reliable**, upålitelig; ~ **remitting**, uopphørlig; ~ **rewarded**, ubelønnet; ~ **rivalled**, uten like; uforlignelig; ~ **safe**, utrygg; upålitelig; ~ **satisfactory**, utilfredsstillende; ~ **savoury**, usmakelig; ~ **screw**, skru løs; ~ **scrupulous**, hensynsløs; samvittighetsløs; ~ **seen**, usett; ~ **selfish**, uselvisk.

un**settle** ['ʌn'setl] rokke ved; bringe ut av fatning; ~ **d**, ustadig, usikker; ubetalt; ikke bebodd.

un**shrink|able** ['ʌn'ʃriŋkəbl] krympefri; ~ **ing**, uforsagt.

un**sightly** [ʌn'saitli] stygg; heslig; ~ **skilled**, ikke faglært; ~ **sociable**, uselskapelig; ~ **sophisticated**, enkel, naturlig; ~ **sound**, usunn; sykelig; bedervet; skadd; ~ **sparing**, gavmild; ~ **speakable**, usigelig; ~ **spent**, ubrukt; ~ **stable**, usikker, ustø; ~ **steady**, ustø; usikker; ~ **suitable**, upassende; ~ **surpassed**, uovertruffen;

~ **thinkable**, utenkelig; ~ **tidy**, uordentlig; ~ **tie**, knytte opp.

un**til** [ʌn'til] (inn)til.

un**timely** ['ʌn'taimli] ubeleilig; for tidlig; brått; ~ **tiring**, utrettelig; ~ **touched**, uberørt; ~ **travelled**, ikke bereist; ~ **tried**, uforsøkt; ~ **true**, usann; utro; ~ **usual**, usedvanlig; ~ **utterable**, usigelig; ~ **varied**, uforanderlig; ~ **veil**, avsløre; ~ **warranted**, uberettiget; ~ **well**, uvel; ~ **wieldy**, besværlig; ~ **willing**, uvillig; ~ **wise**, uklok; ~ **wittingly**, uforvarende; ~ **worthy**, uverdig; ~ **wrap**, pakke ut; ~ **written**, uskrevet.

up [ʌp] oppe; opp; oppover; opp i; oppe på; the sun is ~, solen har stått opp; time is ~, tiden er utløpt, omme; be hard ~, ha det vanskelig (økonomisk); ~ **to**, inntil; it's ~ **to me** to do, det er min sak å gjøre; what's ~? hva er på ferde?; it's all ~ with him, det er ute med ham.

up**braid** [ʌp'breid] bebreide; ~ **bringing**, oppdragelse m; ~ **heaval**, omveltning m/f; ~ **hill**, oppover bakke; ~ **hold**, vedlikeholde; støtte.

up**holster** [ʌp'houlstə] stoppe; polstre; trekke; ~ **er**, salmaker m.

upkeep [ˈʌpkiːp] vedlikehold *n.*

upon [əˈpɔn] (op)på.

upper [ˈʌpə] øvre; høyere; ~ **s,** overlær *v.*; tøygamasjer; ~ **most,** øverst.

upright [ˈʌprait] opprettstående; rettskaffen.

uproar [ˈʌprɔː] oppstyr *n.*

upset [ʌpˈset] velte; kantre; bringe ut av fatning *n.*

upshot [ˈʌpʃɔt] resultat *n.*

upside [ˈʌpsaid]: ~ **down,** opp ned; endevendt.

upstairs [ˈʌpsteəz] ovenpå.

up-to-date [ˈʌptəˈdeit] à jour; moderne.

upward [ˈʌpwəd] oppover.

urchin [ˈɔːtʃin] sjøpinnsvin *n.*; (gate)gutt *m.*

urge [əːdʒ] drive; tilskynde; anbefale; be inntrengende; betone sterkt; ~ **ncy** press *n.*; tvingende nødvendighet *m.*; ~ **nt,** påtrengende nødvendig; presserende; som haster.

urn [əːn] urne *m/f.*

us [ʌs] oss.

U.S.(A.) = United States (of America).

usage [ˈjuːzidʒ] skikk og bruk; sedvane *m*; språkbruk *m*; behandling *m.*

use [juːs] bruk *m*; anvendelse *m*; skikk *m*; øvelse *m*; vane *m*; nytte *m/f*; [juːz] bruke; benytte; behandle; **he ~ d to do,** han pleide å gjøre; ~ **d to,** vant til; ~ **ful,** nyttig; brukbar; ~ **less,** unyttig; ubrukbar.

usher [ˈʌʃə] dørvakt *m*; rettstjener *m*; føre inn; ~ **in,** innlede; innvarsle.

usual [ˈjuːʒuəl] vanlig.

usurer [ˈjuːʒərə] ågerkar; ~ **y** [ˈjuːʒuri], åger *m.*

utensil [juˈtensil] redskap *n*; (kjøkken)utstyr *n.*

utility [juˈtiliti] nytte *m/f*; ~ **ze,** [ˈjuːtilaiz] bruke; nyttiggjøre (seg); utnytte.

utmost [ˈʌtmoust] ytterst.

utter [ˈʌtə] fullstendig, absolutt; ytre; uttale; ~ **ance,** ytring *m/f*; uttalelse *m*; språklig ytringsmåte *m*; ~ **most,** ytterst.

V

vacancy [ˈveikənsi] tomrom *n*; ledig plass *m*, ledig post *m*; ~ **t,** tom; ledig; ubesatt.

vacation [vəˈkeiʃn] ferie *m.*

vaccinate [ˈvæksineit] vaksinere.

vacillate ['væsileit] vakle; **~ion**, slingring *m/f;* vakling *m/f.*

vacuum ['vækjuəm] **cleaner,** støvsuger *m.*

vague [veig] vag; ubestemt.

vain [vein] tom; forgjeves; forfengelig; stolt **(of** av); **in ~,** forgjeves.

valet ['vælit] kammertjener *m.*

valiant ['væliənt] tapper.

valid ['vælid] gyldig; **~ity** [və'liditi], gyldighet *m.*

valise [və'li:z] reiseveske *m/f.*

valley ['væli] dal *m.*

valour ['vælə] tapperhet *m.*

valuable ['væljuəbl] verdifull; **~ables** verdisaker; **~ e** [-ju] verdi *m;* valør *m;* valuta *m;* vurdere; verdsette.

valve [vælv] ventil *m;* klaff *m;* rad rør *n.*

van [væn] flyttevogn *m/f;* varevogn *m/f;* jernb godsvogn *m/f.*

vanilla [və'nilə] vanilje *m.*

vanish ['væniʃ] forsvinne.

vanity ['væniti] forfengelighet *m;* tomhet *m;* **~-bag, ~-case,** selskapsveske *m/f.*

variable ['veəriəbl] foranderlig; **~nce,** forskjell *m;* uoverensstemmelse *m;* **~tion,** forandring *m/f;* forskjell *m;* variasjon *m.*

variety [və'raiəti] avveksling *m/f;* forandring *m/f;* mangfoldighet *m;* avart *m;* **~ show,** varietéforestilling *m.*

various ['veəriəs] forskjellig(e); diverse; foranderlig.

varnish [va:niʃ] ferniss(ere) *m.*

vary ['veəri] forandre (seg); variere; veksle; **~ from,** avvike fra.

vase [va:z] vase *m.*

vast [va:st] uhyre; veldig; umåtelig.

vault [vɔ:lt] hvelv(ing) *n (m/f);* sprang *n,* hopp *n;* **pole ~,** stavsprang *n;* hvelve (seg); hoppe.

veal [vi:l] kalvekjøtt *n;* **roast ~,** kalvestek *m.*

vegetable ['vedʒitəbl] plante-, vegetabilsk; kjøkkenvekst *m;* **~bles,** grønnsaker; **~rian** [-'tɛəriən] vegetarianer *m;* **~tion,** vegetasjon *m.*

vehemence ['vi:iməns] heftighet *m;* voldsomhet *m;* **~t,** heftig; voldsom.

vehicle ['vi:ikl] kjøretøy *n;* redskap *n;* (uttrykks)middel *m.*

veil [veil] slør *n;* (til)sløre; tilhylle.

vein [vein] vene *m;* (blod)åre *m/f;* åre *m/f* (i tre); stemning *m.*

velocity [vi'lɔsiti] hastighet *m.*

velvet ['velvit] fløyel *m;* **~een,** bomullsfløyel *m.*

venal ['vi:nl] bestikkelig.

vending machine salgsautomat *m.*

vendor ['vendɔ:] selger *m.*

venerable ['venərəbl] ærverdig.

venerate ['venəreit] høyakte; holde i ære; ~**ion**, ærbødighet m; ærefrykt m.

Venetian [vi'ni:ʃn] venetiansk; venetianer m; ~ **blind**, persienne m.

vengeance ['vendʒəns] hevn m.

Venice ['venis] Venezia.

venison ['ven(i)zn] vilt n; dyrekjøtt n.

venom ['venəm] gift(ighet) m.

vent [vent], lufthull n; trekkhull n; fritt løp n; **give** ~ **to**, gi luft, gi avløp n.

ventilate ['ventileit] ventilere; drøfte; ~**ion**, ventilasjon m; ~**or**, ventilator m.

ventriloquist [ven'trilokwist] buktaler m.

venture ['ventʃə] vågestykke n; spekulasjon m; risiko m; våge; løpe en risiko; ~**some**, dristig.

veracious [və'reiʃəs] sannferdig; ~**ty** [və'ræsiti] sannferdighet m.

verb [və:b] verb(um) n; ~ **al**, muntlig; ord-; ordrett; verbal-.

verdict ['və:dikt] jur kjennelse m.

verge [və:dʒ] rand m/f; kant m.

verify ['verifai] bevise; bekrefte; etterprøve.

veritable ['veritəbl] sann; virkelig.

vermin ['və:min] skadedyr n.

verse [və:s] vers n; verselinje m/f; poesi m; ~ **ed**, bevandret; kyndig; erfaren (**in** i); ~ **ion** [-ʃn] oversettelse m; versjon m, gjengivelse m.

verve [və:v] liv n; kraft f.

very ['veri] meget; the ~ **best**, det aller beste; the ~ **same**, selvsamme; **in the** ~ **act**, på fersk gjerning m.

vessel ['vesl] kar n; skip n.

vest, undertrøye m/f; vest m; forlene; overdra.

vestibule ['vestibju:l] (for)hall m; entré m; vestibyle m.

vestige ['vestidʒ] spor n.

vestry ['vestri] sakristi n.

vet [vet] dyrlege m; (lege)undersøke.

veterinary ['vetrin(ə)ri] (**surgeon**), dyrlege m; veterinær m.

vex [veks] ergre; plage; irritere; ~**ation**, ergrelse m; plaging ~**atious**, ergerlig; fortredelig; brysom.

vial ['vaiəl] medisinglass n.

vibrate [vai'breit] vibrere; ~**ion**, vibrasjon m; svingning m; dirring m/f.

vicar ['vikə] sogneprest m.

vice [vais] last m; feil m; mangel m; skruestikke m/f; vise-.

vice versa ['vaisi 'və:sə] omvendt.

vicinity [vi'siniti] nærhet m; naboskap n.

vicious ['viʃəs] lastefull; slett; ondskapsfull.

victim ['viktim] offer *n*; ~ **ize**, bedra; narre.

victor ['viktə] seierherre *m*; ~ **ious**, seierrik; ~ **y**, seier *m*.

Vienna [vi'enə] Wien.

view [vju:] syn *n*; blikk *n*; synsvidde *m/f*; utsikt *m*; mening *m/f*; bese; se på; betrakte; **in** ~ **of**, i betraktning av; **point of** ~, synspunkt *n*; **in my** ~, i mine øyne; **with a** ~ **to**, i den hensikt å; ~ **er**, fjernsynsseer; ~**-finder**, søker *m* (på fotografiapparat); ~ **point**, synspunkt *m*.

vigorous ['vigərəs] kraftig; sprek; sterk.

vigour ['vigə] kraft *m/f*.

vile [vail] sjofel; ussel.

village ['vilidʒ] landsby *m*; ~ **r**, landsbyboer *m*.

villain ['vilən] kjeltring *m*; skurk *m*; ~ **y**, skurkestrek *m*.

vine [vain] vinranke *m*; vinstokk *m*.

vinegar ['viniɡə] eddik *m*; ~ **tage**, vintage; årgang *m*.

violate ['vaiəleit] krenke; overtre; bryte; ~ **ence**, vold(somhet) *m*; ~ **ent**, voldsom.

violet ['vaiəlit] fiol *m*.

violin [vaiə'lin] fiolin *m*.

viper ['vaipə] hoggorm *m*.

virgin ['və:dʒin] jomfru *f*.

virtue ['və:tʃu] dyd *m*; ærbarhet *m*; **by** ~ **of**, i kraft av.

virtuous ['və:tʃuəs] dydig.

viscount ['vaikaunt] vicomte *m*.

visé ['vizei] visum *n*; visere.

visibility [vizi'biliti] synlighet *m*; siktbarhet *m*; ~ **le**, synlig.

vision ['viʒən] syn *m*; synsevne *m*; visjon *m*.

visit ['vizit] besøk(e) *n*.

visitor ['vizitə] besøkende *m*; ~ **s' book**, fremmedbok *m/f*.

visual ['viʒuəl] syns-; synlig.

vital ['vaitl] livs-; livsviktig; ~ **ity**, livskraft *m/f*.

vivid ['vivid] livlig; levende.

vocabulary [vo'kæbjuləri] ordsamling *m/f*; ordliste *m/f*; ordforråd *n*.

vocal ['voukl] stemme-; vokal-; sang-; ~ **chord**, stemmebånd *n*; ~ **ist**, sanger(inne) *m*.

vocation [vo'keiʃn] kall *n*; yrke *n*; ~ **al school**, yrkesskole *m*.

vogue [voug] mote *m*.

voice [vɔis] stemme *m*; uttrykk.

void [vɔid] tom; *jur* ugyldig; tomrom *n*; lakune *m*; ~ **of**, fri for; blottet for.

volatile ['vɔlətail] flyktig.

volcano [vɔl'keinou] *pl* **-es**, vulkan *m*.

volition [vou'liʃn] vilje *m*.

volley ['vɔli] salve *m/f; tennis* fluktslag *n;* fyre av.

voluble ['vɔljubl] flytende; munnrapp.

volume ['vɔljum] bind *n;* bok *m/f;* volum *n;* innhold *n;* omfang *n;* ~**inous** [vəˈlju:-] omfangsrik.

voluntary ['vɔləntəri] frivillig; ~ **eer** [-ˈtiə] frivillig; påta seg frivillig.

vomit ['vɔmit] brekke seg.

votary ['vəutəri] tilhenger *m;* ~**e**, (valg)stemme *m;* avstemning *m;* avlegge stemme; votere, vedta; ~ **er**, velger *m.*

vouch [vautʃ]: ~ **for**, borge for; innestå for; ~ **er**, bilag *n;* kvittering *m/f.*

vow [vau] (høytidelig) løfte *n;* love (høytidelig).

vowel ['vauəl] vokal *m.*

voyage ['vɔidʒ] (lengre) reise (til sjøs *el* pr. fly).

vulgar ['vʌlgə] alminnelig; simpel; tarvelig; rå; vulgær; ~ **ity** [-ˈgær-] plumphet *m;* simpelhet *m;* ~ **ize**, forsimple.

vulnerable ['vʌlnərəbl] sårbar; i faresonen (kortspill).

vulture ['vʌltʃə] gribb *m.*

W

wad [wɔd] dott *m;* propp *m;* ~ **ding**, vattering *m/f;* vatt *m.*

wade [weid] vade; vasse; ~ **rs**, vadestøvler; sjøstøvler.

wafer ['weifə] (tynn) kjeks *m.*

waffle [wɔfl] vaffel *m;* ~ **iron**, vaffeljern *n.*

wag [wæg] svinge; dingle; logre med; skøyer *m.*

wages ['weidʒiz] lønn *m/f.*

waggon ['wægən] lastevogn *m/f;* ~ **er**, kjørekar *m.*

waif [weif] hittebarn *n;* herreløst dyr *n.*

wail [weil] klage; jamre seg; jammer *m;* klage *m.*

waist [weist] liv *n;* midje *m/f;* ~ **coat** ['weiskout] vest *m.*

wait [weit] vente; varte opp; ~ **for**, vente på; **keep** ~ **ing**, la vente; ~ **er**, kelner *m;* ~ **ing-room**, venteværelse *n;* ~ **ress**, serveringsdame *m/f.*

waive [weiv] oppgi; gi avkall på.

wake [weik] kjølvann *n;* vekke; våkne; ~ **up**, våkne; vekke; ~ **n**, våkne; vekke.

walk [wɔ:k] gå; spasere; vandre; spasertur *m;* gange *m;* ~ **er**, fotgjenger *m;* spaserende.

walking ['wɔ:kiŋ] ~ **tour**,

spasertur *m;* ~ -**stick,** spaser-
stokk *m.*

wall [wɔ:l] mur *m;* vegg *m;*
omgi med mur *m;* befeste;
~ **up,** mure til; ~ **et,** veske
m/f; lommebok *m/f.*

wallow [wɔlou] velte seg.

wallpaper ['wɔ:l'peipə] tapet *m.*

walnut ['wɔ:lnʌt] valnøtt *m/f.*

walrus [wɔ:lrəs] hvalross *m.*

waltz [wɔ:ls] (danse) vals *m.*

wander [wɔndə] vandre; gå
seg bort; tale over seg; ~ **er,**
vandringsmann *m.*

wane [wein] avta; blekne;
svinne.

wangle ['wæŋgl] fikse; bruke
knep.

want [wɔnt] mangel *m* (**of** på);
trang *m;* nød *m;* mangle;
ønske; trenge; ville ha.

wanton ['wɔntən] flokse *f;* vil-
ter.

war [wɔ:] krig *m.*

warble [wɔ:bl] trille; synge.

ward [wɔ:d] vakthold *n;* for-
mynderskap *n;* vern *n;*
myndling *m;* avdeling *m,* sal
m (i hospital); ~ **en,** vokter
m; oppsynsmann *m.*

wardrobe ['wɔ:droub] garde-
robe *m;* klesskap *n.*

ware vare(sort *m*); varer;
china ~, porselenssaker;
~ **house,** lagerbygning *m;*
lagre.

warm [wɔ:m] varm; varme
(seg); ~ **th,** varme *m.*

warn [wɔ:n] advare (**against**
mot); varsle; formane;
~ **ing,** (ad)varsel *m;* oppsi-
gelse *m.*

warp [wɔ:p] forvri; gjøre kro-
ket; (om trevirke) slå seg.

warrant ['wɔrənt] bemyndi-
gelse *m;* garanti *m;* sikkerhet
m; hjemmel *m;* bemyndige;
garantere.

warrior ['wɔriə] kriger *m.*

wart [wɔ:t] vorte *m/f.*

wary ['wɛəri] forsiktig.

was [wɔz] var; ble.

wash [wɔʃ] vaske (seg); skylle
over; ~ **up,** vaske opp;
~ **ed out,** utvasket; utslitt;
vask *m;* skylling *m;* (bølge)-
slag *n;* plask *n;* skvulp *m;*
~ **er,** vaskemaskin *m;* ~ **er-**
woman, vaskekone *f;* ~ **ing,**
vask *m;* vasketøy *n.*

wasp [wɔsp] veps *m;* ~ **ish,**
vepse-; irritabel.

waste [weist] øde; udyrket;
ubrukt; unyttig; avfalls-
ødeleggelse *m;* ødselhet *m;*
sløsing *m/f;* tap *n;* øde-
legge; sløse; (gå til) spille;
~ **paper basket,** papirkurv
m.

watch [wɔtʃ] vakt(hold) *m/f*
(*n*); armbånds-, lommeur *n;*
våke; se på; iakttta; passe
på; ~ **ful,** påpasselig; ~ **ma-**
ker, urmaker *m;* ~ **man,**
vaktmann *m.*

water ['wɔ:tə] vann *n;* ~ **s,**

farvann *n;* vanne; ta inn
vann; spe opp; løpe i vann;
high ~, flo *m/f;* **low** ~,
ebbe *m;* **~-colour,** vann-
farge *m;* **~ course,** vassdrag
n; **~ing-place,** badested *n;*
vanningssted *n;* **~ proof,**
vanntett; regnfrakk *m;*
~ shed, vannskille *n;*
~ tight, vanntett; **~ way,**
vannvei *m,* kanal *m;*
~ works, vannverk *n;* **~y,**
våt; vassen.

wave [weiv] bølge *m/f;* vifte;
vinke; vaie; bølge (hår).

waver [weivə] være usikker;
vakle.

wax [wæks] voks *m;* vokse;
tilta (måne).

way [wei] vei(stykke) *m (n);*
retning *m;* kurs *m;* måte *m;*
mar fart *m;* **by the** ~, for-
resten; **by** ~ **of,** gjennom;
via; **out of the** ~, uvanlig;
have one's ~, få sin vilje;
~ lay, ligge på lur etter;
~ side, veikant *m;* **~ ward,**
egensindig.

we [wi(:)] vi.

weak [wi:k] svak; **~ en,** svek-
ke(s); **~ ly,** svakelig; svakt;
~ ness, svakhet *m.*

wealth [welθ] velstand *m;* rik-
dom *m;* **~y,** velstående.

weapon [wepn] våpen *n.*

wear [wɛə] bære; ha på (seg);
slite(s); være holdbar; bruk
m; slit(asje) *n (m);* holdbar-

het *m;* ~ **away,** slite(s); ~
and tear, slitasje *m.*

weariness [ˈwiərinis] tretthet *m.*

weary [ˈwiəri] trett; trette(s).

weather [ˈweðə] vær *n;* mar lo;
klare seg gjennom; **~ beat-
en,** værbitt; **~ -forecast,**
værvarsel *m.*

weave [wi:v] veve; flette;
danne; vev(ning *m/f.*

web, vev *m;* spindelvev *n* el
m; **~ -foot,** svømmefot *m.*

wed, ekte; gifte seg med; ek-
tevie; forbinde.

wedding [ˈwediŋ] bryllup *n;*
~ -dress, brudekjole *m;* **~ -
ring,** giftering *m.*

wedge [wedʒ] kile *m;* kile fast.

wedlock [ˈwedlɔk] ekteskap *n.*

Wednesday [ˈwenzdi] onsdag
m.

weed [wi:d] ugress *n;* ukrutt *n;*
luke; renske.

week [wi:k] uke *m/f;* **~ day,**
hverdag *m.*

weep [wi:p] gråte.

weigh [wei] veie; ~ **(up)on,**
tynge på; ~ **t,** vekt *m/f;*
byrde *m;* **~ ty,** vektig; tung.

welcome [ˈwelkəm] (ønske)
velkommen; velkomst(hil-
sen) *m.*

weld, sveise (sammen).

welfare [ˈwelfɛə] velferd *m.*

well, brønn *m;* kilde *m;* sjakt
m/f; godt; vel; riktig; frisk;
as ~ **as,** så vel som; så godt
som; ~ **off,** **~ -to-do,** velstå-

ende; **I am not** ~, jeg er
ikke frisk; ~**-advised,** klok;
veloverveid; ~**-bred,** vel-
oppdragen; ~**-intentioned,**
velmenende; ~**-known,** vel-
kjent.

Welsh [welʃ] walisisk; ~**man,**
valiser *m.*

welter ['weltə] rulle; velte seg;
rot *n;* virvar *n.*

west, vest *m;* vestlig; vest-;
vestre; ~**ern,** vestlig; ~**er-
ner,** vesterlending *m;*
~**ward(s),** vestover; mot
vest.

wet, våt; fuktig; regnfull; rå;
~ **through,** gjennomvåt;
væte *m;* fuktighet *m;* væte;
fukte.

whack [wæk] klask *n;* del *m.*

whale [(h)weil] hval *m;* ~ **oil,**
hvalolje *m/f;* ~**r,** hvalfan-
ger *m;* fangstskip *n.*

whaling [(h)weiliŋ] hvalfangst
m.

wharf [(h)wɔ:f] brygge *f;* kai
m/f.

what [(h)wɔt] hva; hva for en;
hvilken; det som; ~ **about
...?,** hva med ...?; ~**ever,**
hva ... enn; hva i all verden.

wheat [(h)wi:t] hvete *m.*

wheel [(h)wi:l] hjul *n;* rokk *m;*
ratt *n;* kjøre; trille; rulle;
~**barrow,** trillebår *m/f.*

wheeze [(h)wi:z] hvese.

when [(h)wen] når; da; mens
dog; ~**ce,** hvorfra; ~**(so)-**

ever, når ... enn; når som
helst som.

where [(h)weə] hvor; hvorhen;
~**abouts,** hvor omtrent;
oppholdssted *n;* ~**as,** mens
derimot; ~**upon,** hvoretter;
~**ver,** hvor som helst; hvor
enn; hvor i all verden.

whet [(h)wet] hvesse; slipe.

whether [(h)weðə] (hva) enten
(**or** eller); om.

which [(h)witʃ] hvilken;
hvem; som; (hva) som.

while [(h)wail] tid *m/f,* stund
m; mens; så lenge som.

whim [(h)wim] lune *n;* nykke
m, n; innfall *n.*

whimper ['(h)wimpə] klynke.

whimsical ['(h)wimzikl] lune-
full; snurrig; underlig.

whine ['(h)wain] klynke; sutre;
klage; klynk *n.*

whip [(h)wip] pisk(e) *m;* slå;
svepe *m/f; pol* innpisker *m.*

whirl [(h)wə:l] virvle; snurre;
virvel *m;* snurring *m.*

whisk [(h)wisk] visk *m;* støv-
kost *m;* feie; sope; daske;
piske (egg, fløte); ~**ers,**
kinnskjegg *n.*

whisper ['(h)wispə] hviske;
hvisking *m/f.*

whistle ['(h)wisl] plystre; pipe;
plystring *m/f;* fløyte *m/f.*

white [(h)wait] hvit; ren;
bleik; hvitte; hvitt; hvite *m;*
~ **lie,** nødløgn *m/f;* ~**-hot,**
hvitglødende; ~**n,** gjøre

hvit; bleike(s); ~**ness**, hvithet *m;* ~ **wash**, renvasking *m;* hvitte; renvaske.

Whitsun(tide) ['(h)witsun(taid)] pinse *m/f.*

whittle ['(h)witl] spikke.

whizz [(h)wiz] suse; visle.

who [hu:] hvem; hvem som; som; den som; ~**ever**, hvem enn; enhver som; hvem i all verden.

whole [houl] hel; helhet *m;* **on the** ~, i det hele tatt; stort sett; ~**hearted**, helhjertet; ~ **some**, sunn; gagnlig.

whoop [hu:p] hyle; huie; gispe; huing *m/f;* ~ **ing-cough**, kikhoste *m.*

whore [hɔ:] hore *f.*

whose [hu:z] hvis.

whosoever [hu:sou'evə] hvem som enn; enhver som.

why [(h)wai] hvorfor; hva! åh!

wick, veke *m.*

wicked ['wikid] ond; slem; ~**ness**, ondskap *m.*

wicker ['wikə]: ~ **basket**, vidjekurv *m;* ~ **chair**, kurvstol *m.*

wide [waid] vid; vidstrakt; stor; bred; ~**n**, utvide (seg).

widow ['widou] enke *m/f;* ~ **er**, enkemann *m.*

width [widþ] vidde *m/f;* bredde *m.*

wife [waif] *pl* **wives** [waivz] hustru *m/f;* kone *f.*

wig, parykk *m.*

wild [waild] vill; vilter; ustyrlig; forrykt; villmark *m/f;* ~ **erness** ['wildənis] villmark *m/f;* villnis *n.*

wilful ['wilful] egensindig.

will, vilje *m;* **(last)** ~ testamente *n;* vil.

willing ['wiliŋ] villig.

willow ['wilou] pil(etre) *m (n).*

win, vinne; seire.

wince [wins] krympe seg.

wind [wind] vind *m;* pust *m;* lufte; la puste ut; få teften av; **throw to the** ~**s**, gi en god dag i; ~ **bag**, snakkesalig person; ~**fall**, nedfallsfrukt *m;* uventet fordel *m;* [waind] tvinne; sno; vikle; bøyning *m*, slyng *m;* ~ **up**, vinde opp; avslutte; avvikle (forretning); trekke opp (et ur).

winding ['waindiŋ] omdreining *m;* sving *m;* bøyning *m;* ~**up**, avvikling *m/f;* likvidasjon *m.*

windlass ['windləs] vinsj *m.*

window ['windou] vindu *n;* ~ **dresser**, vindusdekoratør *m;* ~ **ledge**, ~ **sill**, vinduskarm *m;* ~**shutter**, vinduslem *m.*

windpipe ['windpaip] luftrør *n;* ~**screen**, ~**shield**, frontglass *n;* ~**y**, blåsende.

wine [wain] vin *m.*

wing [wiŋ] vinge *m;* fløy *m/f.*

wink, blinke; plire; blunk *n.*

winner ['winə] vinner *m.*

winning ['winiŋ] vinnende.

winter ['wintə] vinter *m;* overvintre.

wintry ['wintri] vinterlig.

wipe [waip] tørke, stryke av; ~ **off,** tørke bort *(el* av); ~ **out,** stryke ut; utslette.

wire ['waiə] (metall)tråd *m;* (lednings)tråd *m;* streng *m; dt* telegram *n;* telegrafere; ~ **less,** trådløs (telegraf); radio(telegram) *m (n);* ~ **less operator,** radiotelegrafist *m;* ~ **less set,** radioapparat *n.*

wiry ['wairi] ståltråd-; seig.

wisdom ['wizdəm] visdom *m.*

wise [waiz] vis; klok; måte *m;* ~ **crack,** morsomhet *m.*

wish [wiʃ] ønske *v & s (n).*

wisp, dott *m;* visk *m.*

wit, vidd *n;* vett *n;* forstand *m;* klokskap *m;* åndrikhet *m.*

witch [witʃ] heks *m/f;* forhekse.

with [wið] med; sammen med; hos; foruten; av; live ~, bo hos; **angry** ~, sint på; ~ **draw,** trekke (seg) tilbake *(from* fra); ta tilbake; ta ut (av banken); ~ **drawal,** tilbakekalling *m/f;* uttak *n* (av en bank).

wither ['wiðə] visne.

withhold [wið'hould] holde tilbake; nekte (samtykke); ~ **in,** innenfor; innvendig; innen; ~ **out,** utenfor; uten; ~ **stand,** motstå.

witness ['witnis] vitne(sbyrd) *n (n);* bevitne(lse *m);* være vitne til; se; oppleve; ~ **box,** vitneboks *m.*

witty ['witi] åndrik; vittig.

wizard ['wizəd] trollmann *m.*

wobble ['wɔbl] slingre; være ustø; rave.

woe [wou] smerte *m;* sorg *m;* ~ **ful,** sørgelig.

wolf, *pl* **wolves** [wulf, -vz] ulv *m.*

woman ['wumən], *pl* **women** ['wimin] kvinne *m;* kone *f;* ~ **hood,** kvinnelighet *m;* voksen (kvinnes) alder *m;* kvinner; ~ **ly,** kvinnelig.

womb [wu:m] livmor *m/f;* skjød *n.*

wonder ['wʌndə] (for)undring *m;* (vid)under *n;* undre seg; ~ **ful,** vidunderlig.

woo [wu:] beile til.

wood [wud] skog *m;* tre *n;* tømmer *n;* ved *m;* trevirke *n;* ~ **ed,** skogvokst; ~ **en,** tre-; av tre; klosset; stiv; ~ **work,** treverk *n;* trearbeid *n.*

wool [wul] ull *m/f;* garn *n;* ~ **len,** ull-; av ull.

word [wɔ:d] ord *n;* beskjed *m;* uttrykke; formulere; **by** ~ **of mouth,** muntlig; ~ **ing,** ordlyd *m.*

work [wɔ:k] arbeid *n;* verk *n;* gjerning *m/f;* ~ **s,** verk *n;* fabrikk *m;* arbeide; (om

maskin) gå; virke; drive;
betjene (maskin); ~ **out**, ut-
arbeide; løse (problem); vise
seg (brukbar, effektiv); ~
up, opparbeide; bearbeide;
at ~, i arbeid; ~ **able**, bruk-
bar; ~ **day**, hverdag *m;* ~ **er**,
arbeider *m.*

working: in ~ **order,** i bruk-
bar stand.

workman ['wəːkmən] arbeider
m; ~ **like,** fagmessig; ~ **ship,**
fagkyndighet *m;* (fagmessig)
utførelse *m.*

workshop ['wəːkʃɔp] verksted
n.

world [wəːld] verden *m;* ~ **ly,**
verdslig; jordisk; ~ **-wide,**
verdensomfattende.

worm [wəːm] orm *m;* mark *m;*
lirke; sno seg (som en orm);
~ **-eaten,** markspist.

worn-out ['wɔːnˈaut] utslitt.

worry ['wʌri] plage; engste
(seg); bry; engstelse *m;* be-
kymring *m/f;* plage *m/f.*

worse [wəːs] verre; dårligere.

worship ['wəːʃip] (guds)dyr-
kelse *m;* tilbedelse *m;* tilbe;
dyrke; holde gudstjeneste *m.*

worst [wəːst] verst; dårligst;
beseire.

worsted ['wustid] kamgarn *n.*

worth [wəːθ] verd; verdi *m;* **it
is** ~ **while,** det er umaken
verd; ~ **y** ['wəːði] verdig;
aktverdig.

would [wud] ville; ble; ville
gjerne; pleide; ~ **-be,** som
vil være; som utgir seg for
å være.

wound [wuːnd] sår(e) *n.*

wrangle ['ræŋgl] kjekle; kjek-
ling *m, f;* ~ **r,** kranglefant
m; amr cowboy *m.*

wrap [ræp] vikle; svøpe; ~
(up), pakke inn; sjal *n;*
pledd *n;* ~ **per,** omslag *n;*
emballasje *m;* overtrekk *m;*
morgenkjole *m;* ~ **ping pa-
per,** innpakningspapir *n.*

wrath [rɔθ] vrede *m.*

wreath [riːθ] krans *m;* vinding
m/f; ~ **e** [riːð] (be)kranse.

wreck [rek] ødeleggelse *m;*
skibbrudd *n;* vrak *n;* tilintet-
gjøre; strande; forlise.

wren [ren] gjerdesmutt *m.*

wrench [ren(t)ʃ] vri; rykke.

wrestle ['resl] bryte (med);
kjempe; stri; ~ **r,** bryter *m.*

wretched ['retʃid] elendig.

wriggle ['rigl] vrikke; vri seg;
sno seg.

wring [riŋ] vri (seg).

wrinkle ['riŋkl] rynke *m/f.*

wrist [rist] håndledd *n;* ~ **-
watch,** armbåndsur *n.*

write [rait] skrive; ~ **r,** skri-
bent *m;* forfatter *m.*

writing ['raitiŋ] skrivning *m;*
(hånd)skrift *m/f;* innskrift
m/f.

wrong [rɔŋ] urett; feil; for-
kjært; vrang; gal; foruret-

te(lse *m); urett; **be** ~, ta
feil; **~doer,** en som gjør
urett; forbryter *m;* **~doing,**

urett *m;* forsyndelse *m;* for-
brytelse *m.*

wry [rai] skjev; vri (seg).

X

X, Xt = Christ.
Xmas = Christmas.

X-ray ['eks'rei] røntgenstråle
m; røntgenfotografere.

Y

yacht [jɔt] yacht *m;* lystbåt *m;*
~ ing, seilsport *m.*
Yankee ['jæŋki] i USA: inn-
bygger av New England; i
verden for øvrig: innbygger
i USA.
yap [jæp] bjeff(e) *n.*
yard [ja:d] yard *m* (eng. leng-
demål: 0,914 m); *mar* rå
m/f; gård(splass) *m.*
yarn [ja:n] garn *n;* historie *m.*
yawn [jɔ:n] gjesp(e) *m, n.*
year [jiə] år *n;* ~ **ly,** årlig.
yeast [ji:st] gjær *m.*
yell [jel] hyl(e) *n.*
yellow ['jelou] gul; gulfarge *m;*
gulne; **~ish,** gulaktig.
yelp [jelp] bjeff(e) *n.*
yes [jes] ja.
yesterday ['jestədi] i går.
yet [jet] enda; ennå; dog;
likevel; **as ~,** ennå.
yield [ji:ld] gi; innbringe;

kaste av seg; yte; gi etter;
utbytte *n;* ytelse *m.*
yoke [jouk] åk *n;* (for)spann
n; forene; spenne i åk.
yolk [jouk] eggeplomme *m/f.*
you [ju:] du, deg; De, Dem;
dere; man.
young [jʌŋ] ung; liten; **the ~,**
ungdommen; **~ster,** ung
gutt *m.*
your [jɔ:ə] din; ditt; dine;
deres; Deres, **~ s,** (substan-
tivisk) din; Deres; **~self,** *pl*
~selves, du (*el* deg, De,
Dem) selv; refleksivt: deg
(*el* Dem) selv; seg; deg (*el* Dem,
seg) selv.
youth [ju:þ] ungdom *m;* ung
mann *m;* **~ hostel,** ung-
domsherberge *m.*
Yugoslavia ['ju:gousla:viə] Ju-
goslavia.

Z

zeal [zi:l] iver *m;* ~ **ous** ['zeləs] ivrig; nidkjær; ~ **ot**, svermer *m;* fanatiker *m.*

zebra- ['zi:brə] sebra *m;* ~ **crossing**, fotgjengerovergang *m* (med striper).

zero ['ziərou] null(punkt) *n.*

zest, lyst *m/f;* glede *m* (for ved); behag *n.*

zip fastener ['zip 'fa:snə] *el* **zipper** ['zipə] glidelås *m.*

zone [zoun] sone *m/f.*

zoo [zu:] *dt* zoologisk hage *m;* ~ **logist** [zou'blədʒist] zoolog *m;* ~ **logy** [zou'blədʒi] zoologi *m.*

A

abbed, abbot; ~ **isse,** abbess.
abc-bok, primer, ABC-book.
abdikasjon, abdication; ~ **sere,** abdicate.
abnorm, abnormal; ~ **itet,** abnormity.
abonnement, subscription; ~ **nt,** subscriber; ~ **re,** subscribe (**på:** to).
abort, abortion, miscarriage; ~ **ere,** abort, miscarry.
absolutt, absolute.
absorbere, absorb.
abstrakt, abstract.
absurd, absurd; ~ **itet,** absurdity.
ad-, se også **at-.**
addere, add (up); ~ **isjon,** addition.
adel, nobility; ~ **ig,** noble, titled; ~ **smann,** nobleman.
adgang, admittance, admission; (**vei til**) approach, access; ~ **forbudt,** no admittance.
adjektiv, adjective.
adjø, good-bye.
adle, ennoble, knight.
adlyde, obey.
administrasjon, administra-tion, management; ~ **ativ,** administrative; ~ **ere,** manage, administer.
admiral, admiral.
adopsjon, adoption; ~ **tere,** adopt; ~ **tivbarn,** adopted (**el** adoptive) child.
adresse, ~ **re,** address.
advare, warn (**mot:** against; **om:** of); ~ **sel,** warning.
adverb, adverb.
advokat, lawyer; (**høyeste-retts ~**) barrister; (**jur rådgi-ver**) solicitor; **amr** attorney.
affekt, excitement; emotion, passion; **komme i ~,** become excited; ~ **ert,** affected.
affære, affair.
aften, evening, night; **høy-tids-,** eve; ~ **smat,** supper.
Afrika, Africa.
afrikaner, ~ **sk,** African.
agent, agent; ~ **ur,** agency.
agere, act, play, sham.
agitasjon, agitation; ~ **ere,** agitate.
agn, bait; (**på korn**) chaff, husk; ~ **e,** bait.
agronom, agronomist.

agurk, cucumber.

à jour, up to date.

akademi, academy; ~ **ker,** university man; ~ **sk,** academic(al).

ake, sledge, slide (on a sledge).

akevitt, aquavit.

akklamasjon, acclamation; ~ **imatisere,** acclimatize.

akkompagnere, accompany; ~ **atør,** accompanist.

akkord, *mus* chord; *arb* contract, piece-work; *merk* composition, arrangement.

akkurat, *adj* exact, accurate; precise; *adv* (nettopp) exactly, just.

à konto, on account.

akrobat, acrobat.

aks, ear, spike; ~ **e,** axis; ~ **el,** (på hjul) axle; *mask* shaft; (skulder) shoulder.

aksent, accent; ~ **uere,** accent, accentuate.

aksept, *merk* acceptance; ~ **abel,** acceptable; ~ **ere,** accept; *merk* accept, honour.

aksje, share; *amr* stock; ~ **kapital,** share capital; ~ **selskap,** limited liability company (A/S = Ltd.); *amr* corporation, stock company.

aksjon, action; **gå til** ~, take action; ~ **ær,** shareholder.

akt, act; ~ **e,** intend; respect;

~ **else,** respect, regard, esteem.

akter, aft; astern; ~ **dekk,** after-deck; ~ **ende,** stern.

aktiv, active; ~ **a,** *pl* assets (~ **og passiva,** assets and liabilities); ~ **itet,** activity.

aktor, counsel for the prosecution, prosecutor; ~ **at,** prosecution.

aktpågivende, mindful, attentive; ~ **påkivenhet,** attention; ~ **som,** heedful, careful; ~ **stykke,** document; ~ **ualitet,** current interest; ~ **uell,** topical, current; ~ **verdig,** respectable.

akustikk, acoustics *pl;* ~ **sk,** acoustic.

akutt, acute.

akvarell, water-colour.

akvarium, aquarium.

alarm, alarm; ~ **ere,** alarm.

albatross, albatross.

albue, elbow.

album, album.

aldeles, quite, entirely; ~ **ikke,** not at all.

alder, age; ~ **dom,** old age; ~ **sforskjell,** difference in age; ~ **strygd,** old-age pension.

aldri, never.

alene, alone, by oneself.

alfabet, alphabet; ~ **isk,** alphabetical.

alge, alga *(pl* algae), seaweed.

alkohol, alcohol; ~ **iker,** alcoholic.

alkove, alcove.

all, all; ~ **e,** everyone, everybody, all.

allé, avenue.

allehelgensaften, All Saints' Eve, *amr* Halloween; ~ **dag,** All Saint's Day.

aller best, best of all, the very best; ~ **først,** first of all; ~ **mest,** most of all.

allerede already; as early as; ~ **sammen,** all of us (you, them), everybody; ~ **slags,** all kinds of; ~ **stedsnærverende,** omnipresent.

allfarvei, public highway.

allianse, alliance; ~ **ere;** ~ **ert,** ally; **de allierte,** the Allies.

alligator, alligator.

allikevel, still, yet, all the same.

allmakt, omnipotence; ~ **mektig,** almighty.

allmenn, general; ~ **befinnende,** state of health in general; ~ **heten,** the public; ~ **ing,** common.

allsidig, versatile; all-round; ~ **slags,** all kinds of; ~ **tid,** always; ~ **ting,** everything; ~ **vitende,** omniscient, allknowing.

alm, elm.

almanakk, almanac.

alminnelig, common, general, ordinary; ~ **isse,** alms, charity; ~ **ue,** the common people.

alminnelighet, i ~, in general, generally.

alpelue, beret.

alt, everything, all; se **allerede;** *mus* (contr)alto.

altan, balcony.

alter, altar; ~ **gang,** communion.

alterert, excited, agitated; ~ **nativ,** alternative.

altetende, omnivorous.

altfor, too, much too, far too; ~ **så,** therefore, consequently, so.

aluminium, aluminium; ~ **n,** alum.

alv, elf, fairy.

alvor, seriousness, earnestness; gravity; **for ~,** in earnest; ~ **lig,** serious, earnest; grave.

amalgam, amalgam; ~ **sone,** amazon; ~ **tør,** amateur.

ambassade, embassy; ~ **ør,** ambassador.

ambisjon, ambition.

ambolt, anvil.

ambulanse, ambulance.

Amerika, America.

amerikaner; ~ **sk,** American; ~ **sk olje,** castor oil.

amme, *s & v* nurse.

ammoniakk, ammonia.

ammunisjon, ammunition.

amnesti, amnesty.

amortisere, amortize; ~ **ing,** amortization.

amper, fretful, peevish.

amputasjon, amputation; ~ **ere,** amputate.

amulett amulet, charm.

analfabet, illiterate.

analyse, analysis *(pl* analyses); ~ **re,** analyse.

ananas, pineapple.

anarki, anarchy; ~ **st,** anarchist.

anatomi, anatomy.

anbefale, recommend; ~ **ing,** recommendation.

anbringe, put, place.

anbud, tender **(på:** for).

and, duck.

andakt, (andektighet) devotion; (kort gudstjeneste) prayers; ~ **ektig,** devout.

andel, share; quota.

andpusten, out of breath.

andragende, application.

andre, others, other people.

andrik, drake; ~ **unge,** duckling.

ane, suspect, guess; **(jeg** ~ **r ikke)** I have no idea.

anekdote, anecdote.

anelse, suspicion.

aner, *pl* ancestors.

anerkjenne, acknowledge, recognize; ~ **lse,** acknowledg(e)ment; recognition.

anfall, assault; attack; *med* fit; ~ **e,** attack, assault.

anføre, command, lead; *merk* enter, book; (sitere) cite, quote; ~ **sel,** command; quotation; ~ **selstegn,** quotation marks.

angel, hook; ~ **sakser,** ~ **saksisk,** Anglo-Saxon.

angi, inform against; (vise) indicate; (nevne) state; ~ **velig,** alleged, ostensible; ~ **ver,** informer.

angre, regret; repent **(på:** of).

angrep, attack, assault, charge; ~ **ipe,** attack, assault; (tære) corrode; ~ **iper,** aggressor, attacker.

angst, fear, dread; anxiety.

angå, concern, regard, bear on; ~ **ende,** concerning, regarding.

anholde, apprehend, arrest; ~ **lse,** apprehension, arrest.

animere, animate.

anis, anise.

anke, *s & v* appeal.

ankel, ankle.

anker, anchor; ~ **kjetting,** cable; ~ **spill,** windlass.

anklage, *v* accuse **(for:** of), charge **(for:** with); *s* accusation; charge; ~ **r,** *jur* prosecutor.

ankomme, arrive **(til:** at, in); ~ **st,** arrival.

ankre, anchor.

anledning (gang, festlig ~) occasion, (gunstig ~, sjanse), opportunity.

anlegg, (oppføring) construction; (fabrikk) works, plant; *elektr* installation; (evner) talent, turn; ~ **e,** construct, lay out; (sak) bring an action against.

anliggende, affair; business.

anløpe, *mar* touch at, call at.

anmelde, (til politiet) report, denounce; (bok) review; ~ **lse,** report, denunciation; (bok) review; ~ **r,** reviewer.

anmerke, note, put down; ~ **ning,** comment, note, remark.

anmode om, request; ~ **ning,** request.

anneks, annex.

annektere, annex; ~ **ing,** annexation.

annen, other; *num* second; ~ **klasse(s),** second-class; ~ **rangs,** second-rate; ~ **steds,** elsewhere; somewhere else.

annerledes, different; otherwise.

annonse, advertisement; ~ **re,** advertise.

annullere, cancel, annul; ~ **ing,** cancellation.

anonym, anonymous; ~ **itet,** anonymity.

anretning, serving; (sted) pantry; ~ **te,** arrange, prepare; (forårsake) cause.

ansamling, crowd (of people).

ansatt, employed (in an office).

anse for, regard as, consider; ~ **else,** reputation; ~ **lig,** considerable; ~ **tt,** respected; ~ **tte,** employ, engage, appoint; ~ **ttelse,** employ-

ment, engagement, appointment.

ansiennitet, seniority.

ansikt, face; ~ **sfarge,** complexion; ~ **strekk,** feature.

ansjos, anchovy.

anskaffe, procure, get; (kjøpe) purchase; ~ **lse,** procurement; purchase.

anskuelig, plain, intelligible; ~ **iggjøre,** elucidate, illustrate; ~ **se,** view.

anslag, *mus* touch; (vurdering) estimate; ~ **å,** *mus* strike; estimate (til: at).

anspenne, strain; ~ **spent,** (in)tense; ~ **spore,** stimulate, urge.

anstalt, institution.

anstandsdame, chaperon.

anstendig, decent, proper; ~ **het,** decency.

anstrenge seg (for å) endeavour (to), exert oneself (to); ~ **lse,** effort, exertion; ~ **nde,** tiring, strenuous.

anstøt, offence, scandal; ~ **elig,** offensive, indecent; ~ **sten,** stumbling block.

ansvar, responsibility; ~ **lig,** responsible (for: for; overfor: to); ~ **sløs,** irresponsible.

anta, suppose; (en lære etc.) embrace, adopt; (form etc.) assume; ~ **gelig,** acceptable; (sannsynligvis) probably; ~ **gelse,** acceptance; adoption; supposition.

antall, number.

antarktisk, antarctic.

antenne, *s* aerial, antenna *(pl -ae);* *v* light, set fire to; **~lig,** inflammable.

antik|k, antique; **~ken,** antiquity; **~var** second-hand bookseller; **~vert,** antiquated.

anti|luftskyts, anti-aircraft guns; **~pati,** antipathy; **~septisk** antiseptic.

antrekk, dress, attire.

antyde, indicate; (la forstå) suggest, hint; **~ning,** indication; (forslag) suggestion; (spor) trace.

anvende, use, employ **(til:** for); (tid) spend; (teori) apply **(på:** to); **~lig,** applicable, practicable; **~lse,** employment, use, application.

anvis|e, (vise) show; (tildele) assign; *merk* pass for payment; (på bank) draw on a bank; **~ning,** instructions, *merk* order, cheque.

aparte, odd, queer.

apati, apathy; **~sk,** apathetic.

ape, monkey, ape; *v* mimic, ape.

apopleks|i, apoplexy; **~tisk,** apoplectic.

apostel, apostle.

apotek, chemist's shop, pharmacy; *amr* drugstore; **~er,**

chemist, druggist; **~ervarer,** drugs.

apparat, apparatus, (fjernsyn, radio) set.

appell, appeal; **~ere,** appeal.

appelsin, orange.

appetitt, appetite; **~elig,** appetizing, delicate.

applau|dere, applaud; **~s,** applause.

aprikos, apricot.

april, April; **~snarr,** April fool.

apropos, by the way.

arab|er, Arab; **~isk,** Arabian (språket) Arabic.

Arabia, Arabia.

arbeid, work, labour; (beskjeftigelse) employment; *(et ~)* a job; **~e,** work, labour; **~er,** worker, workman; **(grov~)** labourer; **~erklasse,** working class; **~erparti,** Labour Party; **~sdag,** working day, workday; **~sdyktig,** able to work; **~sgiver,** employer; **~slønn,** wages; **~sløs,** unemployed; **~sløshet,** unemployment; **~som,** industrious; **~staker,** employee; **~stid,** working hours; **~stillatelse,** work (el labour) permit; **~sværelse,** study.

areal, area.

arena, arena.

arg, (sint) angry, indignant.

argument, argument; ~ **asjon,** argumentation; ~ **ere,** argue.
arie, aria.
aristokrat, aristocrat; ~ **i,** aristocracy; ~ **isk,** aristocratic.
aritmetikk, arithmetic.
ark, *bibl* ark; (papir) sheet.
arkeolog, archaeologist.
arkitekt, architect; ~ **ur,** architecture.
arkiv, archives *pl; merk* file, record; ~ **ar,** archivist, keeper of the records; ~ **ere,** file; ~ **skap,** filing cabinet.
arktisk, arctic.
arm, arm; ~ **bånd,** bracelet; ~ **båndsur,** wrist-watch; ~ **é,** army; ~ **hule,** armpit.
aroma, aroma; ~ **tisk,** aromatic.
arr, scar; *bot* stigma.
arrangere, arrange, organize.
arrangør, organizer.
arrest, arrest, custody; *mar* embargo; (fengsel) prison; ~ **ant,** prisoner; ~ **ere,** arrest.
arroganse, arrogance; ~ **t,** arrogant, haughty.
arsenal, arsenal.
arsenikk, arsenic.
art, (vesen) nature; (slags) sort, kind; *sci* species.
arterie, artery.
artikkel, article; ~ **ulere,** articulate.
artilleri, artillery.

artist, artiste; ~ **isk,** artistic.
artium, *(omtr tilsv.)* General Certificate of Education (Advanced Level) (GCEA).
arv, inheritance; ~ **e,** inherit; ~ **efølge,** order of succession; ~ **egods,** inheritance; ~ **elig,** heritable; hereditary; ~ **eløs,** disinherited; ~ **ing,** heir; (kvinnelig) heiress.
asbest, asbestos.
asfalt; ~ **ere,** asphalt.
Asia, Asia; ~ **tisk,** Asian, Asiatic.
asjett, small plate.
ask, *bot* ash; ~ **e,** ashes *pl;* ~ **ebeger,** ash-tray.
askese, asceticism; ~ **t,** ascetic; ~ **tisk,** ascetic.
asparges, asparagus.
aspirant, aspirant, candidate; ~ **ere til,** aspire to.
assimilasjon, assimilation; ~ **ere,** assimilate **(med:** to).
assistanse, assistance; ~ **ent,** assistant; ~ **ere,** assist.
assortere, assort.
assuranse, insurance; ~ **ere,** insure.
astma, asthma.
astrolog, astrologer; ~ **nom,** astronomer.
asurblå, azure.
asyl, asylum; refuge.
at, that.
ateisme, atheism; ~ **t,** atheist.
atelier, studio.
Aten, Athens.

atferd, conduct, behaviour.

atkomst, access.

Atlanterhavet, the Atlantic (Ocean).

atlet, athlete; ~ **isk,** athletic.

atmosfære, atmosphere; ~ **isk,** atmospheric; ~ **iske forstyrrelser,** atmospherics.

atom, atom; ~ **bombe,** atom(ic) bomb; ~ **drevet,** nuclear- *el* atomic-powered; ~ **kraftverk,** atomic power plant.

atskille, part, separate, segregate; ~ **lse,** separation.

atskillig, *adv* considerably, a good deal; ~ **e,** several, quite a few.

atspredelse, diversion; amusement; ~ **t,** *fig* absentminded.

attentat, attempt(ed murder).

atter, again, once more.

attest, certificate, testimonial; ~ **ere,** certify.

attføring, rehabilitation.

attrå, *v* desire, covet; *s* desire (etter: of); craving, longing (etter: for; etter å: to); ~ **verdig,** desirable.

audiens, audience; ~ **torium,** lecture room.

august, August.

auksjon, auction, public sale; ~ **arius,** auctioneer.

aure, trout.

Australia, Australia; ~ **ier,** ~ **sk,** Australian.

autentisk, authentic.

autodidakt, self-taught person; ~ **graf,** autograph; ~ **mat,** slot (*el* vending) machine; ~ **matisk,** automatic; ~ **risasjon,** authorization; ~ **risere,** authorize; ~ **risert,** authorized, licensed; ~ **ritet,** authority.

av, *prp* of; by; from; *adv* off.

avanse, *merk* profit; ~ **ment,** promotion; ~ **re,** (rykke fram) advance; (forfremmes) be promoted, rise.

avantgarde, vanguard, van.

avart, variety.

avbestille, cancel; ~ **ing,** cancellation.

avbetale, pay off; ~ **ing,** paying off; *konkr* part payment, instalment; **(på ~)** on hire purchase.

avbilde, portray, depict.

avbleket, discoloured, faded.

avbryte, interrupt; (for godt) break off; ~ **lse,** interruption; break.

avbud, sende ~, send an excuse.

avdanket, discarded; ~ **dekke,** uncover; (statue) unveil.

avdeling, *merk* department; section; *mil* detachment; ~ **skontor,** branch office; ~ **ssjef,** department manager, head of department.

avdrag, part payment, instalment; ~ **svis,** by instalments.

avdrift, deviation; *mar* drift.

avdød, deceased; late.

avert|ere, advertise **(etter:** for).

avfall, refuse, waste; (søppel) rubbish; ~ **sdynge,** refuse (el rubbish) heap.

avfarge, decolour.

avfeldig, decrepit, infirm; ~ **het,** decay, infirmity.

avfolk|e, depopulate; ~ **ing,** depopulation.

avfyre, fire, discharge.

avføring, motion, evacuation, stools; ~ **smiddel,** laxative, aperient.

avgang, departure; ~ **seksamen,** leaving (el final) examination; ~ **stid,** time of departure.

avgift, (skatt) tax; (toll) duty; (gebyr) fee; ~ **spliktig,** liable to duty.

avgjøre, (ordne) settle; (bestemme) decide, determine; ~ **lse,** settlement; decision; ~ **nde,** decisive; (endelig) final.

avgrense, bound, limit.

avgrunn, abyss, gulf.

avgud, idol; ~ **sbilde,** idol; ~ **sdyrkelse,** idolatry.

avgå, depart, leave, sail **(til:** for).

avhandling, treatise, paper; thesis, dissertation.

avhende, dispose of.

avheng|e av, depend on; ~ **ig,** depenc\nt **(av:** on); ~ **ighet,** depenc\nlence.

avhjelpe, (et onde) remedy; (mangel) relieve.

avhold(enhet), abstinence; ~ **e** (hindre) prevent; (møter) hold; ~ ~ **seg fra,** abstain from; ~ **smann,** teetotaller, total abstainer; ~ **t,** popular.

avis, (news)paper; ~ **kiosk,** newsstand, (større) bookstall.

avkall, renunciation; **gi** ~ **på,** give up, relinquish.

avkastning, yield, profit.

avkjøl|e, cool; refrigerate; ~ **ing,** cooling; refrigeration.

avklare, clarify.

avkle, undress, strip; ~ **dning,** undressing, stripping.

avkobling, relaxation.

avkom, offspring; *jur* issue.

avkrefte, weaken, enfeeble; ~ **lse,** weakening, enfeeblement; ~ **t,** weakened.

avkrok, out-of-the-way place.

avl, (grøde) crop, produce; (kveg) breeding; ~ **e** (av jorda) raise, grow; (frambringe) beget; (om dyr) breed.

avlang, oblong.

avlaste, relieve **(for:** of).

avlat, indulgence; ~ **skremmer,** pardoner.

avlede, (utlede av) derive from; (tanker) divert.

avlegge, (besøk) pay; (regnskap) render; (eksamen) pass; ~ **ger,** cutting; ~ **s,** antiquated, out of date, obsolete.

avleire, deposit; ~ing, stratification.

avlesse, unload, discharge.

avlevere, deliver; ~ing, delivery.

avling, crop.

avlive, put to death, kill.

avlyse, cancel, call off.

avløp, outlet; ~sgrøft, drain.

avløse, (vakt) relieve; (følge etter) succeed; ~ning, relief.

avmagre, emaciate; ~ingskur, reducing treatment (el cure).

avmakt, impotence; ~mektig, impotent; ~målt, measured; formal.

avpasse, adapt (etter: to).

avregning, (~soppgave) (statement of) account; (oppgjør) settlement; ~ leave, depart (til: for); s departure; ~runde, round (off).

avsats, (i fjell) ledge; (trappe-) landing.

avse, spare.

avsendelse, dispatch, shipment; ~r, sender; (av varer også) consignor, shipper.

avsetning, sale; ~te (fra embete) remove, dismiss; (konge) dethrone; (selge) sell; ~telse, removal, dismissal; dethronement.

avsi (dom), give (judgment).

avsides, remote, out of the way.

avsindig, insane, mad; (rasende) frantic; ~n, madness.

avskaffe, abolish; ~lse, abolition.

avskjed, leave; (avskjedigelse) dismissal; (frivillig) retirement; **få** ~, be dismissed, dt be sacked el fired; ~ige, dismiss; mil discharge; dt sack, fire; ~sbesøk, farewell visit; ~søknad, resignation.

avskrekke, frighten, deter.

avskrift, copy; ~ve, merk write off; ~vning, copying; (-sbeløp) write-off.

avsky, v detest, abhor; s disgust, aversion; ~elig, detestable, abominable.

avslag, refusal; merk reduction, allowance.

avslutte, finish, close, conclude; ~ning, close, conclusion.

avsløre (røpe) reveal; (avduke) unveil.

avsmak, distaste, dislike.

avsnitt, paragraph; (utdrag) passage, section.

avsondre, separate; ~et, isolated; ~ing, separation.

avspenning, détente.

avsperre, bar, cut off; ~spore, derail; ~stamning, descent; ~stand, distance; ~ sted, away, off; ~stem-

ning, voting, vote; ~ **stig-
ning** alighting; ~ **stive**, shore
(up), support.
avstraffe, punish; ~ **lse**, pu-
nishment.
avstøpning, cast.
avstå, (overlate) give up; ~
fra, desist from; (land)
cede; ~ **else**, (land) cession.
avta, fall off, decrease, de-
cline.
avtale, v arrange; agree on;
~ **s** (overenskomst), agree-
ment; (~ om møte) ap-
pointment.
avtrekker, trigger.
avtrykk, (opptrykk) impres-
sion, print, copy.

avvei, wrong way; **på -er**,
astray; ~ **e**, balance, weigh.
avvekslende, varying; ~ **ing**,
change, variation.
avvente, await, wait for.
avverge, ward off, avert.
avvike, differ (**fra**: from).
avvikle, get through, finish;
merk (forretning) wind up.
avvise (en), turn (*el* send)
away; (forslag) refuse, re-
ject; (beskyldning) repu-
diate; ~ **ning**, dismissal, re-
fusal, rejection, repudiation.
avvæpne, disarm; ~ **ing**, dis-
armament.

B

babord, port.
bad, bath; bathroom; (ute)
bathe, swim; ~ **e**, take (*el*
have) a bath; (ute) go bath-
ing, go for a swim, bathe;
~ **ebukse**, swimming trunks;
~ **edrakt**, bathing suit *el* cos-
tume; ~ **ehette**, bathing cap;
~ **ehotell**, sea-side hotel;
~ **ekar** (bath)tub; ~ **evæ-
relse**, bathroom.
badstue, sauna, steam bath.
bagasje, luggage, især *amr*
baggage.
bagatell, trifle.
bajonett, bayonet.

bak, *prp, adv* og *s* behind;
~ **aksel**, rear axle; ~ **bein**,
hind leg; ~ **dør**, back door.
bake, bake; ~ **pulver**, baking
powder; ~ **r**, baker; ~ **ri**,
bakery.
bakerst, *adj* hindmost; *adv* at
the back; ~ **etter** *prp* be-
hind; *adv* afterwards;
~ **evje**, backwater; ~ **fra**,
from behind; ~ **grunn**, back-
ground; ~ **hold**, ambush;
~ **hånd** *fig* reserve.
bakke, *s* hill; *v* reverse, back;
~ **ut**, back out; ~ **kam**, hill
crest.

bak|kropp, hind part (of the body); (insekt) abdomen; ~ **lengs,** backwards; ~ **lykt,** rear *(el* tail) light; ~ **rus,** hangover; ~ **side,** back.
bak|strev, reaction; ~ **tale,** slander; ~ **tanke,** secret thought, ulterior motive.
bakterie, bacterium *(pl* -ia) ~ **olog,** bacteriologist.
bak|tropp, rear; ~ **vendt,** the wrong way.
balanse, balance; ~ **re,** poise; også *merk* balance.
baldakin, canopy.
bale, toil, struggle.
balje, tub.
balkong, balcony; *teat* dress circle.
ball, ball.
ballade, (dikt) ballad; (ståhei) row.
ballast, ballast.
balle, (vare-) bale; (tå-) ball.
ballet, ballet.
ballong, balloon; (flaske) demijohn; (syre-) carboy.
balsam, balsam, balm; ~ **ere,** embalm.
baltisk, Baltic.
bambus, bamboo.
banal, commonplace, trivial.
banan, banana.
bandasje, ~ **re,** bandage.
bande, band, gang; ~ **itt,** bandit, gangster, brigand.
bandolær, bandolier.
bane, *idr* course, track,

ground; *ast* orbit; *v* ~ **vei,** clear the way; ~ **brytende** (arbeid) pioneer(ing); ~ **sår,** mortal wound.
bank, bank; (pryl) a thrashing; ~ **bok,** pass-book, bank-book; ~ **e,** *s* bank; *v* beat, thrash; ~ **ekjøtt,** stewed beef; ~ **erott,** *s* bankruptcy, failure; (gå ~) go bankrupt; ~ **ett,** banquet; ~ **eånd,** rapping spirit; ~ **ier,** banker; ~ **obligasjon,** bank bond; ~ **obrev,** registered letter, *amr* money letter; ~ **sjef,** bank manager.
bann, ban, excommunication; ~ **e,** curse, swear; ~ **er,** banner; ~ **lyse** (lyse i bann) excommunicate, ban; (forvise) banish.
bar, *s* bar; *adj* bare.
barakke, barracks; (arbeids~) hut, shed.
barbar, barbarian; ~ **i,** barbarism; barbarity; ~ **isk,** (grusom) barbarous.
barber, barber; ~ **blad,** razorblade; ~ **e (seg)** shave; ~ **høvel,** safety razor; ~ **maskin,** (electric) shaver *el* razor.
bare, *adv* only, just, but; *adj* mere.
bark, bark; ~ **e,** (garve) tan; (avbarke) bark; ~ **et,** tanned; hardened.

bar|lind, yew-tree; ~ skog, conifer forest; ~ tre, conifer.

barm, bosom, bust; ~ hjertig, merciful; ~ hjertighet, mercy, compassion.

barn, child *(pl* children); ~ aktig, childish; ~ dom, childhood; ~ ebarn, grandchild; ~ ebidrag, family allowance; ~ ehage, nursery school, kindergarten; ~ ehjem, children's home; ~ eoppdragelse, children's education; ~ epike, ~ epleierske, nurse; ~ evogn, perambulator, pram; *især amr* baby carriage; ~ slig, childish.

barokk, grotesque; baroque.

barometer, barometer.

baron, baron; ~ esse, baroness.

barre, bar, ingot.

barri|ere, barrier; ~ kade, ~ kadere, barricade.

barsel, lying in, confinement; ~ seng, childbed.

barsk, harsh, stern, rough; (klima) severe.

bart, moustache.

baryton, barytone.

bas, ganger, foreman.

basar, baza(a)r.

bas|e, base; ~ ere, base, found; ~ is, basis.

basill, bacillus *(pl* -i), germ.

basketak, fight, struggle.

bass, bass; ~ eng, reservoir; (havne-) basin; (svømme-) swimming-pool.

bast, bast, bass.

bastard, bastard; hybrid, mongrel.

basun, trombone; *bibl* trumpet.

batal|je, fight, battle; ~ on, battalion.

batteri, battery.

baug, bow.

baute, go about, tack.

bavian, baboon.

be, ask (om: for); (innstendig) beg; (til Gud) pray.

bearbeide (materiale) work (up); (bok) revise; *teat* adapt.

bebo, (sted) inhabit; (hus) occupy; ~ elig, habitable; ~ else, habitation; ~ elseshus, dwelling house; ~ er, (sted) inhabitant; resident; (hus) occupant.

bebreide, ~ lse, reproach.

bebude, announce, proclaim.

bebygge, cover with buildings; (kolonisere) settle, colonize; ~ lse, buildings; settlement.

bedding, slip.

bede|dag, prayer-day; ~ hus, chapel.

bedek|ke, cover; ~ ning, cover(ing); *agr* cover, leap.

bederve|lig, perishable; ~ t, spoilt.

bedra, deceive; (for penger) cheat, defraud, swindle; ~ **ger**, deceiver; swindler; ~ **geri**, deceit; fraud, swindle; ~ **gersk**, deceitful.

bedre, adj better; v better, improve.

bedrift, (dåd) achievement, exploit; merk business, concern; factory, works.

bedrøve, grieve, distress; ~ **t**, sorry; grieved (**over**): at); ~ **lig**, sorrowful, sad, dismal.

bedømme, judge; ~ **lse**, judg(e)ment.

bedøve, (ved slag og fig) stun, stupefy; med anaesthetize, narcotize; (forgifte) drug; ~ **lsesmiddel**, anaesthetic, narcotic.

bedåre, charm, ~ **nde**, charming, bewitching.

befal, officers; ~ **e**, command, order; ~ **ing**, command, order(s); ~ **ingsmann**, officer.

befatte seg med, have to do with, concern oneself with.

beferdet, busy, crowded.

befeste, (styrke) strengthen; fig confirm; mil fortify; ~ **ning**, fortification.

befinne seg, be; find oneself; ~ **nde**, (state of) health.

befolke, populate, people; ~ **ning**, population.

befordre, (sende), forward; (transportere) carry, convey; ~ **ingsmiddel**, (means of) conveyance.

befrakte, freight, charter; ~ **er**, charterer.

befri, (set) free, release, liberate; ~ **else**, release, liberation; fig relief.

befrukte, fructify, make fruitful, fertilize.

beføle, feel, finger, paw.

begavelse, gifts, talents, intelligence; ~ **t**, gifted, talented.

begeistret, adj enthusiastic (**for**: about); ~ **ing**, enthusiasm.

beger, cup, beaker.

begge, both, either.

begivenhet, event, incident, occurrence.

begjær, desire, lust; desire, covet; ~ **ing**, request; demand; ~ **lig** adj, desirous (**etter**: of), greedy (**etter**: of, for); ~ **lighet**, greed.

begrave, bury; ~ **lse**, funeral, burial; ~ **lsesbyrå**, firm of undertakers.

begrense, limit, restrict; ~ **ning**, limitation, restriction.

begrep, notion, idea (**om**: of).

begripe, understand, comprehend, grasp.

begrunne, state the reasons for; ~ **lse**, ground.

begunstige; ~ **lse**, favour.

begynne, begin, start, com-

mence; ~**lse**, beginning, start, outset, commencement; ~**r**, beginner, novice.
begå, commit, make.

behag, pleasure, satisfaction; ~**e**, please; ~**elig**, agreeable, pleasant.

behandl|e, treat, handle; ~**ing**, treatment, handling.

behefte, bound, encumber; **sterkt** ~**t**, heavily mortgaged.

behendig, handy, deft, adroit.

beherske, master, control.

behold, i ~, safe, intact; **ha i** ~, have left; ~**e**, keep, retain; ~**er**, container; ~**ning**, stock, supply; (kasse) cash balance.

be|hov, need, requirement; ~**hørig**, due, proper; ~**høve**, need, want, require.

beige, beige.

bein, *adj* straight; *s* (knokkel) bone; (lem) leg; ~**brudd**, fracture.

beis, ~**e**, stain.

beisk, se **besk**.

beite, *s* pasture; *v* graze.

bek, pitch.

bekjempe, combat, fight.

bekjen|ne, confess, ~**nelse**, confession; ~**t**, *s* acquaintance; ~**tgjøre**, announce; ~**tskap**, acquaintance.

bekk, brook.

bekkasin, snipe.

bekken, (for syke) bedpan; *mus* cymbal; *med* pelvis.

beklage, regret, be sorry, deplore; (~ **seg over**) complain of *el* about; ~**lig**, regrettable, deplorable; ~**lse**, regret.

bekost|e, pay the expenses of; ~**ning**; **på min** ~, at my expense.

bekranse, wreathe.

bekrefte, confirm; (bevitne) attest, certify; ~**lse**, confirmation; ~**nde**, affirmative.

bekvem, convenient; (makelig) comfortable; ~**me seg til**, bring oneself to; ~**melighet**, comfort, convenience.

bekymr|e, worry, trouble; ~ **seg for**, be concerned (*el* worried) about; ~ **seg om**, care about; ~**et**, worried, concerned, anxious; ~**ing**, worry, care, concern, anxiety.

belast|e, load; *merk* charge, debit; ~**ning**, load.

belegg, coat(ing); (på tunga) fur; ~**e**, cover, coat.

beleilig, convenient.

belei|re, besiege; ~**ing**, siege.

belg, *bot* shell, pod; (blåse-) bellows.

Belgia, Belgium.

belgier, **belgisk**, Belgian.

beliggen|de, lying, situated;

~ **het,** situation, site; (geografisk) position.

belte, belt, girdle.

belyse, light (up), illuminate; *fig* elucidate; ~ **ning,** lightning, illumination.

belære, instruct, teach; ~ **nde,** instructive.

belønn|e, ~ **ing,** reward.

beløp, amount; ~ **e seg til,** amount to.

bemanne, man.

bemektige seg, seize, take possession of.

bemerk|e, (si) remark, observe; ~ **elsesverdig,** remarkable; ~ **ning,** remark; comment.

bemyndige, authorize; ~ **lse,** authority, authorization.

ben, se **bein.**

bendel|bånd, tape; ~ **orm,** tapeworm.

benekte, deny; ~ **nde,** *adj* negative; *adv* in the negative.

benk, bench; seat.

benklær, trousers.

bensin, petrol; *amr* gas(oline); ~ **stasjon,** petrol (*el* service) station.

benytte, use, make use of, employ; ~ **lse,** using, using.

benåd|e, ~ **ning,** pardon.

beordre, order, direct.

beplante, plant.

bered|e, prepare; ~ **skap,** preparedness.

beregn|e, calculate; ~ **e seg,**

charge; ~ **ende,** calculating, scheming; ~ **ing,** calculation.

beret|ning, account, report; ~ **te,** relate, report; ~ **tige,** entitle; ~ **tigelse,** right; ~ **tiget,** legitimate; (~ **til**) entitled to.

berg, mountain, hill; ~ **art,** species of stone, mineral; ~ **e,** save, rescue; ~ **elønn,** salvage money; ~ **ing,** saving, salvage; ~ **ingskompani,** salvage company; ~ **kløft,** ravine; ~ **lendt,** mountainous; ~ **prekenen,** the Sermon on the Mount; ~ **verk,** mine; ~ **verksdrift,** mining.

berike, enrich.

beriktig|e, correct, rectify; ~ **lse,** correction, rectification.

berme, dregs *pl,* lees *pl.*

berolige, soothe, calm down; ~ **nde,** reassuring, comforting; ~ **nde middel,** sedative.

berus|e, intoxicate; inebriate; ~ **lse,** intoxication; ~ **t,** intoxicated, inebriate(d); drunk; tipsy.

beryktet, disreputable, of bad repute, notorious.

berøm|me, praise, commend; ~ **melse,** fame, celebrity, renown; (ros) praise, commendation; ~ **t,** famous, celebrated.

berør|e, touch; *fig* touch on;

(ramme) affect; ~ **ingspunkt,** point of contact.

berøve, deprive of.

besatt, possessed, obsessed.

bese, view, inspect, look over.

besegle, seal.

beseire, defeat, conquer.

beset|ning, (fe) livestock; (på klær) trimming; *mil* garrison; *mar* crew; ~ **te,** (land) occupy; (post) fill.

besin|dig, cool, sober; ~ **ne seg,** change one's mind.

besitte, possess; ~ **lse,** possession; ~ **lser,** (land)dominions, dependencies.

besjele, animate.

besk, bitter, acrid.

beskaffenhet, nature; (tilstand) condition.

beskat|ning, taxation; ~ **te,** tax.

beskjed (svar) answer; (bud) message; ~ **en,** modest; ~ **enhet,** modesty.

beskjeftige, employ; ~ **lse,** occupation, employment.

beskjære, (tre) prune, trim; *fig* curtail, reduce.

beskrive, describe; ~ **nde,** descriptive; ~ **lse,** description, account.

beskyld|e for, accuse of, charge with; ~ **ning,** accusation.

beskytte, protect, (safe)guard; ~ **lse,** protection, safeguard; ~ **r,** protector.

beslag, (av metall) fittings; ~ **legge,** confiscate, seize; ~ **leggelse,** confiscation, seizure.

beslektet, related (**med:** to).

beslut|te, decide, resolve, make up one's mind; ~ **ning,** resolution, decision.

besnære, ensnare, fascinate; ~ **nde,** fascinating.

bespare, saving, economy; ~ **nde,** economical.

best, *s* beast, brute; *adv* best.

bestand, stock; ~ **del,** component, ingredient; ~ **ig,** constantly, always.

beste|borger, bourgeois; ~ **far,** grandfather, ~ **mor,** grandmother.

bestem|me, decide, resolve; (fastsette) fix; ~ **melse,** decision; (påbud) regulation; ~ **melsessted,** destination; ~ **t,** (fastsatt) appointed, fixed; (nøyaktig) definite; (om karakter) determined; (av skjebnen) destined; *adv* definitely.

bestige, (hest) mount; (trone) ascend; (fjell) climb.

bestikk (spise-) knife, fork and spoon.

bestikke, bribe; ~ **lig,** corrupt(ible); ~ **lse,** bribery.

bestil|le, (varer) order; (billett, rom) book; *amr* reserve; ~ **ling,** (ordre) order; (billett, rom) booking, *is amr* reservation.

bestrebe seg, endeavour; ~ **lse,** endeavour, effort.

bestyre, manage, be in charge of; ~ **r,** manager, director; (skole) headmaster.

bestyrke, confirm.

bestyrtelse, consternation; ~ **t,** dismayed.

bestå, exist; (vare) continue, endure; (eksamen) pass; ~ **av,** consist of; ~ **ende,** existing.

besvare, answer, reply to; ~ **lse** (av oppgave) paper.

besvime, ~ **lse,** faint, swoon.

besvær, trouble, inconvenience; ~ **e,** (give) trouble; ~ **lig,** troublesome; difficult.

besynderlig, strange, curious.

besøk, visit, call; ~ **e,** visit, call on (a person), call at (a place); come and (el to) see (a person); ~ **ende,** visitor.

besørge, see to, attend to.

betakke seg, decline with thanks.

betale, pay; ~ **ing,** payment.

betegne, (bety) signify, denote, mark; ~ **lse,** designation, term; ~ **nde,** significant; characteristic.

betenke seg, hesitate; ~ **elighet,** scruple; ~ **ning,** hesitation.

betennelse, inflammation.

betingelse, condition; terms pl; ~ **t,** conditional.

betjene, (ekspedere) serve;

(maskin) operate; ~ **ing,** service; (personale) staff.

betone, stress, emphasize; ~ **ing,** stress, emphasis.

betong, concrete.

betrakte, look at, regard; ~ **elig,** considerable; ~ **ning,** consideration.

betro, confide; ~ **dd,** trusted.

betvile, doubt, question.

bety, mean; signify; ~ **delig,** adj considerable; adv considerably; ~ **dning,** meaning, sense; (viktighet) significance, importance; ~ **dningsfull,** important; ~ **dningsløs,** insignificant.

beundre, admire; ~ **ing,** admiration; ~ **ingsverdig,** admirable.

bevare, keep, preserve.

bevege (seg), move, stir; ~ **elig,** movable; ~ **else,** movement; ~ **grunn,** motive.

bever, beaver.

beverte, serve; entertain.

bevilge, ~ **ning,** grant.

bevilling, licence.

bevirke, bring about, cause.

bevis, proof; (~ materiale) evidence (på, for: of); ~ **e,** prove; ~ **elig,** provable.

bevisst, conscious; ~ **het,** consciousness; ~ **løs,** unconscious, senseless.

bevitne, testify to, certify; ~ **lse,** certificate, attestation.

bevokte, guard, watch.

bevæpne, arm.

beære, honour.

biapparat extension telephone.

bibel, Bible; ~ **sk,** biblical.

bibliotek, library; ~ **ar,** librarian.

bidra, contribute; ~ **g,** contribution; (understøttelse) allowance.

bie, bee.

bielv, tributary, affluent; ~ **fag,** subsidiary subject.

bifall, applause; (samtykke) approval; ~ **e,** approve (of); consent to.

biff, (beef)steak.

bigami, bigamy.

bifortjeneste extra income; ~ **hulebetennelse,** sinusitis.

bikube, beehive.

bil, (motor-)car; *amr* auto-(mobile); ~ **dekk,** tyre; *amr* tire; ~ **e,** *v* go by car, motor; ~ **ist,** motorist; ~ **utleie,** car hire service, car rental; ~ **verksted,** garage, motor repair shop.

bilag, (regnskap) voucher; (til brev) enclosure; ~ **legge,** settle; ~ **leggelse,** settlement.

bilde, picture.

biljard, billiards.

billedbok, picturebook; ~ **hogger,** sculptor; ~ **lig,** figurative.

billett, ticket; ~ **kontor,** *teat* box-office; *jernb* booking-office; *amr* ticket office; ~ **ør,** ticket collector, conductor.

billig, cheap, inexpensive; ~ **bok,** paper-back, pocket-book; ~ **e,** (bifalle) approve (of).

bind, (forbinding) bandage; (bok) volume; ~ **e,** tie, bind, fasten; ~ **ers,** (paper) clip *el* fastener; ~ **estrek,** hyphen.

binge, bin; (grise-) (pig)sty.

biografi, biography.

biologi, biology.

birolle, minor *(el* subordinate*)* part.

birøkt, bee-keeping.

bisak, side issue.

bisam, muskrat.

bisarr, bizarr, odd.

bisetning, subordinate clause.

bisettelse, funeral service.

biskop, bishop.

bislag, porch.

bisle, bridle.

bisonokse, bison.

bisp, bishop; ~ **edømme,** bishopric, diocese; ~ **evisitas,** episcopal visitation.

bissel, bit; bridle.

bistand, assistance, aid.

bister, grim, gruff, stern.

bistå, assist, aid, help.

bit, bit, morsel; ~ **e,** bite; ~ **ende,** biting; *fig* sarcastic.

bitte liten, tiny.

bitter, bitter; (besk) acrid.

bjeff, yelp, bark (til: at).

bjelle, little bell; ~ **klang**, jingle; ~ **ku**, bell-cow.

bjørk, birch.

bjørn, bear; ~ **ebær**, blackberry.

bla, turn over the leaves; ~ **d**, leaf (pl leaves); (kniv) blade.

blaffe, (lys) flicker; (seil) flap.

blakk, (hest) dun; (pengeiens) broke.

blande, mix, mingle; (kvaliteter) blend; (kort) shuffle; ~ **ing**, mixture; (av kvaliteter) blend; ~ **ingsrase**, cross-breed.

blank, shining; bright; (ubeskrevet) blank; (glatt) glossy; ~ **ett**, form; amr blank.

blant, among; ~ **andre**, among others; ~ **annet**, among other things.

blasert, blasé.

blasfemi, blasphemy; ~ **sk**, blasphemous.

blei, wedge.

bleie, nappy, amr diaper.

bleike, bleach.

blek (el **bleik**), pale; ~ **ne**, turn pale; fig fade.

blekk, ink; ~ **hus**, inkstand; ~ **klatt**, blot; ~ **sprut**, squid; octopus.

blemme, blister.

blende, dazzle; (vindu) darken; ~ **ende**, dazzling; ~ **ing**, black-out.

bli, be; (forbli) stay, remain; (overgang) become; turn; grow, get.

blid, mild, gentle; smiling.

blikk, look, glance; (metall) sheet iron; ~ **boks**, ~ **eske**, tin; amr can; ~ **enslager**, tinman; ~ **stille**, dead calm.

blind, blind; ~ **e**, blind; ~ **ebukk**, blindman's buff; ~ **emann**, dummy; ~ **gate**, blind alley; ~ **het**, blindness; ~ **passasjer**, stowaway; ~ **tarm**, appendix; ~ **tarmbetennelse**, appendicitis.

blingse, squint.

blink, glimpse; (av lyn) flash; (med øynene) twinkle; (i skive) bull's eye; ~ **e**, twinkle; (trær) mark, blaze; ~ **skudd**, bull's eye.

blitz, fotogr flashlight, flash lamp.

blod, blood; ~ **bad**, massacre; ~ **fattig**, anaemic; ~ **ig**, gory; bloody; ~ **igle**, leech; ~ **overføring**, blood transfusion; ~ **propp**, blood-clot; ~ **pudding**, black pudding; ~ **skam**, incest; ~ **styrtning**, violent hemorrhage; ~ **sutgytelse**, bloodshed; ~ **trykk**, blood pressure.

blokade, blockade; ~ **k**, (bolig-, kloss) block; (skrive-) pad; ~ **kere**, (vei, konto) block; (havn) blockade; ~ **khus**, block-house.

blomkål, cauliflower.

blomst, flower; *(is på frukt-trær)* blossom; (blomstring) bloom; ~**erforretning,** florist's shop; ~**erhandler,** florist; ~**erpotte,** flower-pot; ~**erstøv,** pollen; ~**re,** flower, bloom; ~**ring,** flowering.

blond, blond, fair; ~**e,** lace; ~**ine,** blonde.

blot, sacrifice.

blotte, (lay) bare; ~**legge,** expose.

bluferdig, bashful, coy.

blund, nap; ~**e,** nap, doze.

blunk, twinkle; ~**e,** twinkle, wink, blink (**til:** at).

bluse, blouse.

bluss, blaze, flame; (gass) jet; ~**e,** blaze, flame; ~**e opp,** flare (up), blaze up.

bly, lead; ~**ant,** pencil; ~**lodd,** plummet.

blyg, bashful, shy; ~**het,** bashfulness; shyness.

blære, (vable) blister; (urin-) bladder.

blø, bleed.

bløt, soft; ~**aktig,** soft, effeminate; ~**kokt,** soft boiled.

blå, blue; ~**bær,** bil-, blue-, *el* whortleberry; ~**papir,** carbon paper; ~**rev,** blue fox.

blåse, blow; ~**belg,** bellows.

blåskjell, sea mussel; ~**veis,** blue anemone.

bo, *v* live; (midlertidig) stay; *jur* estate; ~**bestyrer,** trustee.

boble *s & v* bubble.

bod (salgs-) stall, booth.

bohem, Bohemian.

boikott; ~**e,** boycott.

bok book; ~**anmeldelse,** (book) review; ~**bind,** (book-) cover; ~**binder,** bookbinder; ~**føre,** enter, book; ~**føring,** book-keeping; ~**handel,** book(seller's) shop; *amr* bookstore; ~**holder,** bookkeeper, accountant; ~**holderi,** bookkeeping, accountancy; ~**hylle,** bookshelf; ~**orm,** book-worm.

boks, (blikk-) tin; ~**e,** box; ~**chanske,** boxing-glove; ~**ekamp,** boxing-match.

bokstav, letter; ~**elig,** literal; ~**ere,** spell; ~**rim,** alliteration.

boktrykker, printer.

bolig, house, dwelling; residence; ~**nød,** housing famine.

bolle, (kar) bowl, basin; (hvete-) bun, muffin; (fiske-, kjøtt-) ball.

bolt; ~**e,** bolt.

bolverk, (vern) bulwark.

bom, bar; (på vei) turnpike; tollbar, tollgate; (gymnastikk) beam; (feilskudd) miss.

bombardement, bombardment; ~**ere,** bomb(ard), shell.

bombe, bomb.

bomme, miss; **~ rt,** blunder.

bom stille, stock-still.

bomull, cotton.

bonde, peasant, farmer; **~ gård,** farm.

bone, wax, polish.

bonus, bonus.

bopel, residence.

bor, bore; drill.

bord, table; (kant) border, trimming; *mar* board; (fjøl) board; **~ bein,** table leg; **~ bønn,** grace; **~ dame,** partner at table; **~ duk,** tablecloth; **~ e,** board; **~ ell,** brothel.

bore, bore; (i metall og stein) drill; **~ plattform,** drilling platform; **~ tårn,** derrick.

borg, castle; (kreditt) credit, trust.

borger, citizen; **~ krig,** civil war; **~ mester,** mayor; **~ plikt,** civic duty; **~ rettigheter,** civil (*el* civic) rights.

bornert, narrow-minded.

borsyre, boric acid.

bort, away, off; **reise ~,** go away; **ta ~,** remove, take away; **vise ~,** dismiss, turn away; **~ e,** away; absent; gone; **~ ekamp,** away match; **~ enfor,** beyond; **~ est,** farthest, furthest, furthermost; **~ falle,** drop, lapse; **~ forklare,** explain away; **~ føre,** carry off, kid-

nap; **~ førelse,** kidnapping; **~ gang,** death, decease; **~ gjemt,** hidden away; remote; **~ imot,** towards; nearly; **~ kommet,** lost; **~ lede,** (vann) drain off; (tanker) divert; (mistanke) ward off; **~ reist,** away (from home); **~ sett fra** apart from; **~ skjemt,** spoilt; **~ visning,** dismissal, expulsion.

borvann, dilution of boric acid.

bosatt, resident, living.

bot, *jur* fine; (botshandling) penance.

botaniker, botanist; **~ k,** botany.

botemiddel, remedy.

bra, *adj* good, *adv* well.

brake, *m & s* crash, peal.

brakk, (vann) brackish; (jord) fallow.

brakke, hut, barracks.

bramfri, unostentatious.

brann, fire, conflagration; **~ alarm,** fire-alarm; **~ bil,** fire-engine; **~ farlig,** inflammable; **~ forsikring,** fire insurance; **~ mann,** fireman; **~ mur,** fire-proof wall; **~ slange,** fire-hose; **~ slokkingsapparat,** (fire) extinguisher; **~ stasjon,** fire-station.

bransje, trade, line (of business).

Brasil, Brazil.
bratsj, viola, tenor violin.
bratt, steep, precipitous.
bre, s glacier; v spread; ~ **d**, broad, wide; ~ **dd**, (elv) bank; (sjø) shore; ~ **dde**, breadth, width; (geo) latitude; ~ **ddfull**, brimful; ~ **dside**, broadside.
bregne, fern, bracken.
breke, bleat.
brekke, break, fracture; ~ **seg**, vomit.
brem (på hatt) brim.
bremse, m & s brake.
brennbar, inflammable; ~ **e**, burn; ~ **emerke**, s brand, stigma; v brand, stigmatize; ~ **ende**, burning; (sviende), scorching; ~ **enesle**, nettle; ~ **evin**, spirits, liquor(s); ~ **glass**, burning-glass; ~ **ing**, surf, breakers; ~ **punkt**, focus.
brensel, fuel.
bresje, breach.
brett, board; (serverings-) tray; (fold) crease; ~ **e** fold double.
brev, letter; ~ **kort**, postcard; ~ **porto**, postage; ~ **veksle**, correspond.
brigade, brigade; ~ **general**, brigadier.
brigg, brig.
brikke, (underlag) mat; (i spill) man, piece.
briljant, brilliant.

briller, spectacles, glasses; ~ **slange**, cobra.
bringe, (til den talende) bring; take; ~ **bort**, carry; ~ **bær**, raspberry.
bris, breeze.
brisling, sprat, brisling.
brist, (feil) flaw, defect; ~ **e**, burst, crack; ~ **epunkt**, breaking point.
brite Briton; ~ **isk**, British.
brodd zool og fig. sting.
brodere, embroider; ~ **i**, embroidery.
broderlig, brotherly, fraternal; ~ **mord**, fratricide.
broket, multi-coloured, variegated; chequered.
brokk, hernia.
bronse, bronze.
bror, brother; ~ **datter**, niece; ~ **part**, lion's share; ~ **skap**, brotherhood, fraternity; ~ **sønn**, nephew.
brosje, brooch.
brosjyre, brochure, booklet, pamphlet.
brott, surf, breakers; ~ **sjø**, breaker.
bru, bridge.
brud, bride; ~ **ekjole**, wedding dress; ~ **epar**, bridal couple; ~ **gom**, bridegroom.
brudd, break, rupture; (bein-) fracture; (krenkelse) breach; ~ **en**, broken; ~ **stykke**, fragment.
bruk, use; (skikk) practice,

custom; (gard) farm; (bedrift) factory, works; ~ **bar**, usable, fit for use; ~ **e**, use, employ; (tid, penger) spend; (pleie) be in the habit of; ~ **sanvisning**, directions for use; ~ **skunst**, applied (*el* decorative) art.

bru|**legge**, pave; ~ **legning**, paving; pavement.

brumme, growl; *fig* grumble.

brun, brown.

brunst, (hunndyr) heat; (hanndyr) rut; ~ **ig**, in heat; rutting.

brus, (lyd) rushing sound, roar; (drikk) (fizzy) lemonade; ~ **e**, (lyd) roar; (skumme) fizz.

brusk, gristle.

Brussel, Brussels.

brusten, broken; (om øyne) glazed.

brutal, brutal.

brutto|**beløp**, gross amount; ~ **inntekt**, gross earnings; ~ **vekt**, gross weight.

bry, *s* & *v* trouble; bother; ~ **dd**, embarrassed; ~ **deri**, inconvenience, trouble.

brygg, brew; ~ **e**, *v* brew; (kai) wharf, quay; ~ **erhus**, washhouse, laundry; ~ **eri**, brewery; ~ **esjauer**, docker; longshoreman.

bryllup, wedding; ~ **sreise**, honeymoon.

bryn (eye)brow; ~ **e**, *s* whet-

stone; *v* sharpen, whet; ~ **je**, coat of mail.

brysom, troublesome.

brysk, brusque, blunt.

bryst, breast; (~ **kasse**) chest; ~ **bilde**, bust; ~ **nål**, brooch; ~ **vern**, parapet; ~ **vorte**, nipple.

bryte, (brekke) break; (lys) refract; *mar* break; *idr* wrestle; ~ **r**, *idr* wrestler; *elektr* switch.

brød, bread; (**et** ~ **a**) a loaf (of bread); ~ **e**, guilt; ~ **rister**, toaster; ~ **skorpe**, crust of b.; ~ **smule**, crumb of b.).

brøk, fraction; ~ **del**, fraction; ~ **regning**, fractions; ~ **strek**, fraction line.

brøl; ~ **e**, roar, bellow.

brønn, well.

brøyte, clear a road.

brå, abrupt, sudden; ~ **hast**, hot hurry; ~ **k** (mas) fuss; (larm) noise; ~ **ke**, fuss; make a noise; ~ **kende**, fussy; noisy; ~ **vende**, turn short.

bu (salgs-) *s* booth, stall.

bud, (befaling) command; *bibl* commandment; (ærend) message; (sendebud) messenger; (tilbud) offer; (auksjon) bid; ~ **eie**, dairymaid; ~ **sjett**, budget; ~ **skap**, message.

bue, bow; (hvelving) arch;

(sirkel-) arc; ~ **gang,** arcade; ~ **skytter,** archer.

buffet, (møbel) sideboard, buffet; (i restaurant) buffet.

buk, belly; abdomen.

bukett, bouquet, nosegay, bunch.

bukk, (geit) he-goat; (tre) horse, trestle; (kuske-) box; **hoppe ~,** (play) leapfrog; (hilsen) bow; ~ **e,** bow; ~ **under,** succumb (**for:** to).

bukser, trousers; *is amr* pants; (korte) breeches; shorts; ~ **re,** tow, tug; ~ **seler,** braces; *amr* suspenders.

bukspyttkjertel, pancreas.

bukt, (hav) gulf, bay.

buktaler, ventriloquist.

bukte seg, bend, wind, meander.

bulder, noise, din; rumble; ~ **re,** roar, rumble.

bule, (kul) bump, lump; bulge; (kneipe) dive.

bulevard, boulevard.

buljong, broth, clear soup, bouillon; (for syke) beef tea; ~ **terning,** bouillon cube.

bulk, dent, dint; ~ **et,** dented.

bulle, bull; ~ **tin,** bulletin.

bunad, national costume.

bunke, heap, pile; ~ **er,** *mar* bunkers; ~ **re,** bunker.

bunn, bottom; ~ **fall,** sediment, deposit; (i flaske) dregs, lees.

bunt, bundle, bunch; ~ **e,** bundle, bunch; ~ **maker,** furrier.

bur, cage.

burde, ought to, should.

burlesk, burlesque.

burgunder, burgundy.

buse på, go in head foremost; ~ **ut med,** blurt out; ~ **mann,** bugbear, bogey.

busk, bush, shrub.

buskap, cattle, livestock.

buskas, thicket, brush.

buss, bus; (tur-)coach.

bust, bristle; ~ **et,** disheveled, untidy.

butikk, shop, *amr* store; ~ **ekspeditør,** shop assistant; salesman; ~ **tyv,** shoplifter.

butt, blunt.

butterdeig, puff paste.

by, town; city; ~ **bud,** porter.

by, *v* (befale) command, order; (tilby) offer; (gjøre bud) bid.

bygd, country district, parish.

byge, shower; (vind-) squall; (torden-) thunderstorm.

bygg, (korn) barley; (bygning) building; ~ **e,** build, construct; ~ **herre,** builder's employer; ~ **mester,** (master) builder.

bygning, building.

bygsel, lease; ~ **le,** lease.

byll, boil, abscess.

bylt, bundle.

byrde, burden, load.

byregulering, town-planning; ~ rett, magistrate's court.

byrå, bureau, agency; ~ krat, bureaucrat; ~ krati, bureaucracy, red tape.

bysse, galley; v lull.

byste, bust; ~ holder, bra, brassiere.

bystyre, town council.

bytte, exchange; (krigs-) booty, spoils; (dyrs) prey; v (ex)change.

bær, berry.

bære, carry; fig bear; (holde oppe); support; (være iført) wear; ~ seg, (jamre) moan, wail; ~ evne, mar carrying capacity; ~ pose, carrier bag; ~ r, porter; ~ stol, sedan-chair.

bøddel, hangman, executioner.

bøffel, buffalo.

bøk, beech.

bølge, wave, billow; sea; ~ blikk, corrugated iron; ~ bryter, breakwater; ~ topp, wave-crest.

bøling, flock; herd.

bønn (til Gud), prayer; (bønnfallelse) entreaty; (anmodning) request; ~ e,

bean; ~ ebok, prayerbook; ~ eskrift, petition; ~ falle, entreat, implore, beseech; ~ høre, grant, hear.

bør, (av burde) ought to, should; s burden, charge; (medvind) fair wind.

børs, exchange; bourse; ~ mekler, stockbroker.

børse, gun.

børste s & v brush.

bøsse, (salt-, pepper-) castor; (spare-) (money-)box.

bøte, (sette i stand) mend, patch; ~ for, pay for.

bøtte, bucket; pail.

bøye, (sjømerke) buoy; lifebuoy; v bend, bow; gram inflect; ~ lig, flexible.

bøyle, hoop, ring.

både ~ og, both – and.

bål, (bon)fire; (som straff) stake.

bånd, band; tape; tie; (pynt) ribbon; fig bond, tie; ~ opptaker, tape recorder.

båre, (lik-) bier; (syke-) stretcher.

båt, boat; ~ byggeri, boat builder's yard; ~ naust, boat house; ~ shake, boat-hook; ~ smann, boatswain.

C

ca., ab., abt. (about), approx. (approximately).

campingvogn, caravan; *amr* trailer.

celeber, celebrated.

celle, cell; ~ **formet,** cellular; ~ **vev,** cellular tissue.

cellist, (violin)cellist; ~ **o,** cello.

cellull, synthetic wool; ~ **oid,** celluloid; ~ **ose,** (papirmasse) wood-pulp.

celsius, centigrade.

centigram, centigramme; ~ **liter,** centilitre; ~ **meter,** centimetre.

cerebral parese, cerebral palsy.

certeparti, charter-party.

champagne, champagne.

chartre, charter.

cif, *merk* c.i.f., C.I.F.

cisterne, cistern, tank.

D

da, *adv* then; *tidskonj* when; *årsakskonj* as.

daddel, *bot* date; (kritikk) blame, censure; ~ **elverdig,** blameworthy, reprehensible.

dag, day; ~ **blad,** daily; ~ **bok,** diary; ~ **driver,** idler; ~ **es,** dawn; ~ **gry,** dawn, daybreak; ~ **lig,** daily; ~ **ligstue,** parlour, sittingroom, living-room; ~ **slys,** daylight; ~ **sorden,** agenda.

dakapo, encore.

dal, valley; ~ **e,** sink, go down.

dam, (spill) draughts; *amr* checkers; (vann) pond; pool; puddle; (demning)

dam; ~ **brett,** draughtboard.

dame, lady; (kort) queen; ~ **frisør,** ladies' hairdresser; ~ **messig,** ladylike; ~ **skredder,** ladies' tailor.

damp, (vann-) steam; vapour; ~ **bad,** steam-bath; ~ **e,** steam; ~ **er,** steamer; ~ **maskin,** steam-engine; ~ **skip,** steamship, steamer.

Danmark, Denmark.

danne, (forme) form, shape; ~ **lse,** culture, education; (tilblivelse) formation; ~ **t,** well-bred, cultured.

dans, dance; ~ **e,** dance; ~ **er,** ~ **erinne,** dancer.

dansk, Danish; ~e, Dane.

data, data, facts; ~abehandling, data processing; ~amaskin, computer; ~ere, date; ~o, date.

datter, daughter; ~datter, granddaughter.

davit, *mar* davit.

daværende, at that time, then.

de, *pers pron* they; *demonst pron* those.

debatt, debate.

debet, debit; ~itere, debit; ~itor, debtor.

debut, debut, first appearance; ~ere, make one's debut.

dedikasjon, dedication; ~sere, dedicate.

defekt *adj* defective, *s* defect.

definere, define.

deg, you; yourself.

degradere, degrade.

deig, dough; (smør-) paste.

deilig, (vakker) beautiful, lovely; (om smak) delicious.

dekk, *mar* deck; (bil-) tyre; ~e, *v* cover; (utgifter) meet, cover; (bord) lay; *s* covering; (lag) layer; ~slast, deck-cargo.

deklamasjon, declamation, recitation.

dekning *merk* payment, settlement, cover; (reportasje) coverage.

dekorasjon, decoration; *pl teat* scenery; ~ativ, orna-

mental; ~atør, decorator; (vindus-) window-dresser; ~ere, decorate; (vindu) dress.

dekret, decree.

deksel, cover, lid.

del, part, portion; (andel) share; ~aktighet, participation; (i forbrytelse) complicity; ~e, divide; share; ~elig, divisible.

delegasjon, delegation; ~ere, ~ert, delegate.

delfin, dolphin.

delikat, (lekker) delicious, dainty; (fintfølende *el* kinkig) delicate; ~esse, delicacy.

deling, division, partition.

dels, in part, partly.

delta, *s* delta.

delta (i) take part (in), participate (in); ~gelse, participation; (medfølelse) sympathy; ~ker, participant; *merk* partner.

delvis, *adv* in part, partly; *adj* partial.

dem, them; **Dem,** you.

demagog, demagogue.

dementere, deny, contradict; ~i, denial, contradiction.

demme, dam; ~ning, dam, barrage.

demokrat, democrat; ~i, democracy; ~isere, democratize; ~isk, democratic.

demon, demon; ~isk, demoniac.

demonstrant, demonstrator; ~**asjon**, demonstration; ~**ere**, demonstrate.

demoralisere, demoralize.

dempe, (lyd) deaden, muffle; (lys) subdue; *fig* damp down; *mus* mute; ~**r**, damper.

demre, dawn; ~**ing**, dawn, twilight.

den, it; that; the; ~**gang**, then, at that time.

denge, thrash, beat.

denne, this.

departement, ministry; *is amr* department.

deponere, deposit, lodge.

depositum, deposit.

depot, depot.

deprimert, depressed.

deputasjon, deputation; ~**ert**, deputy.

der, there; ~**e**, you; ~**etter** then, afterwards, subsequently; ~**es** their(s); your(s); ~**for**, therefore, so; ~**fra**, from there, thence; ~**iblant**, among them; ~**imot**, on the other hand; ~**på**, then, next; ~**som**, if, in case; ~**ved**, thereby; by that means; ~**værende**, local, there (present).

desember, December.

desertere, desert; ~**ør**, deserter.

desimal, decimal.

desinfeksjon, disinfection; ~**feksjonsmiddel**, disinfectant; ~**fisere**, disinfect.

desorientere, confuse.

desperasjon, desperation; ~**t**, desperate.

despot, despot; ~**i**, despotism.

dessert, sweet; *(is* frukt) dessert.

dessuten, besides, moreover.

dessverre, unfortunately.

destillasjon, distillation; ~**atør**, distiller; ~**ere**, distil.

desto, the; ~ **bedre**, all (*el* so much) the better.

det, it; that; the; there.

detalj, detail; *merk* retail; ~**ist**, retailer, retail dealer.

detektiv, detective.

dette, this.

devaluere, devalue; ~**ing**, devaluation.

diagnose, diagnosis; ~**kon**, (male) nurse; ~**lekt**, dialect; ~**log**, dialogue; ~**mant**, diamond; ~**mantsliper**, diamond-cutter; ~**meter**, diameter; ~**ré**, diarrhoea.

diett (mat) diet; (-penger) daily allowance.

difteri, diphtheria.

diger, big, bulky, huge.

digresjon, digression.

dike, dike.

diksjon, diction.

dikt, poem; ~**afon**, dictaphone; ~**at**, dictation;

~ator, dictator; ~atur, dictatorship; ~e, (oppdikte) invent; (skrive poesi) write (*el* compose) poetry; ~er, poet; ~ere, dictate; ~ning, poetry.

dilemma, dilemma.

diligence, stage-coach.

dill (krydder) dill; (tull) nonsense.

dimensjon, dimension, size.

dimittere, dismiss.

diplom, diploma; ~at, diplomat(ist); ~ati, diplomacy; ~atisk, diplomatic.

direksjon, board of directors; ~te direct; ~torat, directorate; ~tør, manager; *amr* president; (for offentlig institusjon) director.

dirigent, (møte-) chairman; *mus* conductor; ~ere, (møte) be in the chair, preside; (trafikk) direct; *mus* conduct.

dirk, picklock.

dirre, quiver, vibrate.

dis, (tåke) haze; ~ig, hazy.

disiplin, discipline; (fag) branch of knowledge; ~pel, disciple.

disk, counter.

diskontere, discount; ~o, discount.

diskos, discus.

diskotek, discotheque.

diskresjon, discretion; ~kret, discreet; ~kriminere, discriminate (against); ~krimine-

ring, discrimination; ~kusjon, discussion; ~kutere, discuss; ~kvalifisere, disqualify.

dispasjør, average stater; ~pensasjon, exemption; ~ponent, manager; ~ponere over, have at one's disposal *el* available; ~ponibel, available; ~posisjon, disposition; (utkast) outline; (rådighet) disposal.

disse, these.

dissekere, dissect; ~sjon, dissection.

dissens, dissent; ~ter, dissenter, nonconformist; ~tere, dissent.

dissonans, dissonance, discord.

distanse, distance.

distinksjon (merke), badge; ~t, distinct.

distrahere, distract, disturb; ~ksjon, absence of mind.

distré, absent-minded.

distrikt, district, area.

dit, thither.

diva, diva; ~n, couch, divan.

diverse, sundry, various.

dividend; ~dende, dividend; ~dere, divide; ~sjon, division.

djerv, bold, brave.

djevel, devil, fiend; ~sk, demoniac, devilish, diabolical; ~skap, devilry.

do, loo, lavatory, privy.

dobbelt, double, twofold; ~ **spill,** double-dealing; ~ **bokholderi,** book-keeping by double entry; ~ **værelse,** double room; ~ **så mange,** twice as many.

dog, however, still, yet.

dogg, dew; ~ **et,** dewy.

dogmatisk, dogmatic.

dokk, dock; **tørr** ~, dry-dock.

dokke, doll; (marionett) puppet.

doktor, doctor, (lege) physician; ~ **grad,** doctor's degree.

dokument, ~ **ere,** document; ~ **mappe,** briefcase.

dolk, dagger.

dom, sentence; judgment; ~ **felle,** convict; ~ **inere,** dominate; ~ **kirke,** cathedral; ~ **mer,** judge, justice; (fotball) referee; ~ **prost,** dean; ~ **stol,** court of justice; lawcourt.

dongeri, dungaree, jean; ~ **bukser,** dungarees, jeans.

dope, dope.

dorg, trailing line.

dorme, doze.

dorsk, indolent.

dosent, senior lecturer; *amr* associate professor; ~ **is,** dose.

doven, lazy, idle; ~ **enskap,** laziness; ~ **ne seg,** idle, laze.

dra, (trekke) draw, pull; (be-

vege seg) go, move; ~ **g,** pull, tug; (av sigarett) whiff, puff.

drabantby, satellite town, dormitory suburb.

dragon, dragoon.

drake, dragon; (leke) kite.

drakt, dress, costume.

dram, dram, nip.

drama, drama; ~ **tiker,** dramatist, playwright; ~ **tisk,** dramatic.

dranker, drunkard, drinker.

drap, manslaughter, murder, homicide.

drastisk, drastic.

dregg, grapnel, drag.

dreibar, revolving; ~ **e,** turn; ~ **ebenk,** lathe; ~ **er,** turner; ~ **ning,** turn; rotation.

drenere, drain.

dreng, farm servant.

drepe, kill.

dress, suit; ~ **ere,** train; ~ **ur,** training.

drift, instinct; (virksomhet) operation(s); (strøm) drift; ~ **ig,** active, enterprising; ~ **skapital,** working capital; ~ **somkostninger,** working expenses; ~ **sår,** working year.

drikk, drink; (det å drikke) drinking; ~ **e,** drink; ~ **epenger,** tip(s), gratuity; ~ **evarer,** beverages, drinkables; ~ **evise,** drinking song; ~ **feldig,** addicted to drink(ing).

drill, drill.

dristig, bold, daring; ~ **het**, boldness, daring.

driv|e (jage) drive (forretning o.l.) carry on, run; (maskin) drive, operate, work; (gå og drive) lounge, saunter; *mar* drift, be adrift; ~ **fjær**, mainspring; ~ **garn**, drift-net; ~ **hjul**, driving-wheel; ~ **hus**, hothouse, conservatory; ~ **kraft**, motive power; ~ **stoff**, fuel.

drone, drone.

dronning, queen.

drops, sweets, drops.

drosje, taxi, cab; ~ **holde-plass**, taxi (el cab) rank (el stand).

drue, grape; ~ **klase**, cluster of grapes; ~ **sukker**, grape-sugar, glucose.

drukken, intoxicated, drunk; ~ **skap**, drunkenness.

drukne, vt drown; vi be drowned.

dryg, se *drøy*.

drypp; ~ **e**, drop, drip.

drysse, vt sprinkle; vi fall.

drøfte, discuss, talk over; ~ **lse**, discussion, talk.

drøm; ~ **me**, dream.

drønn; ~ **e**, boom, bang.

drøpel, uvula.

drøv, cud; **tygge** ~, chew the cud, ruminate.

drøy, (rekker langt) goes a long way; ~ **e**, make st. go far.

dråpe, drop.

du, you. ~ **blett**, duplicate.

due, pigeon; (turtel-) dove.

duell, duel; ~ **ere**, (fight a) duel.

duett, duet.

duft, fragrance, odour, aroma; ~ **e**, smell (sweet).

duge, be good, be fit; ~ **lig**, fit, capable.

duk, (bord-) table-cloth.

dukke, v duck, dive, plunge; ~ **opp**, turn up; s se *dokke*.

dum, stupid, silly, foolish; ~ **dristig**, foolhardy; ~ **het**, stupidity; foolishness.

dump, adj deep; (lyd) muffled; s depression; (lyd) thud; ~ **e**, (falle) plump; (stryke) fail; *merk* dump.

dumrian, fool, blockhead.

dun, down; ~ **dyne**, eider-down; ~ **et**, downy.

dundjer, banging, roar, thunder; ~ **re**, bang, roar.

dunk, m keg; tin; n thump, knock; ~ **e**, v bump, knock; ~ **el**, dark, dim, obscure.

dunst, vapour, fume; ~ **e**, reek, fume; (~ **bort**) evaporate.

dur, mus major; (lyd) drone (sterk) roar; ~ **e**, drone; roar.

dusin, dozen.

dusj, shower(-bath), douche.

dusk, tuft; tassel; ~ **regn**; ~ **regne**, drizzle.

dusør, reward.

dvale (om dyr) hibernation; (sløvhet) lethargy, torpor; **ligge i ~,** hibernate.

dvele, tarry, linger; *fig* ~ **ved,** dwell (up)on.

dverg, dwarf; ~ **aktig,** dwarfish.

dvs., i.e., that is (to say).

dybde, depth; *fig* profundity.

dyd, virtue; ~ **ig,** virtuous; ~ **smønster,** paragon of virtue.

dykke, dive; ~ **r,** diver.

dyktig, capable, able, competent, efficient, clever.

dynamisk, dynamic; ~ **itt,** dynamite; ~ **o,** dynamo.

dynasti, dynasty.

dyne (klitt) dune, down; (i seng) featherbed, eiderdown.

dynge, *s & v* heap, pile.

dynke, sprinkle.

dynn, mire, mud.

dyp, *adj* deep; (*fig* også) profound; *s* deep, depth; ~ **fryse,** deep-freeze; ~ **fryser,** deep freeze, freezer; ~ **pe,** dip; ~ **sindig,** profound.

dyr, *adj* dear, expensive; *s* animal; beast; ~ **eart,** species of animals; ~ **ebar,** dear, precious; ~ **ehage,** zoological garden(s), zoo; ~ **ekjøpt,** dearly bought; ~ **esteik,** roast venison;

~ **isk,** (brutal) brutish, bestial.

dyrkbar, arable; ~ **e** (jorda) cultivate, till; korn *o.l.* grow; *relg* worship.

dyrlege, veterinary; *dt* vet; ~ **tid,** time of high prices.

dysse, lull, hush; ~ **ned,** hush (el smother) up.

dyst, combat, fight; ~ **er,** sombre, gloomy.

dytt, ~ **e,** nudge, prod, push.

dyvåt, drenched.

dø, die.

død, *s* death, decease; *adj* dead; ~ **elig,** mortal, deadly; ~ **født,** stillborn; ~ **sleie** death-bed; ~ **sstraff,** capital punishment.

døende, dying.

døgn, day and night, 24 hours; ~ **flue,** ephemera.

dømme, judge; *jur* sentence, convict.

dønning, swell, heave.

døpe, baptize, christen; ~ **navn,** Christian name, forename; *amr* first (*el* given) name.

dør, door.

dørk, deck, floor.

dørkarm, door-case; ~ **slag,** colander; ~ **terskel,** threshold; ~ **åpning,** doorway.

døs, ~ **e,** doze, drowse; ~ **ig,** drowsy; ~ **ighet,** drowsiness.

døv, deaf; ~ **het,** deafness; ~ **stum,** deaf-and-dumb.

dåd, deed, achievement, act.

dådyr, fallow, deer.

dåne, swoon, faint.

dåp, baptism, christening.

dåre, s fool; ~ **lig**, (slett) bad, poor; (syk) ill, unwell; ~ **ligere**, worse; poorer; ~ **ligst**, worst, poorest.

dåse, tin, box.

E

ebbe, s ebb(-tide), low tide; v (ut) ebb (away).

ed, oath; **falsk** ~, perjury; **avlegge** ~ (**på**), take an oath (on).

EDB, E.D.P. (electronic data processing).

edder, venom; ~ **kopp**, spider.

eddik, vinegar.

edel, noble; ~ **modig**, noble-minded; magnanimous, generous; ~ **stein**, precious stone, gem.

ederdun, eider (-down).

edfeste, swear (in).

edru, sober; ~ **elig**, sober; ~ **elighet**, sobriety.

EF, EC (European Community).

effekt, effect; ~ **er**, effects; ~ **full**, effective; ~ **iv**, effective; (dyktig) efficient; ~ **uere**, effect, execute.

eføy, ivy.

egen, own; (eiendommelig) peculiar (**for:** to); (særegen) particular; (underlig) odd, singular; ~ **artet**, peculiar;

~ **artethet**, peculiarity; ~ **mektig**, arbitrary; ~ **navn**, proper name; ~ **nytte**, self-interest; ~ **rådig**, wilful, arbitrary; ~ **skap**, quality; i ~ **skap av**, in the capacity of; ~ **tlig**, proper, real; adv properly (el strictly) speaking; ~ **verdi**, intrinsic value.

egg, egg; (på kniv) edge; ~ **e**, incite, goad; ~ **ende**, inciting; ~ **eglass**, egg-cup; ~ **ehvite**, white of an egg; ~ **eplomme**, yolk of an egg; ~ **erøre**, scrambled eggs; ~ **stokk**, ovary.

egle, pick a quarrel.

egn, region, parts, tract.

egne, **seg** (for, til), be suited (to el for), be suitable (el fit) (for); ~ **t**, fit(ted), proper, suitable.

egoisme, selfishness, egotism, egoism; ~ **t**, ego(t)ist; ~ **tisk**, ego(t)istic(al).

eid, isthmus, neck of land.

eie, s possession; v own, possess; ~ **form**, the genitive; ~ **ndeler**, belongings, property; **~ndom**, property, (jord) estate; **~ndommelig**, peculiar; **~ndommelighet**, peculiarity; **~ndomsmekler**, estate agent; **~r**, owner, proprietor.

eik, oak; **~e**, (i hjul) spoke; **~enøtt**, acorn.

eim, vapour; odour.

einer, juniper.

einstøing, lone wolf.

ekkel, disgusting, nasty.

ekko, echo.

ekorn, squirrel.

eksakt, exact.

eksamen, examination, *dt* exam; **ta ~**, pass an examination; **~svitnemål**, certificate, diploma.

eksaminere, examine; question.

eksekusjon, execution; **~utiv**, executive; **~vere**, execute.

eksellense, excellency.

eksem, eczema.

eksempel, example, instance; **for ~**, for example or instance, e.g. (exempli gratia); **~lar**, specimen; (bok o.l.) copy; **~larisk**, exemplary.

eksentrisk, eccentric.

eksepsjonell, exceptional.

eksersere, drill; **~erplass**, drillground; **~is**, drill.

ekshaust, exhaust.

eksil, exile.

eksistens, existence; **~re**, exist.

ekskludere, expel; **~siv**, exclusive; **~sive**, exclusive of, excluding, excluded; **~sjon**, expulsion.

ekskrementer, excrements.

ekskursjon, excursion.

eksos, exhaust; **~rør**, exhaust pipe.

eksotisk, exotic.

ekspedere, (sende) despatch, forward; (gjøre av med) despatch, dispose of; (en kunde) attend to, serve; **~isjon**, forwarding; (kontor) office; (ferd) expedition; **~itrise**, shop assistant, saleswoman, shopgirl; **~itør**, shop assistant, salesman; *amr* clerk; (på kontor) forwarding clerk.

eksperiment, experiment; **~ere**, experiment.

ekspert, expert.

eksplodere, explode, blow up, burst; **~siv**, explosive; **~sjon**, explosion.

eksport, export(ation); *konkr* exports; **~ere**, export; **~ør**, exporter.

ekspress, express.

ekspropriasjon, expropriation, dispossession; **~ere**, expropriate.

ekstase, ecstasy.

ekstemporere (på skole) do unseens.

ekstra, extra; **~kt**, extract; **~nummer,** (avis) special is-

sue; (dacapo) encore; ~or-
dinær, extraordinary, excep-
tional; ~skatt, supertax,
surtax; ~tog, special train;
~vaganse, extravagance.

ekstrem, extreme.

ekte, genuine, real; (gull o.l.)
pure; (ekte født) legitimate;
v marry; ~felle, spouse;
~par, married couple;
~skap, matrimony, mar-
riage; ~skapsbrudd, adul-
tery.

ekthet, genuineness.

ekvator, the equator.

ekvipere, equip, fit out;
~ing, equipment; ~ingsfor-
retning, gentlemen's outfit-
ter.

elastisitet, elasticity; ~k,
elastic.

elde, (old) age; ~es, grow
old, age; ~gammel, very
old; (fra gammel tid) ~re,
older; elder.

elefant, elephant.

elegant, elegant, fashionable.

elegi, elegy; ~sk, elegiac.

elektrifisere, electrify; ~ker,
electrician; ~sitet, electri-
city; ~sk, electric(al).

elektroingeniør, electrical en-
gineer; ~n, electron; ~tek-
nikk, electrotechnics.

element, element; ~ær, ele-
mentary.

elendig, wretched, miserable;
~het, wretchedness, misery.

elev, pupil; (voksen) student.

elfenbein, ivory.

elg, elk; amr moose.

eliminasjon, elimination;
~ere, eliminate.

elite, élite; pick.

eller, or; ~s, or else, other-
wise; (vanligvis) usually, ge-
nerally.

elleve, eleven; ~te, eleventh.

elske, love; ~elig, lovable;
~er, lover; ~erinne, mis-
tress; ~verdig, amiable,
kind; ~verdighet, kindness.

elv, river; ~ebredd, bank;
~eleie, river-bed; ~mun-
ning, mouth of a river;
estuary.

emalje; ~re, enamel.

emballasje, packing (mate-
rial).

embete, office; ~smann,
(Government) official, civil
servant; ~seksamen, univer-
sity degree.

emblem, emblem, badge.

emigrant, emigrant; ~ere,
emigrate.

emne, s subject, topic; (mate-
riale) material.

en, art a, an; num pron one.

enda (foran komparativ) still,
even; se ennå.

ende, s end; v end, finish,
conclude; ~fram, straight-
forward; ~lig, adj final,
definite; adv at last, finally;
~lse, ending, termination;

~**stasjon**, terminus; ~**vende**, turn upside down.

endog, even.

endre, alter, amend; ~**ing**, alteration.

ene og alene, solely; ~**boer**, hermit, recluse; ~**bolig**, one-family house, self-contained house; ~**forhandler**, sole distributor; ~**rett**, monopoly, sole right.

energi, energy; ~**sk**, energetic.

enerådig, absolute; ~**s**, agree; ~**ste**, only; ~**stående**, unique; ~**tale**, monologue; ~**velde**, absolute power; ~**voldsherre**, absolute ruler, autocrat.

enfold, simplicity; ~**ig**, simple.

eng, meadow.

engang, once; ~**sflaske**, non-returnable bottle.

engasjement, engagement; ~**re**, engage; (til dans) ask for a dance.

engel, angel.

engelsk, English; ~**mann**, Englishman.

en gros, wholesale.

engstelig, uneasy; anxious.

enhet, unity; unit.

enhver, *s* everybody; *adj* every, any.

enig (være ~) agree, be agreed; ~**het**, agreement.

enke, widow; ~**dronning**,

queen dowager; queen mother; ~**mann**, widower.

enkel, simple, plain; single; ~**thet**, detail; ~**tknappet**, single- breasted; ~**tværelse**, single room.

enn, than; but.

ennå, still, yet **(ikke ~)**, not yet.

enorm, enormous, huge.

ens, identical, alike; ~**artet**, uniform; ~**farget**, plain; of one colour; ~**formig**, monotonous.

ensidig, (syn) one-sided, bias(s)ed.

enslig, solitary, single; ~**om**, lonely, solitary; ~**omhet**, loneliness, solitude.

enstemmig, unanimous; *mus* unison; ~**het**, unanimity.

entall, the singular.

enten – eller, either . . or.

entré, hall; (betaling) admission (fee).

entreprenør, contractor.

enveisgate, ~**kjøring**, one-way street, traffic.

epidemi, epidemic.

epilepsi, epilepsy; ~**tiker**, ~**tisk**, epileptic.

epilog, epilogue.

episk, epic.

episode, episode; ~**isk**, episodic.

epistel, epistle.

eple, apple; ~**vin**, cider.

epoke, epoch.

epos, epic, epos.

eremitt, hermit.

erfar|e, (få vite) learn; (oppleve) experience; ~ **en**, experienced; ~ **ing**, experience.

erg|erlig, (kjedelig) annoying, vexatious; (~ **over**) annoyed (el vexed at); ~ **re**, annoy, vex; ~ **relse**, annoyance, vexation.

erindr|e, remember, recollect; ~ **ing**, remembrance.

erke-, arch.

erkjenne, acknowledge, admit, recognize; ~ **lse**, acknowledgment, recognition, admission.

erklær|e, declare, state; ~ **ing**, declaration, statement.

erme, sleeve.

ernær|e, (fø) nourish; ~ **ing**, nourishment, nutrition.

erobr|e, conquer; ~ **er**, conqueror; ~ **ing**, conquest.

eroti|kk, eroticism; ~ **sk**, erotic.

erstatning, compensation; (surrogat) substitute; ~ **s-krav**, claim for compensation; ~ **splikt**, liability.

erstatte, replace; (gi erstatning) compensate.

ert, pea.

erte, tease (**med**: about).

erts, ore.

erverv, trade, livelihood; ~ **e** (**seg**), acquire.

ese, (gjære) ferment; (heve seg) rise.

esel, donkey; ass.

esing, fermentation; *mar* gunnel, gunwale.

eskadre, eskadron, squadron.

eske, box.

eskimo, Eskimo.

eskorte, ~ **re**, escort.

espalier, trellis, espalier.

ess, (kort) ace; *mus* E flat.

esse, forge, furnace.

essens, essence.

esteti|ker, aesthete; ~ **kk**, (a)esthetics; ~ **sk**, (a)esthetic.

etabl|ere, establish; ~ **ering**; ~ **issement**, establishment.

etappe, stage.

etasje, stor(e)y, floor.

etat, service.

ete, eat.

eter, ether.

etikett, label; ~ **e**, etiquette.

eti|kk, ethics; ~ **sk**, ethical.

etse, corrode.

etter, *prp* after; (bak) behind; (ifølge) according to; *adv* after(wards); ~ **betaling**, back pay; ~ **forske**, inquire into, investigate; ~ **forskning**, investigation; ~ **følge**, follow; succeed; ~ **følger**, successor; ~ **gi**, remit, pardon; ~ **givelse**, remission; ~ **hånden**, gradually; ~ **komme**, comply with; ~ **kommer**, descendant; ~ **krav (mot)**, cash on delivery (C.O.D.); ~ **krigs-**, post-war; ~ **late**, leave (behind); ~ **ligne**, imitate; ~ **ligning**, imitation; ~ **lyse**, advertise for; ~ **lyst**, wanted; ~ **middag**, afternoon; ~ **navn**, surname, family name; ~ **nøler**, straggler; late-comer; ~ **på**, -afterwards; ~ **retning**, information, news; ~ **retningsvesen**, intelligence service; ~ **se**, inspect; overhaul; ~ **skudd** (på-), in arrear(s); ~ **som**, as, since; ~ **spill**, epilogue; ~ **spørsel**, demand; ~ **syn**, inspection; overhaul; ~ **tanke**, reflection; ~ **trykk**, emphasis, stress; ~ **trykk forbudt**, copyright; all rights re-

served; ~ **utdannelse**, in-service training; ~ **virkning**, after-effect.

etui, case.
Europa, Europe; ~ **arådet**, the Council of Europe (CE); ~ **eer**; ~ **éisk**, European.
evakuere, evacuate.
evangelisk, evangelic(al); ~ **um**, gospel.
eventualitet, contingency; ~ **ell**, possible; (if) any; ~ **elt**, *adv* possibly, if necessary.
eventyr, (opplevelse) adventure; (fortelling) (fairy-)tale; ~ **er**, adventurer; ~ **lig**, fabulous, fantastic.

F

fabel, fable; ~ **elaktig**, fabulous; ~ **le**, fable.
fabrikant, manufacturer; ~ **asjon**, manufacture; ~ **at**, make, product; ~ **k**, factory, mill; ~ **karbeider**, factory worker; ~ **kere**, manufacture, make; ~ **kmerke**, trade mark.
fadder, godfather; godmother.
faderlig, fatherly, paternal.
fadervår, the Lord's Prayer.
fadese, blunder.
fag, (skole) subject; (område)

line, profession; (håndverk) trade; ~ **arbeider**, skilled workman.
fagforening, trade(s) union; ~ **lært**, skilled; ~ **mann**, expert, specialist; ~ **utdannelse**, specialized (*el* professional) training.
fajanse, faience.
fakir, fakir.
fakke, catch.
fakkel, torch.
faktisk, *adj* actual, real, virtual; *adv* as a matter of fact, actually, virtually, in fact.

faktor, factor; ~ **um,** fact.

faktura, invoice (**over, på:** for).

fakultet, faculty.

falk, falcon, hawk.

fall, fall; **i** ~, in case; ~ **dør,** trapdoor; ~ **e,** fall, drop; ~ **eferdig,** tumbledown.

fallent, bankrupt; ~ **itt,** *s* bankruptcy, failure; *adj* bankrupt.

fallskjerm, parachute; ~ **hopper,** parachutist.

falme, fade.

falsk, false; (forfalsket) forged; ~ **het,** falseness; ~ **mynter,** counterfeiter, coiner; ~ **neri,** forgery.

familie, family; ~ **navn,** family name; surname.

familiær, familiar.

famle, grope, fumble (**etter:** for).

fanatiker; fanatisk, fanatic.

fanden, the Devil, the Fiend; Old Nick; ~ **ivoldsk,** devil-may-care.

fane, banner, standard.

fanfare, fanfare, flourish.

fang, lap; ~ **e,** *v* catch, capture; *s* prisoner, captive; ~ **eleir,** prison camp; ~ **enskap,** captivity; ~ **evokter,** warder, jailer; ~ **st,** (bytte) capture; (fisk) catch, draught.

fant, tramp; gipsy.

fantasere, rave; ~ **i,**

(innbilningsevne) imagination; (innfall) fancy, fantasy; *mus* fantasia; ~ **ifull,** imaginative; ~ **t,** visionary; ~ **tisk,** fantastic.

far, father; (spor) track, trail; ~ **ao,** Pharaoh; ~ **bror,** (paternal) uncle.

fare, *v* (reise) go, travel; *mar* sail; (ile) rush; *s* danger, peril; ~ **truende,** perilous.

farfar, (paternal) grandfather.

farge, *s,* colour; (stoff) dye; paint; (kort) suit; *v* dye; colour; ~ **fjernsyn,** colour television; ~ **handel,** colour shop; ~ **legge,** colour.

farin, castor sugar.

fariseer, Pharisee.

farlig, dangerous, perilous.

farmasi, pharmacy; ~ **øyt,** (dispensing) chemist's assistant.

farmor, (paternal) grandmother.

farse, (mat) forcemeat; (komedie) farce.

farsott, epidemic.

fart, (hastighet) speed, rate; (handels-) trade; ~ **sgrense,** speed limit.

fartøy, vessel, craft; ship; ~ **vann,** waters.

farvel, good-bye.

fasade, front, façade.

fasan, pheasant.

fascisme, Fascism; ~ **t;** ~ **tisk,** Fascist.

fase, phase.

fasit, key; answer book.

fasong, shape, cut.

fast, firm; solid; (~satt) fixed.

faste, v & s fast; ~**lavn**, Shrovetide; ~**tid**, Lent.

fasthet, firmness; solidity; ~**holde**, stock to, insist on, maintain; ~**land**, continent; ~**sette**, appoint, fix, stipulate.

fat, dish; (tønne) cask, barrel.

fatt (få ~ i) get (el catch) hold of.

fatle, sling.

fatning, composure.

fatte (betripe) comprehend, understand; (beslutning) make, take (a decision); ~**t**, composed, collected.

fattig, poor; ~**dom**, poverty.

favn (mål) fathom; ~**e**, embrace; ~**tak**, embrace, hug.

favorisere: **favør**, favour.

fe, fairy; (dyr) cattle.

feber, fever; ~**aktig**, feverish.

febrilsk, feverish, fidgety.

februar, February.

fedme, fatness, obesity.

fedreland (native) country; ~**ssang**, national anthem.

fedrift, cattle breeding.

feie, sweep; ~**brett**, dustpan; ~**er**, chimney-sweep.

feig, cowardly; ~**ing**, coward; ~**het**, cowardice.

feil, s mistake, error; (man-

gel) defect, fault; (skyld) fault; adj wrong, incorrect; adv amiss, wrong(ly); ~**fri**, faultless; ~**tagelse**, mistake.

feire, celebrate.

feit, fat.

fekte fence; ~**ing**, fencing.

fele, fiddle; ~**spiller**, fiddler.

felg, rim.

felle, s trap; v (trær) fell; (drepe) slay; (tårer) shed; ~**s**, common, joint; ~**smarkedet**, the Common Market; ~**sskap**, community.

felt (område) field; sphere; mil field; ~**flaske**, canteen; ~**seng**, campbed; ~**tog**, campaign.

fem, five; ~**te**, fifth; ~**ten**, fifteen; ~**ti**, fifty.

fenge, catch (el take) fire; ~**hette**, (percussion) cap.

fengsel, prison, jail; ~**sle**, imprison; fig captivate, fascinate.

fenomen, phenomenon; (pl -mena); ~**al**, phenomenal.

ferd, expedition; (oppførsel) conduct; ~**ig**, (rede) ready; (fullendt) finished, done; ~**ighet**, skill; ~**sel**, traffic; ~**selsåre**, thoroughfare.

ferie, holiday(s); amr vacation; ~**re**, (spend one's) holiday.

ferje, ferry(-boat).

ferniss; **fernissere**, varnish.

fersk, fresh; ~**en**, peach.

fesjå, cattle-show.

fest, (privat) celebration; party; (offentlig) festival; (måltid) feast, banquet; ~**forestilling**, gala performance; ~**e**, s hold; handle; v fasten, fix; (**holde** ~) feast, celebrate; ~**ning**, fort, fortress.

fet, fat; ~**evarer**, delicatessen; ~**t**, fat, grease.

fetter, (male) cousin.

fiasko, failure, fiasco; dt flop.

fiber, fibre.

fiende, enemy; ~**skap**, enmity; ~**tlig**, hostile; ~**lighet**, hostility.

figur, figure, shape; ~**lig**, figurative.

fiken, fig; ~**blad**, fig leaf.

fiks, smart; (idé) fixed; ~**e**, fix.

fil, file, file.

filet, fillet.

filial, branch.

filipens, pimple.

fille, rag, tatter; ~**rye**, patchwork rug.

film, film, picture; amr movie; ~**atelier**, studio; ~**byrå**, film agency; ~**e**, film; ~**stjerne**, film star.

filolog, philologist; ~**i**, philology; ~**isk**, philological.

filosof, philosopher; ~**i**, philosophy.

filt, felt; ~**er**, filter, strainer; ~**rere**, filter, strain.

fin, fine.

finale, sport final(s); mus finale.

finanser, finances; ~**siell**, financial; ~**siere**, finance.

finér, veneer.

finger, finger; ~**avtrykk**, fingerprint; ~**bøl**, thimble; ~**e**, feign; ~**ferdighet**, dexterity; mus execution; ~**nem**, handy.

Finland, Finland.

finne, (fisk) fin; (finlending) Finn; v find; ~ **sted**, take place; ~ **rlønn**, reward.

finsk, Finnish.

fintfølende, sensitive.

fiol; ~**ett**, violet; ~**in**, violin; ~**inist**, violinist.

fire, num four; v ease off, lower; fig yield; ~**fisle**, lizard; ~**kant**, square; ~**kløver**, fourleaved clover; ~**linger**, quadruplets.

firma, firm, company; ~**merke**, trade mark.

fisk, fish; ~**e**, v fish; s fishing; (fiskeri) fishery; ~**ehandler**, fishmonger; ~**er**, fisherman; ~**eredskap**, fishing tackle; ~**eri**, fishery; ~**erigrense**, limit of the fishing zone, fishing limits; ~**eriminister**, Minister of Fisheries; ~**estang**, fishing rod.

fjas, foolery, nonsense.

fjel, board.

fjell, mountain; rock; ~ **kjede,** chain (el range) of mountains; ~ **klatrer,** mountaineer, alpinist; ~ **land,** mountainous country.

fjerde, fourth.

fjern, far(-off), distant, remote; ~ **e,** remove; vr withdraw; ~ **skriver,** teleprinter; ~ **syn,** television, TV, dt telly; ~ **synsapparat,** television set; ~ **synsskjerm,** television screen; ~ **valg,** dialled trunk call.

fjord, fjord; fiord; (Skottland) firth.

fjorten, fourteen; ~ **dager,** a fortnight.

fjær, feather; (stål-) spring; ~ **e,** (ebbe) ebb; ~ **fe,** poultry.

fjøs, cowhouse.

flagg, flag; colours; ~ **e,** fly the flag; ~ **ermus,** bat; ~ **stang,** flagstaff.

flagre, flutter, flicker.

flak, flake; (is-) floe.

flakke (vandre) roam, rove.

flakong, flacon.

flaks (ha ~) be in luck, be lucky; ~ **e,** flap, flutter.

flamme, v & s flame, blaze.

flanell, flannel.

flanke, flank.

flaske, bottle; ~ **hals,** bottleneck.

flass, dandruff.

flat, flat; ~ **e,** flat; ~ **einn-hold,** area; ~ **lus,** crab-louse.

flau, (skamfull) ashamed; flat, insipid; merk dull, flat; ~ **vind,** light wind.

flekk, stain, spot.

flenge, v & s slash, tear.

flere (enn) more (than); (at-skillige) several; ~ **koneri,** polygamy; ~ **stavelsesord,** polysyllable; ~ **tall,** gram the plural; (de fleste) the majority; ~ **tydig,** ambiguous.

flesk, pork; bacon.

flest(e), most; (de fleste) most.

flette, v & s plait, braid.

flid, diligence, industry.

flikk, patch; ~ **e,** patch; (sko) cobble.

flimre, glimmer.

flink, clever; good.

flint, flint.

flir, ~ **e,** grin.

flis (tre-) chip, splinter; (golv) tile; ~ **elagt,** tiled.

flittig, diligent, industrious.

flo, flood(-tide), high tide; ~ **d,** river; ~ **dhest,** hippopotamus; dt hippo.

floke, v & s ravel, tangle.

flokk, (mennesker) crowd, party; (fe) herd; (sau) flock; (ulv) pack; (fugl) flight, flock; ~ **e seg,** flock, crowd.

flom, flood; ~ **me** (over), overflow.

flor, (stoff) gauze; crape; (blomstring) bloom, flowering, blossom; **~a,** flora; **~ere,** flourish.

flosshatt, top hat, silk hat.

flott (flytende), afloat; (fin) smart, stylish; (rundhåndet) liberal; **~e seg,** be lavish; **~ør,** float.

flue, fly.

flukt, escape; (flyging) flight; **~ stol,** deck-chair.

fluor, fluorine.

fly *v* fly; *s* plane, aeroplane, aircraft, *amr* airplane; **~billett,** flight ticket; **~buss,** airport bus; **~geblad,** flysheet, pamphlet; **~gefisk,** flying fish; **~gel,** grand piano; **~ger,** aviator, airman; (føreren av flyet) pilot; **~ging,** aviation; **~kaprer,** hijacker; **~kapring,** hijacking; **~plass,** airport; *mil* airfield; **~vertinne,** air hostess, stewardess.

flykte, run away, fly, flee; (unnslippe) escape; **~ig,** inconstant, transitory; **~ning,** fugitive, refugee.

flyndre, flounder.

flyte, flow, run; (på vannet) float; **~dokk,** floating dock; **~nde,** liquid; (tale) fluent.

flytting, removal, move; **~ebil,** removal van.

flørt, flirtation; (om person) flirt; **~e,** flirt.

fløte, *v* float; *s* cream.

fløy, wing.

fløyel, velvet.

fløyte, *s* whistle; *mus* flute; *v* whistle; **~spiller,** flutist.

flå, flav, skin; *fig* flay, fleece; **~kjeftet,** flippant.

flåte, fleet; marine; *mil* navy; (tømmer-) float, raft.

FN, UN (United Nations).

fnise; fnising, titter, giggle.

fnugg, (støv-) speck of dust; (snø-) flake.

fnyse, snort.

fold, fold; crease; *agr* fold; **~e,** fold.

folk, people; *dt is amr* folk(s); (arbeids-) men, hands; **~eavstemning,** plebiscite, referendum; **~eferd,** tribe, nation; **~elig,** popular; **~erik,** populous; **~esang,** folksong; **~etrygd,** national insurance; **~evise,** (ancient) ballad, folksong.

follekniv, clasp-knife; jack-knife.

fomle, fumble.

fond, fund.

fonn, drift of snow.

font, font; **~ene,** fountain.

for, *prp* for, to, at, of, etc; *adv* (altfor) too; (med infinitiv) (in order) to; *konj* for.

fôr, (i klær) lining; (til dyr) fodder; forage.

forakt, contempt, scorn, disdain; **~e,** despise, disdain;

~ **elig**, contemptible, despicable; (som viser forakt) contemptuous.

foran, *prp & adv* before, in front of, ahead of; ~ **derlig**, changeable, variable; ~ **dre**, change, alter; ~ **dring**, change, alteration; ~ **ledige**; cause; ~ **ledning**, occasion; ~ **stående**, above; the foregoing.

forarge, scandalize; offend; ~ **lse**, scandal, offence.

for at (so) that, in order that.

forbanne; ~ **lse**, curse; ~ **t**, blasted, (ac)cursed, damned.

forbause, surprise, amaze, astonish; ~ **lse**, surprise, amazement, astonishment.

forbedre, better, improve; ~ **seg**, improve; ~ **ing**, improvement.

forbehold, reservation, reserve; ~ **holde seg**, reserve; ~ **rede**, prepare; ~ **redelse**, preparation; ~ **redende**, preparatory.

forbi, *prp & adv* by, past; ~ **gå**, pass over; ~ **gåelse**, neglect; ~ **gående**, passing; ~ **kjøring**, overtaking.

forbilde, model.

forbinde, connect, link; (sår) dress, bandage; ~ **else**, connection; relation(s); touch; (samferdsel) communication.

forbli, remain, stay.

forblø seg, bleed to death.

forbløffe, amaze, bewilder; ~ **lse**, amazement, bewilderment.

forbokstav, initial (letter).

forbrenne, burn; ~ **ing**, burning; *kjem* combustion.

forbruk, consumption; ~ **e**, consume; ~ **er**, consumer.

forbrytelse, crime; ~ **r**, criminal; offender.

forbud, prohibition.

forbund, association, league; ~ **sfelle**, ally; ~ **srepublikken**, the Federal Republic of Germany.

forby, forbid; (ved lov) prohibit, ban.

forbytte, mix up.

forbønn, (gå i ~ **for**) intercede for.

fordampe, evaporate.

fordel, advantage; ~ **aktig**, advantageous; ~ **e**, distribute, divide; ~ **ing**, distribution.

forderve, *fig* deprave; ~ **lse**, depravation.

fordi, because.

fordoble, double; *fig* redouble.

fordom, prejudice; ~ **sfri**, unprejudiced, unbias(s)ed.

fordra, stand, bear, endure.

fordre, claim, demand; ~ **ing**, claim, demand; ~ **ingsfull**, exacting, pretentious; ~ **ingsløs**, unpretentious.

fordreie, distort, twist.

fordrive, drive away; (tiden) while away.

fordrukken (foran s) drunken; sottish.

fordufte (også *fig*) evaporate.

fordyre, make dearer.

fordømme, condemn; ~lse, condemnation.

fordøye, digest; ~lig, digestible; ~lse, digestion.

fôre, (klær) line; (dyr) feed.

forebygge, prevent.

foredle, refine; ~ing, refinement, improvement.

foredrag, lecture, talk; (språkbehandling) diction; *mus* execution; ~dragsholder, lecturer; ~gangsmann, pioneer; ~gi, pretend; ~gripe, anticipate; ~gå, take place; ~gående, preceding; ~komme, occur; (synes) seem, appear; ~kommende, obliging; ~komst, occurrence, existence.

foreldet, obsolete, out of date; (krav) (statute-)barred.

foreldre, parents; ~løs, orphan.

forelegge, place (el put) before, submit; ~lese, lecture; ~leser, lecturer; ~lesning, lecture; ~ligge, be, exist.

forelske seg, fall in love; ~lse, love; ~t, in love (i: with).

foreløpig, provisional, temporary.

forene, unite, combine; ~ing, union, association, society, club; ~kle, simplify.

foresatt, superior; ~skrevet, prescribed; ~slå, propose, suggest; ~speile, hold out; ~spørre, inquire; ~spørsel, inquiry; ~stille, introduce (for: to); represent; *v* imagine; ~stilling, *teat* performance; (begrep) idea; ~stå, (lede) manage, be in charge of; (komme) be at hand, approach.

foreta, undertake, make; ~tagende, undertaking, enterprise; ~taksom, enterprising; ~teelse, phenomenon; ~trede, audience; ~trekke, prefer (for: to); ~vise, present; ~visning, presentation.

forfall, decay; *fig* decline; *jur* excuse; *merk* (ved ~) when due; **ha** ~, be prevented; ~e, decay; *merk* fall due; ~sdag, *merk* due date (el day).

forfalske, falsify; forge; ~ning, falsification, forgery.

forfatning, (tilstand) state, condition; (stats-) constitution.

forfatte, compose, write; ~r, author, writer.

forfedre, forefathers, ancestors; ~fekte, defend; ~fengelig, vain; ~fengelighet, vanity.

forferde, terrify, appal, dismay; ~ **lig,** appalling, frightful, terrible, dreadful; ~ **lse,** terror, dismay.

forfine, refine.

forfjamselse, confusion; ~ **t,** confused.

forfjor, i ~, the year before last.

forflytte, ~ **ning,** transfer.

forfra (fra forsiden) from the front; (om igjen) from the beginning.

forfremme, advance, promote; ~ **lse,** promotion.

forfriske, refresh; ~ **ning,** refreshment.

forfrossen, frozen, chilled; ~ **fryse,** freeze; ~ **frysning,** frost-bite.

forfølge, pursue; (for å skade) persecute; ~ **lse,** pursuit; persecution; ~ **r,** pursuer; persecutor.

forføre, seduce; ~ **lse,** seduction; ~ **r,** seducer.

forgangen, bygone, gone by; ~ **gasser,** carburettor; ~ **gifte,** poison; ~ **gjenger,** predecessor; ~ **gjeves,** adj vain adv in vain; ~ **glemmegei,** forget-me-not; ~ **glemmelse,** oversight; ~ **grene seg,** ramify, branch (off); ~ **grunn,** foreground; teat front of the stage; ~ **gude,** idolize; ~ **gylle,** gild; ~ **gå,** perish; ~ **gårs, i ~,** the day before yesterday.

forhale, delay, retard; ~ **handle,** negotiate, merk deal in, sell; ~ **handling,** negotiation; distribution, sale; ~ **haste seg,** be in too great a hurry; ~ **hastet,** hurried, hasty; ~ **hekse,** bewitch; ~ **heng,** curtain; ~ **henværende,** former; ~ **herde,** harden; ~ **herlige,** glorify; ~ **herligelse,** glorification; ~ **hindre,** prevent; ~ **hindring,** hindrance, obstacle; ~ **hjul,** front wheel.

forhold (proporsjon) proportion; (forbindelse) relation(s), connection; (omstendighet) fact, circumstances; mat ratio; ~ **e seg** (gå fram) proceed; **saken ~ er seg slik,** the fact (of the matter) is this; ~ **smessig,** proportional; ~ **sregel,** measure; ~ **svis,** comparatively.

forhør, examination; inquiry; ~ **e,** examine; ask; ~ **e seg,** inquire.

forhøye, heighten, raise; (lønn) increase; (pris) raise, increase; ~ **lse,** rise, increase; ~ **ning,** rise; (i lokale) platform.

forhånd, (i kort) lead; på ~, in advance, beforehand.

forhåpentlig, it is to be hoped; ~ **ning,** hope, expectation; ~ **ningsfull,** hopeful.

fôring, (klær) lining; mar ceiling; (av dyr) feeding.

forkaste, reject; **~kastelig**, objectionable; **~kjemper**, champion, advocate; **~kjæle**, spoil; **~kjærlighet**, predilection, preference.

forkjøle seg, catch a cold; **jeg er ~t**, I have a cold; **~lse**, cold.

forkjøpet (komme i ~) anticipate.

forkjørsrett, right of way, priority.

forklare, explain; **~ing**, explanation; **~lig**, explicable.

forkle, s apron; v disguise; **~dning**, disguise.

forkludre, bungle; **~korte**, shorten, abridge; (ord) abbreviate; (ord) ab- **~kortelse**, shortening, abridgment, abbreviation; **~kynne**, announce; jur serve; relg preach; **~kynnelse**, announcement, preaching; **~lange**, publishing house; **~lange**, demand, ask (for), claim.

forlate, leave; (oppgi) abandon; **~else**, pardon; **(om ~)** (beg your) pardon, sorry.

forleden (dag), the other day.

forlegen, embarrassed; **~enhet**, embarrassment; **~ge**, mislay; (utgi) publish; **~er**, publisher.

forlenge, lengthen, prolong, extend; **~else**, lengthening, prolongation, extension.

forlik, agreement, compromise; **~e**, reconcile.

forlis, (ship)wreck; **~lise**, be lost el wrecked.

forlove seg, become engaged **(med:** to); **~de (hans, hennes ~)**, his fiancée, her fiancé.

forlystelse, entertainment, amusement.

forløp, (gang) course; **~e** (løpe av) pass off; **~er**, forerunner.

form, form, shape; (støpe-) mould; **~alitet**, formality.

formane, exhort, admonish; **~ing**, exhortation, admonition, warning.

formann (i styre) chairman, amr president; (i forening) president; (arbeids-) foreman.

formasjon, formation; **~at**, size; **~e**, form, shape; **~el**, formula; **~elig**, adv actually, positively; **~ell**, formal; **~ere seg**, breed, multiply, propagate; **~ering**, breeding, multiplication, propagation.

formiddag, morning; **~milde** (lindre) alleviate; (bløtgjøre) mollify; **~mildende omstendighet**, extenuating circumstance; **~minske**, reduce, decrease, diminish.

formlære, accidence; **~løs**, formless, irregular.

formode, suppose, presume; ~**entlig**, probably, presumably; ~**ning**, supposition.

formsak, matter of form.

formue, fortune; (eiendom) property; ~**nde**, wealthy, well off; ~**skatt**, property tax.

formul|ar, form; ~**ere**, formulate; word; ~**ering**, formulation.

formynder, guardian.

formørke, darken; eclipse; ~**lse**, (sol, måne) eclipse.

formål, purpose, object.

fornavn, Christian *el* first name, forename.

fornem, distinguished; ~**het**, distinction, gentility; ~**me**, feel; ~**melse**, feeling.

fornuft, reason; **sunn** ~, common sense; ~**ig**, reasonable, sensible.

fornye, renew; ~**lse**, renewal.

fornærme, offend, insult; ~**lse**, insult.

forn|øyd, satisfied, pleased, content(ed); ~**elig**, amusing, delightful; ~**else**, pleasure; (forlystelse) entertainment, amusement.

for|ord, preface, foreword; ~**ordne**, ordain, order; *med* prescribe; ~**ordning**, ordinance, decree; ~**over**, forward, ahead.

for|pakte, farm, rent; ~**pakter**, tenant (farmer); ~**peste**,

infect; ~**plante (seg)**, propagate; ~**plantning**, propagation; ~**pleining** (kost), board; ~**plikte seg**, engage (oneself), bind oneself; ~**pliktelse**, obligation, engagement; ~**pliktende**, binding; ~**pliktet**, obliged, bound; ~**post**, outpost; ~**purre**, frustrate, foil.

for|rang, precedence; ~**regne seg**, miscalculate; ~**rente seg**, pay interest on.

forrest, foremost; ~**en**, (apropos), by the way; (dessuten) besides.

forretning, business; (butikk) shop; ~**sbrev**, business (*el* commercial) letter; ~**sforbindelse**, business connection; ~**slokale(r)**, business premises; ~**smann**, businessman; ~**smessig**, businesslike; ~**sreise**, business trip.

forrett, (mat) entrée, first course.

forrige, last; previous.

for|rykke, displace; *fig* disturb; ~**rykt**, crazy; ~**ræder**, traitor (**mot**: to); ~**ræderi**, treachery; (lands-) treason; ~**rædersk**, treacherous; ~**råd**, supply, store; ~**råde**, betray; ~**råtne**, rot, putrefy; ~**råtnelse**, putrefaction.

forsagt, timid, diffident.

forsalg (billetter) advance booking.

forsamling, assembly.

forseelse, offence; ~**segle**, seal (up); ~**sendelse**, forwarding; (vareparti) consignment; ~**sere**, force; ~**sete**, front seat; ~**sett**, purpose; ~**settlig**, intentional; ~**side**, front; (mynt o.l.) face.

forsikre, assure; (assurere) insure; ~**ing**, assurance; insurance; ~**ingspolise**, insurance policy; ~**ingspremie**, insurance premium; ~**ingsselskap**, insurance company.

forsiktig, (varsom) careful; (ved fare) cautious; ~**het**, care; caution.

forsinke, ~**sinkelse**, delay; ~**skanse**, entrench, barricade; ~**skansning**, entrenchment, barricade.

forske, **forskning**, research; ~**r**, researcher, research worker.

forskjell, difference; distinction; ~**ig**, different; (atskillige) various.

forskrekke, frighten; ~**lse**, fright.

forskrudd, eccentric; ~**skudd**, advance; ~**skuddsvis**, in advance; ~**skyve**, displace, shift; ~**slag**, proposal, suggestion; ~**slitt**, motion; hackneyed.

forsmak, foretaste; ~**smedelig**, disgraceful; ~**små**, re-

fuse; ~**snakke seg**, make a slip of the tongue; ~**snevring**, contraction; ~**sommer**, early summer; ~**sone**, reconcile, conciliate; ~**soning**, (re)conciliation; ~**sorg**, (understøttelse) poor relief; ~**sove seg**, oversleep (oneself); ~**sovelse**, oversleeping.

forspill, prelude; ~**e**, forfeit; throw away.

forspise seg, overeat (oneself); ~**sprang**, start, lead; ~**stad**, suburb.

forstand, (fornuft) reason, sense; ~**er**, principal, director; ~**ig**, sensible.

forstavelse, prefix; ~**stavn**, stem, prow; ~**steine**, petrify; ~**sterke**, strengthen, reinforce, fortify; ~**sterker, rad** amplifier; ~**sterking**, strengthening; reinforcement.

forstmann, forester.

forstoppelse *med* constipation; ~**stue**, *v* strain, sprain; *v mar* silt; ~**stumme**, become silent.

forstyrre, disturb; (bry) trouble; ~**lse**, disturbance, trouble.

forstørre, magnify; *fotogr* enlarge; ~**lse**, magnification; enlargement; ~**lsesglass**, magnifying glass.

forstå, understand; see; ~**else**, understanding.

forsvar, defence; ~ **e,** defend; ~ **er** *jur* counsel for the defence; ~ **lig** (berettiget) justifiable; (sikker) secure; ~ **sløs,** defenceless.

for|svinne, disappear, vanish; ~ **syn,** providence; ~ **syne,** supply, provide; (~ **seg,** ved bordet) help oneself **(med:** to); ~ **syning,** supply; ~ **søk,** attempt **(på:** at); (prøve) test, trial; ~ **søke,** try, attempt; ~ **sømme;** ~ **sømmelse,** neglect; ~ **sørge,** provide for, support; ~ **sørger,** supporter.

fort, *s* fort; *adv* quickly, fast.

fortau, pavement; *amr* sidewalk; ~ **skant,** kerb, curb.

fortegnelse, list, catalogue, record.

for|telle, tell; ~ **telling,** story; ~ **teppe,** curtain; ~ **tid,** past; ~ **tie,** conceal **(for:** from); ~ **tinne,** tin.

fortjen|e, deserve; ~ **este,** profit; ~ **t,** worthy **(til:** of).

fort|løpende, consecutive.

for|tolke, interpret; ~ **tolk-ning,** interpretation; ~ **tolle,** pay duty on, clear; declare; ~ **treffelig,** excellent; ~ **trenge,** supplant, supersede.

fortrinn, preference; (fordel) advantage; ~ **svis,** preferably, by preference.

fortrolig, confidential; ~ **het,** confidence.

fortropp, van(guard).

fortrylle, charm, fascinate; ~ **lse,** charm, fascination.

fortsette, continue, go on, carry on; ~ **lse,** continuation.

fortumlet, confused.

fortvile; ~ **lse,** despair; ~ **t,** desperate; in despair.

for|tynne, dilute; ~ **tære,** consume; ~ **tørnet,** exasperated; ~ **tøye,** moor, make fast; ~ **tøyning,** mooring.

for|ulempe, molest; (plage) annoy; ~ **lykke,** be lost, perish; be wrecked.

forunderlig, strange, odd; ~ **re,** surprise; ~ **ring,** surprise.

forurens|e, pollute; ~ **ning,** pollution.

forut, in advance, ahead; *mar* forward; ~ **anelse,** presentiment; ~ **bestemt,** predeterminate; ~ **bestille,** book in advance; ~ **en,** besides; ~ **inntatt,** predisposed, prejudiced; ~ **satt at,** provided (that); ~ **se,** foresee; ~ **set-ning,** condition, understanding; ~ **sette,** assume, (pre)suppose, take for granted; ~ **si,** foretell, predict.

forvalt|e, administer, manage; ~ **er,** steward, manager; ~ **ning,** administration, management.

forvandl|e, transform, change; ~ **ing,** transformation.

forvanske, distort, misrepresent; ~**varing**, keeping, custody; charge; ~**veien: i** ~, beforehand, in advance; ~**veksle**, mistake (**med:** for); ~**veksling**, confusion, mistake; ~**ventning**, expectation, anticipation; ~**vikling**, complication; ~**virre**, confuse; ~**virring**, confusion; ~**vise**, banish, exile; ~**visning**, banishment; exile; ~**visse seg om**, make sure of; ascertain; ~**vissning**, assurance; ~**vitre**, disintegrate; ~**vitring**, disintegration; ~**vrenge**, distort, twist; ~**vrengning**, distortion; ~**vridd**, distorted; ~**værelse** antechamber **el** -room.

forårsake, cause, occasion.

fosfor, phosphorus.

foss, waterfall, cataract; ~**e**, gush.

fossil, fossil.

foster, fetus; embryo; ~**fordrivelse**, feticide, criminal abortion; ~**foreldre**, foster-parents.

fostre, rear; **fig** breed.

fot, foot; (**bord**) leg; (**glass**) stem; (**mast**) heel; **på stående** ~, offhand; **stå på en god** ~ **med**, be on good terms with; ~**ball**, football; ~**ballbane**, football ground; ~**ballkamp**, football match; ~**efar**, footprint; ~**feste**,

footing; ~**gjenger**, pedestrian; ~**gjengerovergang**, zebra (**el** pedestrian crossing; ~**note**, footnote.

fotoapparat, camera; ~**forretning**, camera shop; ~**graf**, photographer; photograph; ~**grafering**, photography; ~**grafi**, photo(graph); ~**kopi**, photocopy; ~**stat**, photostat (copy).

fotspor, footprint; ~**trinn**, footstep; ~**tøy**, footwear.

fra, from; ~**be seg**, deprecate, decline; ~**drag**, deduction; ~**fall**, drop-out; ~**flytte**, leave.

frakk, (over)coat; ~**eskjøt**, coattail.

fraksjon, section, wing.

frakt (avgift båt, fly) freight; (jernb, bil) carriage; (varer båt) cargo; ~**brev**, mar bill of lading; jernb consignment note; amr freight bill; ~**e**, carry, freight; ~**gods**, goods.

fralegge seg (ansvar) disclaim, deny.

fram, forward, on (se også **frem-**); ~**for**, before; in preference to; ~**for alt**, above all; ~**gang**, progress; ~**gangsmåte**, procedure, course; ~**komstmiddel**, conveyance; ~**møte**, attendance; ~**over**, forward,

ahead; ~ **steg**, progress;
~ **støt**, drive, push; ~ **tid**,
future; ~ **tidig**, future.

frankere, stamp.

Frankrike, France.

fransk, French, ~ **mann**,
Frenchman.

fraråde, advise against, dis-
suade.

frase, empty phrase; ~ **r**,
cant.

frasi seg, renounce, resign;
~ **skilt**, divorced.

frata, deprive of; ~ **tre**, retire
from.

fravike, deviate from; ~ **vær**,
absence; ~ **værende**, absent.

fredag, Friday.

fred, peace; ~ **e**, preserve,
protect; ~ **elig**, peaceful;
~ **løs**, outlaw; ~ **ning**, pro-
tection; ~ **sommelig**, peace-
able.

fregatt, frigate.

fregne, freckle.

frekk, impudent, cheeky;
~ **het**, impudence, face.

frekvens, frequency.

frelse, s rescue; relg salva-
tion; v save, rescue; ~ **r**,
saver, rescuer; relg Saviour;
~ **sarméen**, the Salvation
Army.

fremad, forward, onward;
~ **bringe**, produce; ~ **by**, of-
fer.

fremdeles, still.

fremgå, appear (av: from).

fremherskende, predominant;
~ **heve**, stress, emphasize;
~ **holde**, point out.

fremkalle, teat call before the
curtain; (forårsake) cause,
bring about; fotogr develop.

fremlegge, present, produce.

fremleie, s subletting.

fremme, further, promote, ad-
vance; ~ **lig**, forward.

fremmed, adj strange; (uten-
landsk) foreign; s stranger;
foreigner; jur alien; ~ **arbei-
der**, foreign worker.

fremragende, prominent, emi-
nent; ~ **sette**, put forward.

fremskritt, progress; ~ **skyn-
de**, hasten, expedite.

fremst, adj front; foremost;
adv in front; **først og** ~,
primarily, first of all.

fremstille (lage) produce,
make; (avbilde) represent;
(rolle) personate; (skildre)
describe; (fabrikasjon) produc-
tion); (rolle) im-
personation; (redegjørelse)
account; ~ **stående**, promi-
nent.

fremtoning, phenomenon,
appearance; ~ **tredende**,
prominent, outstanding.

frese (sprake) crackle;
(sprute) sputter; (visle) hiss.

fresko, fresco.

fri, adj free; **i det** ~, in the
open (air); v (beile) pro-
pose; ~ **dag**, holiday, day

off; ~**er**, suitor; ~**eri**, proposal; ~**finne**, acquit (for: of); ~**finnelse**, acquittal; ~**gi**, ~**gjøre** set free, release; ~**gjørelse**, release, liberation; ~**handel**, free trade; ~**havn**, free port; ~**het**, freedom, liberty; ~**idrett**, athletics; ~**idrettsmann**, athlete.

frikjenne, acquit (for: of).

frikvarter, break, recess; ~**land**, open ground.

friluftsliv, outdoor life; ~**merke**, (postage) stamp; ~**modig**, frank, open; ~**murer**, freemason.

friserdame, hairdresser.

frisk, fresh; (sunn) healthy, in good health, well; (fersk, ny) fresh; ~**e opp**, (kunnskaper) brush up; ~**ne til**, recover; (om vind) freshen.

frispark, free kick.

frist, respite; dead-line; ~**e**, (lide) experience; (føre i fristelse) tempt; ~**else**, temptation.

frisyre, style of dressing the hair; ~**ør**, hairdresser.

fritta, exempt; ~**tenker**, freethinker; ~**tid**, leisure (time), spare time.

fritt, *adv* freely; (gratis) free (of charge).

frivakt, off-duty watch; **ha** ~**vakt**, be off duty; *adj* voluntary; *s* volunteer.

frodig, luxuriant; ~**het**, luxuriance.

frokost, breakfast.

from, pious; mild; ~**het**, piety.

front, front; ~**glass**, windscreen; ~**lys**, headlight.

frossen, frozen; ~**t**, frost.

frosk, frog; ~**emann**, frogman.

frottere, rub.

fru, Mrs.; ~**e**, (hustru) wife; (gift kvinne) married woman.

frukt, fruit; *fig* product; ~**avl**, fruit growing; ~**bar**, fertile; (fruktbringende) fruitful; ~**barhet**, fertility; ~**hage**, orchard; ~**handler**, fruiterer; ~**saft**, fruit juice; ~**sommelig**, pregnant, with child; ~**sommelighet**, pregnancy.

frustrert, frustrated.

fryd, joy, delight; ~**e**, gladden; rejoice; ~**efull**, joyful, joyous.

frykt, fear, dread.; ~**e**, fear, dread, be afraid of; ~**elig**, fearful, dreadful; ~**inngytende**, terrifying.

frynse, fringe.

fryse, freeze; (om person) be cold, freeze; ~**boks**, freezer; (dypfryser) deep-freeze; ~**punkt**, freezing point; ~**ri**, cold storage plant.

frø, seed.

frøken, unmarried woman; (tittel) Miss.

fråde, s & v froth, foam.

fråtse, gormandize; ~ **i,** fig revel in; ~ **ri,** gluttony.

fugl, bird; ~ **eskremsel,** scarecrow.

fukt|e, wet, moisten; ~ **ig,** damp, moist; ~ **ighet,** dampness, moisture.

full, full; (~ **stendig**) complete; (beruset) drunk; **drikke seg** ~, get drunk; ~ **t,** fully, quite; ~ **blods,** thoroughbred; ~ **ende,** complete; ~ **endt,** perfect; ~ **føre,** carry through, complete; ~ **kommen,** perfect; ~ **kommenhet,** perfection; ~ **makt,** authority; ~ **mektig,** confidential (el head) clerk; ~ **måne,** full moon; ~ **stendig,** complete.

fundament, foundation, basis; ~ **al,** fundamental.

funder|e, found; merk fund; (gruble) muse; ~ **ing,** foundation; musing; reflection.

fungere, function; ~ **nde,** acting.

funksjon, function; ~ **ær,** employee; (offentlig) civil servant.

funn, find, discovery.

fure, agr furrow; (rynke) wrinkle; v furrow; line.

furte, sulk; ~ **n,** sulky.

furu, pine; (materialet) deal.

fusjon merk merger, amalgamation.

fusk, cheating; ~ **e,** cheat.

futteral, case, cover.

futurum, the future (tense).

fy! fie!

fyke (snø, sand), drift.

fyld|e, plenty, abundance; ~ **estgjørende,** satisfactory; ~ **ig,** plump; complete; (om vin) full-bodied.

fylke, county.

fyll, (i mat) stuffing; (drikking) drinking; ~ **e,** fill; stuff; ~ **ebøtte,** guzzler; boozer; ~ **epenn,** fountain pen.

fyr, (om person) fellow, chap; (ild) fire; (lys) light; ~ **bøter,** stoker; ~ **e,** fire, heat; ~ **ig,** fiery.

fyrst|e, prince; ~ **edømme,** principality; ~ **inne,** princess.

fyrstikk, match; ~ **stikkeske,** match-box; ~ **tårn,** lighthouse; ~ **verkeri,** fireworks; ~ **vokter,** lighthousekeeper.

fysik|er, physicist; ~ **k,** sc physics; (konstitusjon) physique.

fysisk, physical.

fæl, horrible, hideous, awful.

færr|e, fewer; ~ **est,** fewest.

fø, feed; ~ **de** s food; v bear; give birth to; ~ **dt,** born; ~ **deby,** native town; ~ **dsel,** birth; ~ **dselsdag,** birthday; ~ **dselsår,** year of birth; ~ **flekk,** mole, birthmark.

følbar, tangible; **~e (seg)**, feel; **~ehorn**, feelers, antenna; **~else**, feeling; (fornemmelse) sensation; (sinnsbevegelse) emotion; (sansen) touch; **~elsesløs**, unfeeling, callous.

følge, v (**~ etter**) follow; (etter**~**) succeed; (ledsage) accompany; s (rekke**~**) succession; (resultat) result, consequence; (selskap) company; **~lig**, consequently, accordingly; **~nde**, the following.

føling, touch.

føljetong, serial.

føll, foal; (hingst) colt; (hoppe) filly.

følsom, sensitive.

før, prp before, prior to; adv before, previously; konj before; **~e**, v carry; (lede) lead, conduct; (en vare) stock, keep; amr carry; (bøker) keep; s (state of) the

roads; **~er**, leader; (veiviser) guide; mar master; (fly) pilot; **~erkort**, driving (el driver's) licence; **~historisk**, pre-historic; **~krigs**, pre-war.

først, adv first; **~e**, first; **~ehjelp**, first aid; **~eklasses**, first-class; **~kommende**, next; **~nevnte**, the first mentioned; (av to) the former.

førti, forty.

føye, (rette seg etter) humour, please; (sammen) join, unite; **~ til**, add; **~lig**, compliant.

få, v get, receive, obtain; have; adj few; **~fengt**, futile, vain; **~mælt**, reticent.

fårehund, shepherd's dog; (skotsk) collie; **~kjøtt**, mutton; **~kotelett**, mutton chop.

fåtall, minority; **~ig**, few in number.

G

gaffel, fork; mar crotch.

gagn, benefit, good; **~e**, benefit, be of advantage to; **~lig**, advantageous, useful.

gal, mad, crazy; (feil) wrong; **bli ~**, go mad.

galant, polite; (mot damer) gallant.

gale, crow.

galge, gallows.

galla(antrekk), full dress.

galle, gall, bile; **~blære** gallbladder; **~stein**, gall-stone; **~syk**, bilious.

galleri, gallery.

gallionsfigur, figure head.

gallupundersøkelse, Gallup poll, public opinion poll.

galopp; ~ **ere,** gallop.

galskap, madness.

galvanisere, galvanize.

gamasjer, gaiters; leggings.

gamlehjem, old people's home.

gammel, old; **(fra** ~ **tid);** ancient; ~ **dags,** old-fashioned.

gane, *s* palate; *v* gut.

gang (om tid) time; (forløp) course; (gåing) walk; (korridor) corridor; ~ **bar,** current.

ganske, quite, fairly, pretty; ~ **visst,** certainly.

gap, gap, opening; ~ **e,** gape, yawn; ~ **estokk,** pillory.

garant|ere, ~ **i,** guarantee.

garasje, garage.

garde, guard(s); ~ **robe,** *(teat og restaurant)* cloakroom; (klær) wardrobe; ~ ~ **dame,** ~ ~ **vakt,** cloakroom attendant.

gardin, curtain; ~ **trapp,** step-ladder.

garn, yarn, thread, cotton; (fiske-) net.

garnison, garrison.

garnnøste, ball of yarn.

gartner, gardener; ~ **i,** market garden.

garve, tan; ~ **r,** tanner; ~ **ri,** tannery.

gas (tøy) gauze.

gasje, salary; se **lønn.**

gass, gas; ~ **bluss,** gas-jet; ~ **maske,** gas mask; ~ **verk,** gas-works.

gast, man, hand.

gate, street; ~ **dør,** street-door; ~ **pike,** prostitute; ~ **stein,** paving stone.

gauk, cuckoo.

gaule, howl.

gave, gift; donation; present; (natur-) talent, gift.

gavmild, liberal, openhanded.

geberde, gesture.

gebiss, (set of) false teeth, denture.

gebyr, fee, charge.

gehør, ear.

geip, grimace.

geistlig, clerical, ecclesiastical; ~ **het,** clergy.

geit, goat; ~ **ost,** goat's cheese.

gelé, jelly.

geledd, rank; (i dybden) file.

gelender, banister, railing.

gemytt, temper, disposition; ~ **lig,** pleasant; genial.

general, general; ~ **direktør,** director-general; ~ **forsamling,** general meeting; ~ **isere,** generalize; ~ **isering,** generalization; ~ **konsul,** consul-general; ~ **sekretær,** secretary-general.

generasjon, generation.

generell, general.

Genève, Geneva.

geni, genius; ~**al,** of genius; ingenious.

genitiv, the genitive (case).

genre, style, line, manner.

genser, sweater, pull-over.

geografi, geography; ~**logi,** geology; ~**metri,** geometry.

germansk, Germanic, Teutonic.

gesims, cornice.

geskjeftig, fussy, bustling.

gestikulere, gesticulate.

getto, ghetto.

gevinst, profit, gains; (i lotteri) prize; (i spill) winnings.

gevær (jakt~), gun; (militær~), rifle; ~**kule,** bullet.

gi, give; (kort) deal.

gift, *adj* married (**med:** to); *s* poison; ~**e seg,** get married, marry; ~**ermål,** marriage; ~**ig,** poisonous.

gigant, giant; ~**isk,** gigantic.

gikt, rheumatism; gout.

gild, fine; (om farge) gaudy; ~**e,** feast, banquet.

gips, gypsum; (brent) plaster; ~**e,** plaster.

gir; ~**e,** gear; ~**stang,** gear lever.

girere (overføre) transfer; endorse; ~**o,** giro; ~**onummer,** giro number.

gisp; ~**e,** gasp.

gissel, hostage.

gitar, guitar.

gitter, railing; grating.

gjalle, resound.

gjedde, pike.

gjel, gully, ravine.

gjeld, debt; ~**e,** (angå) apply to, concern; (være gyldig) be valid, hold good, apply; (kastrere) geld, castrate; ~**ende,** *jur* in force; **gjøre** ~**ende,** maintain; advance; ~**sbevis;** ~**sbrev,** I.O.U.; (obligasjon) bond.

gjelle (fiske-), gill.

gjemme, *v* hide, conceal; ~**sted,** hidingplace.

gjemsel, (lek) hide-and-seek.

gjendrive, refute; ~**ferd,** apparition, ghost; ~**fortelle,** retell; ~**fortelling,** reproduction.

gjeng, gang; (klikk) set.

gjenge, (på skrue) thread, groove; (lås-) ward; (gang) course, progress.

gjengi, render; ~**velse** (redegjørelse) account; (oversettelse) rendering.

gjengjeld, return; ~**e,** return, repay.

gjengs, current; prevalent.

gjenkjenne, recognize; ~**kjennelse,** recognition; ~**klang,** echo; ~**levende,** surviving; survivor; ~**lyd;** ~**lyde,** echo.

gjennom, *prp* through; ~**bore,** pierce; ~**brudd,** breaking through; *fig* awakening; ~**fart,** passage; ~**føre,** carry through, accomplish;

~**gang**, passage, thoroughfare; ~**gangsbillett**, through ticket; ~**gripende**, thorough, radical; ~**gå**, go through, examine; (et kurs) take; ~**gående**, *adv* generally; ~**kjørsel forbudt**, no thoroughfare; ~**reise**, journey through; transit; **han var har på ~reise**, he was passing through here; ~**siktig**, transparent; ~**siktighet**, transparency; ~**skue**, see through; ~**slag** (kopi) (carbon) copy; ~**snitt**, average; ~**snittlig**, average; *adv* on an average; ~**stekt**, (well) done; ~**syn**, inspection; ~**trekk**, draught; ~**trenge**, penetrate; pierce; ~**trengende**, piercing; ~**våt**, wet through, drenched, soaked.

gjenoppbygge, rebuild; ~**bygging**, reconstruction; ~**live**, revive; ~**rette**, re-establish, restore; ~**rettelse**, re-establishment, restoration; ~**ta**, resume.

gjenpart, copy, duplicate.

gjensidig, mutual, reciprocal; ~**skinn**, reflection; ~**speile**, reflect, mirror; ~**stand**, object; thing; (emne) subject; ~**stridig**; refractory: obstinate, stubborn; ~**syn**: **på ~**, see you again tomorrow, next week! *etc;* so long!

gjenta, repeat; ~**gelse**, repe-

tition; ~**tte ganger**, repeatedly.

gjenvelge, re-elect; ~**vinne**, regain, recover.

gjerde, fence; ~ **inn**, fence in.

gjerne, willingly, gladly; **(jeg vil(le) ~)** I should like to; ~**ing**, deed, act, action.

gjerrig, stingy, mean.

gjesp; ~**e**, yawn.

gjest, guest; visitor; ~**e**, visit; ~**fri**, hospitable; ~**frihet**, hospitality.

gjete, herd, tend; ~**r**, herdsman; **(saue ~)**, shepherd.

gjetning, guess(work); ~**te**, guess **(på:** at).

gjær, yeast; ~**e**, *v* ferment; *s* **i ~e**, brewing, in the wind; ~**ing**, fermentation.

gjø, bark, bay; ~**(de)**, fatten.

gjødsel, manure; **(kunst ~)** fertilizer; ~**le**, manure; fertilize.

gjøgle, juggle; ~**r**, juggler.

gjøkalv, fatted calf.

gjøn, fun; **drive ~**, make fun **(med:** of).

gjøre, do; make; ~**mål**, business, duties.

gjørlig, practicable, feasible.

gjørme, mud, mire; ~**t**, muddy.

glad, glad, happy, pleased.

glane, stare, gape **(på:** at).

glans, splendour; lustre; **(på** tøy) gloss; (politur) polish; ~**bilde**, glossy picture.

glasere; glasur, glaze.

glass, glass; ~ **maleri,** stained glass; ~ **mester,** glazier; ~ **rute,** pane of glass.

glatt, smooth; (som man glir på) slippery.

glede, s joy, delight, pleasure; v please, gladden; vr rejoice; (til) look forward to; ~ **lig,** pleasant, gratifying; ~ **lig jul,** a merry Christmas.

glem|me, v forget; (~ **igjen**) leave; ~ **sel,** oblivion; ~ **som,** forgetful; ~ **somhet,** forgetfulness.

gli, s: **få på ~,** set going; v slip; glide; slide; ~ **deflukt,** volplane; ~ **delås,** zip(per); ~ **deskala,** sliding scale.

glim|re, glitter, glisten; fig shine; ~ **rende,** brilliant; splendid; ~ **t,** gleam; (flyktig blikk) glimpse; (lyn) flash; ~ **te,** gleam; flash.

glinse, glisten, shine.

glipp: gå ~ av, miss, lose; ~ **e,** fail; (med øynene) blink, wink.

glis, ~ **e,** grin.

glit|re, ~ **ing,** glitter.

glo, s live coal; pl embers; v stare, gape (**på:** at).

globus, globe.

glo|ende, red-hot; ~ **rete;** gaudy.

glorie, glory, halo.

glose, word; ~ **bok,** note-book; ~ **forråd,** vocabulary.

glugge, hole, aperture.

glupsk, greedy, voracious.

glød, fig glow, ardour; ~ **e,** glow; ~ **ende,** red-hot; glowing; fig ardent.

gløgg, shrewd, bright, smart.

gløtt, peep, gleam; **på ~,** ajar.

gnage, gnaw; (ved gnidning) fret, chafe; ~ **r,** rodent.

gni, rub; ~ **dning,** rubbing, friction; ~ **er,** miser; ~ **eraktig,** niggardly, stingy.

gnist, spark; ~ **re,** sparkle.

gnål, (mas) nagging; ~ **e,** nag, harp on one string.

god, good; (snill) kind; **vær så ~,** (if you) please; (tilbydende) there it is; help yourself; ~ **artet,** mild; ~ **bit,** tit-bit; ~ **e,** s good, benefit; **til ~ e,** due; ~ **het,** goodness; kindness; ~ **kjenne,** sanction, approve (of); ~ **kjennelse,** approval; ~ **modig,** good-natured.

gods, (varer) goods; (jord) estate, ~ **eier,** land-owner, landed proprietor; ~ **ekspedisjon,** goods office.

god|skrive, credit; ~ **slig,** good-natured; ~ **snakke med,** coax.

gods|tog, goods train; amr freight train; ~ **vogn,** (åpen) truck; (goods)wag(g)on; amr freight car; (lukket) van.

godt, *adv* well.

godta, accept.

godtgjøre, (erstatte), compensate, make good; ~ **lse,** compensation.

godtroende, credulous; ~ **troenhet,** credulity; ~ **vilje,** good will.

gold, barren, sterile.

golf, gulf; (spill) golf; ~ **bane,** golf links; ~ **strømmen,** the Gulf Stream.

golv, floor; ~ **teppe,** carpet.

gondol, gondola.

gongong, gong.

gorilla, gorilla.

gotisk, Gothic.

grad, degree; (rang) rank, grade; ~ **sforskjell,** difference in degree; ~ **vis,** gradual.

grafi|kk, prints, graphic art; ~ **sk,** graphic(al).

gram, gram, gramme.

grammati|kk, grammar; ~ **isk,** grammatical.

grammofon, gramophone; ~ **plate,** (gramophone)record.

gran, spruce.

granat, *mil* shell; **(hånd ~)** (hand)grenade; (edelstein) garnet.

granitt, granite.

gransk|e, inquire into, scrutinize; ~ **ing,** inquiry, scrutiny.

gras, grass; ~ **klipper,** lawn-mower; ~ **rota** the grass-roots *pl.*

grasiøs, graceful.

gratiale, gratuity, bonus.

gratis, free (of charge), gratis.

gratula|sjon, congratulation; ~ **ere,** congratulate **(med:** on).

grav, pit; (for døde) grave, tomb; (festnings-) moat; ~ **e,** dig; ~ **e ned,** bury; ~ **emaskin,** excavator; ~ **er,** sexton; ~ **ere,** engrave; ~ **erende,** grave; ~ **haug,** grave-mound; barrow.

gravid, pregnant.

gravita|sjon, gravitation.

grav|kapell, mortuary; ~ **legge,** entomb, bury; ~ **lund,** cemetery, graveyard; ~ **skrift,** epitaph; ~ **stein,** tombstone; ~ **ør,** engraver.

grei, (tydelig) clear, plain; (lett) easy; ~ **e,** (klare) manage, succeed in; (kjemme) comb; (ordne) arrange; put straight.

grein, branch; (større på tre) bough.

greip, (dung)fork.

Grek|enland, Greece; ~ **er,** Greek.

grell, garish, gaudy.

gremm|e seg, grieve, ~ **lse,** grief, vexation.

grense, *s* frontier, border; *fig* limit; ~ **til,** *v* border on;

~ **land**, borderland; ~ **løs**, boundless.

grep, grasp, grip, hold.

gresk, Greek.

gress, grass; ~ **enke**, grass-widow; ~ **kar**, pumpkin.

gretten, cross, peevish.

greve, count; *eng* earl; ~ **inne**, countess.

grevling, badger.

gribb, vulture.

grill; **grille**, grill.

grimase, grimace.

grind, gate.

grine, (gråte) weep, cry; (være gretten) grumble, fret; ~ **biter**, grumbler.

gripe, catch, seize; grasp; *fig* grip; ~ **an**, go about; ~ **nde**, touching, impressive.

gris, pig; ~ **e til**, foul; ~ **ebinge**, pigsty; ~ **eri**, filth; ~ **et**, dirty; ~ **unge**, piglet.

grisk, greedy (**etter**: for, of); ~ **het**, greed(iness).

grissen, sparse, scattered.

gro, grow; ~ **bunn**, soil.

grop, cavity, hollow.

gros: **en** ~, wholesale; ~ **s**, gross; ~ **serer**, ~ **sist**, wholesaler, merchant.

grotesk, grotesque.

grotte, grotto.

grov, coarse; rough; gross; (uhøflig) rude; ~ **feil**, bad (*el* gross) mistake; ~ **het**, coarseness; grossness; ~ **kornet**, coarse-grained; ~ **smed**, blacksmith.

gruble, muse, brood.

grue for, dread; for, *s* hearth, fire-place; ~ **elig**, horrible, shocking.

grumset, muddy, thick.

grundig, thorough; ~ **het**, thoroughness.

grunn (fornuftsgrunn) reason (**til**: for); (årsak) cause (**til**: of); (bunn) ground, bottom; **på** ~ **av**, owing to, because of; *adj* shallow; ~ **e**, *s* bank, shoal; *v* ground, found; ~ **fjell**, bedrock; ~ **lag**, basis, foundation; ~ **legge**, found, establish; ~ **leggelse**, foundation, establishment; ~ **legger**, founder; ~ **lov**, constitution; ~ **lønn**, basic salary; ~ **stein**, foundation stone; ~ **stoff**, element; ~ **støte**, run aground, ground; ~ **tone**, keynote; ~ **vann**, ground water; ~ **voll**, foundation, basis.

gruppe; ~ **re seg**, group.

grus, gravel; ~ **tak**, gravel-pit.

grusom, cruel; ~ **het**, cruelty.

grut, grounds *pl.*

gruve, mine; ~ **arbeider**, miner; ~ **drift**, mining.

gry, *v & s* dawn.

gryn, grain; (havre-) groats *pl.*

grynt; ~ **e**, grunt.

gryte, pot.

grøde, crop.

grøft; ~ **e,** ditch.
Grønland, Greenland.
grønn, green; ~ **saker,** vegetables; ~ **såpe,** soft soap.
grøsse, shudder, thrill.
grøt, porridge.
grå, gray, grey.
grådig, greedy, voracious; ~ **het,** greed(iness).
gråne, turn gray; ~ **sprengt,** grizzled.
gråt, weeping; ~ **e,** cry, weep.
gud, God; ~ **barn,** godchild; ~ **dom,** deity, divinity; ~ **dommelig,** divine; ~ **ebilde,** idol; ~ **far,** godfather; ~ **fryktig,** godly, pious; ~ **fryktighet,** godliness, piety; ~ **sbespottelig,** blasphemous; ~ **sbespottelse,** blasphemy; ~ **stjeneste,** (divine) service.
gufs, gust.
gul, yellow; ~ **rot,** carrot.
gull, gold; ~ **alder,** golden age; ~ **bryllup,** golden wedding; ~ **gruve,** gold-mine; ~ **medalje,** gold medal; ~ **smed,** jeweller, gold-smith.
gulne, turn yellow.
gulsott, jaundice.
gulv, floor; ~ **teppe,** carpet.
gummi, rubber; (lim) gum; ~ **strikk,** rubber (el elastic) band.
gunst; ~ **bevisning,** favour; ~ **ig,** favourable.
gurgle, gargle.

gusten, sallow, wan.
gutt, boy, lad; ~ **aktig,** boyish.
guvernante, governess.
guvernør, governor.
gyldig, valid; ~ **het,** validity.
gyllen, golden.
gymnas, grammar school.
gymnastikk, gymnastics, physical exercises.
gynge, v swing, rock; s swing; ~ **hest,** rocking horse.
gys; ~ **e,** shudder; ~ **elig,** horrible; ~ **elighet,** horror.
gyte, (fisk) spawn.
gå, go; (spasere) walk; (avgå) leave; (om maskiner) work; **det** ~ **r an,** it will do; ~ **etter,** (hente) go for; (rette seg etter) go by; ~ **fra,** leave; ~ **framover,** (make) progress; ~ **igjen,** reappear, haunt; ~ **ned,** ast set; ~ **opp,** ast, teat, merk rise; ~ **over,** cross, go over; ~ **på,** go ahead.
gågate, pedestrian street.
gård, (på landet) farm; (i byen) house; (gårdsplass) (court)yard; ~ **bruker,** farmer.
gås, goose (pl geese); ~ **egang,** single file; ~ **eøyne,** quotation marks; ~ **unge,** gosling.
gåte, riddle, puzzle; ~ **full,** enigmatic; puzzling.

H

ha, have.
Haag, the Hague.
habil, competent, efficient.
hage, garden; (frukt-) orchard; ~ **bruk**, gardening.
hagl, hail; (et) hailstone; (til skyting) shot; ~ **børse**, fowling-piece, shotgun; ~ **e**, hail.
hai, shark.
haike, hitch-hike.
hake, (krok) hook; *fig* drawback (**ved:** to); (del av ansikt) chin; ~ **kors**, swastika.
hakk, notch, indention; ~ **e**, *s* pick(axe), hoe; *v* pick, hack, hoe; (om fugler) peck (**på:** at); ~ **espett**, woodpecker.
hale *s* tail; *v* haul, pull.
hall, hall; (hotell) lounge, lobby.
hallik, pimp, pander, ponce.
hallomann, announcer.
hallusinasjon, hallucination.
halm; ~ **strå**, straw; ~ **tak**, thatched roof.
hals, neck; (strupe) throat; ~ **bånd**, necklace; (til hund) collar; ~ **hogge**, behead, decapitate.
halt, lame; ~ **e**, limp; *fig* halt.
halv, half; ~ **annen**, one and a half; ~ **dagspost**, half-time

post; ~ **del**, half *(pl* halves); ~ **ere**, halve; ~ **kule**, hemisphere; ~ **mørke**, twilight; ~ **pensjon**, half-board *(el* -pension); ~ **sirkel**, semicircle; ~ **veis**, half-way; ~ **øy**, peninsula.
ham *pron* him.
hammer, hammer.
hamp, hemp.
hamre, hammer.
hamstre, hoard.
han, he; ~ **s**, his.
handel, trade, commerce; **(en enkelt ~)** bargain; ~ **savtale**, trade agreement; ~ **sbrev**, trading licence; ~ **sflåte**, mercantile marine; ~ **sforbindelse**, trade connection; ~ **sgymnas**, business college; ~ **shøyskole**, school of economics and business administration; ~ **skorrespondanse**, commercial correspondence; ~ **sreisende**, commercial traveller; ~ **sskole**, commercial school.
.aandle, act; (drive handel) trade, deal; (gjøre innkjøp) shop; ~ **kraftig**, energetic; ~ **måte**, procedure.
handling, action, act.
hane, cock; *amr* rooster.

hang, bent, inclination.

hangar, hangar.

hank, handle, ear.

hankjønn, male sex; *gram* the masculine (gender).

hann, male, he.

hanske, glove.

hard, hard; (streng) severe; ~**før**, hardy; ~**hendt**, rough; ~**hjertet**, hardhearted; ~**hudet**, callous; ~**kokt**, hard-boiled; ~**nakket**, obstinate, persistent.

hare, hare; ~**skår**, harelip.

harem, harem.

harke, hawk.

harm, indignant (på: with); ~**e**, indignation; ~**løs**, harmless, inoffensive.

harmonere, harmonize; ~**i**, harmony; ~**isk**, harmonious.

harpe, harp; ~**spiller**, harpist.

harpiks, resin.

harpun; ~**ere**, harpoon.

harsk, rancid.

harv; ~**e**, harrow.

hasardspill, gambling.

hasj(isj), hashish.

hasp(e), (vindus) catch.

hassel, hazel; ~**nøtt**, hazel nut.

hast, hurry, haste; ~**e**, hasten, hurry; (det haster) it is urgent; ~**ig**, hurried, quick; (overilet) hasty; ~**ighet**, speed, rate velocity; ~**verk**, hurry, haste.

hat, hatred, hate; ~**e**, hate; ~**eful**, spiteful; ~**sk**, rancorous.

hatt, hat; (dame-) bonnet; ~**emaker**, hatter.

haug (bakke) hill; (dynge) heap, pile.

hauk, hawk; ~**e**, call, shout.

hav, sea; ocean; ~**arere** (bli skadd) be damaged; (totalt) be wrecked; ~**ari** (skade) damage; (skibbrudd) (ship)wreck; *jur* average; ~**blikk**, (dead) calm; ~**frue**, mermaid.

havn, harbour; (by) port; ~**earbeider**, docker; ~**fogd**, harbour master; ~**emyndigheter**; ~**evesenet**, the port authorities.

havre, oats *pl;* ~**gryn**, groats; ~**grøt**, porridge; ~**mjøl**, oatmeal; ~**velling**, gruel.

havsnød, distress (at sea).

hebraisk; ~**eer**, Hebrew.

hede, heath.

hedensk, heathen, pagan; ~**ap**, heathenism, paganism.

heder, honour, glory; ~**lig**, honourable; honest; ~**lighet**, integrity; ~**sbevisning**, mark of respect; ~**sgjest**, guest of honour.

hedning, pagan, heathen.

hedre, honour.

hefte, *s* pamphlet, brochure, booklet; part; *v* (oppholde) delay, detain; (feste) fix, fasten; attach; (bok) stitch, sew; ~ **maskin**, stapling machine.

heftig, vehement, violent; (smerte) acute, intense; ~ **plaster**, adhesive plaster.

hegg, bird cherry.

hegre, zool heron.

hei, heath; moor; upland.

heis, lift; amr elevator; ~ **e**, hoist; ~ **ekran**, crane.

hekk, hedge; idr hurdle; ~ **e**, nest; (ruge ut) hatch; ~ **eløp**, hurdle-race.

hekle, v crochet.

heks, witch, hag; ~ **e**, practise witchcraft; ~ **eri**, witchery.

hekte, s & v hook.

hektisk, hectic.

hektogram, hectogram(me); ~ **liter**, hectolitre.

hel, whole, all, entire; ~ **t** adv quite, totally, entirely, completely; ~ **automatisk**, fully automatic.

helbred, health; ~ **e**, cure, heal; ~ **elig**, curable; ~ **else**, cure, healing; ~ **stilstand**, state of health.

heldagsstilling, full-time position.

heldig, fortunate; successful; (slumpe-) lucky; ~ **vis**, fortunately; (til alt hell) luckily.

hele, s whole; v heal; (ta imot tyvegods) receive stolen goods; ~ **r**, receiver (of stolen goods).

helg (helligdag) holiday; (høytid) (church) festival; ~ **en**, saint.

helhet, whole, totality; entirety; ~ **sinntrykk**, general impression.

helikopter, helicopter.

hell, (slumpe-) luck; fortune; success.

Hellas, Greece.

helle, s flag(stone); vi (skråne) slant, slope; (øse) pour; ~ **fisk**, halibut; ~ **ristning**, rock carving (el engraving).

heller, rather, sooner.

hellig, holy, sacred; ~ **brøde**, sacrilege; ~ **dag**, holiday; ~ **het**, holiness; ~ **holde**, observe; ~ **holdelse**, observance.

helling, slope; fig inclination.

helse, health; ~ **attest**, health certificate; ~ **vesen**, public health service.

helst, preferably.

helt s hero; ~ **edåd**, heroic deed; ~ **emodig**, heroic; ~ **inne**, heroine.

helvete, hell.

hemme, hamper, check.

hemmelig; ~ **het**, secret; ~ **hetsfull**, mysterious; (om person) secretive.

hemning, inhibition.

hemorroider, piles, haemorrhoids.

hempe, loop.

henblikk: med ~ **på**, with a view to.

hende, happen, occur; **~ lse,** occurrence; (episode) incident; (begivenhet) event.

hendig, handy.

henfallen til, addicted to.

henført, in ectasy, entranced.

henge, hang; **~ bjørk,** weeping birch; **~ køye,** hammock; **~ lås,** padlock; **~ myr,** quagmire.

hengiven, devoted, attached; **~ venhet,** affection, devotion.

hengsel, hinge; **~ let,** lanky.

henhold: i ~ til, with reference to; **~ holdsvis,** respectively; **~ imot,** respectively; **~ lede** (oppmerksomheten), draw, call; **~ legge,** shelve; *jur* drop.

henne, her; **~ s,** her(s).

henrette, execute; **~ rettelse,** execution; **~ rivende,** charming, fascinating; **~ rykkelse,** delight, rapture; **~ rykt,** delighted (**over:** at, with).

henseende, respect; **~ sikt,** intention, purpose; **~ siktsmessig,** suitable, adequate; **~ stand,** respite; **~ stille,** **~ stilling,** request; **~ syn,** regard, consideration; **~ synsfull,** considerate; **~ synsledd,** indirect object; **~ synsløs,** inconsiderate.

hente, fetch, go for, collect.

hentyde, allude (**til:** to), hint (**til:** at); **~ ning,** allusion, hint.

henvende, address, direct; **~ seg til,** (tiltale) address oneself to; **~ seg til** (om) apply to (for); **~ vendelse,** application; **~ vise,** refer; **~ visning,** reference.

her, here; **~ barium,** herbarium; **~ berge,** hostel.

herde, harden; (stål) temper.

heretter, from now on; **~ fra,** from here.

herje, ravage, harry.

herkomst, extraction, descent.

herlig, glorious, magnificent; **~ het,** glory.

herme; ~ etter, mimic.

hermed, herewith, with this.

hermelin, ermine.

hermetikk, tinned (*el* canned) food(s); **~ ikkboks,** tin, can; **~ ikkfabrikk,** canning factory, cannery; **~ ikkåpner,** tin opener; **~ isere,** tin, can; (frukt) preserve; **~ isk,** hermetic; (hermetisert) tinned, canned; (frukt) preserved.

herold, herald.

herre, gentleman; (over-) lord; master.

herred, district; **~ styre,** rural district council.

herredømme, rule, dominion; **~ ekvipering,** gentleman's outfitter; **~ gård,** manor; **~ konfeksjon,** men's (ready-made) clothing.

herske, rule; reign; (være rådende) prevail; **~ r,** sovereign; ruler; ~ **rinne**, mistress; ~ **syk**, domineering.

hertug, duke; ~ **inne**, duchess.

herved, hereby.

hes, hoarse.

hesje, s haydrying rack.

heslig, ugly; ~ **het**, ugliness.

hest, horse; ~ **ehandler**, horsedealer; ~ **ekraft**, horsepower; ~ **ekur**, rough remedy; ~ **eveddeløp**, horse race.

het, hot; ~ **e** s heat; v be called el named; ~ **eslag**, sunstroke; ~ **te**, hood.

hevd, prescription; (sedvane) custom; **holde i** ~, maintain; ~ **e**, maintain, assert; ~ **vunnen**, time-honoured.

heve, raise; remove; (oppheve) lift; (få utbetalt) draw; (sjekk) cash; (møte) dissolve, adjourn; ~ **lse**, rising, swelling; ~ **rt**, syphon.

hevn; ~ **e**, revenge; ~ **gjerrig**, revengeful.

hi, lair.

hikk; ~ **e**, hiccough, hiccup.

hikst, catch (of breath); ~ **e**, catch one's breath, pant.

hilse, greet; ~ **n**, greeting; (sendt) compliments, regards.

himmel, (synlig) sky; fig heaven; ~ **fartsdag**, Kristi ~, Ascension Day; ~ **sk**, heavenly, celestial; ~ **strøk**, zone.

hind, hind; ~ **er**, hindrance, obstacle; ~ **erløp**, steeplechase; ~ **re**, prevent, hinder; ~ **ring**, hindrance, obstacle.

hingst, stallion.

hinke, limp; (hoppe) hop.

hinne, membrane; (tynn) film.

hisse, excite; (egge) set on; ~ **ig**, hot-headed, quick-tempered.

histor|ie, history; (fortelling) story; ~ **iker**, historian; ~ **isk**, historic(al).

hit, here; ~ **til**, so far, (up) till now, hitherto.

hitte|barn, foundling; ~ **godskontor**, lost property office.

hive, (hale) heave; (kaste) throw, fling; (etter pust) gasp (for breath).

hjelm, helmet.

hjelp, help; assistance, aid; ~ **e**, help, aid, assist; ~ **eaksjon**, relief action; ~ **eløs**, helpless; ~ **emiddel**, aid; ~ **er**, assistant; ~ **som**, helpful.

hjem, home; ~ **by**, native town; ~ **komst**, return; ~ **land**, native country; ~ **lig**, domestic; (hyggelig) homelike.

hjem|lengsel, homesickness, nostalgia; ~ **vei**, way home.

hjemme, at home; ~ **fra**, from home; ~ **industri**, domestic industry; ~ **seier**, home (win).

hjerne, brain; ~ **betennelse,** inflammation of the brain; ~ **hinnebetennelse,** meningitis; ~ **rystelse,** concussion of the brain.

hjerte, heart; ~ **anfall,** heart attack; ~ **bank,** palpitation; ~ **infarkt,** infarct of the heart; ~ **lig,** hearty, cordial; ~ **lighet,** cordiality; ~ **løs,** heartless; ~ **onde,** heart trouble *el* disease; ~ **r,** (kort) hearts; ~ **skjærende,** heartrending; ~ **slag,** heartbeat; *med* heart failure.

hjort, deer *(pl* deer*)*; (kron-) stag; ~ **eskinn,** buckskin.

hjul, wheel; ~ **aksel,** (wheel) axle; ~ **beint,** bow-legged; ~ **spor,** rut, wheel track.

hjørne, corner; ~ **stein,** corner-stone.

hode, head; ~ **arbeid,** brain work; ~ **kulls,** headlong; ~ **pine,** headache; ~ **pute,** pillow.

hoff, court; ~ **folk,** courtiers; ~ **narr,** court jester *el* fool.

hofte, hip; ~ **holder,** girdle.

hogg, cut; ~ **e,** cut, chop; ~ **estabbe,** choppingblock; ~ **orm,** viper, adder; ~ **tann,** fang; (stor) tusk.

hogst, cutting, felling.

hold, (sting) pain, stitch; (avstand) range, distance; (kant) quarter; ~ **bar,** tenable; *fig* valid; (varig) dura-

ble; ~ **barhet,** durability; ~ **e,** hold; (~ seg, beholde) keep; (vare) last; ~ **eplass,** stop, halt; taxi rank *(el* stand*)*; ~ **epunkt,** basis; ~ **ning,** (innstilling) attitude; (kroppsføring) carriage; ~ **ningsløs,** weak, vacillating.

Holland, Holland; ~ **sk,** Dutch.

hollender, Dutchman.

holme, islet, holm.

holt, grove.

homoseksuell, homosexual; *dt* s pansy, queer, fairy; (kvinnelig) lesbian.

honning, honey.

honnør, honour; ~ **orar,** fee; ~ **orere,** pay; (veksel) honour.

hop, crowd; ~ **e seg opp,** pile up.

hopp, ~ **e,** jump, leap; ~ **bakke,** jumping hill; ~ **e,** (hest) mare.

hor, adultery; ~ **e,** whore.

horisont, horizon.

hormon, hormone.

horn, horn; ~ **briller,** horn-rimmed spectacles; ~ **hinne,** cornea; ~ **musikk,** brass music.

hos, with, at.

Hosebåndsordenen, The Order of the Garter.

hospit|al, hospital; ~ **s,** hospice.

hoste, s & v cough.

hotell, hotel.

hov, (hest) hoof.

hoved|arving, principle heir; ~**bestanddel,** main ingredient; ~**bygning,** main building; ~**gate,** main street; ~**inngang,** main entrance; ~**kontor,** head office; ~**kvarter,** headquarters; ~**nøkkel,** master key; ~**person** *teat* principal character; ~**postkontor,** central *(el* general) post office; ~**regel,** principal rule; ~**rolle,** principle *(el* leading) part; ~**sak,** main point; ~**sakelig,** mainly, chiefly; ~**setning,** *gram* main clause; ~**stad,** capital; ~**vekt: legge ~en på,** lay particular stress on.

hov|en, swollen; *fig* arrogant; ~**enhet,** swelling; *fig* arrogance; ~**ere,** exult; ~**mester,** headwaiter; ~**mod,** arrogance; pride; ~**ne opp,** swell.

hud, skin; (større dyr) hide.

huk: sitte på ~, squat; ~**e seg ned,** crouch, squat.

hukommelse, memory.

hul, hollow; ~**der,** fairy; ~**e ut,** *v* hollow; *s* cave, cavern; ~**het,** hollowness.

hulke, sob.

hull, hole; ~**et,** full of holes; ~**kort,** punch(ed) card; ~**maskin,** perforator.

hul|mål, measure of capacity; ~**ning,** hollow, depression; ~**rom,** cavity; ~**ter til bulter,** pell-mell, helter-skelter; ~**øyd,** hollow-eyed.

human, humane; ~**isme,** humanism; ~**ist,** humanist.

humle, *zool* bumblebee; *bot* hop.

hummer, lobster; ~**teine,** lobster-pot.

humor, humour; ~**istisk,** humorous.

hump; ~**e,** bump.

humør, spirits; **godt, dårlig ~,** high, low spirits.

hun, she.

hund, dog; (jakt-) hound; ~**edager,** dogdays; ~**ehus,** kennel; ~**evakt,** *mar* middle watch; ~**eveddeløp,** dog racing.

hundre, a hundred; ~**del,** hundredth; ~**årsdag,** hundredth anniversary; ~**årsjubileum,** centenary.

hundse, bully.

hunger, hunger; ~**sdød,** death by starvation; ~**snød,** famine, starvation.

hunkjønn, female sex; *gram* feminine gender.

hunn, she, female.

hurra, hurra(h); ~**rop,** cheer.

hurtig, quick, rapid, fast; ~**het,** quickness, speed, rapidity; ~**løp,** (skøyter) speed skating; ~**tog,** fast train; express(-train).

hus, house; building; ~**arbeid,** house work; ~**bestyrerinne,** housekeeper; ~**bruk, til** ~, for home purposes; ~**dyr,** domestic animal; ~**e,** house; ~**flid,** home crafts, domestic industry; ~**frue,** mistress; ~**hjelp,** maid (-servant); ~**holdning,** housekeeping; (husstand) household.

huske, v remember, recollect; (gynge) swing, seesaw; s swing.

hus|leie, rent; ~**lig,** domestic; ~**ly,** shelter; ~**mor,** housewife; ~**tru,** wife; ~**vill,** houseless.

hutre, shiver.

hva, what.

hval, whale; ~**fanger,** whaleman; (skip) whaler; ~**fangst,** whaling; ~**ross,** walrus.

(h)valp, pup(py), whelp.

hvelv|e; ~**ing,** arch, vault.

hvem, who; whom.

hver, every; each; ~**andre,** each other, one another; ~**dag,** weekday; ~**dagsklær,** everyday clothes; ~**dagslig,** commonplace, everyday; ~ **gang,** every time.

hvese, hiss; (katt) spit.

hvete, wheat; ~**brødsdager,** honeymoon; ~**mjøl,** wheatflour.

hvil; ~**e,** s & v rest; ~**edag,** day of rest; ~**eløs,** restless.

hvilken, which; what; ~ **som helst,** any.

hvin; hvine, shriek.

(h)virvel, whirl; (i vannet) whirlpool, eddy; (knokkel) vertebra.

hvis, if, in case; gen whose.

hviske, whisper.

hvit; ~**e,** white; ~**evarer,** linens; ~**glødende,** whitehot; ~**løk,** garlic; ~**ne,** whiten; ~**ting,** (fisk) whiting.

hvor, (sted) where; (grad) how; ~**av,** of which, of whom; ~**dan,** how; ~**for,** why; ~**fra,** from where; ~**hen,** where; ~**vidt,** whether.

hybel, bed-sitting-room; dt bedsitter, digs pl; ~ **leilighet,** flatlet.

hydraulisk, hydraulic.

hydrofoilbåt, hydrofoil.

hyene, hyena.

hygge, s comfort; cosiness; ~ **seg,** make oneself comfortable; have a good time; ~ **lig,** cosy; nice; (behagelig) pleasant, comfortable.

hygien|e, hygiene; ~**isk,** hygienic.

hykle, feign, simulate; ~**r,** hypocrite; ~**rsk,** hypocritical.

hyl; ~**e,** howl, yell.

hylle, *s* shelf; rack; (i fjellet) ledge; *v* wrap, cover; (gi hyllest) pay homage to; ~ **st,** homage.

hylse, case, casing; ~ **ter,** case, cover; holster.

hypnose, hypnosis; ~ **tisere,** hypnotize; ~ **tisk,** hypnotic.

hypotek, mortgage; ~ **tese,** hypothesis; ~ **tetisk,·** hypothetical.

hyppe, earth up.

hyppig, frequent; ~ **het,** frequency.

hyrde, shepherd; ~ **dikt,** pastoral (poem); ~ **stav,** pastoral staff, crook.

hyre, *s* (lønn) wages; *v* engage, sign on; ~ **kontrakt,** articles of agreement.

hyse (kolje) haddock.

hyssing, string.

hysteri, hysterics; ~ **sk,** hysterical.

hytte, hut, cottage, cabin.

hæl, heel.

hær, army; ~ **skare,** host; ~ **verk,** malicious damage.

høflig, polite, civil, courteous; ~ **het,** politeness, civility, courtesy.

høne, hen, fowl; ~ **s,** fowl, poultry; ~ **segård,** poultry yard; ~ **sehus,** hen-house; ~ **seri,** poultry farm.

hørbar, audible; ~ **e,** hear; (høre etter) listen; ~ **eapparat,** hearing aid; ~ **erør,**

ear-trumpet; (på telefon) receiver; ~ **evidde,** earshot, hearing; ~ **lig,** audible; ~ **sel,** hearing.

høst, (årstid) autumn; *amr* fall; (innhøsting) harvest; (grøde) crop; ~ **e,** harvest, reap.

høvding, chief, chieftain.

høve, se *anledning, passe.*

høvel, høvle, plane; ~ **benk,** joiner's bench; ~ **flis,** shavings.

høy, *s* hay. *adj* high; (person, tre) tall; (lyd) loud; ~ **akte,** esteem highly; ~ **aktelse,** high esteem.

høyde, height; (nivå) level; (vekst) stature; (over havet) elevation; (lyd) loudness; *mus* pitch; *geo, ast* altitude; ~ **hopp,** high jump; ~ **punkt,** height, climax, peak.

høyesterett, supreme court; ~ **fjell,** (high) mountain; ~ **fjellshotell,** mountain hotel; ~ **forræderi,** (high) treason; ~ **frekvens,** high frequency; ~ **gaffel,** pitchfork; ~ **het,** highness; ~ **kant: på ~,** on edge; ~ **konjunktur,** boom; ~ **lytt,** *adj* loud; *adv* aloud, loudly; ~ **messe,** morning service; (katolsk) high mass; ~ **ne,** raise, enhance; ~ **onn,** haymaking.

høyre, right; *pol* the Right; (partiet) the Conservative Party; ~ **mann,** conservative.

høyrød, scarlet; ~**røstet,** loud, vociferous; ~**sesong,** peak season; ~**skole,** university; ~**spenning,** high tension; (i høyden) at (the) most; ~**stakk,** haystack.

høytid, festival; ~**elig,** solemn; ~**elighet,** ceremony; ~**sdag,** holiday; ~**sfull,** solemn.

høytrykk, high pressure.
høytstående, high, important; ~**taler,** loudspeaker; ~**travende,** highflown.

høyvann, high water.
hå, (fisk) s piny dogfish; agr aftermath.
hålke, slipperiness.
hån, scorn, disdain.
hånd, hand; ~**arbeid,** (sytøy) needlework; (motsatt maskinarbeid) handwork; ~**bevegelse,** gesture; ~**bok,** manual, handbook; ~**flate,** palm; ~**granat,** grenade;

~**gripelig,** palpable; ~**heve,** maintain; ~**jern,** handcuffs pl; ~**kle,** towel; ~**kuffert,** suitcase; handbag; ~**laget,** handmade; ~**ledd,** wrist; ~**skrift,** handwriting; ~**sopprekning,** show of hands; ~**srekning,** a (helping) hand; ~**tak,** handle; ~**tere,** handle, manage; ~**trykk,** handshake; ~**verk,** trade, craft; ~**verker,** craftsman, tradesman, artisan; ~**veske,** handbag.

håne, scorn, mock; ~**latter,** scornful laughter; ~**lig,** contemptuous, scornful.
håp; ~**e,** hope; ~**efull,** hopeful, promising; ~**løs,** hopeless.
hår, hair; ~**børste,** hairbrush; ~**reisende,** hair-raising; horrific; ~**tørrer,** hair dryer; ~**vann,** hair lotion.
hås, hoarse, husky.
håv, net; (stor) dipper.

I

i, in, at; (tidens lengde) for.
i aften, tonight, this evening.
iaktta, observe; watch; ~**gelse,** observation; ~**ker,** observer.
iallfall, in any case, at all events, in any rate.
iberegnet, included.

iblant, now and then; se blant.
i dag, today, to-day.
idé, idea; ~**al,** ideal; ~**alist,** idealist; ~**alistisk,** idealistic; ~**ell,** ideal.
identifikasjon, identification; ~**fisere,** identify; ~**sk,** identical; ~**tet,** identity.

idet, *konj.* as, when.
idiot, idiot; ~ **isk,** idiotic.
idrett, sport(s); (fri-) athletics; ~ **sforening,** sports club; ~ **smann,** sportsman; ~ **splass,** sports ground.
idyll, idyll; ~ **isk,** idyllic.
i fall, if, in case; ~ **fjor,** last year; ~ **forfjor,** the year before last; ~ **forgårs,** the day before yesterday; ~ **formiddag,** this morning.
ifølge, according to, in accordance with.
igjen, again; (til overs) left; **gi** ~, give back.
igle, leech.
i går, yesterday.
ihendehaver, holder, bearer.
iherdig, energetic, persevering; ~ **het,** energy.
i hjel, dead, to death.
i hvert fall, se *iallfall.*
ikke, not; no; ~ **noe(n),** *adj* no, not any; *s* nothing, nobody, not anybody.
i kveld, tonight, this evening.
ilbud, express message; (person) express messenger.
ild, fire; ~ **fast,** fireproof; ~ **flue,** fire-fly; ~ **full,** fiery; ~ **prøve,** ordeal; ~ **raker,** poker; ~ **rød,** fiery red; ~ **spåsettelse,** arson; ~ **sted,** fire-place.
ile, *v* hasten, hurry; *s* stone sinkers; ~ **gods,** express goods.

iligne, assess, tax.
i like måte, likewise; (svar) the same to you.
ille, ill, bad(ly); ~ **befinnende,** indisposition.
illegal, illegal; ~ **itim,** illegitimate.
illevarslende, ill-boding, sinister, ominous.
illojal, disloyal; (konkurranse) unfair; ~ **itet,** disloyalty.
illusjon, illusion; ~ **sorisk,** illusory; ~ **strasjon,** illustration; ~ **strere,** illustrate.
ilsamtale, urgent call; ~ **telegram,** express telegram; ~ **ter,** hasty; irritable.
imaginær, imaginary.
imellom (en gang ~), once in a while; se *mellom.*
imens, *konj* while; *adv* in the meantime, meanwhile.
imidlertid, however.
immatrikulere, matriculate.
immun, immune **(mot:** from); ~ **itet,** immunity.
i morgen, tomorrow; ~ **morges,** this morning.
imot, against; **ha** ~, dislike.
imperativ, the imperative (mood); ~ **fektum,** the imperfect *el* past tense.
imperium, empire.
implisere, involve, implicate.
imponere, impress; ~ **nde,** impressive; (veldig) imposing.

import, import(ation); *konkr* imports *pl;* ~ **ere,** import; ~ **ør,** importer.

impoten|s, impotence; ~ **t,** impotent.

impregnere (tøy), proof.

impresario, impresario, manager.

improv|isasjon, improvisation; ~ **isere,** improvise.

impuls, impulse; ~ **iv,** impulsive.

imøtegå, (motsette seg) oppose; (gjendrive) refute; ~ **komme,** meet, accommodate; ~ **kommende,** obliging; ~ **se,** look forward to, await.

i natt (som var) last night; (som er *el* kommer) tonight, this night.

indeks, index.

India, India; ~ **ner;** ~ **nsk,** Indian.

indign|asjon, indignation; ~ **ert,** indignant (**over:** at).

in|dikativ, the indicative (mood); ~ **direkte,** indirect; ~ **disium,** circumstantial evidence; ~ **disk,** Indian; ~ **diskresjon,** indiscretion; ~ **diskret,** indiscreet; ~ **disponert,** indisposed; ~ **divid;** ~ **dividuell,** individual.

indre, *adj* inner, interior, internal; *s* interior, internal.

industri, industry; ~ **arbeider,** industrial worker; ~ **ell,** industrial.

in|fam, infamous; ~ **fanteri,** infantry, foot; ~ **feksjon,** infection; ~ **filtrasjon,** infiltration; ~ **finitiv,** the infinitive (mood); ~ **fisere,** infect; ~ **fisering,** infection; ~ **flasjon,** inflation; ~ **fluensa,** influenza; *dt* flu; ~ **fluere,** influence, affect; ~ **formasjon,** information; ~ **formere,** inform.

ingefær, ginger.

ingen, *adj* no; *s* no one, nobody, (om to) neither; none.

ingeniør engineer.

ingen som helst, no, none *el* no one whatever; ~ **steds,** nowhere; ~ **ting,** nothing.

inhabil, disqualified; **gjøre** ~, disqualify.

inhalere, inhale.

initialer, initials.

initiativ, initiative.

injuri|e, (skriftlig) libel; (muntlig) slander; ~ **ere,** libel.

in|karnasjon, incarnation; ~ **kasso,** collection; **inkludere,** include; ~ **klusive,** inclusive of, including; ~ **kompetent,** incompetent; ~ **konsekvens,** inconsistency; ~ **konsekvent,** inconsistent.

inn, il; ~ **i,** into; ~ **anke,** appeal; ~ **arbeide:** godt ~ ~ **t,** well established.

innbefatte, include; ~ **ret-**

ning; ~ **rette**, report; ~ **taling**, payment.

innbil|le, make (one) believe; ~ **ning**, imagination, fancy; ~ **sk**, conceited; ~ **skhet**, conceit.

inn|binding, binding; ~ **blandet**, **bli** ~ **blandet i**, be mixed up with, be involved in; ~ **blanding**, intervention; (utidig) interference; ~ **blikk**, insight; ~ **bo**, furniture; ~ **bringe**, yield, bring in, fetch; ~ **bringende**, lucrative.

innbrudd, burglary; ~ **styv**, burglar.

innby, invite; ~ **delse**, invitation; ~ **dende**, inviting.

innbygger, inhabitant.

innbyrdes, mutual.

inn|dele, divide; classify; ~ **deling**, division; classification; ~ **dra**, (konfiskere) confiscate; ~ **drive** (innkassere) collect.

inne, in; ~ **bære**, involve, imply; ~ **frossen**, ice-bound; ~ **ha**, hold; ~ **haver**, (eier) possessor; (lisens o.l.) holder; ~ **holde**, contain, hold.

innen (et tidsrom) within; (et tidspunkt) by; ~ **bys**, within the town; local; ~ **dørs**, indoor; ~ **for**, within; ~ **fra**, from within.

innerst, inmost, innermost; *adv* farthest in.

inne|slutte, surround; ~ **sluttet**, reserved; ~ **sperre**, shut up, imprison; ~ **sperring**, confinement; ~ **stengt**, shut up, confined; ~ **stå**, answer *(el* vouch) for.

inneværende, present, current.

inn|fall, (tanke) fancy, whim; ~ **fatning**, mounting; setting; (brille-) rim; ~ **finne seg**, appear; turn *(el* show) up; ~ **flytelse**, influence; **ha** ~ **flytelse på**, influence; ~ **flytelsesrik**, influential; ~ **fri** (veksel) meet, honour; (løfte) fulfil; ~ **født**, native; ~ **føre**, import; (noe nytt) introduce; ~ **føring**, introduction; ~ **førsel**, se import.

inn|gang, entrance; ~ **gifte**, intermarriage; ~ **gjerde**, fence in, enclose; ~ **gravere**, engrave; ~ **grep**, encroachment; *med* operation; ~ **gripende**, radical, thorough; ~ **grodd**, inveterate, deeply rooted; ~ **gå**, (avtale *o.l.)* enter into, make; ~ **gående**, thorough.

inn|hegning, enclosure; ~ **hente**, (ta igjen) catch up with, overtake.

innhold, contents *pl;* ~ **sfortegnelse**, (table of) contents.

innhylle, envelop, wrap up.

inn|høste, ~ **høsting**, harvest.

inni, inside, within.

inn|kalle, call in; summon;

~ **kallelse**, summons; ~ **kassere**, collect; ~ **kjøp**, purchase; ~ **kjøpspris**, buying price (kostpris); ~ **kjøpssjef** (chief) buyer; ~ **kjørsel**, drive; ~ **kreve**, collect; ~ **kvartering**, accommodation, *mil* quartering.

inn|lasting, shipment; ~ **late seg (på)** enter *(el* embark) (on); ~ **lede**, open; ~ **ledende**, introductory; ~ **ledning**, opening, introduction; ~ **legg**, (i brev) enclosure; (i debatt) contribution; *jur* plea; ~ **lemme**, incorporate; ~ **levere**, hand in; ~ **losjere**, lodge, accommodate; ~ **lysende**, evident, obvious; ~ **løse** (få utbetalt) cash.

inn|mark, home fields; ~ **mat**, pluck; ~ **melding**, entry.

innover, *adv* inward(s).

inn|pakking, packing (up), wrapping (up); ~ **paknings-papir**, wrapping paper; ~ **pisker**, whip.

inn|ramme, frame; ~ **rede**, fit up, furnish; ~ **registrere**, register; (apparat) contrivance, device; ~ **rette**, arrange; adjust; ~ **rullere**, enrol(l); admit; ~ **rømme**, (gi) allow, grant; (vedgå) admit; ~ **rømmelse**, allowance; admission, concession.

inn|samling, collection;

~ **sats**, (anstrengelse) effort; (i spill) stake(s); ~ **se**, realize; ~ **sender**, sender; ~ **sette**, install; ~ **side**, inside; ~ **sigelse**, objection; ~ **sikt**, insight; ~ **sjø**, lake; ~ **skipe**, ship; ~ **skjerpe**, enjoin; ~ **skjerpelse**, enforcement; ~ **skrenke**, restrict; limit; ~ **skrive**, enter; ~ **skrumpet**, shrunken; ~ **skudd**, contribution; (i leilighet) share; (i bank) deposit; ~ **skytelse**, impulse; ~ **skyter**, depositor; ~ **slag**, element; ~ **smigrende**, ingratiating; ~ **snitt**, incision; ~ **stendig**, urgent, pressing; ~ **stifte**, institute; ~ **stille**, (til embete) nominate; (maskin) adjust; (kikkert) focus; (stanse) stop; (avlyse) cancel; ~ **stilling**, nomination; adjustment; (fra komité) report.

inn|ta, (måltid) partake of, take; (erobre) take; ~ **tekt**, income; (offentlig) revenue; ~ **tektsskatt**, income tax; ~ **til**, till, until, up to; ~ **tre**, happen, occur; ~ **treden**, entry; ~ **treffe**, (hende) happen, occur; ~ **trengende**, urgent; ~ **trykk**, impression.

innunder, below, under; (tid) near *el* just before.

innvandr|e, immigrate; ~ **rer**, immigrant; ~ **ring**, immigration.

innvend|e, object (imot: to); ~ig, internal, inside; ~ing, objection.

innvie, (åpne) inaugurate; (i en hemmelighet) initiate (in); ~lse, inauguration; initiation.

inn|viklet, complicated, intricate, complex; ~vilge, grant; ~virke på; ~virkning, influence; ~voller, entrails, bowels; ~vortes, adj internal.

in|sekt, insect; ~sinuasjon, insinuation; ~sinuere, insinuate; ~sistere, insist (på: upon); ~solvens, insolvency; ~solvent, insolvent; ~speksjon, inspection; ~spektør, inspector; ~spirasjon, inspiration; ~spirere, inspire; ~spisere, inspect; ~stallasjon, installation; ~stallatør, electrician; ~stallere, install; ~stinkt, instinct; ~stitusjon, institution; ~stitutt, institute.

instru|ere, instruct; ~ks(er), instructions; ~ktør, instructor; teat director; ~ment, instrument.

intakt, intact.

intell|ektuell, intellectual; ~igens, intelligence; ~igent, intelligent.

intendant, intendant; mil commissary.

intens, intense; ~itet, intensity.

interess|ant, interesting; ~e, interest; ~ere, interest; ~ert, interested.

interi|ør, interior; ~messo, interlude, intermezzo; ~nasjonal, international; ~natskole, boarding-school; ~nere, intern; ~nering, internment; ~pellasjon, question; ~pellere, put a question to, interpellate; ~vall, interval; ~venere, intervene; ~vensjon, intervention; ~vju; intervjue, interview.

intet, no; none; (ingenting) nothing; ~ kjønn, the neuter (gender); ~sigende, insignificant.

intim, intimate; ~itet, intimacy.

intoleran|se, intolerance; ~t, intolerant.

intransitiv, intransitive.

intrige, ~re, intrigue, plot.

introdu|ksjon, introduction; ~sere, introduce.

intui|sjon, intuition; ~tiv, intuitive.

invalid, adj, invalid, disabled; s invalid.

in|vasjon, invasion; ~ventar (møbler) furniture; (fast tilbehør) fixtures pl; (løst) fittings pl; (-fortegnelse) inventory; ~vestere, invest; ~vestering, investment.

i overmorgen, the day after tomorrow.

ire, Irishman.
irettesette; ~ **lse**, rebuke, reprimand.
Irland, Ireland, Eire.
ironi, irony; ~ **sere**, speak ironically; ~ **sk**, ironic(al).
irr, verdigris; ~ **e**, rust.
irrelevant, irrelevant.
irritabel, irritable; ~ **asjon**, irritation; ~ **ere**, irritate.
irsk, Irish.
is, ice; (-krem) ice-cream; ~ **aktig**, icy; ~ **bjørn**, polar bear; ~ **bre**, glacier; ~ **bryter**, ice-breaker; ~ **e**, ice.
iscenesette, produce, stage.
isenkram, hardware, ironware.
isfjell, iceberg, ~ **flak**, ice floe.
isjias, sciatica.
islam, Islam.

Island, Iceland; ~ **sk**, Icelandic.
islending, Icelander.
isolasjon, isolation; *tekn* insulation; ~ **ere**, isolate; *tekn* insulate.
isse, crown, top.
i stedet, instead.
istedenfor, instead of.
istiden, the glacial period.
i stykker, to pieces, broken.
især, particularly, especially.
Italia, Italy; ~ **ener**; ~ **ensk**, Italian.
iver, eagerness.
iverksette, carry into effect, execute; ~ **lse**, execution.
ivrig, eager, anxious, keen.
iørefallende, catchy.
iøynefallende, conspicuous.
i år, this year.

J

ja, yes; well; indeed.
jag, rush, hurry; ~ **e**, *vt* chase; hunt; drive (away); *vi* (~ **av sted**) hurry, rush; ~ **er**, *mar* destroyer; ~ ~ **fly**, fighter; ~ **uar**, jaguar.
jakke, jacket, coat.
jakt, hunting, shooting; ~ **hund**, sporting dog.
jammer, lamentation, wailing; (elendighet) misery; ~ **re**, wail; ~ **re over**, bewail.

jamsides, side by side; ~ **stilling**, equal position; ~ **vekt**, equilibrium, balance.
januar, January.
Japan, Japan; ~ **er**; ~ **sk**, Japanese.
jarl, earl.
jeg, I; *s* ego, self.
jeger, hunter, sportsman.
jeksel, molar.
jenke seg (etter) adapt oneself to.

jente, girl, lass; ~ **unge**, little girl.

jern, iron; ~ **alder**, iron age.

jernbane, railway, *amr* railroad; ~ **konduktør**, guard; *amr* conductor; ~ **kupé**, compartment; ~ **skinne**, rail; ~ **stasjon**, railway station; ~ **tog**, train; ~ **vogn**, railwaycarriage; *amr* railroad car.

jernbeslag, iron mounting; ~ **blikk**, sheet-iron; ~ **hard**, hard as iron; ~ **malm**, iron ore; ~ **teppe**, iron curtain; ~ **vare**, ironware, hardware; ~ **verk**, ironworks.

jerv, glutton, wolverene.

jesuitt, Jesuit.

jetfly, jet plane.

jevn, even, level; smooth; ~ **aldrende**, of the same age; ~ **døgn**, equinox; ~ **e**, level; *fig* smooth, adjust; (suppe) thicken; ~ **føre**, compare; ~ **god**, equal.

jo, yes; ~ **mer**, ~ **bedre**, the more, the better.

jobb, job; ~ **e** (arbeide), work.

jod, iodine; ~ **holdig**, iodic.

jodle, yodel.

jolle, dinghy.

jomfru, virgin, maid(en); ~ **elig**, virgin(al); ~ **nalsk**, old-maidish, spinsterish; ~ **elig**, virgin(al); ~ **tur**, maiden trip.

jonsok, Midsummer day.

jord, earth; (-overflaten) ground; (-bunn) soil; (-egods) land; ~ **bruk**, agriculture, farming; ~ **bunn**, soil; ~ **bær**, strawberry; ~ **e** *v*, earth; *s* field; ~ **egods**, landed property, estate; ~ **isk**, earthly; ~ **klode**, globe; ~ **mor**, midwife; ~ **skjelv**, earthquake.

journal, journal; *mar* logbook; ~ **ist**, journalist.

jubel, exultation, jubilation; rejoicing(s); ~ **ilere**, celebrate a jubilee; ~ **ileum**, jubilee; ~ **le**, shout with joy, be jubilant.

jugl, gimcrack.

jugoslav, jugoslavisk, Yugoslav.

Jugoslavia, Yugoslavia.

juks, (skrap) trash; (fusk) cheating; ~ **e**, cheat.

jul, Christmas; ~ **aften**, Christmas Eve; ~ **egave**, Christmas present *(el* gift); ~ **enisse**, Santa Claus, Father Christmas.

juli, July.

jumper, jumper.

jungel, jungle.

juni, June.

jur, udder, bag.

juridisk, legal, juridicial; ~ **ist**, lawyer; (student) law student; ~ **y**, jury.

jus, law.

justere, adjust.
justisdepartement, ministry of justice; ~ **mord,** judicial murder.
jute, jute.
juv, canyon.
juvél, jewel, gem; ~ **besatt,** jewelled; ~ **er,** jeweller.

Jylland, Jutland.
jypling, colt.
jærtegn, sign, omen.
jøde, Jew; ~ **inne,** Jewess; ~ **isk,** Jewish.
jøkel, glacier.
jåle, *s* la-di-da; ~ **t,** affected, la-di-da.

K

kabal, patience.
kabaret, cabaret.
kabel, cable.
kabinett, cabinet; ~ **spørsmål,** (stille ~ ~) demand a vote of confidence.
kadaver, carcass.
kadett, cadet.
kafé, café, coffee-house.
kafeteria, cafeteria.
kaffe, coffee; ~ **bønne,** coffee bean; ~ **grut,** coffee-grounds; ~ **in,** caffein(e); ~ **kanne,** coffee-pot.
kagge, keg.
kahytt, cabin; state-room.
kai, quay, wharf.
kajakk, kayak.
kakao, cocoa.
kake, cake; pastry.
kakerlakk, cockroach.
kaki, khaki.
kaktus, cactus.
kalas, carousal, feast.
kald, cold, frigid; ~ **blodig,** cold-blooded; (rolig) cool;

adv in cold blood; coolly; ~ **svette,** be in a cold sweat.
kalender, calendar.
kalesje, hood.
kaliber, calibre, bore.
kalk, (beger) chalice; cup; (jordart) lime; (til hviting) whitewash; (pussekalk) plaster; ~ **e,** whitewash; plaster; ~ **holdig jord,** calcareous earth.
kalku|lasjon, calculation; ~ **ator,** calculator; ~ **ere,** calculate.
kalkun, turkey.
kalkyle, calculation.
kalle, call.
kalori, calorie.
kalosjer, galoshes.
kalv, calf; ~ **beint,** knock-kneed; ~ **e,** calve, ~ **ekjøtt,** veal.
kam, comb; (hane~, bakke~) crest.
kamé, cameo.
kamel, camel.

kamera, camera.

kamerat, companion, friend; comrade; ~**skap**, companionship; ~**slig**, comradely.

kamfer, camphor; ~ **dråper**, camphorated spirits.

kamgarn, worsted.

kamin, fire-place; ~**hylle**, mantelpiece.

kammer, chamber; room; ~**musikk**, chamber music; ~**pike**, lady's maid; ~**tjener**, valet.

kamp, fight, combat, struggle; ~**anje**, campaign; ~**dyktig**, in fighting condition; *mil* effective; ~**ere**, camp; ~**estein**, boulder; ~**ånd**, fighting spirit.

kamuflasje, camouflage; ~**ere**, camouflage.

Kanada, Canada; ~**ier**; ~**isk**, Canadian.

kanal, (gravd) canal; (naturlig) channel.

kanarifugl, canary.

kandidat, (ansøker) candidate; (en som har tatt embetseksamen) graduate; ~**ur**, candidature.

kanefart, sleighing.

kanel, cinnamon.

kanin, rabbit.

kanne (kaffe, te) pot; (metall) can.

kannibal, cannibal.

kano, canoe.

kanon, gun, (gammeldags) cannon; ~**båt**, gunboat; ~**ér**, gunner; ~**kule**, cannon-ball.

kanskje, perhaps, may be.

kansler, chancellor.

kant, (rand) edge; (egn) part, region; (retning) direction; (hold) quarter; ~**ate**, cantata; ~ **e**, border, edge; ~**et**, angular; ~**ine**, canteen; ~**re**, capsize.

kaos, chaos; ~**tisk**, chaotic.

kapasitet, capacity; ability.

kapell, chapel; ~**an**, curate; ~**mester**, conductor.

kaperfartøy, privateer.

kapital, capital; ~**isme**, capitalism; ~**ist**, capitalist; ~**istisk**, capitalistic.

kapittel, chapter.

kapitulasjon, capitulation; ~**ere**, capitulate, surrender.

kapp, (forberg) cape; **om** ~, in competition; **løpe om** ~, race; *v* cut; *s* cloak, mantle; (frakk) coat; ~**es**, vie, compete (**om:** for); ~**estrid**, competition, rivalry; ~**løp**, (running)race; ~**roing**, boat-race; ~**rusting**, armaments race; ~**sag**, cross-cut saw; ~**seilas**, sailing race, regatta.

kapre, seize, capture.

kapsel, capsule.

kaptein, captain.

kar, vessel; (mann) man; fellow, chap.

karabin, carabine.

karaffel, decanter, carafe.

karakter, character; (på skolen) mark; *am* grade; ~ **fast**, firm; ~ **isere**, characterize; ~ **istisk**, characterization; ~ **istikk**, characteristic (**for**: of).

karamell, caramel.

karantene, quarantine.

karat, carat.

kardemomme, cardamom.

kardialgi, heartburn, cardialgia.

kardinal, cardinal.

karikatur, caricature, cartoon; ~ **aturtegner**, caricaturist, cartoonist; ~ **ere**, caricature.

karjol, carriole; *amr* sulky.

karm, frame, case.

karneval, carnival; (maskeball) fancy-dress ball.

karosseri, body.

karri, curry.

karriere, career.

karrig, meagre; (jord) barren.

kart, map; *mar* chart.

kartell, cartel.

kartong, carton; (papp) cardboard.

kartotek, file(s), index; ~ **skap**, filing cabinet.

karusell, merry-go-round.

karve, *v* cut; *bot* caraway.

kaserne, barracks.

kasino, casino.

kaskoforsikring, (skip) hull insurance; (bil) motor insurance.

kassalapp; **-seddel**, slip, check.

kasse, (av tre) case; (mindre) box; (pengeskrin) cashbox; (i butikk) (cash *el* pay)desk; ~ **beholdning**, cash in hand; ~ **bok**, cash book; ~ **kontrollapparat**, cash register; ~ **re**, discard, scrap; ~ **rer**, cashier, treasurer; ~ **rolle**, saucepan; ~ **tt**, cassette.

kast, throw, cast; (vind) gust; (not-) sweep.

kastanje, chestnut; ~ **tter**, castanets.

kaste, *v* throw, cast; toss; *s* caste; ~ **spyd**, javelin.

kastrere, castrate.

kasus, case.

katakombe, catacomb.

katalog, catalogue.

katarr, catarrh.

katastrofal, catastrophic; disastrous; ~ **e**, catastrophe, disaster.

katedral, cathedral.

kategori, category; ~ **sk**, categorical.

katekisme, catechism.

kateter (på skole) (teacher's) desk.

katolikk, Catholic; ~ **isisme**, Catholicism; ~ **sk**, Catholic.

katt, cat; ~ **unge**, kitten.

kausjon, security, surety; (ved løslatelse) bail; ~ **ere (for)**, stand security (for).

kautsjuk, rubber, caoutchouc.

kav, s bustle.

kavalér, gentleman; (i dans) partner; **~eri,** cavalry; **~ kade,** cavalcade.

kave, struggle; bustle about.

kaviar, caviar.

kavring, rusk.

keiser, emperor; **~ dømme,** empire; **~inne,** empress.

keitet, awkward, clumsy.

keivhendt, left-handed.

kelner, waiter.

kemner, town treasurer.

kenguru, kangaroo.

kennel, kennels pl.

keramikk, ceramics.

kikhoste, whooping cough.

kikke, peep, peer; **~rt,** binoculars, field-glasses; teat opera-glasses.

kilde, source, spring.

kile, v tickle; (blei) s & v wedge; **~n,** ticklish; **~skrift,** cuneiform (characters); **~vink,** box on the ear.

kilo, kilo; **~gram,** kilogram(me); **~meter,** kilometre.

kime, s germ, embryo; v ring, chime.

Kina, China; **~eser; ~esisk,** Chinese.

kinin, quinine.

kinkig, ticklish, delicate.

kinn, cheek; **~e,** s & v churn; **~skjegg,** whiskers.

kino, cinema; gå på ~ go to

the cinema (el the pictures, amr the movies).

kiosk, kiosk, (avis-) newsstand, (news)stall.

kirke, church; (dissenter-) chapel; **~gård,** graveyard, cemetery; (ved kirken) churchyard; **~lig,** ecclesiastical; **~tjener,** sexton.

kirsebær, cherry.

kirurg, surgeon; **~i,** surgery.

kiste, chest; mar locker; (lik-) coffin.

kitt, **~e,** putty.

kittel, smock(-frock).

kjake, jaw.

kjapp, quick, fast.

kje, kid.

kjed, weary, tired; **~e,** v tire, bore; **~e seg,** be bored; s chain; **~eforretning,** chain store; **~elig,** tiresome, tedious; boring, dull; (ergerlig) annoying.

kjeft, muzzle, chops; hold ~, shut your mouth, shut up.

kjegle, mat cone; typogr shank; **~formet,** conical; **~spill,** ninepins, skittles.

kjekk, (tiltalende) nice, likable.

kjekl, wrangling; **~e,** wrangle, quarrel.

kjeks, biscuit, cracker.

kjele, kettle; (damp-) boiler; **~dress,** boiler suit, overalls.

kjelke, sledge; toboggan.

kjeller, (etasje) basement; (rom) cellar.

kjeltring, scoundrel, rascal.

kjemi, chemistry; ~ **kalier**, chemicals, ~ **ker**, chemist; ~ **sk**, chemical.

kjemme, comb.

kjempe, *s* giant; *v* fight, struggle; ~ **messig**, gigantic.

kjenne, know; ~ **lig**, recognizable (**på**: by); ~ **lse**, decision; (av jury) verdict; ~ **merke**, mark, sign; ~ **r**, connoisseur.

kjenning, *mar* sight (of land); (bekjent) acquaintance; ~ **skap**, knowledge (**til**: of); acquaintance (**til**: with).

kjensgjerning, fact.

kjent, known, familiar; acquainted; well-known.

kjepp, stick, cudgel; ~ **hest**, hobby-horse.

kjerne, *s* & *v* churn; (nøtt og *fig*) kernel; (frukt) seed; pip; (celle) nucleus; *fig* core, essence, heart; ~ **fysikk**, nuclear physics.

kjerre, cart.

kjerring, (old) woman, crone.

kjertel, gland.

kjetter, heretic; ~ **i**, heresy; ~ **sk**, heretical.

kjetting, chain.

kjeve, jaw.

kjevle, *s* rolling-pin; *v* roll.

kjole, dress; frock; gown; (preste-) gown; (herre-) dress-coat; ~ **liv**, bodice; ~ **stoff**, dress material.

kjortel, coat.

kjæle, fondle, caress; ~ **n**, cuddly; ~ **navn**, pet name.

kjær, dear; ~ **este**, sweetheart; ~ **kommen**, welcome; ~ **lig**, fond, loving, affectionate; ~ **lighet**, love, affection; (neste-) charity; ~ **tegn**; ~ **tegne**, caress.

kjøkken, kitchen; *mar* galley; ~ **benk**, dresser; ~ **hage**, kitchen garden; ~ **sjef**, chef.

kjøl, keel.

kjøleanlegg, cold storage plant; ~ **skap**, refrigerator; *dt* fridge; *am* icebox.

kjølig, cool; (ubehagelig) chilly; ~ **ne**, cool.

kjønn, sex; *gram* gender.

kjøp, purchase; buying; (godt-) bargain; ~ **e**, buy, purchase (**av**: from); ~ **er**, buyer, purchaser; ~ **esum**, purchase price; ~ **mann**, (detalj-) shopkeeper; (grossist) merchant.

kjøre, drive; run; ride; ~ **kort**, driver's (*el* driving) licence; ~ **r**, driver; ~ **tur**, drive, ride; ~ **tøy**, vehicle.

kjøter, cur, mongrel.

kjøtt, flesh; (mat) meat; ~ **etende**, carnivorous; ~ **forretning**, butcher's shop.

klabbeføre, cloggy *el* sticky snow.

kladd, rough draft.

klaff, leaf, flap; (ventil) valve; ~ **e**, tally; fit.

klage, *v* complain; **(over:** of); *s* complaint; ~**sang,** elegy.

klam, clammy, damp.

klammer, brackets.

klammeri, altercation, quarrel.

klamre seg til, grasp, cling to.

kland|er; ~**re,** blame.

klang, sound, ring.

klapp, (lett slag) tap, rap, pat; (bifall) applause, clapping of hands; ~**e,** clap, applaud; (som kjærtegn) pat, stroke; ~**erslange,** rattlesnake; ~**sete,** flap-up seat.

klapre, rattle; (om tenner) chatter.

klaps; ~**e,** slap.

klar, clear, bright; (tydelig) plain, evident; ~**e,** manage; ~**ere,** clear; ~**ering, merk** clearance; ~**het,** clearness; clarity; ~**inett,** clarinet.

klase, cluster, bunch.

klass|e, class; (skole-) form, class; *amr* grade; ~**ifisere,** classify; ~**ifisering,** classification; ~**iker,** classic; ~**isk,** classic(al).

klatre, climb.

klatt, (blekk) blot; (smør) pat; (klump) lump.

klausul, clause.

klave, collar.

klav|er, piano; ~**iatur,** keyboard.

kle, dress; (holde med klær) clothe; (passe) become, suit; ~ **seg,** dress; ~ **av seg,** undress; ~ **på seg,** dress (oneself).

kleb|e, stick, adhere **(ved:** to); ~**erstein,** steatite; ~**rig,** sticky, adhesive.

klede, cloth; ~**bon,** garment; ~**lig,** becoming.

klegg, gadfly, horsefly.

klekke, hatch; ~**lig,** considerable.

klem, hug, squeeze; ~**me,** *s* clamp; *v* squeeze; pinch; (kjærtegn) hug, squeeze.

klemt; ~**e,** toll.

klenge, cling, stick; ~**navn,** nickname.

kleptoman, kleptomaniac.

klesbørste, clothes-brush; ~**henger,** coat hanger; ~**klype,** clothes-peg; ~**kott,** closet; ~**plagg,** garment; ~**skap,** wardrobe.

kli, bran.

klient, client; ~**el,** clientele.

klikk, set, gang, clique; slå ~, misfire; *fig* fail; ~**e,** misfire; fail.

klima, climate; ~**ks,** climax; ~**tisk,** climatic.

klimpre, strum.

kling|e, *s* blade; *v* sound; jingle; ~**ende mynt,** hard cash; ~**klang,** dingdong; jingle.

klini|kk, clinic; ~**sk,** clinic(al).

klinke, s rivet; (på dør) latch; v rivet.

klipp, cut, clip; ~ e, cut, clip; (sauer) shear; s rock; ~ fisk, split cod, klippfish.

klirr; ~ e, clash, clink, jingle.

klisjé, cliché.

kliss, sticky mass; stickiness; ~ e, sticky; ~ et, sticky; ~ våt, drenched, soaked.

klister; ~ re, paste.

klo, claw; (rovfugl) talon.

kloakk, sewer; ~ innhold, sewage; ~ anlegg, sewerage.

klode, globe, sphere.

klok, wise, prudent.

klokke, (til å ringe med) bell; (vegg-) clock; (armbånds-) watch; ~ r, sexton; ~ slett, hour.

klokskap, wisdom, prudence.

klor, chlorine; ~ e, scratch; ~ oform; ~ oformere, chlor-oform; ~ vann, chlorine water.

klosett, water-closet, W.C.

kloss, s block; fig bungler; adj close; ~ et, clumsy.

kloster, monastery; (nonne-) convent, nunnery.

klovn, clown.

klubb, club; ~ e, mallet, club; v club; ~ lokale, club-house.

klukk; ~ e, cluck.

klump, lump; (jord-) clod; ~ et, lumpy; ~ fot, club-foot.

klunke (på instrument) strum.

kluss, trouble; fuss; ~ e med, tamper with.

klut, cloth; rag; (støve-) dust-er.

klynge, s cluster, group; v cling to.

klynk; ~ e, whimper, whine.

klyp, nip, pinch; ~ e, s clip; (snus) pinch; ~ e, v nip, pinch.

klyse, gob.

klystér, clyster.

klær, clothes, clothing.

klø, vt scratch; vi itch.

kløft, cleft, crack.

kløkt, shrewdness, sagacity; ~ ig, shrewd, sagacious.

kløne, bungler; ~ t, awk-ward; clumsy.

kløver, (kort) clubs; bot clov-er.

kløvhest, packhorse.

kløyve, split, cleave.

kna, knead, work.

knagg, peg.

knake, creak.

knall, report, crack.

knapp, adj scant(y), scarce; s button; ~ e, button; ~ igjen, button up; ~ e opp, unbutton; ~ enål, pin; ~ het, scarcity, shortage; ~ hull, buttonhole.

knapt, (neppe) hardly, barely, scarcely.

knase, crackle, (s)crunch.

knaus, crag, rock.

kne, knee.

knebel; ~ **le**, gag.

knegge, neigh, whinny.

kneipe, dive, pub.

kneise, strut, carry the head high.

knekk, crack; (brudd) break, crack; *fig* shock; ~ **e**, break, crack, snap.

knekkebrød, crispbread.

knekt, fellow; (kort) knave.

knele, kneel.

knep, trick; (håndlag) knack; ~ **en**, narrow.

knepp; ~ **e**, click.

knip, pinch; (mage-) gripes; ~ **e**, *s* pinch, fix; *v* pinch; (spare) spare, pinch; (stjele) purloin; ~ **etak**, **(i et ~)** at a pinch; ~ **etang**, pincers.

kniplinger, lace.

knippe, bunch; bundle.

knips; ~ **e**, fillip, snap.

knirke, creak.

knis; ~ **e**, giggle, titter.

knitre, crackle.

kniv, knife (*pl* knives).

knoke, knuckle; ~ **kel**, bone; ~ **let**, bony.

knoll, *bot* tuber.

knop, knot.

knopp, bud; ~ **skyting**, budding; gemmation.

knott, knob; *zool* gnat.

knudret, rugged; rough.

knuge, press, squeeze; (tynge) oppress; ~ **nde**, oppressive.

knurr; ~ **e**, growl, snarl; *fig* murmur, grumble.

knuse, crush, smash; break.

knusk, tinder; ~ **tørr**, bonedry.

knuslet, niggardly, mean.

knute, knot; ~ **punkt**, junction.

kny, *s* slightest sound; *v* breathe a word.

knytte, tie, knot; *v fig* attach, bind, tie; *s* bundle; ~ **neve**, fist.

koagulere, coagulate.

koalisjon, coalition.

kobbe, seal.

kobbel, (to) couple; (tre) leash.

kobber, copper.

koble, couple; ~ (slappe) av, relax.

kobolt, cobalt.

kode, code.

koffert (hånd-) suitcase; (stor) trunk.

koie, shanty.

kok, boiling (state); ~ **ain**, cocaine; ~ **e**, boil; (lage mat) cook; ~ **eplate**, hotplate; ~ **epunkt**, boiling point.

kokett, coquettish; ~ **ere**, flirt, coquet.

kokhet, boiling hot.

kokk; ~ **e**, cook.

kokosnøtt, coco(a)nut.

koks, coke.

kolbe (gevær-) butt; *kjem* retort, flask; *bot* spadix.

koldbrann, gangrene.

koler|a, cholera; ~**isk**, choleric.

kolibri, colibri, hummingbird.

kolikk, gripes, colic.

kolje, haddock.

kollbøtte, somersault; **slå** ~, turn a somersault.

kollega, colleague.

kollek|sjon, collection; ~**t**, collection; ~**tiv**, collective.

kolli, packages, piece.

kolli|dere, collide, clash; ~**sjon**, collision, clashing.

kolon, colon.

koloni, colony; ~**alhandler**, grocer; ~**alvarer**, groceries; ~**sasjon**, colonization; ~**sere**, colonize.

kolonn|ade, colonnade; ~**e**, column.

koloss, colossus; ~**al**, colossal.

kombin|asjon, combination; ~**ere**, combine.

komedie, comedy.

komet, comet.

komfort, comfort(s); ~**abel**, comfortable.

komfyr, range; cooker.

komi|ker, comic actor; ~**sk**, comic(al).

komité, committee.

komma, comma.

kommand|ant, commandant, governor; ~**ere**, order; command; ~**o**, command; ~**ør**, commodore.

komme, *v* come; **(an** ~ **)** ar-

rive; get; ~**nde**, coming, next.

komment|ar, (bemerkning) comment; (forklaring) commentary; ~**ere**, comment (on).

kommersiell, commercial.

kommisjon, commission; (nemnd) board; ~ **ær**, commission agent.

kommiss|ariat, commissariat; ~ **ær**, commissary.

kommode, chest of drawers; *amr* bureau.

kommun|al, local; (i by) municipal; ~**e**, municipality; (land-) rural district; ~**eskatt**, local rate *el* tax.

kommunikasjon, communication; ~**smiddel**, means of communication.

kommuniké, communiqué.

kommunis|me, communism; ~**t**, communist.

kompan|i, company; ~**iskap**, partnership; ~**jong**, partner.

kompass, compass.

kompensasjon, compensation.

kompet|anse, competence; ~**ent**, competent.

kompleks, *s & adj* complex.

komplett; ~**ere**, complete.

kompli|ment, compliment; ~**kasjon**, complication; ~**sere**, complicate.

komplott, conspiracy, plot.

kompo|nere, compose; ~**nist**, composer; ~**sisjon**, composition.

kompott, compote, stewed fruit.

komprimere, compress.

kompromiss, compromise.

kompromittere, compromise.

kondensator, condenser; ~ **densere**, condense; ~ **ditor**, confectioner; pastry cook; ~ **ditori**, confectioner's shop; (med servering) tearoom; ~ **dolanse**, condolence; ~ **dolere**, condole with; ~ **duite**, tact; ~ **duktør**, guard; (buss, trikk) conductor.

kone, (hustru) wife; (kvinne) woman.

konfeksjon, ready-made clothes; ~ **fekt**, sweets, chocolates; amr candy; ~ **feranse**, conference; (samtale) interview; ~ **ferere**, confer; ~ **fesjon**, confession, creed; ~ **fesjonsløs**, adhering to no creed; ~ **fidensiell**, confidential; ~ **firmant**, candidate for confirmation, confirmand; ~ **firmasjon**, confirmation; ~ **firmere**, confirm; ~ **fiskasjon**, confiscation; ~ **fiskere**, confiscate, seize; ~ **flikt**, conflict.

konge, king; ~ **dømme**, monarchy; ~ **lig**, royal; ~ **rike**, kingdom.

kongle, cone.

kongress, congress.

konjakk, cognac, brandy.

konjunksjon, conjunction; ~ **tiv**, the subjunctive (mood); ~ **turer**, state of the market; trade conditions.

konkav, concave; ~ **kludere**, conclude; ~ **klusjon**, conclusion; ~ **kret**, concrete; ~ **kurranse**, competition; ~ **kurrent**, competitor; ~ **kurrere**, compete; ~ **kurs**, failure, bankruptcy; adj bankrupt; **gå** ~ **kurs**, fail, go into bankruptcy.

konsekvens, consistency; consequence; ~ **t**, consistent.

konsentrasjon, concentration; ~ **rasjonsleir**, concentration camp; ~ **rere (seg)**, concentrate.

konsept, (rough) draft; **gå fra** ~ **ene**, lose one's head.

konsern, group.

konsert, concert.

konservativ, conservative; ~ **ator**, keeper, curator; ~ **ere**, keep, preserve; ~ **ering**, preservation.

konsesjon, concession, licence; ~ **sis**, concise; ~ **sonant**, consonant; ~ **spirere**, conspire; ~ **stant**, invariable, constant; ~ **statere**, ascertain; state.

konstitusjon, constitution.

konstruere, construct; ~ **ksjon**, construction; ~ **ktør**, constructor.

konsul, consul; ~ **at**, consulate; ~ ent, adviser, consultant; ~ tasjon, consultation; ~ tere, consult.

konsumere, consume.

kontakt, contact, touch; *elektr* switch; ~ tant, cash; ~ tinent, continent; ~ tinentalsokkelen, the Continental Shelf; ~ tingent, subscription; (kvote) quota; ~ to, account.

kontor, office; ~ dame, office girl, woman clerk; typist; ~ ist, clerk; ~ tid, office hours.

kontra, versus; ~ bass, doublebass; ~ hent, contractor; ~ here, contract.

kontrakt, contract; ~ trast, contrast.

kontroll; ~ ere, control, check; ~ ør, controller, supervisor, inspector.

kontur, contour, outline.

konvall, lily of the valley; ~ veks, convex; ~ vensjon, convention; ~ versasjon, conversation; ~ versasjonsleksikon, encyclop(a)edia; ~ versere, converse; *tr* entertain; ~ voi, convoy; ~ volutt, envelope.

kooperativ, co-operative; ~ ordinasjon, co-ordination.

kopi; ~ ere, copy.

kople, couple; ~ ling, coupling; *jernb* coupler; (bil) clutch.

kopp, cup; ~ er, *med* smallpox; (metall) copper; ~ erstikk, (print).

kor, chorus; (sangerne) choir; ~ al, choral.

korall, coral; ~ rev, atoll.

kordfløyel, corduroy.

korg, basket.

korint, currant.

kork, cork; ~ etrekker, corkscrew.

korn, grain; (på marken) corn; (sikte-) aim, sight.

kornett, cornet.

korporal, corporal.

korps, corps, body.

korpulent, corpulent, stout.

korrekt, correct; ~ ur, proof.

korrespondanse, correspondence; ~ ent, correspondent; ~ ere, correspond.

korridor, corridor.

korrupsjon, corruption; ~ t, corrupt.

kors, cross.

korsett, corset, stays.

korsfeste, crucify; ~ festelse, crucifixion; ~ rygg, loins; ~ tog, crusade; ~ vei, crossroad.

kort, *s* card; *adj* short; ~ fattet, concise, brief; ~ het, shortness; brevity, conciseness; ~ klipt, close cropped; ~ siktig, short (-term); ~ slutning, short circuit; ~ spill, card-game; ~ stokk, pack *(amr* deck) of cards;

~ **synt,** *fig* shortsighted; ~ **varig,** of short duration, short-lived.

kose, *vr* make oneself cosy; ~ **lig,** cosy, snug; nice.

kosmet|ikk, cosmetics *pl;* ~ **isk;** ~ **isk preparat,** cosmetic.

kost, (mat) board, food, fare; (feie-) broom; (maler-) brush; ~ **bar,** precious, valuable; (dyr) expensive; ~ **e,** cost; ~ **eskaft,** broom-stick; ~ **skole,** boarding-school.

kostyme, costume.

kotelett, cutlet, chop.

kott, cubby(hole).

krabbe, *s* crab; *v* crawl.

kraft, strength; power; force; ~ **anstrengelse,** effort; ~ **ig,** strong, vigorous; ~ **stasjon,** power station.

krage, collar.

krakilsk, cantankerous, quarrelsome.

krakk, stool; (handelskrise) crash, collapse.

kram, *s* wares; (skrap) trash; *adj* clogging, wettish; ~ **bu,** shop; ~ **kar,** pedlar.

kramp|aktig, convulsive; ~ **e,** (jernkrok) cramp; (-trekning) spasm; fit, convulsions; cramp; ~ **elatter,** hysteric laughter; ~ **etrekning,** convulsions.

kran, (heise) crane; (vann-) tap, cock.

krang|el; ~ **le,** quarrel.

kraniebrudd, fracture of the scull.

krans, wreath, garland.

krater, crater.

kratt, thicket, brushwood.

krav, demand; (fordring) claim.

kreatur, animal; (kveg) cattle.

kredit, krediter|e, credit; ~ **or,** creditor; **kreditt,** credit.

kreft, cancer.

krem, (pisket fløte) whipped cream; (hud- o.l.) cream.

kremere, cremate.

kremt, throat-clearing; ~ **e,** clear one's throat.

krenge, careen, heel.

krenke, violate; (en) hurt; offend; ~ **lse,** violation; injury; ~ **nde,** insulting.

krepp, crape.

kreps, crawfish, crayfish.

kresen, fastidious, discriminating; particular.

krets, circle; ring; (distrikt) district; ~ **e,** circle.

kreve, demand; require; (fordre) claim.

krig, war; ~ **er,** warrior; ~ **ersk,** martial, warlike.

kriminal|domstol, criminal court; ~ **film,** detective film; ~ **roman,** detective novel; ~ **sak,** criminal case.

kriminell, criminal.

kringkast|e, broadcast; ~ **ing,** broadcasting.

krise, crisis, *pl* crises.
kristelig; ~**en**, Christian;
 ~**torn**, holly; ~**us**, Christ.
kritiker, critic; (anmelder) reviewer; ~**kk**, criticism;
 ~**sere**, criticize; ~**sk**, critical.
kritt; ~**e**, chalk.
kro, inn, pub(lic-house).
krok (hjørne), corner; (jern-)
 hook, crook; (fiske-) hook.
krokket, croquet.
krokodille, crocodile.
krone, *s & v* crown.
kronikk, feature article.
kroning, coronation.
kronologi, chronology; ~**sk**,
 chronological.
kronprins, Crown Prince; (i
 England) Prince of Wales.
kropp, body; ~**sarbeid**, manual work.
krukke, pitcher, jar.
krum, curved, crooked;
 ~**kake**, rolled wafer; ~**me**,
 bend, bow; ~**ming**, bend,
 curve; ~**tapp**, crank.
krus, mug; (øl-) tankard;
 ~**ning**, ripple.
krusifiks, crucifix.
krutt, (gun-) powder.
kry, *adj* proud; *v* swarm.
krybbe, manger, crib.
krydder; ~**deri**, spice; ~**re**,
 spice, season.
krykke, crutch.
krympe, shrink.
krypdyr, reptile; ~**e**, creep;

(kravle) crawl; *fig* fawn,
 cringe; ~**skytter**, poacher.
krysning, cross(ing).
kryss, cross (vei-) crossroads;
 ~**e**, cross; ~**er**, cruiser;
 ~**finér**, plywood; ~**forhør**,
 cross-examination; ~**ild**,
 cross-fire; ~**ordoppgave**,
 crossword puzzle.
krystall, crystal.
krøll(e), *s* curl; ~**e**, *v* curl;
 (om papir, klær) crease,
 crumple; ~**et**, curly;
 crumpled; ~**tang**, curling
 iron.
krønike, chronicle, annals.
krøpling, cripple.
kråke, crow.
krås, crop.
ku, cow.
kubbe, log.
kube, hive.
kubein, crowbar.
kubikkinnhold, volume;
 ~**meter**, cubic metre; ~**rot**,
 cube root.
kue, subdue, cow; ~**jon**,
 coward.
kul, bump.
kulde, cold; ~**grad**, degree of
 frost; ~**gysning**, cold shiver.
kule, ball; globe; *mat* sphere;
 (gevær-) bullet; ~**lager**,
 ball-bearing; ~**penn**, ball-
 pen; ~**støt**, putting the shot.
kulinarisk, culinary; ~**ing**,
 breeze; ~**isse**, scene, wing.
kull, (fugler) brood, hatch;

(pattedyr) litter; (tre-) charcoal; (stein-) coal; ~**boks**, coal-scuttle; ~**gruve**, coal mine; ~**kaste**, upset; ~**svart**, jet black; ~**stoff**, carbon; ~**syre**, carbonic acid.

kulminere, culminate.

kultivere, cultivate; ~**ur**, civilization; culture; ~**urell**, cultural; ~**us**, cult.

kum, tank; ~**merlig**, miserable.

kunde, customer, client.

kunne, be able to; ~**gjøre**, make known; announce; ~**skap**, knowledge.

kunst, art; (-stykke) trick; ~**ig**, artificial; ~**løp**, figure skating; ~**maler**, artist, painter; ~**ner**, artist; ~**stoff**, synthetic material; ~**verk**, work of art.

kupé, *jernb* compartment; (bil) coupé.

kupert, rough, rugged.

kupong, coupon.

kupp, coup; (fangst) haul.

kuppel, dome; (lampe-) globe.

kur, cure, (course of) treatment; **gjøre** ~ **til**, make love to; ~**anstalt**, sanatorium.

kurér, courier.

kurere, cure, heal; ~**fyrste**, elector; ~**iositet**, curiosity; ~**iøs**, curious, singular.

kurs, course; *merk* quotation; (valuta-) rate (of exchange); ~**iv**, italics; ~**notering**, exchange quotation.

kursted, health resort; spa.

kursus, course.

kurtisane, courtesan; ~**ere**, flirt with.

kurv, basket; ~**e**, curve ~**fletning**, wicker-work; ~**stol**, wicker chair.

kusine, cousin.

kusk, coachman, driver.

kusma, mumps.

kutt; ~**e**, cut.

kuvert, cover.

kvadrant, quadrant; ~**at**, square; ~**atmeter**, square metre; ~**atrot**, square root.

kvaksalver, quack(doctor).

kval, pang, agony, anguish.

kvalifikasjon, qualification; ~**fisere**, qualify; ~**tet**, quality.

kvalm, sick; (lummer) close; ~**e**, sickness, nausea.

kvantitet; ~**um**, quantity.

kvart, quarter, fourth; (format) quarto; ~**al**, (tid) quarter; (hus) block; ~**e**, hook, nab; ~**er**, quarter (of an hour); ~**ett**, quartet.

kvarts, quartz.

kvass, sharp.

kvast, tuft.

kve, pen, fold.

kveg, cattle; ~**avl**, breeding of cattle.

kveil; ~ **e,** coil.
kveite, (fisk) halibut.
kveker, Quaker.
kveld, evening; **i** ~, this evening, tonight.
kvele, strangle; stifle; choke; suffocate; smother; ~ **er-slange,** boa constrictor; ~ **stoff,** nitrogen.
kvern, (hand-)mill, grinder.
kvesse, whet, sharpen.
kvie seg, feel reluctant.
kvige, heifer.
kvikk, lively, quick; ~ **sand,** quicksand; ~ **sølv;** quicksilver, mercury.
kvikne til, revive, recover.
kvinne, woman *(pl* women); ~ **lig,** female; feminine; ~ **sak,** feminism.
kvintessens, quintessence; ~ **ett,** quintet.
kvise, pimple.
kvist, twig, sprig; (i bord) knot; (i hus) garret, attic; ~ **e,** strip; ~ **kammer,** garret.
kvitre, chirp, twitter.

kvitt (bli ~ **),** get rid of.
kvittere, (give a) receipt; ~ **ing,** receipt.
kvote, quota; ~ **ient,** quotient.
kylling, chicken.
kyndig, skilled; ~ **het,** knowledge, skill.
kyniker; ~ **isk,** cynic.
kysk, chaste; ~ **het,** chastity.
kyss; ~ **e,** kiss.
kyst, coast; ~ **båt,** coaster; ~ **by,** seaside town.
kø, queue; (biljard) cue.
København, Copenhagen.
kølle, club, cudgel.
Köln, Cologne.
køye, *s* berth; (henge-) hammock; (fast) bunk; *v* turn in.
kål, cabbage; ~ **rabi,** Swedish turnip.
kåpe, coat.
kår (forhold) conditions; circumstances.
kårde, rapier.
kåre, choose, elect.
kåt, wild, wanton.

L

la, let; (våpen) load, charge; (tillate) allow, permit, let.
labb, paw.
laboratorium, laboratory.
labyrint, labyrinth, maze.
ladested, small seaport town; ~ **ning,** (last) cargo, load; (krutt) charge.

lag, (jord- o.l.) layer, stratum; (strøk) coat(ing); (sports-o.l.) team.
lage, make.
lager, stock, store; (lokale) warehouse; **på** ~, in stock; **ikke på** ~, out of stock.
lagmannsrett, court of assize.

lagre, store; (for å forbedre) season.

lagune, lagoon.

lake, brine, pickle; (fisk) burbot.

lakei, lackey, footman.

laken, sheet.

lakk, (ferniss) lacquer, varnish; (emalje-) enamel; (segl-) sealing wax; ~ **e,** seal; ~ **ere,** varnish, lacquer, enamel; ~ **sko,** patent leather shoes.

lakris, liquorice.

laks, salmon.

lam, s lamb; adj paralysed; ~ **a,** llama; ~ **ell,** elektr segment; ~ **me,** (gjøre lam) paralyse; (få lam) lamb; ~ **mekjøtt,** lamb.

lampe, lamp; ~ **feber,** stage fright; ~ **skjerm,** lamp shade; ~ **tt,** bracket lamp.

land, country; (mots. sjø) land; ~ **bruk,** agriculture; ~ **brukshøgskole,** agricultural college; ~ **bruksskole,** agricultural school; ~ **e,** land; ~ **eiendom,** landed property; ~ **eplage,** scourge; ~ **esorg,** national mourning; ~ **evei,** highway; ~ **flyktig,** exiled; ~ **flyktighet,** exile; ~ **gang,** landling; konkr gangway; ~ **krabbe,** landlubber; ~ **måler,** surveyor; ~ **område,** territory; ~ **sby,** village; ~ **sdel,** part of the country; ~ **sforræder,** traitor; ~ **sforræderi,** treason; ~ **skamp,** international (match); ~ **skap,** scenery; (maleri) landscape; ~ **slag,** national team; ~ **smann,** (fellow) countryman; ~ **s-møte,** national congress.

lang, long; ~ **e,** (fisk) ling; ~ **fredag,** Good Friday; ~ **modig,** longsuffering; ~ **renn,** cross-country race; ~ **s,** prp along; på ~ **s,** lengthwise; ~ **som,** slow; ~ **synt,** long-sighted; ~ **t,** far; ~ **trekkende,** far-reaching; ~ **varig,** of long duration, long; ~ **viser,** minute hand.

lanse, lance, spear; ~ **re,** launch, introduce.

lanterne, lantern.

lapp, patch; (papir) scrap; ~ **e,** patch; ~ **eteppe,** patchwork.

lapskaus, stew, hash; ~ **us,** slip.

larm, noise; ~ **ende,** noisy.

larve, caterpillar, larva.

lasaron, tramp.

lass, load.

last, (synd) vice; (bør) burden; (skips-) cargo; ~ **e,** load; (klandre) blame; ~ **ebil,** lorry; amr truck; ~ **ebåt,** cargo boat; ~ **erom,** hold.

lat, lazy; ~ **e** (synes) seem,

appear; **~ e som om**, pretend to (med inf), pretend that.

latin, latinsk, Latin.

latter, laughter, laugh; **~ lig,** ridiculous.

laug, guild.

laurbær, *bot* laurel; *fig* laurels.

lauv, leaves, foliage.

lav, *adj* low; *s bot* lichen; **~ a,** lava; **~ adel,** gentry; **~ endel,** lavender; **~ erestående,** inferior, lower; **~ land,** lowland.

le, *s* shelter; *mar* lee(ward); *v* laugh.

ledd, joint; (av kjede) link; (slekts-) generation.

lede, lead; (bestyre) manage, conduct; (vei-) guide; *fys* conduct; **~ lse,** direction, management; guidance; **~ nde,** leading; **~ r,** leader; *merk* manager, executive; *fys* conductor; (i avis) leader, *amr* editorial; **~ stjerne,** lodestar.

ledig, (stilling, leilighet) vacant, (ikke opptatt) free, available; **~ gang,** idleness.

ledning, line; (rør) pipe.

ledsage, accompany; **~ r,** companion.

legal, legal; **~ alisere,** legalize; **~ asjon,** legation; **~ at,** endowment, foundation.

lege, *s* doctor; physician; *v* heal, cure; **~ attest,** medical certificate; **~ middel,** medicine, drug.

legeme, body; **~ lig,** bodily, corporal.

legende, legend; **~ arisk,** legendary.

legere; **~ ing,** alloy.

legg, *n* fold, plait; *m* calf; **~ e,** put, lay, place; **~ seg,** lie down; (gå til sengs) go to bed.

legitim, legitimate; **~ asjonspapirer,** identification papers; **~ ere seg,** prove one's identity.

lei, *s* direction; *mar* channel; *adj* sorry (**for:** about *el* for); sick, tires (**av:** of); **~ der,** ladder; **~ e,** *s* (betaling) rent, hire; *v* hire; rent; (leie ut) let; (føre ved hånden) lead; **~ ebil,** rented (*el* hired) car; **~ eboer,** tenant; (losjerende) lodger; **~ egård,** block of flats; *amr* apartment house; **~ etropper,** mercenaries; **~ lending,** tenant farmer; **~ lighet,** (beleilig tid) opportunity; (anledning) occasion; (bolig) flat; *amr* apartment.

leir, camp; **~ e,** clay; **~ krukke,** earthen pot; **~ varer,** earthenware.

lek, *s* game, play; *adj* lay; **~ e,** *v* play; *s* toy; **~ ekamerat,** playfellow; **~ eplass,** playground; **~ etøy,** toy(s).

lekk; ~**e,** leak.
lekker, dainty, nice, delicate.
lek|mann, layman; ~**predikant,** lay preacher.
lekse, lesson.
leksikon, (konversasjons-) encyclopaedia; (ordbok) dictionary.
lektor, grammar school teacher; (universitets-) lecturer.
lem, *m* trapdoor; (vindus-)shutter; *n* member; (arm el bein); limb; ~**en,** lemming; ~**feldig,** lenient; ~**leste,** mutilate; maim.
lempe på, relax, modify; **med** ~, gently.
lemster, stiff.
lend, loin; ~**e,** ground.
lene, lean; ~**stol,** armchair, easy-chair.
leng|de, length; *geo* longitude; **i** ~**den,** *fig* in the long run; ~**e,** long, (for) a long time; ~**es,** long (**etter:** for); ~**s**, longing, yearning; ~**full,** longing; ~
lenke, *s* & *v* chain
lens, empty; *mar* (from water); ~**e**, before the wind; (empty; (øse) bale; *s* t boom; ~**herre,** feudal
leopard, leopard.
leppe, lip; ~**stift,** lipstick.
lerke, *zool* lark; (lomme (pocket-)flask.

lerret, linen; (seilduk) canvas; (film) screen.
lese, read; ~**bok,** reader; ~**lig,** legible, readable; ~**sal,** reading-room.
leske, quench; ~**drikk,** refreshing drink.
lespe, lisp.
lesse, load; ~ **av,** unload.
lest, last.
lete, look, search (**etter:** for).
letne, (klarne opp) lighten (*el* clear) up.
lett, (mots. tung) light; (mots. vanskelig) easy; ~**bevegelig,** easily moved; ~**e,** (om vekt) lighten; (gjøre mindre vanskelig) facilitate; (løfte) lift; (hjertet) reli ease; (tåke) clear, l fly) take off weigh anch
lett|sindi

~**standard,** standard of living.

levne, leave; ~ **et,** life; ~ **ing,** remnant; (mat) left-overs pl.

levre, coagulate; ~ **t,** clotted.

li, hillside.

liberal, liberal.

lide, suffer; ~ **lse,** suffering; ~ **nskap,** passion; ~ **nskapelig,** passionate.

liga, league.

ligge, lie.

ligne, resemble; (skatt) assess; ~ **else,** parable; ~ **ende,** similar; ~ **ing,** (skatt) assessment; mat equation.

lik, s corpse, dead body; adj like; similar; equal.

like, adj (tall) even; adv equally, just; ~ **etter,** immediately after; ~ **overfor,** (t) opposite; ~ **ved,** close s match; **uten** ~, ...e; v like, fancy; enjoy; ... straightforward; ~ **le**...wise; ~ **stilling,** ... ~ **strøm,** direct ...så, likewise; ...brium; ~ **vel,** ... same; after

...mblance; ...tigheter) ...gn of

lite adj, adv little.

liter, litre, liter.

lik|kapell; ~ **kjeller,** mortuary; ~ **kiste,** coffin.

liksom, like; as; (som om) as if; (så å si) as it were.

likså (stor, mye) **som,** as (big, much) as.

liktorn, corn.

likvid, liquid; ~ **ere,** liquidate.

likør, liqueur.

lilje, lily.

lilla, lilac, mauve.

Lilleasia, Asia Minor.

lim; ~ **e,** glue; ~ **e,** s broom.

limonade, lemonade.

lin bot flax; (tøy) linen.

lindre, relieve, ease; ~ **ing,** relief, ease.

line, rope; (fiske-) line; ~ **danser,** tight-rope walker.

linerle, wagtail.

linjal, ruler; ~ **e,** line; (studie-) side; ~ **ere,** rule, line.

linoleum, linoleum; ~ **olje,** linseed oil.

linse, lens; bot lentil.

lintråd, linen thread; ~ **tøy,** linen.

lirekasse, barrel organ; ~ **mann,** organ-grinder.

lisens, licence; amr license; gi ~, to license.

list, (lurhet) cunning; (kant) list; ~ **e,** s list; ~ **e seg,** move gently, steal; ~ **ig,** cunning, sly.

litt, a little, a bit.

litteratur, literature; **~ær,** literary.

liv, life; (kjole-) bodice; (midje) waist; **~aktig,** lifelike; **~belte,** life-belt; **~båt,** life-boat; **~kjole,** tail (el dress) coat, tails; **~lig,** lively, gay; **~mor,** womb, uterus; **~nære,** support oneself; vr subsist, support oneself; **~ré,** livery; **~rem,** belt; **~rente,** annuity; **~rett,** favourite dish; **~sanskuelse,** view of life; **~sbetingelse,** essential condition; **~sfare,** mortal danger; **~sforsikring,** life insurance; **~svarig,** for life; **~vakt,** bodyguard.

ljå, scythe.

lo (på tøy) nap, pile.

lodd, (skjebne) lot; (i lotteri) ticket; (på vekt) weight; mar lead; **~e** (måle havdyp) sound; fig plumb; (metall) solder; **~e ut,** raffle; **~elampe,** soldering lamp; **~en,** shaggy; **~rett,** perpendicular, vertical; **~seddel,** lottery ticket; **~trekning,** drawing of lots.

loff, white bread.

loffe, mar. luff.

loft, loft; **~srom,** garret, attic.

logaritme, logarithm; **~tabell,** table of logarithms.

logg, log; **~bok,** log-book.

logikk, logic; **~sk,** logical.

logre, wag the tail.

lojal, loyal; **~itet,** loyalty.

lokal, local; **~e,** premises, room; **~isere,** localize.

lokk, cover, lid; (hår) lock; **~e,** allure, lure, decoy; tempt; (fugl) call; **~edue,** decoy, stool pigeon; **~emat,** bait.

lokomotiv, locomotive, engine; **~fører,** enginedriver; amr engineer.

lomme, pocket; **~bok,** wallet, pocket-book; amr bilifold; **~lerke,** (hip-)flask; **~lykt,** (electric) torch, flashlight; **~tyv,** pickpocket; **~tørkle,** (pocket) handkerchief; **~ur,** watch.

loppe, flea; **~marked,** flea market.

lort, dirt, filth.

los; **~e,** pilot.

losje, teat box; (frimurer-) lodge; **~ere,** lodge; **~erende,** lodger; **~i,** lodging(s).

loslitt, threadbare.

loss: kaste **~,** cast off; **~e,** unload, land; **~ebom,** derrick; **~epram,** lighter.

lott, share; (på fiske) lay; **~eri,** lottery.

lov, (tillatelse) leave, permission; jur law; (en enkelt) statute, act; **~e,** (prise)

praise; (gi et løfte) promise;
~ende, promising; ~for-
slag, bill; ~givende, legisla-
tive; ~givning, legislation;
~lig, lawful, legal; ~lydig,
law-abiding; ~løs, lawless;
~overtreder, offender;
~prise, praise; ~sang,
hymn; ~stridig, illegal;
~tale, eulogy.
lubben, plump; chubby.
lue, (flamme) s & v blaze,
flame; (hodeplagg) cap.
luffe, flipper.
luft, air; i fri ~, in the open
(air); ~e, air; ~fart, avia-
tion; ~forurensning, air
pollution; ~havn, airport;
~ig, airy; ~post, airmail;
~slott, castles in the air (el
in Spain); ~speiling, mi-
rage; ~trykk, atmospheric
(el air) pressure.
lugar, cabin.
lugg, forelock; ~e, pull (by)
the hair.
luke, s (lem) trapdoor; (på
kontor) window; (billett-)
wicket; mar hatch; v weed.
lukke, v shut; close.
lukningstid, closing time.
luksuriøs, luxurious; ~s, lux-
ury.
lukt, smell; scent; odour;
~e, smell.
lummer, close; (også fig)
sultry.
lumpen, paltry; mean.

lumsk, insidious.
lun, (i le) sheltered; (var)
mild.
lund, grove.
lune, v shelter; s hum;
mood; whim; ~full, cap-
cious.
lunge, lung; ~betennelse,
pneumonia.
lunken, tepid, lukewarm.
lunsj, lunch; (formelt) lunch-
eon.
lunte s fuse.
lupe, magnifying glass.
lur, s (kort søvn) nap, doze;
(instrument) lur(e); adj cun-
ning, sly; ~e, (bedra) trick,
fool, take in.
lurveleven, hubbub;
shabby.
lus, louse, pl lice; ~ing, box
on the ear.
luske, sneak, slink.
lut, s lye, lixivium; adj bent,
stooping; ~e, soak in lye;
(bøye seg) stoop, bend.
luthersk, Lutheran.
lutre, purify.
ly, shelter, cover.
lyd, sound; ~bølge, sound
wave; ~bånd, recording
tape; ~båndopptaker, tape
recorder; ~demper, silenc-
er, muffler; ~e, sound; (om
tekst) read, run; (adlyde)
obey; ~ig, obedient; ~ig-
het, obedience; ~lære,
acoustics; phonetics; ~løs,

(emblem) badge; (fabrikat) brand, make; *v* mark; (legge merke til) notice; (kjenne) perceive; ~**elapp,** tag; (etikett) label; ~**elig,** remarkable; (underlig) curious, strange, odd; ~**nad,** remark, comment; ~**verdig,** remarkable; (underlig) curious, strange, odd.

merr, mare; jade.

merverdiavgift, value added tax (VAT).

mesén, patron.

meslinger, measles.

messe, (vare-) fair; (høymesse etc.) mass; (spisested) mess(room); *v* chant; ~**hakel,** chasuble; ~**skjorte,** surplice.

Messias, Messiah.

messing, brass.

mest, most; ~**eparten,** the greater part, most.

mester, master; *idr* champion; ~**kokk,** master-cook; ~**lig,** masterly; ~**skap,** (dyktighet) mastership; *idr* championship.

mestre, master, cope with.

metafysikk, metaphysics.

metall, metal; ~**isk,** metallic.

meteor, meteor; ~**olog,** meteorologist; ~**ologi,** meteorology; ~**ologisk institutt,** Meteorological Office.

meter, metre.

metode, method; ~**isk,** methodical; ~**ist,** Methodist.

mett, jeg er ~, I have had enough (to eat), I am full (up); ~**e,** fill; (skaffe mat) feed; *kjem* saturate; ~**else,** satiety; *kjem* saturation.

middag, (tidspunkt) noon, midday; (måltid) dinner; ~**shvil,** after dinner nap; ~**smat,** dinner.

middel, means; ~**alderen,** the Middle Ages; ~**alderlig,** medi(a)eval; ~**havet,** the Mediterranean; ~**måtig,** mediocre; ~**s,** middling, average, medium; ~**temperatur,** mean temperature; ~**tid,** mean time; ~**vei,** middle course; **den gyldne** ~**vei,** the golden mean.

midje, waist.

midlertidig, temporary.

midnatt, midnight; ~**ssol,** midnight sun.

midt i, in the middle of; ~**iblant,** in the midst of; ~**erst,** middle, central; ~**punkt,** centre; ~**skips,** midships; ~**sommer,** midsummer; ~**veis,** halfway, midway.

migrene, migraine.

mikrofon, microphone; *dt* mike; ~**skop,** microscope.

mikstur, mixture.

mil, mile.

mild, mild; gentle; ~**het,**

mildness, gentleness; ~ne, mitigate, alleviate.

milepæl, milestone.

militarisme, militarism; ~arist; ~aristisk; militarist; ~s, militia; ~ær, adj military; s military man, soldier; ~ærnekter, conscientious objector; ~ærtjeneste, military service.

miljø, environment, milieu, surroundings; ~vern, environmental protection.

milliard, milliard; amr billion; ~on, million; ~onær, millionaire.

milt, milt, spleen.

mimikk, facial expression(s); ~sk, mimic.

mimre, twitch.

min (foran s) my; (alene) mine.

mindre, (om størrelse) smaller; (om mengde el grad) less; ~tall, minority; ~verdig, inferior; ~verdighetskompleks, inferiority complex; ~årig, under age, minor.

mine, (uttrykk) air, look; (gruve, sjømine) mine; ~felt, mine field; ~ral, mineral; ~ralvann, mineral water; ~re, mine, blast; ~skudd, blast.

miniatyr, miniature; ~mal, minimal; ~mum, minimum.

minister, minister, secretary of state; (sendemann) minister; ~ium, ministry; (regjering) cabinet.

mink, mink.

minke, decrease; dwindle.

minne, s memory; konkr souvenir, keepsake; v remind (om: of); ~lig, amicable; ~lighet: i ~, jur out of court; ~s, (huske) remember, recollect; (feire minnet om) commemorate; ~smerke, monument, memorial; ~verdig, memorable.

minoritet, minority.

minske, tr diminish, reduce; itr decrease, diminish.

minst, (mots mest) least; (mots størst) smallest; i det ~e, at least; ~elønn, minimum wage(s).

minus, minus; less; ~utiøs, minute; ~utt, minute; ~uttviser, minute hand.

mirakel, miracle; ~uløs, miraculous.

misantrop, misanthrope; ~billige, disapprove; ~billigelse, disapproval; ~bruk; ~bruke, abuse; ~dannelse, deformity; ~forhold, disproportion; ~fornøyd, displeased, dissatisfied; (stadig) discontented; ~forstå, misunderstand; ~forståelse, misunderstanding; ~foster, monster; ~grep, mistake, error; ~handle, ill-treat, maltreat; ~**handling,** ill-treatment, maltreatment.

misjon, mission; ~**ær,** missionary.

mis|**kreditt,** discredit; ~**lig-holde,** break, fail to fulfil; ~**ligholdelse,** (av kontrakt) breach of a contract; (av veksel) non-payment; ~**like,** dislike; ~**lyd,** dissonance; ~**lykkes,** fail, not succeed; ~**lykket,** unsuccessful; ~**modig,** despondent, downhearted; ~**nøye,** dissatisfaction, discontent; ~**tanke,** suspicion.

miste, lose.

misteltein, mistletoe.

mistenk|**e,** suspect (**for:** of); ~**elig,** suspicious; ~**som,** suspicious; ~**somhet,** suspicion, suspiciousness.

mis|**tillit,** distrust; ~**tillitsvo-tum,** vote of no confidence; ~**tro,** *s & v* distrust, mistrust; ~**troisk,** distrustful, suspicious; ~**troiskhet,** suspiciousness; ~**tyde,** misinterpret.

misunne, envy, grudge; ~**lig,** envious, jealous; ~**lse,** envy, jealousy; ~**lsesverdig,** enviable.

misvisende, misleading.

mjød, mead.

mjøl, se *mel.*

mo, *s* (lyngmo) heath; *mil* drillground.

mobb, mob.

mobiliser|**e,** mobilize; ~**ing,** mobilization.

modell; ~**ere,** model.

moden, ripe; *fig* mature; ~**het,** ripeness, maturity.

moder|**asjon** (måtehold), moderation; (avslag i pris), reduction, discount; ~**at;** ~**ere,** moderate.

moderlig, maternal.

modern|**e,** fashionable, up-to-date; (nåværende) modern; ~**isere,** modernize.

modifi|**kasjon,** modification; qualification; ~**sere,** modify; qualify.

modig, courageous, brave.

modn(e), ripen; *fig* mature.

mokasin, moccasin.

mold, mould; ~**varp,** mole.

molekyl, molecule.

moll, *mus* minor; **gå i** ~, go in the minor key.

molo, mole, pier.

molte, cloudberry.

moment, (faktor) point, item, factor; ~**an,** momentary.

monark, monarch; ~**i,** monarchy.

monn, (grad) degree; ~**e,** (gjøre virkning) help.

monogam, monogamous; ~**i,** monogamy.

monokkel, monocle.

mono|**log,** monologue, soliloquy; ~**pol,** monopoly (**på:**

of); ~**polisere**, monopolize; ~**ton**, monotonous.

monstrum, monster.

monsun, monsoon.

mont|ere, mount, erect; install; (sette sammen) assemble; (sette på) fit on; ~**ering**, installation, mounting, erection, fitting on, assembly; ~**re**, show-case; ~**ør**, fitter; *elektr* electrician.

monument, monument, memorial; ~**al**, monumental.

moped, moped.

mor, mother.

moral, morality, ethics; (kammoral) morale; (i historie *o.l.*) moral; ~**isere**, moralize; ~**isering**, moralizing; ~**ist**, moralist; moralizer; ~**sk**, moral.

morbror, maternal uncle.

mord, murder; ~**brann**, arson; ~**er**, murderer, assassin; ~**forsøk**, attempted murder.

more, amuse, divert, entertain; *vr* enjoy oneself.

morell, morello (cherry).

moréne, moraine.

morfar, maternal grandfather.

morfin, morphia, morphine.

morgen, morning; **i** ~, tomorrow; ~**kjole**, dressing-gown; *amr* robe.

morges, **i** ~, this morning.

morild, phosphorescence.

mork|en, decayed, rotten; (skjør) brittle; ~**ne**, decay.

mormor, maternal grandmother.

moro, amusement, fun.

morsk, fierce-looking, grim.

morsealfabet, Morse code.

mors|liv, womb; ~**melk**, mother's milk; ~**mål**, mother tongue.

morsom, amusing, entertaining; (pussig) funny; ~**het**, joke.

mort, roach. ~**er**, mortar.

mortifi|kasjon, annulment, cancellation; ~**sere**, declare null and void; cancel.

mosaikk; ~**arbeid**, mosaic.

mose, moss; ~**grodd**, moss-grown.

mosjon, exercise; ~**ere**, take exercise.

moské, mosque.

moskito, mosquito.

moskus, musk; ~**okse**, musk-ox.

Moskva, Moscow.

most, (eple-) cider; (drue-) must.

moster, maternal aunt.

mot, *prp* against; (henimot) towards; *idr* og *jur* versus; *s* courage, heart; oppose; (motvirke) counteract; ~**bevise**, disprove; ~**bydelig**, disgusting; ~**bør**, contrary winds; *fig* check, opposition.

mote, fashion, mode; ~**forretning**, milliner's shop; ~**hus**, fashion house; ~**journal**, fashion magazine.

motforslag, counterproposal; (emne) motif, subject; ~**gang**, adversity; ~**gift**, antidote; ~**hake**, barb.

motiv, motive; ~**ere**, motivate; justify; explain the motives of; ~**ering**, motivation.

motor, engine (især *elektr*) motor; ~**båt**, motorboat; ~**isere**, motorize; ~**kjøretøy**, motor vehicle; ~**skip**, motor ship (*el* vessel); ~**stopp**, engine trouble; breakdown; ~**sykkel**, motor-cycle; ~**vei**, motorway.

motpart, opponent.

motsatt, opposite, contrary; (omvendt) reverse; ~**setning**, opposition, contrast; ~**sette seg**, oppose; ~**si**, contradict; ~**sigelse**, contradiction; ~**sigende**, contradictory; ~**spiller**, adversary; ~**stand**, resistance, opposition; ~**stander**, opponent, adversary; ~**strebende**, reluctant; ~**stridende**, contradictory, conflicting; ~**stå**, resist, withstand; ~**svare**, correspond to.

motta, receive; (anta) accept; ~**gelig**, susceptible; ~**gelig-**

het, susceptibility; ~**gelse**, receipt; (særlig av person) reception; ~**ker**, receiver.

motto, motto.

mottrekk, countermove; ~**vekt**, counterbalance; ~**verge**, defence; ~**vilje**, reluctance; ~**villig**, reluctant; ~**vind**, contrary wind; ~**virke**, counteract.

mudder, mud, mire; ~**dermaskin**, drudge(r); ~**derpram**, mud boat.

muffe, muff; (på ledning, rør) socket.

mugg, mould; ~**e**, jug; (stor) pitcher; ~**en**, musty, mouldy.

mugne, mould.

Muhammed, Mohammed.

muhammedaner; ~**ansk**, Muslim, Moslem, Mohammedan.

mulatt, mulatto.

muld, se **mold**.

muldyr, mule.

mule, muzzle.

mulig, possible; ~**ens**, possibly; ~**gjøre**, make possible; ~**het**, possibility, chance.

mulkt; ~**ere**, fine.

multiplikasjon, multiplication; ~**lisere**, multiply; (**med:** by).

mumie, mummy.

mumle, mutter, mumble.

München, Munich.

munk, monk; ~**ekappe**,

cowl; ~**ekloster,** monastery; ~**eorden,** monastic order.

munn, mouth; ~**full,** mouthful; ~**hell,** saying; ~**hoggeri,** wrangling; ~**hule,** cavity of the mouth; ~**ing,** (elve-) mouth, (stor) estuary; (på skytevåpen) muzzle; ~**kurv,** muzzle; ~**og klauvsyke,** foot-and-mouth disease; ~**skjenk,** cup-bearer; ~**spill,** mouth-organ; ~**stykke,** (sigarett) holder; (blåseinstrument) mouthpiece; ~**vik,** corner of the mouth.

munter, gay, merry; ~**het,** gaiety, merriness.

muntlig, oral, verbal.

mur, wall; ~**er,** bricklayer, mason; ~**hus,** house of brick; ~**mester,** master bricklayer; ~**meldyr,** marmot; ~**stein,** brick.

mus, mouse; ~**efelle,** mousetrap.

muse, Muse.

museum, museum.

musikalsk, musical; ~**ant,** ~**er,** musician; ~**k,** music; ~**khandel,** music shop; ~**korps,** brass band.

muskat, nutmeg; ~**blomme,** mace.

muskel, muscle.

musketér, musketeer.

muskulatur, musculature; ~**øs,** muscular.

musling (blåskjell) mussel; ~**skall,** shell.

musselin, muslin.

musserende, sparkling.

mustasje, moustache.

mutt, sulky.

mye, se **meget.**

mygg, mosquito, gnat; ~**stikk,** mosquito bite.

myk, (bløt) soft; (smidig) supple, lithe, pliable.

mylder, throng, crowd; ~**re,** swarm, crowd, teem.

mynde, greyhound.

myndig, (bydende) imperious, authoritative; *jur* of age; ~**het,** authority; ~ ~**salder,** *jur* majority, full age.

mynt, coin; ~**enhet,** monetary unit; ~**fot,** monetary standard.

myr, bog; (sump) swamp, marsh.

myrde, murder.

myrlendt, boggy, swampy.

myrra, myrrh.

myrull, cotton-grass.

myse, *v* squint; *s* whey.

mysterium, mystery; ~**isk,** mysterious.

myte, *s* myth; ~**isk,** mythic(al); ~**ologi,** mythology.

mytteri; gjøre ~, mutiny.

møbel, piece of furniture; *pl* furniture; ~**elhandler,** furniture dealer; ~**elsnekker,** cabinetmaker; ~**lere,** furnish.

møkk, dung, muck; ~**kjerre**, dung-cart.

mølje, jam, jumble, mix.

møll, moth.

mølle, mill; ~**r**, miller.

møne, ridge of a roof.

mønje, red-lead, minium.

mønster, pattern, model; *gram* paradigm; ~**gyldig**, model; ~**verdig**, exemplary.

mønstre; ~**ing**, muster; ~**et**, patterned.

mør, (kjøtt) tender; ~**banke**, (rundhjule) beat black and blue; ~**brad**, ~**bradstek**, sirloin.

mørk, dark; (dyster) gloomy; ~**e**, dark; darkness; ~**ne**, darken.

mørtel, mortar.

møte, *v* meet; (støte på) meet with; *s* meeting; ~**s**, meet; ~**sted**, meeting place.

møy, maid(en), virgin; ~**dom**, maidenhood.

møye, pains, trouble.

måfå: på ~, at random.

måke, *s* (sea-)gull; *v* clear away, shovel.

mål, (~**eenhet**) measure; (omfang) dimension; (hensikt) aim, goal, object(ive); (språk) tongue; language: ~**bevisst**, purposeful; ~**binde**, nonplus; ~**e**, measure; ~**er**, meter; ~**estokk**, standard; (kart) scale; ~**føre**, dialect; ~**mann**, goal-keeper; ~**stang**, goal-post; ~**tid**, meal; ~**trost**, song thrush.

måne, moon; (på hodet) bald spot; ~**d**, month; ~**dlig**, monthly; ~**fase**, phase of the moon; ~**ferd**, lunar flight; ~**formørkelse**, eclipse of the moon; ~**lys(t)** moonlight.

måpe, gape.

mår, marten.

måte, way, manner; fashion; ~**hold**, moderation; (i nytelser) temperance; ~**holdende**, moderate, temperate; ~**lig**, mediocre; indifferent.

måtte, (nødvendighet) be obliged to, have to.

N

nabo, neighbour; ~**lag**, neighbourhood, vicinity; ~**skap**, neighbourhood.

nafta, naphtha; ~**lin**, naphthalene.

nag, **bære** ~, bear malice *el* grudge; ~**e**, gnaw, rankle.

nagle, *s* og *v* rivet.

naiv, naive; ~**itet**, naiveté.

naken, naked; (i kunst) nude.

nakke, nape, back of the head.

Napoli, Naples.

napp, (av fisk) bite.

narko|man, drug addict; ~**se**, narcosis; ~**tika**, narcotics, drugs.

narr, fool; ~**aktig**, foolish; ~**e**, trick, fool; ~**estreker**, pranks, foolery.

nasjon, nation; ~**al**, national; ~**aldrakt**, national costume; ~**alforsamling**, national assembly; ~**alisere**, nationalize; ~**alisering**, nationalization; ~**alisme**, nationalism; ~**alitet**, nationality; ~**alsang**, national anthem.

naske, pilfer; ~**ri**, pilferage.

natr|ium, sodium; ~**on**, soda.

natt, night; ~**bord**, bedside table; ~**ergal**, nightingale; ~**kjole**, night dress; ~**tillegg**, bonus for night work; ~**verden**, the Lord's Supper, the Holy Communion.

natur, nature; (landskap) scenery; ~**alistisk**, naturalistic; ~**fag**, natural science; ~**forsker**, naturalist; ~**historie**, natural history; ~**lig**, natural; ~**ligvis**, naturally, of course; ~**silke**, real silk; ~**stridig**, contrary to nature; ~**vern**, nature conservation; ~**vitenskap**, (natural) science; ~**vitenskapsmann**, scientist.

nautisk, nautical.

nav, nave, hub; ~**ar**, auger.

naviga|sjon, navigation; ~**atør**, navigator; ~**ere**, navigate.

navle, navel; ~**streng**, navel string, umbilical cord.

navn, name; ~**e**, mark; ~**eopprop**, call-over, roll-call; ~**eskilt**, name plate; ~**etrekk**, signature; ~**gi**, name, mention by name.

nazi|sme, Nazism; ~**t**; ~**tisk**, Nazi.

nebb, beak, bill; ~**et**, *fig* saucy, pert; ~**tang**, pliers.

ned, down; ~**arvet**, inherited; ~**brent**, burnt down; ~**brutt**, broken (down); ~**bør**, precipitation, rainfall; ~**e**, down, below.

neden|for, *prp adv* below; ~**fra**, from below; ~**under**, beneath; down below, downstairs.

neder|drektig, vile, base; ~**lag**, defeat; **N-land**, the Netherlands; ~**landsk**, Dutch; ~**st**, lowest, nethermost; *adv* at the bottom.

ned|etter, downwards; ~**fall**, **radioaktivt** ~, fall-out; ~**gang**, (vei ned) way down, descent; *fig* decline, falling off; ~**gangstid**, recession, depression; ~**komme**, be delivered (**med:** of), give birth to; ~**komst**, delivery;

~ **latende**, condescending; ~ **late seg**, condescend, stoop; ~ **legge** (forretning, skole o.l.) close (down), shut down; (arbeidet) stop, cease; (hermetisere) tin, can, pack, (frukt) preserve; ~ **over**, adv down, downwards; prp down; ~ **overbakke**, downhill; ~ **rakking**, running down; ~ **re**, lower; ~ **rig**, base, vile; ~ **ringet**, low(-necked), décolletée; ~ **rivning**, demolition; ~ **ruste**, disarm; ~ **rustning**, disarmament.

ned|sable, cut down; ~ **satt** (pris), reduced; ~ **senkning**, sinking, lowering; ~ **sette** (priser) reduce; (en komité) appoint, set up; ~ **settelse**, reduction; appointment; ~ **settende**, disparaging, depreciatory; ~ **skjæring**, reduction, cut; ~ **skrive**, (valuta) devalue; (redusere) reduce; ~ **skriving**, reduction; (av valuta) devaluation; ~ **slag** (i pris) reduction, discount; ~ **slående**, disheartening; ~ **slått**, dejected; ~ **stamme**, descend; ~ **stemt**, dejected; ~ **stemthet**, dejection.

nedtrapping, stepping-down, de-escalation.

ned|trykt, depressed; ~ **verdige**, degrade, disgrace; ~ **verdigelse**, degradation.

negativ, s & adj negative.

neger, Negro.

negl, nail; ~ **elakk**, nail varnish (el polish).

neglisjé, negligee, négligé; ~ **ere**, neglect.

nei, no.

neie, (drop a) curts(e)y.

nek, sheaf.

nektar, nectar.

nekrolog, obituary.

nekte, refuse; (be ~) deny; ~ **lse**, gram negation; ~ **nde**, negative.

nellik, pink; (krydder) clove.

nemlig (d.v.s.) namely, viz.; (fordi) because, for.

nemnd, committee, board.

nepe, turnip.

neppe, hardly, scarcely.

nerve, nerve; ~ **feber**, typhoid fever; ~ **lege**, neurologist; ~ **smerter**, neuralgia; ~ **system**, nervous system.

nervøs, nervous; ~ **itet**, nervousness.

nes, isthmus, headland; ~ **e**, nose; ~ **egrus**, prostrate; ~ **evis**, saucy, impertinent; ~ **horn**, rhinoceros; dt rhino.

nesle, nettle.

nest, **neste**, next; ~ **e** s neighbour; ~ **en**, almost, nearly; ~ **formann**, vice-chairman, vice-president; ~ **kommanderende**, second in command; ~ **sist**, last but one.

nett, adj neat, nice; s net;

(**bære** ~) string bag; ~ **hendt**, handy; ~ **hinne**, retina; ~ **ing**, netting; ~ **o**, net; ~ **obeløp**, net amount; ~ **opp**, just; ~ **outbytte**, net proceeds; ~ **verk**, net-work.

neve, fist; hand; ~ **nyttig**, handy.

never, birch bark.

nevne, mention; ~ **r**, denominator; ~ **verdig**, worth mentioning.

nevrolog, neurologist; ~ **se**, neurosis; ~ **tiker**, ~ **tisk**, neurotic.

nevø, nephew.

ni, nine.

nidkjær, zealous; ~ **het**, zeal.

niese, niece.

nifs, creepy, eerie.

nihilisme, nihilism; ~ **t**, nihilist.

nikk; ~ **e**, nod.

nikkel, nickel.

nikotin, nicotine.

Nilen, the Nile.

nipp; ~ **e**, sip.

nise, porpoise.

nisje, niche.

nisse, *s* (hob)goblin, puck.

nitrat, nitrate; ~ **oglyserin**, nitro-glycerine.

nitten, nineteen; ~ **i**, ninety.

nivellere; ~ **å**, level.

nobel, noble; ~ **lesse**, nobility.

noe (et *el* annet) something; (noe som helst) anything;

adv somewhat; ~ **n**, *adj* og *s* some; any; (en *el* annen) somebody; (noen som helst) anybody; ~ **nlunde**, tolerably, fairly; ~ **nsinne**, ever; ~ **nsteds**, anywhere; (et *el* annet sted) somewhere.

nok, *adj* enough, sufficient; *adv* enough, sufficiently; ~ **så**, fairly, pretty; (temmelig) rather.

nomade, nomad; ~ **folk**, nomadic people.

nominativ, the nominative; ~ **ell**, nominal; ~ **ere**, nominate.

nonne, nun; ~ **kloster**, nunnery, convent.

nord, north; ~ **enfor**, *adj* (to the) north of; ~ **isk**, northern; Nordic; ~ **lig**, northern; ~ **lys**, northern lights, aurora borealis; ~ **mann**, Norwegian; ~ **pol**, north *el* arctic pole; ~ **på**, in the North; **Nordsjøen**, the North Sea.

Norge, Norway.

norm, norm, rule, standard; ~ **al**, normal; ~ **alisere**, normalize, standardize.

norsk, Norwegian.

not, seine.

nota, bill; ~ **bene**, observe, mind.

notat, note.

note, note; (til et musikkstykke) music; ~ **re**, note, (pris) quote; ~**ring** (pris-) quotation.

notis, note; (i avis) paragraph, notice; ~**bok**, notebook.

notorisk, notorious.

novelle, short story.

november, November.

novise, novice.

null, (tegn) nought, naught; (punkt) zero; nil; ~**punkt**, zero.

num|erisk, numerical; ~**mer**, number; (størrelse av klær) size; (i program) item; (utgave) issue; (eksemplar av blad) copy; ~**merere**, number; ~**merert plass**, reserved seat; ~**merskilt**, (på bil) number-plate.

ny, *(mots* gammel) new; (ytterligere) fresh, further; (månefase) new moon.

nyanse, shade; ~**re**, shade off.

ny|begynner, beginner; ~**bygger**, settler.

nydelig, nice, pretty, lovely.

ny|fiken, curious, inquisitive; ~**forlovet**, recently engaged; ~**gift**, newly married; ~**het(er)**, news; **en** ~**het**, a piece of news.

ny|kokt, freshly boiled; ~**komling**, newcomer; ~**lig**, recently, lately; of late.

nymalt, freshly painted.

nymfe, nymph.

ny|motens, newfangled; ~**måne**, new moon.

nynne, hum.

nype, hip; ~**rose**, dog-rose.

nyre, kidney; ~**stein**, renal calculus; nephrite.

nys, ~**e**, sneeze.

nysgjerrig, curious; ~**het**, curiosity.

nysølv, nickel (*el* German) silver.

nyte, enjoy; ~**lse**, enjoyment, pleasure; ~**lsessyk**, pleasure-seeking.

nytt, *s* news.

nytte, *v* (gagne) be of use, help; (bruke) use; *s* use; (fordel) benefit, advantage; ~**løs**, useless.

nyttig, useful, helpful.

nyttår, New Year; **godt** ~, a Happy New Year; ~**saften**, New Year's Eve.

nær, *adj* near, close; *prp* near; ~**e**, nourish, feed; (en følelse) entertain, nourish, cherish; ~**ende**, nourishing, nutritious; ~**gående**, indiscreet, forward; ~**het**, neighbourhood.

næring, (føde) nourishment, food; (levevei) trade, industry; ~**sdrivende**, trader, tradesman; ~**sliv**, trade (and industry); ~**svei**, industry, trade.

nær|me seg, approach (draw)

near; ~**synt**, shortsighted; ~**tagende**, touchy; sensitive; ~**vær**, presence; ~**værende**, present.

nød, need, want, distress; ~**anker**, sheet-anchor; ~**brems**, emergency brake; ~**e**, urge, press; ~**havn**, port of refuge; ~**ig**, reluctantly; ~**landing**, forced landing; ~**lidende**, needy, destitute; ~**løgn**, white lie; ~**rop**, cry of distress; ~**sfall**: i ~, in case of need; ~**t til**, obliged *(el* forced, compelled) to); ~**utgang**, emergency exit; ~**vendig**, necessary; ~**vendiggjøre**, necessitate; ~**vendighet**, necessity; ~**vendigvis**, necessarily; ~**verge**, self-defence.

nøkk, nix.

nøkkel, key; *mus* clef; (til gåte) clue; ~**lehull**, keyhole; ~**leknippe**, bunch of keys; ~**lering**, key-ring.

nøktern, sober.

nøle, hesitate; ~**ing**, hesitation.

nøste, *s* ball.

nøtt, nut; ~**ekjerne**, kernel of a nut; ~**eknekker**, nutcracker(s).

nøyaktig, exact, accurate; ~**het**, exactness, accuracy.

nøye, *adj* close; (omhyggelig) careful, *vr* be content *(el* satisfied (**med**: with)); ~**regnende**, particular (**med**: about).

nøysom, easily satisfied; ~**het**, contentment.

nøytral, neutral; ~**isere**, neutralize; ~**itet**, neutrality.

nå, *adv* now; *v* reach; (tog *o.l.*) catch.

nåde, grace; (barmhjertighet) mercy; ~**gave**, gift of grace; ~**støt**, death blow, coup de grâce.

nådig, gracious.

nål, needle; (knappe-) pin; ~**eskog**, coniferous forest; ~**etre**, conifer.

når, when; ~ **som helst**, whenever; (at) any time.

nåtid, present time; *gram* the present (tense); ~**tildags**, nowadays; ~**vel**, well (then); ~**værende**, present, prevailing.

O

oase, oasis.

obduksjon, autopsy, post-mortem (examination);

~**sere**, perform a post-mortem on.

oberst, colonel.

objekt, object; ~ **iv,** adj objective; s lens, objective; ~ **ivitet,** objectivity.

oblat, wafer.

obligasjon, bond; ~ **torisk,** compulsory, obligatory.

obo, oboe.

observasjon, observation; ~ **atør,** observer; ~ **atorium** observatory; ~ **ere,** observe.

odd, point; ~ **e,** s point; adj (om tall) uneven, odd.

ode, ode.

odel, allodial possession; ~ **sbonde,** allodialist; ~ **sgård,** allodium.

odiøs, invidious.

offensiv, offensive.

offentlig, public; ~ **gjøre,** publish; ~ **gjørelse,** publication.

offer, sacrifice; (for ulykke) victim; (~ gave) offering; ~ **villig,** self-sacrificing.

offiser, officer; ~ **iell,** official.

ofre; ~ **ing,** sacrifice.

ofte, often.

og, and; ~ **så,** also; too; as well.

oker, ochre.

okkupasjon, occupation; ~ **ere,** occupy.

okse, bull; (trekk-) ox; ~ **kjøtt,** beef.

oksyd, oxide; ~ **ere,** oxidize; ~ **ering,** oxidation.

oktav, (format) octavo; mus octave.

oktober, October.

olabukser, jeans.

oldefar, great-grandfather; ~ **emor,** great-grandmother; ~ **frue,** matron; ~ **ing,** old man; ~ **tid,** antiquity.

oliven, olive; ~ **olje,** olive oil.

olje, s & v, oil; ~ **aktig,** oily; ~ **boring,** drilling for oil; ~ **boringsplattform,** drilling platform; ~ **farge,** oil-colour; ~ **felt,** oil-field; ~ **hyre,** oilskins; ~ **ledning,** pipeline; ~ **lerret,** oilcloth; ~ **maleri,** oil-painting.

olm, furious, mad.

olympiade, Olympic Games.

om, konj whether, if; (dersom) if; (selv om) even if, even though; prp about; of; on; adv igjen, (over) again, once more; ~ **arbeide,** revise; ~ **bestemme seg,** change one's mind; ~ **bord,** on board, aboard; ~ **bringelse,** delivery; ~ **bygning,** rebuilding; ~ **bæring,** delivery; ~ **danne,** transform, convert; ~ **dannelse,** transformation, conversion; ~ **dreining,** turn, revolution; ~ **dømme,** judgment; reputation; ~ **egn,** neighbourhood, surroundings, environs.

omelett, omelet(te).

omfang, (utstrekning) extent; (størrelse) volume; ~ **fangs-**

rik, extensive; ~ fatte, (inn-
befatte) comprise, include,
comprehend; ~ fattende,
comprehensive, extensive;
~ favne; ~ favnelse, em-
brace, hug; ~ forme, trans-
form.

omgang, (omdreining) rota-
tion; (samkvem) inter-
course; (i konkurranse)
round; (fotball) half-time;
~ gangskrets, circle of ac-
quaintances; ~ gi, sur-
round; ~ givelser, surround-
ings, environment; ~ gjen-
gelig, sociable; ~ gå, evade,
mil outflank; ~ gående (pr
~) by return of (post);
~ gås, associate with.

omhu, care; ~ hyggelig, care-
ful; ~ igjen, again, over
again; ~ kamp, idr play-off;
~ kjørsel, diversion, detour;
~ komme, perish; ~ kostnin-
ger, cost(s); (avgifter) charg-
e(s); expense(s); ~ kranse,
encircle; ~ krets, circumfer-
ence; ~ kring, (a)round,
about; ~ kved, refrain.

om lag, about; ~ land, se
omegn; ~ laste, trans-ship;
~ lasting, trans-shipment;
~ legging, reorganization,
rearrangement; ~ lyd, muta-
tion; ~ løp, circulation.

omme, over, at an end.
omordne, rearrange; ~ orga-
nisere, reorganize; ~ plan-

ting, transplanting, replant-
ing; ~ reisende, travelling;
~ ringe, surround; ~ riss,
outline; ~ råde, territory,
area; fig field.

omsetning, merk turnover,
sales; ~ setningsavgift, pur-
chase tax; ~ sette, sell;
~ sider, eventually, at
length; ~ skape, transform;
~ skipe, trans-ship; ~ skjære,
circumcise; ~ skjæring, cir-
cumcision; ~ skolere, re-edu-
cate; ~ skrive, ~ skrivning,
paraphrase; ~ slag, (på brev)
wrapper; (til bok) cover;
med compress; (i været)
change; ~ sorg, care; ~ sten-
delig, adj circumstantial, de-
tailed; ~ stendighet, circum-
stance, ~ stigning, change;
~ streifer, vagrant, tramp;
~ stridt, disputed; ~ styrte,
overthrow; ~ støte, (opp-
heve) set aside, reverse;
~ sydd, altered.

omtale, s v mention; ~ tanke,
thoughtfulness; ~ tenksom,
thoughtful; ~ trent, about,
approximately; ~ trentlig,
approximate; ~ valg, re-
election; ~ vei, roundabout
way, detour; ~ veltning,
revolution; ~ vende, con-
vert; en ~ vendt, a convert;
~ vendelse, conversion;
~ vendt, reverse; ~ verden,
outside world; ~ viser,

guide; ~**visning**, showing about; ~**vurdering**, revaluation.

ond, evil, wicked; ~**artet**, (sykdom) dangerous, malignant; ~**e**, evil; ~**sinnet**, evil-minded; ~**skapsfull**, malicious.

onkel, uncle.

onsdag, Wednesday.

opera, opera; ~**asjon**, operation; ~**ere**, operate, *tr* operate on; ~**ette**, operetta.

opinion, public opinion; ~**sundersøkelse**, (public) opinion poll.

opp, up; ~**arbeide**, work up; ~**bevare**, keep; ~**bevaring**, *jernb* left-luggage office; ~**blåst**, inflated; ~**brakt**, indignant; ~**brett**, turn-up; ~**brudd**, departure; ~**brukt** (beholdning) exhausted; (penger) spent; ~**byggelig**, edifying.

oppdage, discover; ~**dagelse**, discovery; ~**dagelsesreisende**, explorer; ~**dra**, bring up; ~**drag**, commission; task; ~**dragelse**, upbringing; education; ~**drett**, breeding, rearing; ~**dretter**, breeder; ~**drift**, buoyancy; *fig* ambition.

oppe, up; (åpen) open.

oppfange, (oppsnappe) intercept; ~**farende**, hot-tempered; ~**fatning**, (forståelse)

comprehension; (mening) opinion, view; ~**fatte**, (forstå) understand, catch; ~**finne**, invent; ~**finnelse**, invention; ~**finner**, inventor; ~**fordre**, invite, call upon; ~**fordring**, invitation, request; ~**fylle**, fulfil; ~**fyllelse**, fulfilment; ~**føre**, (bygge) construct, erect; *teat* perform; (i regnskap) enter; *vr* behave; ~**førelse**, erection; performance; ~**førsel**, behaviour, conduct.

oppgang, rise; (i hus) staircase; ~**gangstid**, boom; ~**gave**, (fortegnelse) statement; (arbeid) task, job; (stil-) subject; (eksamens-) paper, test; ~**gi**, give up; abandon; (meddele) state; ~**gjør**, settlement; ~**glødd**, *fig* enthusiastic.

opphav, origin; ~**havsmann**, author; ~**heve**, (avskaffe) lift, abolish; (lov) repeal; ~**hevelse**, lifting, abolition, repeal; ~**hisse**, excite, stir up; ~**hisselse**, excitement; ~**hold**, stay; (stans) break; ~**holde**, (forsinke) delay; *vr* stay, (fast) live; ~**holdstillatelse**, residence permit; ~**hopning**, accumulation; ~**hovnet**, swollen; ~**hør**, cessation, discontinuance; ~**høre**, cease, stop, end, discontinue; ~ **høye**, raise, elevate; ~ **høyet**, elevated; *fig* sublime.

oppildne, inflame.

oppkalle etter, name after; ~ **kast**, vomit; ~ **kavet**, flurried; ~ **kjøper**, buyer; ~ **kjørsel**, drive; ~ **klare**, clear up; ~ **knappet**, unbuttoned; ~ **kok**, slight boiling, boil; *fig* rehash; ~ **komling**, upstart, parvenu; ~ **komme**, spring; well; ~ **komst**, origin, rise; ~ **krav**, (sende mot ~) send C. O. D. (cash on delivery); ~ **kvikke**, refresh; ~ **kreve**, collect.

opplag, (av bok) impression; (av avis) circulation; **skip i** ~ **lag**, laid-up ships; ~ **lagt**, (være ~, i stemning) feel fit, be in a good mood; (selvfølgelig) obvious, evident; ~ **land**, surrounding country; ~ **lesning**, reading (aloud); ~ **leve**, ~ **levelse**, experience; ~ **live**, (oppmuntre) cheer up; ~ **livningsforsøk**, attempt at resuscitation; ~ **lyse**, light up, illuminate; (meddele) inform, state; ~ **lysning**, (piece of) information; bare *sg;* (folke~) enlightenment; ~**lysningstiden**, the Age of Enlightenment; ~ **lyst** (om belysning) illuminated, lit up; (om kunnskaper) en-

lightened, educated; ~ **læring**, training; ~ **lært**, trained; ~ **løp**, riot; ~ **løse**, dissolve; ~ **løsning** dissolution; *kjem* solution.

oppmann, umpire, arbitrator; ~ **merksom**, attentive; (være ~ **på**), be aware of; ~ **merksomhet**, attention; ~ **muntre**, (tilskynde) encourage; (gjøre glad) cheer up; ~ **muntring**, encouragement; ~ **navn**, nickname; ~ **nevne**, appoint; ~ **nå**, obtain, achieve, attain, gain.

oppofre; ~ **ofrelse**, sacrifice; ~ **ofrende**, devoted.

opponent, opponent; ~ **ere**, object, raise objections.

opportunist; ~ **istisk**, opportunist.

opposisjon, opposition.

oppover, up, upward(s).

opppakning, pack; ~ **pussing**, renovation, redecoration.

opppregning, enumeration; ~ **reisning**, reparation; satisfaction; ~ **reist**, erect; ~ **rette**, found, establish; ~ **rettelse**, foundation, establishment; ~ **retthode**, maintain; ~ **riktig**, sincere; ~ **riktighet**, sincerity; ~ **ringning**, call; ~ **rinnelig**, original; ~ **rinnelse**, origin; ~ **rivende**, harrowing; ~ **rop**, proclamation; (navne-) call-over, rollcall; ~ **rustning**, rearmament; ~**rydding**, clearance; ~**rør**, rebellion, revolt; (opptøyer) riot(s); ~**røre**, (vekke avsky) revolt; ~**rørende**, shocking, revolting; ~**rører**, rebel; ~**rørsk**, rebellious; ~**rørt**, (hav) rough; *fig* shocked; ~**rådd**, a loss.

opp¦samling, accumulation; ~**satt på**, bent *(el* keen) on; ~**sigelig**, terminable; (obligasjon) redeemable; (funksjonær) removable; ~**sigelse**, notice; (kontrakt) termination; (lån) calling in; ~**sigelsestid**, term of notice; ~**sikt**, attention; (sterkere) sensation; ~**siktsvekkende**, sensational; ~**skaket**, upset; ~**skjørtet**, bustling; ~**skremt**, alarmed, startled; ~**skrift**, recipe; ~**skrive** (forhøye) write up; ~**skrytt**, overpraised; ~**slag**, (på erme) cuff; (plakat) bill, notice; ~**slagsbok**, reference book; ~**slagstavle**, notice board; ~**snappe**, *fig* catch; (brev *o.l.*) intercept; ~**spedd**, diluted, thinned; ~**spilt**, *fig* keyed up; ~**spinn**, fabrication; ~**spore**, trace.

opp¦stand, insurrection, rising; ~**standelse**, (fra de døde) resurrection; (røre) excitement, stir; ~**stemt**, in high spirits; ~**stigende**, ascending; ~**stigning**, ascent; ~**stille**,

(ordne) arrange; ~**stilling**, arrangement, *mil* falling in; ~**stiver**, pick-me-up; ~**stoppernese** snub-nose; ~**strammer**, (tiltale) talking-to; ~**styltet**, stilted; ~**styr**, stir, commotion; ~**stå**, *fig* arise; ~**suge**, absorb; ~**summere**, sum up; ~**summering**, summary; ~**sving**, *merk* boom, upswing; ~**svulmet**, swollen; ~**syn**, supervision; ~**synsfartøy**, fishery protection vessel; ~**synsmann**, inspector, supervisor; ~**søke** (besøke) go and see, look up.

opp¦ta, take up, occupy; ~**tagelse**, admission; ~**tagelsesprøve**, entrance examination; ~**tak** (lydbånd *o.l.*) recording; ~**tatt**, engaged; (plass *o.l.* også) taken; ~**tegne**, ~**tegnelse**, record; ~**tog**, procession; ~**trapping**, escalation, stepping-up; ~**tre**, *teat* appear; (handle) act; ~**treden**, appearance; (handling) action; (oppførsel) conduct; ~**trekker**, bottle opener; ~**trinn**, scene; ~**trykk**, reprint; ~**tøyer**, riot(s).

opp¦vakt, bright, intelligent; ~**varming**, heating; ~**varte**, wait upon *el* on; ~**vask**, washing-up; *konkr* dishes; ~**vaskmaskin**, dishwashing machine, dishwasher; ~**veie**, counterbalance; ~**vekst,** adolescence; ~**vigle,** stir up; ~**vigler,** agitator; ~**vigleri,** agitation; ~**vise,** show; ~**visning,** display, show.

oppøve, train.

optiker, optician.

optimisme, optimism; ~**t,** optimist; ~**tisk,** optimistic.

orakel, oracle.

oransje, orange.

ord, word; **be om** ~**et,** request leave to speak; **gi** ~**et,** call on, give the floor; ~**bok,** dictionary.

orden, order; ~**smann,** methodical person; (på skole) monitor; ~**stall,** ordinal number; ~**tlig,** (som er i orden) orderly, tidy; (riktig) proper, regular; (anstendig) decent.

ordforråd, vocabulary; ~**fører,** chairman; (i bykommune) mayor.

ordinasjon, ordination; ~**ere,** ordain; *med* prescribe; ~**ær,** ordinary; (simpel) common.

ordklasse, part of speech; ~**lyd,** wording.

ordne, arrange, fix; ~**ing,** arrangement.

ordonnans, orderly.

ordre, order.

ordrett, literal, verbatim; ~**skifte,** debate, discussion; ~**spill,** pun; ~**språk,** pro-

verb; ~**stilling,** word order; ~**styrer,** chairman.

organ, organ; (stemme) organ of speech, voice; ~**isasjon,** organization; ~**isator,** organizer; ~**isere,** organize; ~**isk,** organic; ~**isme,** organism; ~**ist,** organist.

orgel, organ.

orgie, orgy.

orientalsk, oriental; ~**en,** the East, the Orient; ~**ere,** inform, brief; ~**ere seg,** take one's bearings, orientate oneself; ~**ering,** (rettledning) guidance, information.

original, original.

orkan, hurricane.

orke (greie) manage; (holde ut) bear.

orkester, orchestra, band.

orkidé, orchid.

orm, worm; (slange) snake.

ornament; ~**ere,** ornament.

ortodoks, orthodox.

ortografi, orthography; ~**sk,** orthographic.

os, (røyk) smoke; (elve-) mouth, outlet; ~**e,** smoke.

osean, ocean.

oss, us.

ost, cheese.

osv, etc, and so on, and so forth.

oter, otter.

otium, leisure, retirement.

oval, *adj & s* oval.

ovenfor *adv & prp* above;

~ nevnt; ~ stående, above-
(-mentioned); ~ på (i etasjen
over) upstairs.
over, over; (høyere oppe enn)
above; (tvers ~) across;
~ alt, everywhere; ~ an-
strenge seg, overwork (el
overstrain) oneself; ~ an-
strengelse, overstrain;
~ arm, upper arm.
over|befolket, over-populated;
~ bevise, convince (om: of);
~ bevisning, conviction;
~ blikk, general view; ~
bord, overboard; ~ bringe,
deliver; ~ by, outbid;
~ bærende, indulgent (med:
to); ~ bærenhet, indulgence.
over|del, upper part; ~ dra,
transfer; (myndighet) dele-
gate; ~ dreven, exaggerated;
~ drive, exaggerate; ~ dri-
velse, exaggeration; ~ døve,
drown; ~ dådig, luxurious,
sumptuous.
over|ens: komme, stemme ~,
agree; ~ enskomst, agree-
ment; ~ ensstemmelse, ac-
cordance, agreement.
over|fall, ~ falle, assault;
~ fart, crossing, passage;
~ fladisk, ~ flate, surface;
~ flod, abundance; ~ flødig,
superfluous; ~ for prp adv
opposite; prp fig in (the)
face of; ~ fylt, overcrowd-
ed; ~ føre, transfer; (TV og
radio) transmit; ~ føring,

transfer; (TV og radio)
transmission; ~ ført, (om
betydning) figurative.
over|gang, crossing; fig transi-
tion; ~ gangsalder, climac-
teric; ~ gangsbillett, trans-
fer(-ticket); ~ gi, hand over;
~ gi seg; ~ givelse, surren-
der; ~ grep, encroachment;
~ grodd, overrun; ~ gå, ex-
ceed, surpass.
over|hale, overhaling, over-
haul; ~ hengende, (om fare)
imminent, impending;
~ herredømme, supremacy;
~ hode, head; ~ hodet, (i det
hele tatt) at all; ~ holde,
observe, keep; ~ høvle, fig
dress down; ~ hånd, ta
~ ~, become rampant.
over|ilt, rash.
overingeniør, chief engineer.
over|kjeve, upper jaw;
~ kjørt: bli ~, get run over;
~ klasse, upper classes;
~ kokk, chef; ~ kommando,
chief command; ~ komme,
manage; ~ kommelig, (pris)
reasonable.
over|lagt, premeditated; (ska-
de) wilful; ~ last, injury; ~
late, leave; ~ lege, chief physi-
cian; ~ legen, superior; (i
vesen) haughty, supercili-
ous; ~ legenhet, superior-
ity; (i vesen) haughtiness;
~ legg: med ~, deliberately;
~ leve, survive; ~ levere, de-

liver; ~ liste, outwit; ~ lær, upper vamp; ~ løper, deserter, defector.

overlmakt, superiority; ~ mann, superior; ~ manne, overpower; ~ menneske, superman; ~ moden, overripe; ~ morgen: i ~, the day after to-morrow; ~ måte, extremely.

overlnatte, stay overnight, spend the night; ~ naturlig, supernatural.

overloppsyn, supervision; ~ ordentlig, extraordinary; ~ ordnet, superior.

overlraske; ~ raskelse, surprise; ~ reise, crossing, passage; ~ rekke, present; ~ rumple, take by surprise.

overs, til overs, left(over); ~ se, (ikke se) overlook, miss; ~ sette, translate; ~ settelse, translation; ~ setter, translator; ~ sikt, survey; ~ sjøisk, oversea(s); ~ skride, exceed; ~ skrift, heading; (i avis) headline; ~ skudd, surplus; ~ skyet, overcast; ~ slag, estimate; ~ spent, high-strung; ~ stige, exceed, surpass; ~ strykning, crossing out,

deletion; ~ strømmende, effusive, profuse; ~ svømme, overflow, flood; fig overrun; ~ svømmelse, flood, inundation; ~ søster, head nurse.

overlta, take over; ~ tak: ha ~ et, have the upper hand; ~ tale, persuade; ~ talelse, persuasion; ~ tid, overtime; ~ tre, (lov o.l.) infringe, break; ~ treffe, exceed, surpass; ~ trekke, (konto) overdraw; ~ tro, superstition; ~ troisk, superstitious.

overlveie, consider, think over; ~ veielse, consideration, deliberation; ~ veiende, adv mainly, chiefly; ~ vekt, overweight; fig preponderance; predominance; ~ velde, overwhelm; ~ vinne, conquer, defeat; (vanskelighet) overcome; ~ vintre, winter; ~ vurdere, overestimate; ~ være, attend; ~ våke, watch (over), supervise.

overøse med, shower st on.

ovn, stove; (baker ~) oven; (smelte-) furnace; elektr heater.

P

padde, toad.
padle, paddle.
pakk, (pøbel) mob; ~**e,** *v*
pack; wrap; ~**e opp,** un-
pack; unwrap; ~**e inn,**
wrap up; ~**e** *s* parcel; (fa-
brikkpakket) packet; ~**e-
post,** parcel post; ~**hus,**
warehouse; ~**is,** pack ice.
pakning, package, packing.
pakt, pact, covenant.
palass, palace.
palett, palette.
palme, palm; ~**søndag,** Palm
Sunday.
panel, (på vegg) wainscot;
(TV, radio) panel.
panikk; panisk, panic.
panne, (steke-) frying-pan;
(ansiktsdel) forehead;
~**kake,** pancake.
panser, armour; (på bil) bon-
net; *amr* hood; ~**bil,** ar-
moured car; ~**hvelv,** strong
room.
pant, pledge; (hånd-) pawn;
(i fast eiendom) mortgage;
(for flaske) deposit; ~**e,** dis-
train on; ~**elåner,** pawn-
broker; ~**obligasjon,** mort-
gage (deed); ~**sette,** pawn;
(i fast eiendom) mortgage.
papegøye, parrot.
papir, paper; ~**forretning,**

stationer's shop; ~**kurv,**
wastepaper basket; ~**masse,**
paper-pulp; ~**pose,** paper
bag.
papp, (limt) pasteboard; (kar-
tong) cardboard; ~**eske,**
cardboard box, carton.
parade; ~dere, parade;
~**dis,** paradise; **hoppe ~dis,**
play hopscotch; ~**doks,**
paradox; ~**doksal,** para-
doxical; ~**fin,** paraffin;
~**frase,** paraphrase; ~**graf,**
paragraph; (i lov) section;
~**llell,** parallel; ~**ply,** um-
brella; ~**sitt,** parasite;
~**soll,** parasol; ~**t,** ready.
parentes, parenthesis, *pl*
~theses.
parere, parry; (adlyde) obey.
parfyme, perfume; ~**butikk,**
perfumery; ~**re,** perfume.
pari, par.
paringstid, pairing *(el* mating)
season.
park, park; ~**ere, park;**
~**eringsplass,** parkingplace
(el ground); (større) car-
park; ~**ett,** (golv) parquet;
teat stalls.
parlament, parliament; ~**a-
risk,** parliamentary.
parlør, phrase book.
parodi, parody; ~**sk,** pa-
rodic.

parole (slagord) watchword, slogan.
parsell, lot; ~ **ere**, parcel out.
part, part share; *jur* party; ~ **ere**, cut up; ~ **erre**, pit; ~ **i** *pol* party; (vare-) consignment, shipment; (giftermål) match; *mus* part; ~ **isan**, partisan; ~ **isipp**, participle; ~ **isk**, partial; ~ **itur**, score.
parykk, wig.
pasient, patient.
pasifisme, pacifism; ~ **ist**; ~ **istisk**, pacifist.
pasje, page.
pasjon, passion; ~ **ert**, (ivrig) keen, ardent.
pass, (reise-) passport; (fjell-, i kort) pass; (tilsyn) attention, care; (pleie) nursing; ~ **asje**, passage; ~ **asjer**, passenger; ~ **at**, trade-wind; ~ **e** (være beleilig) suit; (ha rett form) fit; (ta seg av) look after; ~ **ende**, suitable, fit; ~ **er**, compasses; ~ **ere**, pass (by); ~ **erseddel**, permit; ~ **iar**, talk, chat; ~ **iv**, passive; ~ **iva**, liabilities.
pasta, paste.
pastell-, ~ **farge**, pastel.
pasteurisere, pasteurize.
pastill, pastille, lozenge.
patent, patent; ~ **ert**, patented.
patetisk, pathetic; ~ **os**, pathos.

patriark, patriarch; ~ **ot**, patriot; ~ **otisk**, patriotic.
patron, cartridge.
patrulje, ~ **re**, patrol.
patte, suck; ~ **barn**, suckling; ~ **dyr**, mammal.
pauke, kettle-drum.
pause, pause; *teat o.l.* interval; *mus* rest.
pave, pope; ~ **lig**, papal.
paviljong, pavilion.
pedagog, pedagogue, education(al)ist; ~ **isk**, pedagogic(al).
pedal, pedal.
peile, take a bearing; ~ **ing**, bearing; **ta** ~ **ing på** (sikte på) aim at.
peis, fire-place; ~ **hylle**, mantelpiece.
pek, **gjøre et** ~, play a trick on; ~ **e**, point (**på**: at, *fig* to); ~ **efinger**, forefinger; ~ **estokk**, pointer.
pels, fur; ~ **dyr**, furred animal; ~ **handler**, furrier; ~ **jeger**, trapper; ~ **kåpe**, furcoat.
pen, nice, handsome, pretty.
pendel, pendulum; ~ **le** (svinge) oscillate; (reise) commute; ~ **ler**, commuter.
pengeknipe, money difficulty; ~ **plassering**, investment; ~ **pung**, purse; ~ **r**, money; ~ **seddel**, banknote; ~ **skap**, safe; ~ **utpressing**, blackmail.

penn, pen; ~ **al,** pencilcase; ~ **eskaft,** pen-holder; ~ **e- strøk,** stroke of the pen.
pensel, brush.
pensjon, pension; (kost) board; ~ **at,** boardinghouse; ~ **atskole,** boarding-school; ~ **ist,** pensioner; ~ **skasse,** pension fund.
pensum, syllabus; curriculum.
pepper, pepper; ~ **bøsse,** pep- perbox; ~ **mynte,** pepper- mint.
per *el* pr.: ~ **stykk,** a piece; ~ **dag,** per *(el a)* day; ~ **båt,** post, by boat, by post.
perfeksjonere seg i, improve one's knowledge of; ~ **t,** perfect; ~ **tum,** the perfect tense.
perforere, perforate.
pergament, parchment; ~ **pa- pir,** parchment paper.
periferi, periphery; ~ **ode,** period; ~ **odevis,** period- ic(al); ~ **skop,** periscope.
perle, pearl; (glass) bead; ~ **fisker,** pearl-diver; ~ **hals- bånd,** pearl-necklace; ~ **mor,** mother-of-pearl.
perm, cover; (omslag) file; ~ **anent,** permanent; ~ **isjon,** leave (of absence); ~ **ittere,** (gi permisjon) grant leave; (sende bort) dismiss.
perpleks, taken aback, per- plexed.
perrong, platform.

perser, Persian; ~ **ianer,** Per- sian lamb; khan; ~ **ienne,** Venetian blind; ~ **ille,** pars- ley; ~ **isk,** Persian.
person, person; *teat* charac- ter; ~ **ale,** personnel, staff; ~ **ifikasjon,** personification; ~ **ifisere,** personify; ~ **lig,** personal, in person; ~ **lig- het,** personality.
perspektiv, perspective.
pertentlig, meticulous, prim.
pervers, perverted.
pese, pant.
pessimisme, pessimism; ~ **t,** pessimist; ~ **tisk,** pessimis- tic.
pest, plague, pestilence.
petroleum, kerosene, paraffin oil; (jordolje) petroleum.
pianist, pianist; ~ **o,** piano.
pietet, piety; ~ **etsfull,** rever- ent; ~ **isme,** pietism.
pigg, spike; ~ **dekk,** studded tyre; ~ **sko,** spiked shoe; ~ **tråd,** barbed wire; ~ **var,** turbot.
pikant, piquant, racy.
pike, girl; ~ **navn** (etternavn) maiden name; **speider** ~, girlguide.
pikkolo, (hotellgutt) page; *amr* bellhop, bellboy; ~ **fløyte,** piccolo.
pil, *bot* willow; (til bue) ar- row; ~ **ar,** pillar; ~ **egrim,** pilgrim; ~ **egrimsferd,** pil- grimage.

pille, *s* pill; *v* pick.

pine, *s* og *v* pain, torture; **~ benk,** rack.

pingvin, penguin.

pinlig, awkward, painful, embarrassing.

pinne, stick; (vagle) perch.

pinnsvin, hedgehog.

pinse, Whitsun(tide); **~ dag,** Whitsunday; **~ lilje,** white narcissus.

pinsett, tweezers.

pion, peony.

pionér, pioneer.

pip, squeak; **~ e,** *s* pipe; *mus* fife; *v* whistle; squeak; **~ ekonsert,** catcalls; **~ erenser,** pipecleaner.

piple, trickle, ooze.

pir, (fisk) young mackerel; (brygge) pier; (mindre) jetty.

pirat, pirate.

pirk|e, prod; **~ eri; ~ et,** niggling.

pirre, irritate; stimulate.

pisk, whip; (pryl) flogging; **~ e,** whip, flog; (fløte, egg) beat, whip.

piss, piss, urine; **~ e,** piss, urinate; **~ oar,** urinal.

pistol, pistol; gun.

pjolter, whisky and soda.

plage, *s* og *v* trouble, bother, worry; **~ som,** troublesome.

plagg, garment.

plagi|at, plagiarism; **~ ere,** plagiarize.

plakat, placard, bill, poster.

plan, *adj* plane; *s c* plan, scheme, design; *n* plane; (nivå) level; **~ ere,** level; **~ et,** planet; **~ geometri,** plane geometry.

planke, plank; deal; **~ gjerde,** board fence, hoarding.

plan|legge, plan; **~ løs,** planless; **~ messig,** systematic.

plansje, (kart) chart.

plant|asje, plantation; **~ asjeeier,** planter; **~ e,** *s & v* plant; **~ eskole,** forest nursery.

plapre, babble, prattle.

plask; ~ e, splash; **~ regn,** downpour.

plass, (rom) room, space; (sted) place; (firkantet ~ i en by) square; (sitte ~) seat; (lønnet post), place, situation.

plassere, place; *merk* invest.

plaster, plaster.

plast|ikk; ~ isk, plast; plastic.

plate, plate; (bord-) top; (stein-) slab; (tynn metall- *el* glass-plate) sheet; (grammofon-) record; *elektr* hotplate; **~ spiller,** record player.

platt, flat; vulgar; **~ form,** platform; **~ fot,** flat foot; **~ tysk,** Low German.

platå, plateau, tableland.

pledd, (reise-) travelling rug.

pleie, *v* (ha for vane) usually do st; (pleide å) used to do st; (passe) tend, nurse, look

after; *s* nursing; tending;
~ **barn**, foster-child; ~ **hjem**,
nursing home; ~ **r**, ~ **rske**,
nurse.

plen, lawn; ~ **klipper**, lawn
mower.

plenum, i ~, in plenary session.

plett, spot; *fig* blot; (sølv-)
silver plate; ~ **fri**, spotless.

plikt, duty; ~ **ig**, obliged, (in
duty) bound; ~ **oppfyllende**,
dutiful.

plire, blink, squint.

plissé, pleating.

plog, plough; ~ **fure**, furrow.

plombe, (i tann) filling; (bly-)
(lead) seal; ~ **re**, (tann) fill,
stop; (forsegle) seal (with
lead).

plomme, (egg) yolk; (frukt)
plum.

pludre, babble.

plugg, ~ **e**, peg; plug.

plukke, pick; gather.

plump, *adj* coarse, vulgar; *s*
splash; ~ **e**, plump; ~ **het**,
vulgarity.

pluss, plus.

plutselig, *adj* sudden; *adv*
suddenly.

plyndre, plunder, pillage;
rob; ~ **ing**, pillage, plundering.

plysj, plush.

plystre, whistle.

pløse (i sko) tongue; (pose)
bag; ~ **t**, baggy, bloated.

pløye, plough.

podagra, gout.

pode, *v* graft.

poeng, point; ~ **tere**, emphasize; ~ **tert**, *adv* pointedly.

poesi, poetry; ~ **t**, poet.

pokal, cup.

pokker, the deuce, the devil.

pol, pole; (bly-) polar;
polar; ~ **arsirkel**, polar *(el
nordlig arctic)* circle.

polemikk, controversy; ~ **sk**,
controversial, polemic.

Polen, Poland.

polere, polish.

poliklinikk, policlinic.

polise, policy; ~ **ti**, police;
~ **tifullmektig**, superintendent; ~ **tikammer**, police-station; ~ **tiker**, politician;
~ **tikk**, (virksomhet) politics; (linje, fremgangsmåte)
policy; ~ **timann**, police officer, policeman; ~ **timester**,
chief constable, chief of police; ~ **tisk**, political; ~ **tistasjon**, police-station;
~ **tur**, polish.

polsk, Polish.

polstre, upholster.

polygami, polygamy.

polypp, *zool* polyp; *med* polyp(us).

pomade, pomade.

pomp, pomp, state; ~ **øs**,
pompous, stately.

ponni, pony.

poppel, poplar.

popul|arisere, popularize;
~aritet, popularity; ~ær,
popular.

pore, pore.

pornografi, pornography;
~sk, pornographic.

porselen, china, porcelain;
~svarer, china-(ware).

porsjon, portion, share; (mat)
helping.

port, gate; ~al, portal;
~efølje, portfolio; ~emoné,
purse; ~forbud, curfew;
~ier, hallporter; ~iére,
curtain, portiére; ~ner,
porter; ~o, postage; ~rett,
portrait; ~ugal, Portugal;
~ugiser; ~ugisisk, Portu-
guese; ~vin, port.

porøs, porous.

pose, bag; ~re, pose.

posisjon, position; ~tiv, posi-
tive; ~tur, attitude, pose.

post, (brev *o.l.*) post, mail;
(~vesen) post; (stilling) ap-
pointment, post, situation;
(på program *og* i regnskap)
item; ~anvisning, money
order; ~boks, post office
box; ~bud, postman; *amr.*
mailman.

postei, pie; pâté.

post|ere, post; ~e, post,
mail; ~giro, post giro,
postal cheque (service);
~hus, post office; ~kasse,
letterbox; ~kontor, post of-
fice; ~kort, postcard;

~legge, post, mail; ~mes-
ter, postmaster; ~nummer,
postcode; ~oppkrav, (sende
mot ~) send C. O. D. (cash
on delivery); ~pakke, post-
al parcel; ~stempel, post-
mark.

pote, paw.

potens, power; (kjønnskraft
også) potency.

potet, potato; ~mel, potato
flour; ~stappe, mashed po-
tatoes.

pott|aske, potash; ~e, pot;
~emaker, potter; ~eplante,
pot(ted) plant.

pragmatisk, pragmatic.

Praha, Prag, Prague.

praie, hail.

praksis, practice; ~t, splen-
dour; ~tfull, splendid;
~tikant, trainee; ~tisere,
practise; ~tisk, practical.

pram, lighter, barge.

prange, shine; ~med, show
off.

prat; ~e, chat; ~som, talka-
tive.

predikant, preacher.

preferanse, preference; ~ak-
sje, preference share.

preg, impress, stamp; ~e,
stamp, characterize.

preke, preach; ~n, sermon;
~stol, pulpit.

prektig, splendid; excellent.

prekær, precarious.

prelle av, glance off.

preludium, prelude.
premie, (forsikrings-) premium; (belønning) prize; ~ **konkurranse,** prize competition.
première, first night *el* performance.
premisse, premise.
preparat, preparation; ~ **ere,** prepare.
preposisjon, preposition.
presang, present, gift.
presenning, tarpaulin.
presens, the present (tense); ~ **tabel,** presentable; ~ **sjon,** (av person) introduction; (av veksel) presentation; ~ **tere,** (person) introduce (**for:** to); (regning, veksel) present.
president, president; (ordfører) chairman; ~ **ere,** preside.
presis, precise, punctual; (om klokkeslett) sharp; ~ **ere,** define precisely; ~ **jon,** precision.
press, pressure; (påkjenning) strain; ~ **e,** *s* press; *v* press; ~ **ebyrå,** news agency; ~ **efrihet,** freedom of the press; ~ **erende,** urgent; ~ **gruppe,** pressure group.
prest, clergyman; parson; (katolsk) priest; (sogne-) rector, vicar; (kapellan) curate; (skips-, felt- *etc*) chaplain; (Skottland og dissen-

ter-) minister; ~ **asjon,** achievement; ~ **egård,** rectory, vicarage; ~ **ekjole,** cassock; ~ **ekrage** *bot* ox-eye daisy; ~ **ere,** perform, achieve; ~ **isje,** prestige.
pretensiøs, pretentious.
Preussen, Prussia.
prevensjon, contraception; ~ **tiv,** *adj* preventive; ~ **tive midler,** contraceptives.
prikk, dot; (flekk) spot; ~ **e,** dot; (stikke) prick.
prima, first-class; ~ **itiv,** primitive; ~ **us,** primus; spirit stove; ~ **ær,** primary.
prins, prince; ~ **esse,** princess; ~ **gemal,** Prince Consort; ~ **ipiell,** fundamental, in principle; ~ **ipp,** principle.
prioritere, give preference (*el* priority) to; ~ **et,** priority; (pant) mortgage; ~ **etsaksje,** preference share; ~ **etslån,** mortgage loan.
pris, price; (premie) prize; ~ **avslag,** allowance, reduction in the price, discount; ~ **e,** (rose) praise; (fastsette prisen på) price; ~ **fall,** fall in price(s); ~ **forhøyelse,** se *-stigning;* ~ **liste,** price-list; ~ **me,** prism; (i lysekrone) drop; ~ **nedsettelse,** reduction in (*el* of) prices; price reduction; ~ **notering,** quotation; ~ **stigning,** rise of (*el*

in) prices; ~ **stopp**, price freeze; ~ **verdig**, praiseworthy.

privat, private.

privilegium, privilege.

problem, problem.

produksjon, production; ~ **kt**, product; ~ **ktiv**, productive; ~ **sent**, producer; ~ **sere**, produce.

profan, profane; ~ **fesjon**, profession; (håndverk) trade; ~ **fesjonell**, professional; ~ **fessor**, professor; ~ **fet**, prophet; ~ **feti**, prophecy; ~ **fil**, profile; ~ **fitt**; ~ **fittere**, profit.

prognose, prognosis; ~ **gram**, ~ **grammere**, program(me); ~ **gressiv**, progressive; ~ **klamasjon**, proclamation; ~ **klamere**, proclaim.

proletar, proletarian; ~ **log**, prologue; ~ **menade**, promenade; ~ **mille**, per thousand.

pronomen, pronoun; ~ **pell**, propeller; screw; ~ **porsjon**, proportion.

propp, plug; ~ **e**, (fylle) cram; ~ **e seg**, gorge (oneself); ~ **full**, choke-full.

prosa, prose; ~ **isk**, prosaic.

prosedere, jur plead; ~ **yre**, final addresses of counsel; (fremgangsmåte) procedure.

prosent, per cent; (-sats) percentage.

prosesjon, procession.

prosess, jur (law)suit, action; (kjemi) process.

prosjekt, project, scheme; ~ **sjektør**, teat spotlight; (til film) projector; ~ **sjektil**, projectile; ~ **spektkort**, (picture) postcard; ~ **stitusjon**, prostitution.

protest, protest; ~ **testant**, Protestant; ~ **testere**, protest; ~ **tokoll**, register, record (møte-) minute-book; ~ **tokollere**, register, record.

proviant, provisions; ~ **ere**, take in supplies.

provins, province; ~ **vinsiell**, provincial; ~ **visjon**, commission; ~ **visorisk**, provisional, temporary; ~ **vokasjon**, provocation; ~ **vosere**, provoke.

prute, haggle, bargain.

pryd, ornament; ~ **e**, adorn, decorate, ornament.

pryl, thrashing, beating; ~ **e**, thrash, beat.

prærie, prairie.

prøve, s trial, test; (av noe, vare-) sample; teat rehearsal; v try; (fagmessig) test; teat rehearse; ~ **lse**, trial; ~ **tur**, trial trip.

prøysser; ~ **isk**, Prussian.

psevdonym, pseudonym, penname.

psykiater, psychiatrist; ~ **iatri**, psychiatry; ~ **isk**, psychic(al); ~ **oanalyse**, psy-

choanalysis; ~olog, psy-
chologist; ~ologi, psy-
chology; ~ologisk, psycho-
logical.

pubertet, puberty.

publikasjon, publication;
~kum, the public; teat au-
dience; ~sere, publish.

pudder; ~re, powder.

pudding, pudding.

puff; ~e, push.

pugg; ~e, cram, swot.

pukkel, hump, hunch;
~rygg, hunch-back.

pulje, idr division, group; (i
spill) pool.

pull (på hatt) crown.

puls, pulse; ~ere, pulsate;
~åre, artery.

pult, desk.

pulver, powder.

pumpe, s & v pump.

pund, pound; ~seddel,
pound note.

pung, purse; zool pouch;
~dyr, marsupial.

punkt, point; (prikk) dot;
~ere, ~ering, puncture;
~lig, punctual; ~tum, full
stop.

punsj, punch.

pupill, pupil.

puppe, zool, pupa, chrysalis;
~hylster, cocoon.

pur, (ren, skjær) pure.

puré, purée.

puritaner, Puritan; ~sk, pu-
ritan(ical).

purke, sow.

purpur, purple.

purre, s leek; v (vekke), call;
rouse; mar turn out; (minne
om) remind of, press for.

pus, pussy.

pusle, (små-) fiddle, potter;
~spill, (jig-saw) puzzle.

puss, (materie) pus; (pynt)
finery; (mur) plaster; (på-
funn) trick; ~e, (gjøre
blank) clean; (rense) polish;
~emiddel, polish; ~ig,
queer, funny.

pust, breath; (vind-) puff;
~e, breathe; ~erom,
breathing space, respite.

pute, (sofa-) cushion; (hode-)
pillow; ~var, pillow-case (el
slip).

putre, (småkoke) simmer.

pygmé, pygmy.

pyjamas, pyjama(s).

pynt, ornament; (besetning)
trimmings; (odde) point;
~e, decorate; ~ seg, dress
up.

pyramide, pyramid; ~oman,
pyromaniac.

Pyreneene, the Pyrenees.

pytt, s pool, puddle.

pæl, pole, stake.

pære, pear; elektr bulb.

pøbel, mob; ~aktig, vulgar.

pøl, pool, puddle.

pølse, sausage; ~bu, hot dog
stand.

pøns(k)e på, be up to; ~ ut,
devise, think out.

pøs, bucket; ~ e, pour.

på, *prp* on, upon; ~ **berope seg**, plead; ~ **bud**; ~ **by**, order.

påfallende, striking; ~ **fugl**, peacock; ~ **funn**, invention; ~ **følgende**, following; ~ **gripe**, *jur* arrest; ~ **gående**, pushing; ~ **hengsmotor**, outboard motor.

påkalle, (oppmerksomheten) attract; ~ **kjenning**, strain, stress; ~ **kledd**, dressed; ~ **kledning**, dress.

påle, pole. stake.

pålegg, (forhøyelse) increase, rise; (på brød) cheese, meat etc.; ~ **legge**, (skatt *o.l.*) impose; ~ **litelig**, reliable; ~ **lydende**, *s* face value; ~ **løpne renter**, accrued interest.

påminnelse, reminder; ~ **mønstre**, engage; ~ **passelig**, attentive, careful; ~ **peke**, point out; ~ **pekende**, *gram* demonstrative; ~ **rørende**, relative.

påse at, see (to it) that, take care that.

påske, Easter; ~ **dag**, Easter Day *el* Sunday; ~ **lilje**, daffodil.

påskjønne, (belønne) reward; ~ **skrift** (på veksel *o.l.*) endorsement; (underskrift) signature; ~ **skudd**, pretext, excuse; ~ **skynde**, hasten; ~ **stand**, assertion; ~ **stå**, assert, maintain; ~ **ståelig**, assertive, stubborn.

påta seg, assume, undertake; ~ **tale**, *v* criticize; *s* censure; *jur* prosecution; ~ **talemyndighet**, prosecuting authority; ~ **tegne**, endorse; (underskrive) sign; ~ **(nødvendig)** urgent; ~ **trykk**, pressure; ~ **tvinge**, force upon.

påvente: i ~ av, in anticipation of; pending; ~ **virke**, influence; ~ **virkning**, influence; ~ **vise**, point out, show; (bevise) prove; ~ **visning**, demonstration.

R

rabalder, noise, row.

rabarbra, rhubarb.

rabatt, *merk* discount; (bed) border.

rable, scribble.

rad, row; (rekke) rank.

radaranlegg, radar installation.

radiator, radiator.

radikal; ~ **er**, radical; ~ **isme**, radicalism.

radio, radio, wireless; ~ **ak-**

tiv, radioactive; ~**apparat,** radio set.

radium, radium; ~**s,** radius.

raffinade, lump sugar; ~**eri,** refinery.

rage (fram) project; (~ **opp**) rise, tower.

rak, straight; ~**e,** (angå) concern; (med rive) rake.

rakett, rocket; *mil* missile.

rakke ned på, abuse, run down.

rakne, (om tøy) rip; (om strømpe) ladder; ~**fri,** ladderproof.

rakrygget, erect, upright.

ralle, rattle.

ram, (om smak) acrid, rank; ~**askrik,** outcry; ~**bukk,** rammer.

ramle, (falle) tumble; (skramle) rumble, lumber.

ramme, *v* hit, strike; *s* frame.

ramn, raven.

ramp, *koll* mob, rabble; (en person) hooligan; ~**elys,** footlights; *fig* limelight; ~**onere,** damage.

ramse, på ~, by rote; ~**e opp,** reel off.

ran, robbery.

rand, (kant) edge; (på glass) brim; *fig* brink, verge.

rane, rob.

rang, rank; (for-) precedence; ~**el,** spree, booze, revel; ~**ere,** rank; ~**le,** (rasle) rattle; (ture) go on the booze *el* spree, revel; *s* rattle.

rank, straight, erect. —

ransake, search, ransack; *dt* frisk; ~**sel,** knapsack; (skole-) satchel; ~**smann,** robber.

rap; ~**e,** belch.

rapp, *adj* quick, swift.

rapport; ~**ere,** report.

rar, queer, strange; ~**ing,** odd type; ~**itet,** curiosity.

ras, landslide, landslip; (snø-) avalanche; ~**e,** (ut) slide; (være rasende) rage, rave; storm; *s* race; (dyre-) breed; ~**ediskriminering,** racial discrimination; ~**ehat,** racial hatred; ~**ende,** furious; ~**ere,** raze; ~**eri,** fury, rage.

rasjon; ~**ere;** ration; ~**alisere,** rationalize; ~**ering,** rationing.

rask, *adj* quick; rapid, fast.

rasle, rattle; rustle; clank.

rasp; ~**e,** rasp.

rast; ~**e,** rest; ~**løs,** restless.

rate, instalment; (frakt-) rate.

ratt, (steering-) wheel.

raut; ~**e,** low.

rav, *s* amber; ~**e,** stagger, reel.

razzia, raid.

re en seng, make a bed.

reagensglass, test-tube; ~**agere,** react; ~**aksjon,** reaction; ~**aksjonær,** reactionary.

real, honest; straight; (virkelig) real; ~ **fag,** science; ~ **isasjon,** realization; (utsalg) disposal sale; ~ **isere,** realize; ~ **isme,** realism; ~ **ist,** realist; (lærer i realfag) science teacher; ~ **itet,** reality; ~ **lønn,** real wages.

rebell, rebel; ~ **sk,** rebellious.

red, roads *pl.*

redaksjon, (kontor) editorial office; (stab) editorial staff; ~ **tør,** editor.

redd, afraid, scared, frightened.

redde, save; (befri) rescue.

reddik, radish.

rede, ready; ~ **gjøre,** give an account (**for:** of); ~ **gjørelse,** account, statement; ~ **lig,** honest; ~ **r,** shipowner; ~ **ri,** shipping company.

redigere, (avis) edit; (formulere) draft.

redning, saving; rescue; ~ **sbelte,** lifebelt; ~ **sbåt,** lifeboat; ~ **svest,** life-jacket.

redsel, horror, terror; ~ **sfull,** horrible, terrible, dreadful.

redskap, tool, implement.

reduksjon, reduction; ~ **sere,** reduce.

reell, real.

referanse, reference; ~ **at,** report; (fra møte) minutes; ~ **erent,** reporter; ~ **ere** (et møte) report; (~ **til**) refer (to).

refleks, reflex; ~ **tere,** reflect (over: on).

reform; ~ **ere,** reform.

refreng, refrain, chorus.

refse, chastise, punish; ~ **lse,** chastisement, punishment.

refundere, refund; ~ **ing,** refundment.

regatta, regatta.

regel, rule; ~ **messig,** regular.

regent, ruler, regent; ~ **gime,** regime; ~ **giment,** regiment; ~ **gion,** region; ~ **gissør,** *teat* state manager; (film) director.

register, register, record; (alfabetisk) index; ~ **rere,** register, record.

regjere, govern, rule; ~ **ing,** government.

regle, jingle; ~ **ment,** regulations.

regn, rain; ~ **bue,** rainbow; ~ **byge,** shower; ~ **e,** rain; (telle) count; (be-) reckon, calculate; ~ **efeil,** miscalculation; ~ **emaskin,** calculator, calculating machine; computer; ~ **eoppgave,** arithmetical problem; ~ **frakk,** raincoat; ~ **ing,** (fag) arithmetic; (regnskap) account; (for varer *el* annet) bill; ~ **skap,** account(s); ~ **skapsbilag,** voucher; ~ **skapsfører,** accountant; ~ **skur,** shower; ~ **vær,** rainy weather.

regulativ, (lønns-) scale of wages; ~**ere,** regulate; (justere) adjust; ~**ering,** regulation, adjustment.

rehabilitere, rehabilitate.

rein, reindeer.

rein, adj clean; (ublandet) pure; ~**t** adv (helt) purely, quite, completely.

reingjøring, cleaning (up); ~**hold,** cleaning; ~**slig,** cleanly.

reip, rope.

reir, nest.

reise, vt raise, erect; vi go; (av-) leave, depart (**til:** for); (være på reise) travel; s journey; mar voyage; passage; (**kort ~**) trip; ~**byrå,** travel bureau, tourist agency; ~**gods,** luggage; ~**leder,** tour conductor, courier, guide; ~**nde,** travelling; s traveller; ~**radio,** portable radio; ~**rute,** itinerary; ~**sjekk,** traveller's cheque.

reisning, revolt; (holdning) carriage.

reiv; ~**e,** swaddle.

reke, v (drive) stray, roam; s shrimp, (større) prawn.

rekke, v reach; (levere) hand; pass; s row, range, series; mil rank; mar rail; ~**følge,** order, sequence; ~**hus,** terraced (el undetached) house; ~**vidde,** reach, scope.

rekkverk, rail(ing); (i trapp) banisters pl.

reklamasjon, complaint; (krav) claim; ~**e,** advertising; ~**ebyrå,** advertising agency; ~**ere,** (klage) complain, claim; (drive reklame) advertise.

rekognosere, reconnoitre; ~**kommandert brev,** registered letter; ~**konvalesens,** convalescence; ~**kord,** record; ~**krutt,** ~**kruttere,** recruit.

rektor, headmaster; (ved fagskole) principal; (universitet) rector.

rekyl; ~**ere,** recoil.

relativ, relative; ~**itetsteorien,** the theory of relativity.

relevant, relevant, pertinent.

relieff, relief.

religion, religion; ~**øs,** religious.

relikvie, relic.

rem, strap; (liv-) belt; ~**isse,** remittance; ~**se,** strip.

ren, se rein.

renessanse, renaissance.

renke, intrigue; ~**smed,** intriguer.

renn, run; idr race, run; ~**e,** s conduit, pipe; (tak-) spout; mar channel; (i is) lane; (grøft) canal, drain; v run; flow; (sola) rise; (lekke) leak; ~**eløkke,** noose; ~**estein,** gutter; ~**ing,** warp.

renommé, reputation.

renonsere på, renounce, give up.

rense, clean; (kjemisk) dry-clean; ~ **anlegg**, purifier plant; ~ **ri**, cleaner's.

rente(r), interest; ~ **fot**, rate.

reol, shelves pl, book-case.

reparasjon; ~ **ere**, repair.

repertoar, repertory; ~ **petere**, revise; ~ **petisjon**, revision; ~ **plikk**, jur rejoinder; teat speech; ~ **plisere**, reply; ~ **portasje**, report; rad (running) commentary.

represalier, reprisals.

representant, representative; ~ **asjon**, representation; (bevertning) entertainment; ~ **ere**, represent.

reprimande, reprimand.

reprise, teat revival; rad repeat.

reproduksjon, reproduction; ~ **sere**, reproduce.

republikaner; ~ **ikansk**, republican; ~ **ikk**, republic.

resepsjon, (hotell) reception desk; ~ **sdame**, receptionist; ~ **ssjef**, reception clerk, receptionist.

resept, prescription.

reservasjon, reservation; ~ **e**, reserve; ~ **edel**, spare part; ~ **elege**, assistant physician; ~ **ere**, reserve; ~ **oar**, reservoir, basin.

residens, residence; ~ **solusjon**, resolution; ~ **sonans**,

resonance; ~ **sonnement**, reasoning; ~ **sonnere**, reason.

respekt, respect, regards; ~ **abel**, respectable; ~ **ere**, respect.

ressurser, resources.

rest, remainder; (med bestemt art) rest; (av beløp, ordre) balance; ~ **anse**, arrears pl.

restaurant, restaurant; ~ **atør**, restaurant keeper; ~ **ere**, restore.

restere, remain, be left; ~ **riksjon**, restriction.

resultat; ~ **tere**, result.

resymé, summary, résumé; ~ **ere**, sum up, summarize.

retning, direction; ~ **snummer** (telefon) dialling code; ~ **sviser**, (bil) trafficator, direction indicator.

retorikk, rhetoric.

rett, s (mat) dish, course; (motsatt urett) right; jur lawcourt; **ha** ~, be right; adj adv right; (direkte) straight; ~ **e**, (gjøre ben) straighten; correct; (henvende) address, direct; s the right side; ~ **else**, correction; ~ **tenkende**, rightminded; ~ **ergang**, process; ~ **esnor**, fig guide.

rettferdig, just; ~ **het**, justice.

rettighet, right, privilege; ~ **ledning**, guidance; ~ **mes-**

sig, lawful, legitimate; ~**skaffen,** upright; ~**skrivning,** orthography, spelling; ~**slig,** legal; ~**ssak,** case, (law)suit; ~**vinklet,** right-angled.

retur, return; ~**billett,** return(ticket); ~**nere,** return.

rev, *mar* reef; *zool* fox.

re**|vansje,** revenge; ~**velje,** reveille; ~**vers,** reverse.

revesaks, fox-trap.

re**|videre,** revise; (som revisor) audit; ~**sjon,** revision; (av regnskap) audit(ing); ~**sor,** auditor, (statsautorisert ~) chartered accountant.

revmat|isk, rheumatic; ~**isme,** rheumatism.

revne, *s* (sprekk) crack; (flenge) rent; *v* (briste) crack; (sprekke) tear.

re**|volusjon,** revolution; ~**volusjonær,** revolutionary; ~**volver,** revolver; ~**vy,** (mønstring) review; *teat* revue.

Rhinen, the Rhine.

ri, *s* fit, spell; *v* se **ride.**

ribbe, *s* rib; *idr* wall bars; *v* pluck.

ridder, knight; ~**lig,** chivalrous; ~**vesen,** chivalry.

ride, ride, go on horseback; ~**hest,** saddle horse; ~**pisk,** horsewhip; ~**tur,** ride.

rifle, (gevær) rifle.

rift, tear; (på kroppen)

scratch; (etterspørsel) rush, demand.

rigg, rigging; ~**e** (til) rig.

rik, rich, wealthy; ~**dom,** riches; wealth; ~**e,** kingdom; ~**elig,** plentiful, abundant; ~**sadvokat,** attorney-general; ~**stelefon** (sentral) trunk exchange; (samtale) trunk *(el* long-distance) call.

riktig, *adj* right, correct; *adv* (ganske) quite; ~**het** correctness; ~**nok,** ... (men), it is true... (but).

rim, (-frost) hoar frost, rime; (vers) rhyme; ~**e,** rime; rhyme; ~**elig,** reasonable.

ring, ring; ~**e,** ring; *adj* (tarvelig) poor; (ubetydelig) slight; ~**eakt,** contempt; ~**eakte,** despise; ~**eapparat,** bell; ~**er,** ringer.

rinskvin, Rhine wine, hock.

rip(e), (båt-) gunwale; ~**e,** *s & v* scratch.

rippe opp i, rake up.

rips, *bot* red currant.

ris, (kvister) twigs; (til straff) rod; (bjørke-) birch; (korn) rice; ~**e,** *v* birch; *s* giant; ~**engryn,** rice.

risik|abel, ~**ere;** ~**o,** risk.

risle, ripple, run.

risp; ~**e,** scratch.

riss, (utkast) sketch, draft; ~**e,** scratch; (tegne) draft, sketch, outline.

rist, (jern-) grate, grating; (på fot) instep; ~ **e,** (steke) grill; (brød) toast; (ryste) shake.

ritt, ride.

ritual, ritual.

rival; ~ **isere,** rival.

rive, v (flenge, rykke) tear; (snappe) snatch; s rake; ~ **jern,** grater, rasp; fig shrew.

ro, s rest; (stillhet) quiet; v row, pull; ~ **båt,** row-boat.

robber (kortspill), rubber.

roesukker, beet-sugar.

rogn, (i fisk) roe; bot roan, rowan.

rojalist; ~ **tisk,** royalist.

rokk, spinning wheel; ~ **e,** v (vugge) rock; (flytte) budge; (svekke) shake; s (fisk) ray.

rolig, quiet, calm, still.

rolle, part, role; ~ **besetning,** cast.

rom, (værelse) room, (plass også) space; mar hold; (drikk) rum.

Roma, Rome.

roman, novel; ~ **forfatter,** novelist; ~ **se;** ~ **tikk,** romance; ~ **tisk,** romantic.

romer; ~ **sk,** Roman; ~ **tall,** Roman numeral.

romfarer, astronaut; ~ **t,** space travelling.

romme, contain, hold; ~ **lig,** spacious, roomy.

rop; ~ **e,** call, cry, shout; ~ **ert,** megaphone.

ror, helm; (blad) rudder.

ros, praise.

rosa, pink; ~ **e,** v praise; s rose; ~ **enkrans,** rosary; ~ **enkål,** Brussels sprouts pl.

rosin, raisin.

rosverdig, praiseworthy.

rot, root; (uorden) disorder, mess; ~ **asjon,** rotation; ~ **ere,** rotate, revolve; ~ **e,** (lage rot) make a mess; (gjennom ~) rummage; ~ **et,** messy; ~ **festet,** rooted; ~ **løs,** rootless.

rotte, rat; ~ **felle,** rat-trap.

rov, prey; ~ **dyr,** beast of prey.

ru, rough.

rubin, ruby.

rubrikk, (spalte) column (til utfylling) space, blank.

rug, rye; ~ **de,** woodcock.

ruge, brood; (~ ut) hatch.

ruin; ~ **ere,** ruin.

rujern, pig-iron.

rulett, roulette.

rull, roll; (valse) roller; (spole) reel; (tøy) mangle; s (kles-) mangle; ~ **ebane,** runway; ~ **eblad,** record; ~ **egardin,** blind; ~ **eskøyte,** rollerskate; ~ **estol,** wheel (el Bath) chair; ~ **etrapp,** escalator.

rumle; ~ **mel,** rumble.

rumpe, buttocks pl, behind, rump.

rund, adj adv; ~ **e** s & v

round; ~**håndet**, generous, openhanded; ~**jule**, thrash; ~**kjøring**, roundabout; ~**reise**, round trip; ~**skriv**, circular; ~**spørring**, public opinion *(el* Gallup) poll; ~**stykke**, roll.

rune, rune; ~**alfabet**, runic alphabet.

runge, ring.

rus, intoxication; ~**drikk**, intoxicant.

rushtid, peak *(el* rush) hours.

rusk, *s* (støvgrann) mote; (svær kar) hulk; *adj* crazy; ~**e**, pull; shake; ~**evær**, rough weather.

rusle, loiter, potter.

russ|er; ~**isk**, Russian.

Russland, Russia.

rust, rust; ~**e**, rust; *mil* arm; (utstyre) fit out; ~**en**, rusty; ~**fri**, rustless, stainless; ~**ning**, armour.

rute, (vei) route; (forbindelse) service; (-plan) time-table; (glass) pane; (firkant) square; ~**bil**, bus; ~**fly**, airliner; ~**r** (kort), diamonds; ~**t**, chequered.

rutine, routine; (erfaring) experience, practice; ~**rt**, experienced.

rutsje, glide, slide.

ruve, bulk.

ry, renown, fame.

ryd|de, clear; ~**dig**, orderly, tidy; ~**ning**, clearing.

rye, rug.

rygg, back; (fjell-) ridge; ~**e**, back, reverse; ~**esløs**, depraved; ~**marg**, spinal cord; ~**rad**, spine; *fig* backbone; ~**sekk**, rucksack.

ryke (gå i stykker), burst, snap; (sende ut røyk) smoke; (ulme) smoulder.

rykk; ~**e**, jerk; ~**evis**, by jerks.

rykte, report, rumour; (omdømme) reputation; ~**s**, be rumoured.

rynk|e, *s & v* wrinkle; ~ **pannen**, frown.

rype, ptarmigan, grouse.

ryste, shake; (forferde) shock; ~**lse**, concussion, tremor.

rytm|e, rhythm; ~**isk**, rhythmical.

rytter, horseman, rider.

rød, red; ~**bete**, beetroot; ~**e hunder**, German measles; **R-e Kors**, Red Cross; ~**me**, *s & v* blush; ~**musset**, ruddy; ~**spette**, plaice; ~**vin**, red wine; (bordeaux) claret.

røkelse, incense.

røm|me *vi* run away; (om fange) escape; *vt* (e)vacuate; *s* (heavy) cream; ~**ning**, flight, escape.

rønne, hovel.

røntgen (-stråler) X-rays; ~**behandling**, X-ray treatment.

røpe, betray, give away.

rør (ledning) pipe; (mindre) tube; ~ **e**, *v* move, stir; (berøre) touch; (våse) talk nonsense; *s* (oppstyr) commotion, stir; (rot)muddle; ~ **ende**, touching, moving; ~ **ledning**, pipeline; ~ **legger**, plumber, pipe layer; ~ **lig**, movable; ~ **sukker**, cane sugar.

røst, voice.

røve, rob; (plyndre) plunder; ~ **r**, robber.

røyk; ~ **e**, smoke; ~ **ekupé**, smoker, smoking-compartment; ~ **er**, smoker.

røys, heap of stones; ~ **katt**, stoat, ermine.

rå, *s mar* yard; *adj* raw; crude; (grov) coarse; rude; vulgar; (luft) damp, raw; *v* se **råde**.

råd, advice *sg;* (**et** ~ **)** a piece of advice; (utvei) means; (forsamling) council; ~ **e**, advise; (herske) rule; ~ **elig**, advisable; ~ **føre seg**, consult; ~ **giver**, adviser; ~ **hus**, town hall; ~ **løs**, perplexed; ~ **mann**, alderman; ~ **slagning**, deliberation; ~ **slå**, consult, deliberate; ~ **spørre**, consult; ~ **vill**, perplexed, at a loss.

råk, (is) lane; ~ **e**, se **treffe**.

råkjører, road hog.

rå|material, raw material; ~ **olje**, crude oil; ~ **produkt**, raw product; ~ **stoff**, raw material.

råt|ne, rot, decay; ~ **ten**, rotten, decayed; ~ **tenskap**, rottenness, decay.

S

sabbat, Sabbath.

sabel, sword; sabre.

sabot|asje; ~ **ere**, sabotage.

saft, juice; *bot* sap; (med sukker) syrup; ~ **ig**, juicy.

sag, saw.

saga, saga.

sagbruk, sawmill; ~ **e**, saw; ~ **flis**, sawdust.

sagn, legend, tradition.

sak, (anliggende) matter; (emne) subject; (idé) cause; *jur* case; ~ **kunnskap**, expert knowledge, know-how; ~ **kyndig**, expert; ~ **lig**, unbiased; objective; ~ **lighet**, objectivity; ~ **liste**, agenda.

sakr|ament, sacrament; ~ **isti**, vestry, sacristy.

saks, scissors *pl*.

saksofon, saxophone.

sak|somkostninger, costs; ~ **søke,** bring an action against; sue; ~ **søker,** plaintiff; ~ **søkte,** defendant.

sakt|e, slow; ~ **ens,** no doubt; ~ **modig,** mild, meek, gentle; ~ **modighet,** mildness; ~ **ne,** (på farten) slow down; slacken.

sal, hall; (hest) saddle.

salat, *bot* lettuce; (rett) salad.

sald|ere; ~ **o,** balance.

sale, saddle.

salg, sale; **til** ~ **s,** for (el on) sale; ~ **savdeling,** sales department; ~ **ssjef,** sales manager.

salig, blessed, blest; ~ **het,** salvation.

salmaker, upholsterer, saddler.

salme, hymn.

salmiakk, sal-ammoniac.

salong, drawing-room; *mar* saloon; ~ **gevær,** saloon rifle.

salpeter, salpetre; nitre; ~ **syre,** nitric acid.

salt, *s* & *adj* salt; ~ **bøsse,** salt castor; ~ **e,** salt; ~ **holdig,** saline; ~ **kar,** saltcellar; ~ **lake,** brine, pickle; ~ **sild,** salted herring(s).

saltomortale, somersault.

salutt; ~ **ere,** salute.

salve, (gevær-) volley; (smuring) salve, ointment; *v*

anoint; ~ **lse,** *fig* unction.

salær, fee.

samarbeid, co-operation, collaboration; ~ **e,** co-operate.

sam|band, se *forbindelse;* ~ **eie,** joint ownership; ~ **ferdselsmiddel,** means of communication; ~ **funn,** society, community; ~ **funns-forhold,** social conditions; ~ **hold,** concord; ~ **hørighet,** solidarity; ~ **kvem,** intercourse.

sam|le, collect, gather; ~ **le-bånd,** assembly belt; ~ **leie,** coitus, sexual intercourse; ~ **ler,** collector; ~ **ling,** collection; (mennesker) assembly.

samme, the same.

sammen, together; ~ **bitt,** clenched; ~ **blanding,** mixture; (forveksling) confusion; ~ **brudd,** collapse, breakdown; ~ **drag,** summary, précis; ~ **fatte,** sum up; ~ **føyning,** joining, junction; ~ **heng,** connection; ~ **kalle,** se *innkalle;* ~ **komst,** meeting; ~ **krøpet,** crouching; ~ **ligne,** compare; ~ **ligning,** comparison.

sammen|satt, (innviklet) complex; (~ **av**) composed of; ~ **setning,** composition; ~ **slutning,** union; *merk* amalgamation, merger; ~ **smeltning,** fusion; ~ **støt,**

collision; ~**surium**, hotch-potch; ~**sveise**, weld together; ~**sverge seg**, conspire; ~**svergelse**, conspiracy; ~**treff**, coincidence; ~**trekning**, contraction; ~**trengt**, concentrated; ~**trykt**, compressed.

samordne, co-ordinate; ~**råd**, consultation; ~**svar** se *overensstemmelse*; ~**t** together with; ~**tale**, *s* conversation, talk; *v* converse, talk; ~**taleavgift** charge for a call; ~**tidig**, *adj* contemporary; (som inntreffer ~) simultaneous; *adv* at the same time; ~**tykke**, *v & s* consent; ~**virkelag**, co-operative society; ~**vittighet**, conscience; ~**vittighetsfull**, conscientious; ~**vittighetskval**, pangs of conscience; ~**vittighetsløs**, unscrupulous.

sanatorium, sanatorium.
sand, sand; ~**al**, sandal; ~**papir**, sand-paper.
sanere (bydel) clear (slums); *merk* reorganize.
sang, song; singing; ~**er**, singer; ~**kor**, choir.
sanitet, *mil* medical corps; ~**sbind**, sanitary towel.
sanitær, sanitary.
sanksjon; ~**ere**, sanction.
sankt, Saint, St.; ~**hansaften**, Midsummer eve.

sann, true; ~**elig**, indeed; ~**ferdig**, veracious; ~**het**, truth; ~**synlig**, probable, likely; ~**synlighet**, probability, likelihood; ~**synligvis**, probably, most likely.
sans, sense; ~**e**, perceive, notice; ~**elig**, sensuous; (sensuell) sensual; ~**eløs**, senseless.
sardin, sardine.
sarkofag, sarcophagus.
sart, delicate, tender.
satellitt, satellite.
sateng, satin; (imitert) sateen.
satire, satire; ~**isk**, satiric(al).
sats, (takst) rate; *typogr* type; *mus* movement; (ved sprang) take-off; ~**e på**, take on.
sau, sheep; ~**bukk**, ram, ~**ekjøtt**, mutton.
saus, sauce; ~**nebb**, sauce boat.
savn, want; ~**e**, (lengte etter) miss; (mangle) want, be missing.

scene, scene; *teat konkr* stage.
se, see; (se på) look.
sed, custom, usage.
seddel, slip of paper; (penge-) (bank-)note.
sedelighetsforbryter, sexual criminal.
sedvane, custom, usage; ~**erett**, customary law; (i England) common law; ~**lig**, customary, usual.

segl, seal; ~ **lakk**, sealing-wax.

segne, sink, drop.

sei, *zool* coalfish.

seidel, mug, tankard.

seier, victory; ~ **herre**, victor, conqueror; ~ **rik**, victorious; ~ **sikker**, confident of victory.

seig, tough.

seil, sail; ~ **as**, sailing race; ~ **båt**, sailing boat; ~ **duk**, canvas; ~ **e**, sail.

sein, se *sen*.

seire, conquer, win, be victorious.

sekk, sack; (mindre) bag; ~ **epipe**, bagpipe.

sekret, secretion; ~ **ariat**, secretariat; ~ **ær**, secretary.

seks, six.

seksjon, section.

sekstant, sextant; ~ **ten**, sixteen; ~ **ualdrift**, sexual instinct *el* urge; ~ **ualundervisning** sex instruction; ~ **uell**, sexual.

sekt, sect; ~ **or**, sector.

sekund, second; ~ **a**, second-rate; ~ **ant**, ~ **ere**, second; ~ **ær**, secondary.

sel, seal.

sele, *s & v* harness; ~ **r**, (bukse-) braces; *amr* suspenders; ~ **tøy**, harness.

selfangst, sealing, seal fishery.

selge, sell; ~ **r**, seller; (yrke) salesman.

selje, sallow.

selleri, celery.

selskap, (-elig sammenkomst) party; company; (forening) society; (aksje- o.l.) company; ~ **elig**, social; (~ anlagt) sociable; ~ **santrekk**, evening dress; ~ **sreise**, conducted tour.

selters, seltzer (water).

selv, *pron* myself *etc*; *adv* even; ~ **aktelse**, self-respect; ~ **angivelse**, income tax return.

selv|bebreidelse, self-reproach; ~ **bedrag**, self-delusion; ~ **beherskelse**, self-command; ~ **betjening**, self-service; ~ **bevisst**, self-confident; ~ **biografi**, autobiography.

selv|eier, freeholder; ~ **ervende**, self-supporting; ~ **forsvar**, self-defence; ~ **følge**, matter of course; ~ **følgelig**, *adj* natural; obvious; matter-of-course; *adv* of course, naturally.

selv|gjort, self-made; ~ **god**, conceited; ~ **hjulpen**, self-supporting; ~ **isk**, selfish; ~ **mord**; ~ **morder**, suicide; ~ **motsigelse**, self-contradiction.

selv| om, even if; even though; ~ **oppofrelse**, self-sacrifice; ~ **portrett**, self-portrait; ~ **rådig**, wilful; ~ **rådighet**, wilfulness.

selvsagt, se *selvfølgelig;* ~ **sikker,** self-confident; ~ **starter,** self-starter; ~ **stendig,** independent; ~ **stendighet,** independence; ~ **styre,** self-government; ~ **suggestion,** autosuggestion; ~ **syn,** personal inspection.

selvtekt, taking the law into one's own hands; ~ **tilfreds,** self-satisfied; ~ **tillit,** self-confidence.

semafor, ~ **ere,** semaphore.

sement; ~ **ere,** cement.

semester, term; *amr* semester.

semifinale, semi-final.

semsket (skinn), chamois (leather).

sen, (langsom) slow; (tid) late; ~ **t,** late.

senat, senate; ~ **or,** senator.

sende, send; (ved bordet) pass; *rad* transmit; ~ **bud,** messenger; ~ **r,** sender.

sending, (varer) consignment, shipment; *rad* transmission.

sene, sinew, tendon; ~ **knute,** ganglion; ~ **strekk,** sprain.

seng, bed; ~ **eforlegger,** bedside rug; ~ **etid,** bedtime; ~ **etøy,** bedding, bedclothes; ~ **ekant,** bedside.

senil, senile; ~ **or,** senior.

senit, zenith.

senke, lower; (redusere) reduce; ~ **ned** (i vann) submerge.

senkning, *med* sedimentation.

sennep, mustard; ~ **skrukke,** mustard-pot.

sensasjon, sensation; ~ **ell,** sensational.

sensibel, sensitive.

sensor, (film- o.l.) censor; (ved eksamen) external examiner; ~ **ur,** censorship; (ved eksamen) marking; ~ **urere,** censor; give marks.

senter, centre; *amr* center.

sentimental, sentimental.

sentral, *adj* central; *s* (telephone) exchange; ~ **albord,** switchboard; ~ **alborddame,** telephonist, (switchboard) operator; ~ **alfyring,** central heating; ~ **alisering,** centralization; ~ **ifugalkraft,** centrifugal force; ~ **um,** centre; *amr* center.

separasjon, separation; ~ **t;** **separere,** separate.

september, September.

septer, sceptre.

septiktank, septic tank.

seremoni, ceremony.

serenade, serenade.

serie, series.

sersjant, sergeant.

sertifikat, (kjørekort) driving *(el* driver's) licence; (ellers) certificate.

servere, serve; ~ **ering,** service; ~ **eringsavgift,** service charge; ~ **eringsdame,** waitress; ~ **icebil,** breakdown lorry; ~ **iett,** napkin, ser-

viette; ~**ise**, service, set; ~**itør**, waiter.

sesjon, session, sitting.

sesong, season; ~**arbeid**, seasonal work.

sete, seat.

setning, sentence; (ledd-) clause.

sett, (sammenhørende ting) set; (måte) way; ~ **at**, suppose.

sette, place, put, set; *typogr* compose, set; ~ **seg**, sit down; ~**maskin**, composing machine; ~**potet**, seed potato; ~**r**, *zool* setter; *typogr* compositor; ~**ri**, composing-room.

severdig, worth seeing; ~**het**, sight.

sevje, sap.

sfære, sphere; ~**isk**, spherical.

Shetlandsøyene, the Shetland isles.

si, say, tell; ~ **fra**, let know; ~ **opp**, give notice.

Sibir, Siberia.

Sicilia, Sicily.

sid, long; ~**de**, length.

side, side; (dyr) flank; (bok) page; (av en sak) aspect; ~**gate**, side street, by-street; ~**mann**, neighbour.

siden, *prp, konj & adv* since; (senere), later, afterwards; (derpå) then.

~**ider**.

side|stykke, parallel, counterpart; ~**vei**, side road.

siffer, figure; ~**skrift**, cipher.

sigar, cigar; ~**ett**, cigarette.

sigd, sickle.

sige (gli) glide; (gi etter) sag.

signal, signal; ~**ement**, description; ~**ere**, signal.

signatur, signature.

signe, bless.

signere, sign.

signet, seal, signet.

sigøyner, gipsy.

sikker, (viss) sure, certain; (trygg) safe; ~**het**, (trygghet) safety, security; (visshet) certainty; ~**hetsbelte**, seat *(el* safety) belt; ~**hetsnål**, safety pin; ~**hetsrådet**, the Security Council; ~**hetsventil**, safety valve; ~**t**, *adv* (trygt) safely; certainly.

sikle, slobber, slaver.

sikre, secure, ensure; ~**ing**, (på våpen) safety catch; *jur* preventive detention; *elektr* fuse.

siksak, zigzag.

sikt, *merk* sight; (såld) sieve; ~**barhet**, visibility; ~**e**, aim, (på, til:) at); charge (for: with); (mel) sift; ~**mål** aim; (synlighet) sight, view; ~**else**, *jur* charge; ~**ekorn**, sight.

sil, strainer.

sild, herring; ~**efiske**, herring fishery; ~ **emel,** herring meal.

sildre, trickle.

sile, *vt* strain, filter.

silhuett, silhouette.

silke, silk; ~ **stoff,** silk fabric.

silregn, pouring rain.

simpel, (tarvelig) mean, poor; (udannet) common; vulgar; ~ **then** simply.

simulere, simulate, feign.

sinders, patent coke.

sindig, (rolig) steady, cool.

singel, gravel, shingle.

sink, zinc; ~ **hvitt,** zinc oxide.

sinke, *v* retard, delay; *s* backward child.

sinn, mind; ~ **e,** temper, anger; ~ **elag,** disposition; ~ **rik,** ingenious.

sinns|bevegelse, emotion, agitation; ~ **forvirret,** distracted, mentally deranged; ~ **forvirring,** derangement; ~ **ro,** peace of mind; ~ **syk,** insane; ~ **sykdom,** mental disease, insanity; ~ **sykehus,** mental hospital; ~ **tilstand,** state of mind.

sint, angry **(på:** with).

sionisme, Zionism.

sirene, siren; (fabrikk-) hooter.

sirk|el circle; ~ **elsag,** circular saw; ~ **ulasjon,** circulation; ~ **ulere,** circulate; ~ **ulære,** circular; ~ **us,** circus.

sirup, syrup; (mørk) treacle.

sist(e), last; (nyeste) latest; ~ **en,** (lek) tag; ~ **nevnte,** last-mentioned; **(av:** to) the latter.

sit|at, quotation; ~ **ere,** quote.

sitre, tremble, quiver.

sitron, lemon.

sitte, sit; ~ **plass,** seat.

situasjon, situation.

siv, rush, reed.

sive, ooze; filter; *fig* leak out.

sivil, civil; civilian; ~ **inge-niør,** graduate engineer; ~ **isasjon,** civilization; ~ **isere,** civilize; ~ **økonom,** Bachelor of Science in Economics.

sjaber, shabby.

sjakett, morning coat.

sjakk, chess; **holde i** ~, keep in check; **si** ~, say check; ~ **brett,** chess-board; ~ **brikke,** check-man; ~ **matt,** chessmate.

sjakt, shaft.

sjal, shawl.

sjalte, switch; ~ **ut,** switch off, cut out.

sjalu, jealous **(på:** of); ~ **si,** jealousy.

sjampinjong, mushroom.

sjangle, reel, stagger.

sjanse, chance **(for:** of).

sjargong, jargon.

sjarm; ~ **ere,** charm.

sjattering, shading.

sjau, (travelhet) bustle; (støy) noise; ~ **e,** bustle; mak|

...t) pay taxes; ~ ebe-

skillevei

...taxpayer,

...taxation; ~ ebyrde,

...or of income tax;

...treasure-hunter;

...assessment (of

...nyteri, tax eva-

...treasury;

...fect.

...nical,

...tiker,

...tical.

...ski, go

...sørger,

...dre) hamper,

~ en, ...ouble, bother; an-

...ende, embarrassing,

...esome; ~ t, (av vesen)

...øs, generous.

...kane, chicane, spite; ~ øs, spiteful.

sjiraff, giraffe.

sjofel, mean, shabby.

sjokk; ~ ere, shock.

sjokolade, chocolate.

sjonglere, juggle; ~ ør, juggler.

sju, seven.

sjø, (inn-) lake; (hav) sea, ocean; ~ aure, salmon-trout; ~ farende, sea-faring; ~ fart, navigation, shipping; ~ folk, seamen; ~ forklaring, maritime declaration; ~ gang, heavy sea; ~ kart,

...chart;

...ann, sailor, sea-

...an; ~ ... nautical mile;

...m, se... serpent; ~ reise,

...lo... rett, maritime

...maritime law;

...ch; ... pirate;

...damage; ~ sette,

...skade, sea-

~ syk, sea... ~ stjerne, star-fish;

sickness; ~ syke, sea-

sjåfør, driver; ...tunge, sole.

feur. ...r: (privat-) chauf-

skabb, scab... bies.

skade, v (være) hurt, injure, harm; (beskadige) damage; s (på person) injury, hurt; (materiell) ... damage; (ulempe) harm; cious; ~ fro, malicious, ~ fryd, spite; ~ lig, injurious, harmful; detrimental; ~ serstatning; compensation; jur demnity, damages; ~ sløs: holde ~, indemnify.

skaffe, procure, obtain, get; (forsyne med) supply (el provide) with.

skafott, scaffold.

skaft, handle; ~ estøvler, high boots.

skake, shake; (vogn) jolt.

skala, scale.

skalk, (av brød) heel; (hatt) bowler; ~ e lukene batten down the hatches.

skall, shell; (av frukt) peel; ~ dyr, shellfish; ~ e, s skull; v (~ av) peel (off), scale; ~ et, bald.

skalp; ~**ere,** scalp.

skam, shame, ~ disgrace; ~**full,** ashamed; ~ **løs,** shameless; ~ **me seg,** be ashamed

skammel, (foot-)stool.

skam|melig, shameful, disgraceful; ~**plett,** stain.

skandal|e, scandal; ~ **øs,** scandalous.

skandinav; ~**isk,** Scandinavian; **Skandinavia,** Scandinavia.

skanse, mil earthwork; mar quarter-deck.

skap, (kles-) wardrobe; cabinet; (mat) cupboard; (lite**)** locker; ~**e,** create; (lite**)** creation; ~**ende,** creative **;** ~**er,** creator; ~**ing,** creation; ~**ning,** (vesen) creature; ~**sprenger,** safebreaker.

skar, (i fjell) gap; ~**e,** crowd; (på snø) crust; ~ **lagen,** scarlet; ~**lagensfeber,** scarlet fever.

skarp, sharp, keen; ~**retter,** executioner; ~**sindig,** keen, acute; ~ **skytter,** sharpshooter; ~**synt,** keen-sighted.

skarv, zool cormorant; (slyngel) scamp, rogue.

skatt, (kostbarhet) treasure; (til stat) tax; (til kommune) rate; ~ **bar,** taxable; ~ **e,** (verdsette); estimate, value;

(yte ska... ...
taler, ...
burden ...
ged, colle...
~ **egraver,**
~ **eligning,**
taxes); ~ **esn...**
sion; ~ **kamm...**
~ **legge,** tax.

skaut, headscarf...

skavank, fault, de...

skavl, snow-drift.

skep|sis, scepticism...
sceptic; ~ **tisk,** scep...

ski, ski; **gå på** ~ ...
skiing.

skibbrudd, shipwreck...
shipwrecked.

skifer; ~ **tavle,** slate.

skift, shift; ~ **e,** s change; division; v change; (de... divide; ~ **enøkkel,** (monkey wrench; ~ **erett,** probate court.

ski|føre, skiing conditions; ~ **gard,** wooden fence.

skikk, custom; ~ **elig,** decent; ~ **else,** form, shape, figure; ~ **et,** fit(ted), suitable.

skild|erhus, sentry-box; ~ **re,** describe; ~ **ring,** description.

skill, parting; ~ **e,** v separate, part; ~ **es,** part; (ektefolk) be divorced; ~ **emynt,** (small) change; ~ **etegn,** punctuation mark; ~ **evegg,** partition; ~ **evei,** crossroads.

skilpadde, tortoise; (hav-) turtle.

skilsmisse, divorce; ~**sak,** divorce suit.

skilt, s sign; adj (fra-) divorced; ~**vakt,** sentry.

ski|løper, skier; ~**løype,** ski-track.

skingre, shrill.

skinke, ham.

skinn, (av dyr) skin; (lær) leather; (pels) fur; (lys) light; ~**angrep,** mock attack, feint; ~**død,** adj apparently dead; ~**e,** v shine; jernb rail; ~**eben,** shin-bone, tibia; ~**hanske,** leather glove; ~**hellig,** hypocritical; ~**kåpe,** fur coat; ~**syk,** jealous; ~**syke,** jealousy.

skip, ship; (kirke) nave; typogr galley; ~**e,** ship.

skipper, captain.

skips|byggeri, shipyard; ~**fart,** shipping; (seilas) navigation; ~**handler,** ship-chandler; ~**mekler,** ship-broker; ~**reder,** shipowner; ~**rederi,** shipping company; ~**verft,** shipyard.

skirenn, skiing competition.

skisport, skiing.

skisse, s, v sketch, outline.

skistav, ski stick.

skitt, dirt, filth; fig trash, rubbish; ~**en,** dirty, soiled; ~**entøy,** dirty linen.

skive, (skyte-) target; (brød,

kjøtt) slice; (telefon-, ur-) dial.

skje, v happen, occur; s spoon.

skjebne, fate, destiny; ~**svanger (for:** to); (avgjørende) fateful, fatal.

skjede, sheath, scabbard.

skjegg, beard.

skjele, squint.

skjelett, skeleton.

skjell, shell; (fiske-) scale.

skjel|le, (ut) abuse; ~**sord,** invective.

skjelm, rogue; ~**sk,** roguish.

skjelne, distinguish, discern.

skjelve, tremble, shiver.

skjema, form; ~**tisk,** schematic.

skjemme, spoil; ~ **bort,** spoil; ~ **seg ut,** disgrace oneself.

skjemt, ~**e,** jest, joke.

skjendig, disgraceful.

skjenk, (møbel) sideboard; ~**e,** (gi) present, give; (helle) pour (out); ~**erett,** licence.

skjenn, scolding; ~**e,** scold.

skjensel, disgrace, dishonour.

skjeppe, bushel.

skjerf, scarf, muffler.

skjerm, screen; (lampe-) shade; ~ **bildeundersøkelse,** mass radiography; ~**e,** screen, shield.

skjerpe, (gjøre skarp) sharpen, whet; (gjøre strengere) tighten up.

skjev, wry, crooked; *fig* distorted; ~**het**, wryness; obliqueness; distortion.

skjold, shield; ~**bruskkjertel**, thyroid gland; ~**et**, stained; discoloured.

skjorte, shirt; ~**erme**, shirt-sleeve.

skjul, hiding(-place); (ved-) shed; ~**e**, hide, conceal.

skjær, *s* (lys) gleam; (farge) tinge; (i sjøen) rock; ~**e**, *s* magpie; *v* cut; ~**ing**, (om lyd) shrill; (motsetn.) glaring; ~**gård**, skerries; *v cut*, *jernb* cutting; ~**ingspunkt**, point of intersection; ~**sild**, purgatory; ~**torsdag**, Maundy Thursday.

skjød, lap; ~**ehund**, lap dog; ~**esløs**, careless.

skjønn, *s* judgment; (over-slag) estimate; *adj* beautiful; ~**e**, understand; ~**er**, connoisseur; ~**het**, beauty; ~**hetskonkurranse**, beauty contest; ~**hetsmiddel**, cosmetic; ~**hetssalong**, beauty parlour; ~**ssak**, matter of judgment.

skjønt, *konj* (al)though.

skjør, brittle, fragile; ~**buk**, scurvy.

skjørt, skirt.

skjøt, (frakke-) tail; (sam-menføyning) joint; ~**e**, *s jur* deed (of conveyance); *v* (på) lengthen; ~**sel**, care; ~**te**, take care of.

skli, slide; (om hjul) skid; ~**e**, slide.

sko, *s & v* shoe.

skodde, mist; (tykk) fog; (vin-dus-) shutter.

skofte, shirk, cut work.

skog, forest (mindre) wood; ~**bruk**, forestry; ~**lendt**, wooded; ~**vokter**, forest guard.

skokrem, shoe polish.

skole, school; ~**fag**, (school) subject; ~**ferie**, (school) holidays; vacation; ~**hjem**, reform school; ~**kjøkken**, school kitchen; ~**penger**, school fees; ~**re**, school, train; ~**styrer**, headmaster; ~**veske**, school bag.

skolisse, shoe-lace.

skomaker, shoemaker.

skonnert, schooner.

skopusser, shoeblack.

skorpe, crust; (sår) scab.

skorpion, scorpion.

skorstein, chimney; *mar* funnel; ~**sfeier**, chimney-sweep(er).

skotsk, Scottish; (om produkter) Scotch.

skott|e, Scot(sman); Scotch-man; **Skottland**, Scotland.

skotøy, footwear; ~**forretning**, shoe shop.

skral, poor; (syk) poorly.

skrall, ~**e**, peal.

skramme, scratch.

skrangel; ~**le**, rattle.

skranke, (i bank *o.l.*) counter; *jur* bar.

skrap, rubbish, trash; (avfall) refuse; ~ **e,** *v* scrape, *s* (irettesettelse) reprimand; ~ **handel,** junk shop; ~ **jern,** scrap-iron.

skravle, chatter, jabber.

skred, (snø-) avalanche; (jord-) landslide.

skredder, tailor; ~ **sydd,** tailored, tailor-made.

skrei, cod(fish).

skrekk, terror, fright; ~ **elig,** terrible, dreadful; ~ **slagen,** terror-struck.

skrell, (skall) peel, parings; ~ **e,** peel, pare.

skremme, frighten, scare.

skrent, steep, slope.

skreppe, bag, knapsack; ~ **kar,** pedlar.

skreve, (ta lange steg) stride; (sprike) spread; ~ **s over,** astride.

skribent, writer.

skride, stride, stalk.

skrift, *m* (hånd-) (hand)writing; *typogr* type, letter; *n* book; pamphlet; ~ **e,** *s* confession; *v* confess; ~ **emål,** confession; ~ **lig,** written, in writing; ~ **språk,** written language; ~ **sted,** text.

skrik, ~ **e,** cry; (sterkere) scream, shriek.

skrin, box; casket; ~ **legge,** shelve.

skritt, pace, step; *anat* crutch, crotch, fork; ~ **e,** pace; ~ **vis,** step by step.

skriv, letter; se *brev;* ~ **e,** write; *mask* type; ~ **ebok,** exercise book; ~ **ebord,** writing table, desk; ~ **emaskin,** typewriter.

skrog, (skip) hull; (bil) chassis.

skrot, (skrap) scrap, junk.

skrott, (dyr) carcase.

skrubbe, scrub; ~ **sulten,** ravenous; ~ **sår,** graze.

skrue, *s & v* screw; ~ **estikke,** vice; ~ **jern,** screwdriver.

skrukke, wrinkle.

skrukork, ~ **lokk,** screw cap.

skrumpe inn, sammen, shrink, shrivel up.

skrunøkkel, wrench, spanner.

skruppel, scruple.

skrutrekker, screwdriver.

skryt; ~ **e,** brag, boast; (esel) bray; ~ **er,** braggart, boaster.

skrøne, *s & v* yarn, fib.

skrøpelig, frail, weak.

skrå, *s* quid (of tobacco); *adj* sloping, slanting; *v* cross; (tobakk) chew.

skrål; ~ **e,** bawl, roar, shout.

skråne; ~ **ning,** slope, slant; ~ **plan,** inclined plane; *fig* downward path; ~ **sikker,** cocksure; ~ **strek,** shilling stroke; ~ **tak,** sloping roof; ~ **tobakk,** chewing tobacco.

skubb; ~ **e,** push.

skudd; shot; *bot* shoot, sprout; ~ **hold,** range; ~ **sikker,** bullet-proof; ~ **år,** leap-year.

skueplass, scene; ~ **spill,** play; ~ **spiller,** actor; ~ **spillerinne,** actress.

skuff, drawer; ~ **e,** *s & v* shovel; *v* (ikke oppfylle forventning) disappoint; ~ **else,** disappointment.

skulder, shoulder; ~ **trekk,** shrug; ~ **veske,** shoulder bag.

skule, scowl.

skulke, shirk; (skolen) play truant, shirk school.

skulptur, sculpture.

skuls: være ~, be quits.

skum, *s* foam; (såpe) lather; (øl) head, froth; ~ **gummi,** foam rubber; ~ **me,** *vi* foam; (øl) froth; (såpe) lather; *vt* skim; ~ **mel,** sinister, dismal.

skumring, twilight, dusk.

skur, shed; (regn) shower.

skurd, (skuronn) reaping season.

skure, scrub, scour; ~ **fille,** floor cloth; ~ **kone,** charwoman; ~ **pulver,** scouring powder.

skurk, scoundrel, villain; ~ **estrek,** dirty trick.

skuronn, reaping season.

skurre, jar, grate.

skute, vessel, ship, craft.

skvalp; ~ **e,** splash.

skvett, splash; (liten slant) dash, drop; ~ **e,** *vt* splash; sprinkle; *vi* start; ~ **skjerm,** mudguard, wing.

sky, *v* shun, avoid; *adj* shy; *s* cloud; ~ **brudd,** cloudburst; ~ **et,** cloudy.

skygge, shade; (~ **bilde)** shadow; (på lue) peak; ~ **lue,** peaked cap.

skyhøy, sky-high.

skylapper, blinkers.

skyld, (feil) fault; (som blir tillagt) blame; *jur* guilt; ~ **bevisst,** guilty; ~ **e,** owe; ~ **es,** be due to; ~ **ig,** guilty; (i: of); (som skyldes) owing, due; ~ **ner,** debtor.

skylle, (rense) rinse; ~ **vekk** wash.

skynde seg, hurry, hasten.

skyskraper, skyscraper.

skyss, få ~, get a lift.

skyte, shoot; ~ **bane,** shooting range; ~ **skive,** target; ~ **våpen,** fire-arms.

skytsengel, guárdian angel; ~ **helgen,** patron saint.

skytter, marksman, shot; ~ **grav,** trench; ~ **lag,** rifle club.

skyve, push, shove.

skøy, fun; ~ **er,** rogue.

skøyte, *mar* smack; *idr* skate; ~ **bane,** skating rink; ~ **løp,** skating; (et ~ ~) skating competition.

skål, (bolle) bowl; (til kopp) saucer; (som utbringes) toast; ~ ! (to) your health! (uformelt) cheers! ~e **for,** drink the health of; ~**tale,** toast.

skåne, spare.

skår, (potte-) sherd; (hakk) cut.

slad|der, gossip; ~**re,** gossip; (~ **om)** tell tales (on); ~**re-kjerring,** gossip.

slag, blow, hit; *mil* battle; (maskin- o.l.) stroke; (rytmisk) beat; (på jakke) lapel; *med* stroke, apoplexy; (sort) kind, sort; ~**anfall,** apoplectic stroke; ~**er,** hit; ~ **ferdig,** quick-witted.

slagg, slag; (av koks) cinders.

slag|kraft, striking-power; ~**mark,** battlefield; ~**ord,** catchword, slogan; ~**s,** sort, kind; ~**side,** *mar* list; ~**skip,** battleship; ~**smål,** fight, brawl.

slakk, slack; ~**e,** slacken.

slakte, kill, slaughter; ~**r,** butcher.

slam, mud, sludge.

slamp, scamp.

slange, snake; (gummi-) tube; (større vann-) hose.

slank; ~ **e seg,** slim.

slapp, slack, loose; ~ **e av,** relax.

slaps, sludge, slush.

slarv; ~**e,** gossip.

slave, slave; ~**handel,** slave traffic; ~**ri,** slavery.

slede, sledge, sleigh, sled.

slegge, sledgehammer; *idr* hammer; ~**kaster,** hammer-thrower.

sleip, slippery; *fig* (også) oily.

sleiv, ladle.

slekt, family; ~**ledd,** generation; ~**ning,** relative, relation; ~**skap,** relationship.

slem, bad; (uskikkelig) naughty; (kort) slam.

slendrian, carelessness.

sleng|bemerkning, casual remark; ~**e,** (kaste) fling; (dingle) dangle; **(gå og ~)** idle, loaf.

slentre, saunter, stroll.

slep, (kjole) train; **ha på ~,** have in tow; ~**e,** drag; *mar* tow, tug; ~**ebåt,** tug(boat); ~**enot,** trawl.

slepphendt, butterfingered.

slesk, oily, fawning.

slett, (dårlig) bad; (jevn) level, flat; ~ **ikke,** not at all; ~**e,** *s* plain; *v* smooth.

slibrig, *fig* indecent, obscene, smutty; ~**het,** obscenity.

slik, such, like that.

slikke, lick; ~**rier,** sweets.

slim, slime; *anat* phlegm.

slingre, *mar* roll; (hjul o.l.) wobble.

slipe, grind; (glass) cut; ~ **stein,** grindstone.

slippe, (løsne taket) let go; (la

falle) drop; (unngå) avoid;
~ **opp for**, run out of.
slips, tie.
slire, sheath.
slit, (strev) toil, drudgery;
~ **asje**, wear (and tear); ~ **e**,
(hale) pull, tear; (klær)
wear; (arbeide hardt) toil;
~ **en**, tired; ~ **t**, worn.
slokke, extinguish, put out;
(tørst) quench; ~ **ne**, go out.
slott, palace, castle.
slu, sly, cunning, crafty.
sludd, sleet.
sludder, nonsense.
sluk, (fiske-) spoon(bait); (av-
grunn) abyss; (kloakk)
gully-hole; ~ **e**, swallow, de-
vour; ~ **hals**, glutton;
~ **øret**, crestfallen.
slumkvarter, slum area.
slump, (rest) remainder; (til-
feldighet) chance; (mengde)
lot; **på** ~, at random.
slumre, slumber, doze.
slunken, (mager) lean.
slurk, gulp, draught.
slurpe, slurp.
slurv, carelessness, negli-
gence; ~ **e**, be careless.
sluse, sluice; (i kanal) lock.
slusk, tramp, bum.
slutning, conclusion.
slutt, close, end; (endt) fin-
ished; ~ **e**, close, finish,
end, stop, conclude; ~ **e seg**
sammen, unite; *merk* merge;
~ **seg til**, join; ~ **stein**,
keystone.

slynge, *v* (kaste) fling, hurl,
sling; (sno) wind, twine; *s*
sling; ~ **el**, rascal, scoun-
drel; ~ **plante**, creeper,
climber.
slør, veil; ~ **et**, (stemmen)
husky.
sløse; ~ **ri**, waste.
sløv, blunt; *fig* dull.
sløyd, woodwork.
sløye, gut.
sløyfe, *s* (bundet) bow; (linje)
loop; *v* (utelate) leave out,
omit, cut out.
slå, beat; (lett slag) strike,
hit; (hjerte) beat, throb; (ur,
lyn) strike; (gras) mow; (be-
seire) beat, defeat; ~ **på** (lys
o.l.) turn *(el* switch) on;
~ **brok**, dressing-gown;
~ **maskin**, mower; mowing
machine.
slåss, fight; ~ **kjempe**, rowdy.
slått, *agr* mowing, hayma-
king; *mus* tune, air.
smadre, smash.
smak; ~ **e**, taste; ~ **ebit**,
sample; ~ **full**, tasteful;
~ **løs**, tasteless; ~ **ssak**, mat-
ter of taste.
smal; ~ **ne**, narrow.
smalfilm, substandard film.
smaragd, emerald.
smatte, smack (one's lips).
smed, smith; (grov-) black-
smith; ~ **edikt**, lampoon.
smekk, (smell) click; (i bukse)
fly; ~ **e**, *v* click; *s* bib; ~ **er**,
slim; slender; ~ **lås**, latch.

smell; ~e, crack; bang.

smelte, melt; (malm) smelt; ~digel, crucible; fig melting-pot; ~ovn, melting furnace.

smerte, vi hurt; vt pain, grieve; s pain; ~full; ~lig, painful; ~stillende (middel), anodyne; pain-killer.

smi, forge; ~e, forge, smithy.

smidig, (myk) supple; (bøyelig) flexible.

smiger, flattery; ~re, flatter.

smijern, wrought iron.

smil; ~e, smile; ~ehull, dimple.

sminke, v & s paint, rouge, make-up.

smiske for, fawn on, wheedle.

smitte, v infect; bli ~et, catch the infection; s infection; ~som, contagious, infectious, catching.

smoking, dinner-jacket.

smug, alley lane; i ~, secretly; ~le, smuggle; ~ler, smuggler.

smul, smooth, calm.

smuldre, crumble, moulder.

smule, s particle, bit; (brød) crumb; v crumble.

smult, s lard.

smurning, grease, lubricant.

smuss, filth, dirt; ~e til, soil, dirty; ~ig, dirty, foul.

smutte, slip; ~hull, loophole.

smyge, creep, crawl.

smykke, s ornament; (juvel) jewel; v adorn, decorate; ~skrin, jewel box, casket.

smør, butter; ~blomst, buttercup; ~brød, (open) sandwich; ~e, (smør) butter; (fett) grease; (olje) oil, lubricate; (bestikke) bribe; ~ekanne, oil can; ~eolje, lubricating oil.

små, small, little; ~bruk, small-holding; ~bruker, small-holder; ~jobber, odd jobs; ~lig, (gjerrig) mean, stingy; ~penger, (small) change; ~stein, pebble; ~ting (bagatell), trifle.

snabel, trunk; ~dde, pipe.

snakk, talk; ~e, chat, talk; ~esalig, talkative.

snappe, snap, snatch.

snar, adj quick; ~t, adv soon, shortly, presently; ~e, snare; ~ere, (heller) rather, sooner; ~est, as soon as possible; ~lig, early; ~rådig, resourceful; ~tur, flying (el hurried) visit.

snau, (bar) bare; (knapp) scant(y).

snegle, snail; ~hus, snail shell.

snekker, (møbel-) cabinetmaker; (bygnings-) joiner, carpenter.

snelle, reel; (spole også) bobbin, spool.

snerk, skin; ~pet, prudish.

snerre, snarl, growl.

snes, score.

snev, (antydning) touch; ~ **er,** narrow, restricted; ~ **ersyn,** narrow-mindedness.

snikje, sneak; ~ **mord,** assassination; ~ **morder,** assassin; ~ **myrde,** assassinate; ~ **skytter,** sniper.

snill, kind, good.

snipp, collar; ~ **kjole,** dresscoat, tail coat.

snitt, cut, incision; ~ **e,** cut.

sno, *vt* twist, twine; *vr* wind; *s* biting, icy wind.

snobb, snob; ~ **et,** snobbish; ~ **eri,** snobbery.

snodig, funny, queer, odd.

snor, (tynn) string; (tykk) cord.

snorke, snore.

snu (seg), turn.

snuble, stumble, trip.

snue, cold (in the head).

snus, snuff; ~ **dåse,** snuffbox; ~ **e,** (med nesen) sniff; (tobakk) snuff; *fig* pry; ~ **hane,** snooper.

snute, muzzle, snout.

snylte, sponge; ~ **dyr;** ~ **r,** parasite.

snyte, (bedra) cheat; (nesen) blow.

snø, *s & v* snow; ~ **ball,** snowball; ~ **briller,** snow goggles; ~ **fonn,** snowdrift; ~ **kjetting,** snow chain.

snøre, *s* (fiske-) line; *v* lace (up); ~ **opp,** unlace.

snøskred, snow-slide, avalanche; ~ **slaps,** slush; ~ **vær,** snowy weather.

snål, queer, droll, odd.

sofa, sofa; ~ **pute,** sofa cushion.

sogn, parish; ~ **eprest,** rector, vicar.

sokk, sock; ~ **eholder,** suspender.

sokkel, pedestal, base.

sokne, drag (etter: for).

sol, sun; ~ **bad,** sunbath; ~ **brent,** sunburnt; (brun) tanned; ~ **briller,** sun-glasses, goggles; ~ **bær,** black currant.

sold, pay; ~ **at,** soldier.

solje, *vr* sun oneself; ~ **eklar,** obvious; ~ **formørkelse,** eclipse of the sun.

solid, solid; strong; ~ **arisk,** having solidarity; ~ **aritet,** solidarity.

solist, soloist.

solnedgang, sunset.

soloppgang, sunrise; ~ **sikke,** sunflower; ~ **skinn,** sunshine; ~ **stikk,** sunstroke; ~ **ur,** sun-dial.

som, *pron* who, which, that; *konj* as; like; ~ **om,** as if, as though.

somle, dawdle; ~ **bort,** (tid) waste; (noe) mislay; ~ **mel,** dawdling.

sommer, summer; ~ **fugl,** butterfly.

sonde; ~ **re,** sound; probe.
sondre, (skjelne) distinguish.
sone, v (bøte for) expiate, atone for; (straff) serve; s zone.
sonett, sonnet.
soning, expiation, atonement; (av straff) serving.
sope, sweep; ~ **lime,** broom.
sopp, fungus pl fungi (spiselig) mushroom; (i hus) dryrot.
sopran, soprano.
sordin, mute, sordine.
sorg, sorrow, grief; ~ **full,** sorrowful; ~ **løs,** careless.
sort, s sort, kind; adj black.
sortere, sort, assort, grade.
sosial, social; ~ **arbeider,** social worker; ~ **demokratisk,** social democratic; ~ **isere,** socialize; ~ **isme,** socialism; ~ **ist,** socialist; ~ **kurator,** welfare officer; ~ **økonomi,** economics.
sosiologi, sociology.
sot; ~ **e,** soot; ~ **et,** sooty.
sove, sleep; be asleep; ~ **plass,** (på båt, tog) berth; ~ **sal,** dormitory; ~ **vogn,** sleeping car, sleeper; ~ **værelse,** bedroom.
Sovjetunionen, the Soviet Union.
sovne, fall asleep.
spa; ~ **de,** spade.
spak, s lever; (på fly) (control)stick; adj quiet, meek; ~ **ne,** (om vind) subside.

spalte, s split, cleft; typogr column; v split.
Spania, Spain.
spanier, Spaniard.
spann, bucket, pail; (trekkdyr) team.
spansk, Spanish; ~ **rør,** cane.
spar, (kort) spades; ~ **dame,** queen of spades.
spare, save; (skåne) spare; ~ **bank,** savings bank; ~ **bøsse,** savings-box; ~ **gris,** piggy-bank; ~ **penger,** savings.
spark; ~ **e,** kick.
sparsommelig, thrifty, economical; ~ **melighet,** economy, thrift.
spasere, walk; ~ **stokk,** walking-stick, cane; ~ **tur,** walk.
spe, adj slender, delicate; v dilute, thin; ~ **barn,** baby.
spedalsk, leprous.
spedisjon, forwarding.
speide, watch; ~ **r,** scout; ~ **rgutt,** boy scout; ~ **rpike,** girl guide.
speil, mirror, looking-glass; ~ **blank,** glassy; ~ **e,** (egg) fry; reflect; mirror; ~ **egg,** fried eggs; ~ **glass,** plateglass.
spekepølse, smoked and salted sausage; ~ **sild,** salt (el pickled) herring; ~ **skinke,** cured ham.
spekk; ~ **e,** lard.

spekul|ant, speculator; **~asjon**, speculation; **~ere**, speculate.

spenn, (bru) span; (spark) kick; **~e**, (stramme) stretch, tighten; (over) span; (sparke) kick; *s* buckle; **~ende**, exciting, thrilling; **~ing**, tension; excitement; (usikkerhet) suspense; *elektr* voltage.

spenstig, elastic; *fig* buoyant.

spent, tense; (nysgjerrig) curious, anxious.

sperre, *v* block, close.

spesi|alisere seg, specialize; **~alist**, specialist; **~alitet**, speciality; **~ell**, special, particular; **~elt**, (især) especially, particularly; (særskilt) specially.

spetakkel, (bråk) uproar, row; (støy) noise.

spett, bar, crowbar.

spidd; **~e**, spit.

spik|er; **~re**, nail.

spikke, whittle.

spile, *v* stretch; **~øynene opp**, open one's eyes wide; *s* lath; (paraply) rib.

spill, play; (lek) game; *teat* playing, acting; (tap) loss, waste; **~e**, play; (søle) spill, (ødsle bort) waste; **~edåse**, music-box; **~emann**, fiddler; **~er**, player; **~erom**, scope.

spinat, spinach.

spindelvev, cobweb.

spinkel, slender, thin.

spinne, spin; **~ri**, spinning mill.

spion, spy; **~asje**, espionage; **~ere**, spy.

spir, spire; **~al**, spiral.

spire, *s* germ, sprout; *v* sprout, germinate.

spirit|isme, spiritualism; **~ist**, spiritualist; **~uell**, witty; **~uosa**, spirits, liquor.

spise, eat; **~bord**, dining table; **~lig**, eatable, edible; **~rør**, gullet; **~sal**, dining-room; **~skje**, table-spoon; **~vogn**, dining car.

spiskammer, larder, pantry.

spiss, *s* point, tip; *adj* pointed, sharp; **~e**, sharpen; **~findig**, hairsplitting; **~rot**, **løpe ~**, run the gauntlet; **~vinklet**, acute-angled.

spjeld, damper, register.

spjelke, *s* splint; *v* splinter.

spleis; **~e**, splice; (skyte sammen) club (together), go Dutch; **~elag**, Dutch treat.

splint, (stykke) splinter; **~er ny**, brand new; **~re(s)**, shatter, shiver.

splitt; **~e**, split; **~else**, split.

spole, *s* & *v* spool, reel.

spolere, spoil, ruin.

spon, chips; (høvel-) shavings; (fil-) filings.

spontan, spontaneous.

spor, (fot) footprint; (jakt) track, trail; (hjul) track, rut; *jernb* tracks, rails; *fig* track, trace; ~ **e,** *v* trace, track; (an-) spur, urge; *s* spur; *fig* stimulus, incentive; *bot* spore.

sport, sport(s); ~ **sartikler,** sports goods; ~ **sfisker,** angler; ~ **smann,** sportsman, athlete.

spor|vei, tramway; ~ **vogn,** tram(car); *amr* streetcar.

spotsk, mocking, derisive.

spott, mockery, derision; ~ **e,** scoff at, deride, mock.

spraglet, mottled; (gloret) gaudy.

sprang, leap, jump.

spre, spread; scatter.

sprek, vigorous, fit.

sprekk, (brist) crack; (åpning) chink; ~ **e,** crack, burst.

sprelle, kick about; (fisk) flop.

sprenge, burst, break.

sprett, ~ **e,** bound; bounce; ~ **e av,** rip off; ~ **e opp,** rip open, unstitch; ~ **en,** frisky.

sprike, stand out, spread.

spring, (water)tap; ~ **brett,** spring-board; *fig* stepping-stone; ~ **e,** (hoppe) spring, leap, jump; (løpe) run; (briste) burst; ~ **ende punkt,** salient point; ~ **er,** (sjakk) knight; ~ **marsj,** *mil* at the double.

sprinkel, bar; ~ **kasse,** crate.

sprit, spirit(s).

sprudle, bubble, sparkle.

sprut: ~ **e,** spurt.

sprø, (mat) crisp; (skjør) brittle.

sprøyte, *s* syringe; (brann-) fire engine; *v* spray; (sprute) spurt, squirt; *med* inject.

språk, language; ~ **forsker,** linguist; ~ **kunnskaper,** knowledge of languages; ~ **lig,** linguistic.

spurt: ~ **e,** spurt.

spurv, sparrow.

spy, *s & v* vomit.

spyd, spear; (kaste-) javelin.

spydig, sarcastic; ~ **het,** sarcasm.

spyd|kast *idr* throwing the javelin; ~ **kaster,** javelin thrower.

spyle, wash, flush.

spytt, spittle, saliva; ~ **e,** spit.

spøk: ~ **e,** jest, joke; ~ **e** (gå igjen) haunt; ~ **efugl,** wag, joker; ~ **else,** ghost.

spørre, ask; (~ **ut**) question; (fore-) inquire; ~ **konkurranse,** quiz; ~ **skjema,** questionnaire.

spørsmål, question; ~ **stegn,** question mark.

spå, prophesy, predict; ~ **dom,** prophecy; ~ **kone,** fortune-teller.

sta, obstinate.

stab, staff.

stabbestein, guard-stone.

stabbur, storehouse on pillars.

stabel, pile, stack; *mar* stocks; ~ **avløpning**, launch(ing).

stabil, stable; (om person) steady; ~ **isere**, stabilize.

stable, pile, stack.

stad|feste, confirm; ~ **festelse**, confirmation; ~ **ig**, steady, constant; *adv* constantly; ~ **ion**, stadium; ~ **ium**, stage.

stafettløp, relay race.

staffeli, easel.

stagge, curb, check, restrain.

stagn|asjon, stagnation; ~ **ere**, stagnate.

stake, *s* stake; (lang) pole; (lyse-) candlestick; *mar* sparbuoy; *v* pole, stake.

stakitt, paling; (av jern) railing.

stakk, (hay)stack, rick.

stakkar, poor creature; ~ **s**, poor.

stall, stable; ~ **kar**, groom.

stam: være ~, stammer; ~ **far**, ancestor; ~ **gjest**, regular (customer), habitué; ~ **me**, (tre-) *s* stem, trunk; (folk) tribe; *s* (fra) stem from, date from, (ned-) descend *(el* be descended) from; (være ~) stammer, stutter.

stampe (gå tungt) tramp; *mar* pitch; (pantsette) pawn.

stam|tavle, pedigree; genealogical table; ~ **tre**, pedigree, genealogical tree.

stand, (til-) state, condition; (samfunns-) class, rank; (være i ~ til) be able to; ~ **ard**, standard; ~ **haftig**, firm, steadfast; ~ **punkt**, standpoint, point of view; ~ **rett**, summary court-martial; ~ **smessig**, suitable to one's station.

stang, (stake) pole; (fiske) rod; (metall-) bar, (flagg-) staff; ~ **e**, butt.

stank, stench, stink.

stans, break, pause; stop; ~ **e**, stop, cease; (presse) stamp, punch.

stappe, *s* mash; *v* stuff, cram.

stas, finery; show; ~ **elig**, fine, splendid.

stasjon, station; ~ **svogn**, station-wag(g)on, estate car.

stat state.

statist, (film) extra; *teat* walker-on.

statist|ikk, statistics; ~ **sk**, statistical.

stativ, stand, rack.

stats|advokat, public prosecutor; ~ **autorisert revisor**, chartered accountant; ~ **bedrift**, state enterprise; ~ **borger**, citizen, subject; ~ **eiendom**, public property; ~ **forvaltning**, public administration; ~ **funksjonær**, civil servant; ~**gjeld**, national debt; ~**kasse**, the Treasury, the Exchequer; ~**kirke**, state-church; (i England) established church; ~**kupp**, coup d'état; ~**mann**, statesmann; ~**minister**, prime minister; ~**råd**, *m* Cabinet minister; *n* Cabinet meeting; ~**tjenestemann**, civil servant; ~**vitenskap**, political science.

statholder, governor.

statue, statue.

status, status; (tilstand) state of affairs; *merk* balance sheet; ~**symbol**, status symbol.

statutter, statutes, rules.

staur, pole.

stav, staff, stick; ~**e**, spell; ~**else**, syllable.

stavn, (for-) stem; prow; (bak-) stern.

stavsprang, pole-jump *el* vault.

stebarn, stepchild.

sted, place, spot; ~**fortreder**, deputy, substitute; ~**sans**, sense of locality.

stefar, stepfather.

steil, (bratt) steep; (sta) stubborn; ~**e**, (bli forbløffet) be staggered; (om hest) rear up.

stein, stone; ~**alder**, Stone Age; ~**brudd**, stone-quarry; ~**e**, stone; ~**hogger**, stonecutter; ~**kast**, stone's throw; ~**kull**, coal; ~**tøy**, crockery.

stek, joint; roast; ~**e**, roast; (i panne) fry; ~**eovn**, oven; ~**epanne**, frying pan.

stell, (styre) management; (omsorg) care; ~**e**, (pleie) nurse, care for.

stemme, *s* voice; *pol* vote; *vi* vote; *vt* tune; (være riktig) be right; ~**bånd**, vocal chord; ~**rett**, franchise; ~**seddel**, ballot paper.

stemning, (sinns-) mood, temper; (i selskap) atmosphere.

stemor, stepmother.

stempel, stamp; *mask* piston; (på varer) mark, brand; ~**avgift**, stamp duty.

stemple, stamp, mark.

steng, shot, seine-full; ~**e**, (sperre) block; (lukke) shut, close; ~**el**, stem; (stilk) stalk; ~**etid**, closing time; ~**sel**, bar, barrier.

stenograf, shorthand writer, shorthand typist; ~**ere**, write shorthand; ~**i**, shorthand, stenography.

stensil; ~**ere**, stencil.

steppe, steppe, prairie; *v* tap dance; ~**ing**, tapdancing.

steril, sterile; ~**isere**, sterilize.

sterk, strong; (lyd) loud.

stett, stem.

stevne, (møte) rally; (idretts-) meeting; *v* (styre) steer, head; (innkalle) summon; ~**møte**, date; rendezvous.

sti, path; (i øyet) sty.

stift, (med hode) tack; (uten hode) brad; ~ **e,** (grunnlegge) found, establish; (gjeld) contract; ~ **else,** foundation, establishment.

stig|brett, (bil) running-board; ~ **bøyle,** stirrup; ~ **e,** rise, go up; (øke) increase; *s* ladder; ~ **ning,** rise, increase; (på vei) gradient, incline.

stikk, (av insekt) sting; (nåle-) pin-prick; (med kniv *o.l.*) stab; (kort) trick; ~ **e,** (med noe spisst) stick; (med nål) prick; (insekt) sting; (putte) put; ~ **elsbær,** gooseberry; ~ **-kontakt,** socket; (støpsel) plug; ~ **ord,** *mil* password; (oppslagsord) entry; *teat* cue; ~ **prøve,** spot (*el* random) test.

stil, style; (skole-) composition, essay-paper; ~ **e,** (til) address; ~ **ig,** stylish, smart; ~ **k,** stem, stalk.

stillas, scaffold(ing).

stille, *adj* still, quiet; *mar* calm; *v* (anbringe) put, place, set; **Stillehavet,** the Pacific (Ocean).

still|ferdig, quiet, gentle; ~ **het,** stillness, calm, quiet(ness); ~ **ing,** position; (ansettelse også) post, situation, *dt* job; (holdning) attitude; ~ **stand,** standstill, stagnation; ~ **tiende,** tacit.

stim, (fisk) school, shoal; ~ **le sammen,** crowd, throng.

stimul|ans, stimulant, stimulus; ~ **ere,** stimulate.

sting, stitch.

stink|dyr, skunk; ~ **e,** stink.

stipendi|at, scholarship holder; ~ **um,** scholarship.

stirre, stare, gaze.

stiv, stiff, rigid; ~ **e;** ~ **else,** starch; ~ **krampe,** tetanus; ~ **nakket,** *fig* stiffnecked; ~ **ne,** stiffen; (om væske) coagulate.

stjele, steal.

stjerne, star; ~ **bilde,** constellation; ~ **skudd,** shooting star; ~ **tyder,** astrologer.

stoff, (tøy) material, fabric, cloth; (substans) stuff, matter, substance; ~ **skifte,** metabolism.

stokk, (spaser-) stick, cane; ~ **døv,** stone-deaf.

stol, chair.

stole på, rely (*el* depend) (up)on, trust.

stolpe, post; pole.

stolt, proud; ~ **het,** pride.

stopp, (i pute) padding, stuffing; (på strømpe) darn; (stans) stop(page); ~ **e,** *vt* fill, stuff; (stanse) stop; (strømpe) darn, mend; *vi* stop, halt; ~ **egarn,** darning wool; ~ **eklokke,** stop watch; ~ **ested,** stop(ping-place).

stor, great; big; large; (høy) tall; ~ **artet,** grand, splendid.

Storbritannia, Great Britain.

stor|finans, high finance; ~ **industri,** large-scale industry.

stork, stork.

storm, gale; (sterk ~ og *fig*) storm.

stor|magasin, department store; ~ **makt,** Great Power; ~ **mannsgalskap,** megalomania; ~ **vilt,** big game.

strabas|er, hardships; ~ **iøs,** fatiguing.

straff, punishment; *jur* penalty; ~ **bar,** punishable; ~ **arbeid,** penal servitude; ~ **e,** punish; ~ **elov,** criminal law; ~ **eporto,** (postal) surcharge; ~ **esak,** criminal case; ~ **espark,** penalty kick.

straks, at once, immediately.

stram, (ikke løs) tight; (rank) erect; ~ **me,** tighten; ~ **tsittende,** tight-fitting.

strand, shore, beach; ~ **e,** run aground, strand; *fig* fail; ~ **hogg,** raid.

strateg, strategist; ~ **i,** strategy; ~ **isk,** strategic(al).

strebe, strive; ~ **r,** careerist.

streif, (av lys) gleam; (berøring) graze; ~ **e,** (berøre lett) graze; *fig* touch on; (~ **e om**) roam; ~ **skudd,** grazing shot; ~ **tog,** raid.

streik; ~ **e,** strike; ~ **ebryter,** strike-breaker; ~ **evakt,** picket.

strek, line; (puss) prank, trick; ~ **e,** draw lines; (~ **e under**) underline.

strekke (seg), stretch; ~ **til,** be sufficient *el* enough, suffice.

strekning, stretch, distance.

streng, *adj* strict; (hard) severe, rigorous; *s* string.

strev, (slit) toil, labour; ~ **e,** (slite) work hard, toil; (forsøke) strive; ~ **som,** hardworking; (hard) hard.

stri, (av sinn) stubborn; (streng) rigorous; (strøm) rapid; *v* (slite) toil.

strid, dispute, strife; ~ **e,** fight, struggle; ~ **ende,** *mil* combatant; ~ **ig,** obstinate; ~ **ighet,** dispute, controversy; ~ **spunkt,** point at issue.

strie, sacking.

strikk, elastic (band); ~ **e,** knit; ~ **epinne,** knitting-needle; ~ **etøy,** knitting.

strimmel, strip, slip.

stripe, stripe, streak; ~ **t,** striped.

striregne, pour down.

stritte, bristle; ~ **imot,** resist.

strofe, stanza.

stropp, strap.

struktur, structure.

strupe, *s* throat; *v* strangle; ~ **hode,** larynx.

struts, ostrich.

stryk, (pryl) beating; (i elv) rapids; (eksamen) failure; ~**e,** stroke; (tøy) iron; (til eksamen) fail; (~**e ut)** cross (out); ~**efri,** non-iron; ~**ejern,** iron.

strø, strew, sprinkle.

strøk, (egn) part, district; region; (penne-) stroke.

strøm, current; (noe som strømmer) stream; ~**e,** stream, pour; ~**måler,** electricity meter.

strømpe, stocking; ~**bukser,** tights; ~**bånd,** garter.

strå, straw.

stråle, s ray, beam; (vann) jet; v shine, radiate, beam; ~**nde,** splendid, brilliant.

strålmann, dummy, man of straw; ~**tak,** thatched roof.

stubb(e), stub, stump.

student, student; ~**ere,** study; ~**ie,** ~**ium,** study; ~**io,** studio.

stue, s (sitting-)room; (hytte) cottage; v (mat) stew; mar stow.

stuert, steward.

stuing, stew.

stum, mute, dumb; ~**film,** silent film.

stump, s (sigarett-, lys- o.l.) stub; (av arm, ben) stump; adj blunt; (vinkel) obtuse.

stund, while; ~**om,** at times, sometimes.

stup, precipice; (hopp) dive; ~**e,** (hoppe) dive; (falle) pitch.

stusse, (klippe) trim; (undres) wonder.

stut, bull(ock); ~**teri,** stud.

stygg, ugly; (dårlig) nasty, bad.

stykke, s piece, bit; teat play; v ~ **opp,** split up, divide; ~ **ut,** parcel out.

stylte, stilt.

styr, holde ~ på, keep in check; ~**bord,** starboard; ~**e,** vt steer; (lede) manage, direct; (regjere) govern, rule; s (sykkel) handle-bar; (abst ledelse) management; (stats-) government, rule; (direksjon) board of directors; (i forening) (executive) committee; ~**eformann,** chairman; ~**er,** se bestyrer.

styrke, s strength; force; v strengthen, fortify.

styrmann, mate, officer.

styrt, (bad) shower(-bath); ~**e,** vi fall down, tumble down; (om fly) crash; (fare avsted) rush, dash; (om-) overthrow; ~**hjelm,** crash helmet; ~**regn,** pouring rain.

stær, zool starling; med (grå) cataract; (grønn) glaucoma.

stø, s landingplace; adj steady.

støkk, start, shock; ~**e,**

(skremme) startle; (bli skremt) start (up).

stønad, aid; (trygd) benefit.

stønn; ~e, moan, groan.

støpe, (metaller) cast; (forme) mould; ~form, mould; ~jern, cast-iron; ~ri, foundry.

støpsel, plug.

størje, tunny.

størkne, (sement o.l.) harden, set; (væske) coagulate.

størrelse, size; (omfang) extent; ~sorden, magnitude; mat quantity.

størstedelen, the greater part.

støt, (skubb) push; (slag) blow; (dolke-) stab; elektr shock; (trompet-) blast; ~e, push; (dunke) bump; (for-nærme) offend, hurt; ~fanger, fender, bumper; ~pute, buffer.

støtt, always, constantly; ~e, v support; fig også back (up); s support; backing; (billed-) statue.

støv, dust; ~e, be dusty; ~et, dusty; ~eklut, duster.

støvel, boot.

støvsuger, vacuum cleaner.

støy, noise; ~e, make a noise; ~ende, noisy.

stå, stand; ~hei, fuss.

stål, steel; ~tråd, steel wire.

ståplass, standing room; ~billett, standing ticket.

subjekt, subject; ~iv, subjective.

sublim, sublime.

subsidier, subsidies; ~e, subsidize.

subskribent, subscriber; ~bere, subscribe (på: to); ~psjon, subscription.

substantiv, substantive, noun.

subtil, subtle.

subtrahere, subtract.

sufflere, prompt; ~lør, ~løse, prompter.

sug, suction; ~e, suck; ~erør, straw.

suite, suite.

sukk; ~e, sigh.

sukker, sugar; ~erter, sugar-peas; ~klype, sugar-tongs; ~kopp, sugar-basin; ~rør, sugar-cane; ~syke, diabetes; ~tøy, sweets; amr candy.

sukre, sugar, sweeten.

sult, hunger; ~e, starve; ~efôre, underfeed; ~elønn, starvation wages; ~en, hungry.

sum, sum; ~marisk, summary; ~me, hum, buzz; ~me seg, collect oneself; ~mere, sum up; ~etone, (telefon) dialling tone.

sump, swamp, bog; ~et, swampy, boggy.

sund, sound, strait.

sunn, (frisk) sound, healthy; (gagnlig) wholesome, healthy; ~het, health.

suppe, soup; ~terrin, tureen.

supplement, ~ **re,** supplement.

sur, sour; (syrlig) acid; ~ **deig,** leaven.

surre, (summe) hum, buzz; (binde) lash, secure.

surrogat, substitute.

sur|sild, pickled herring; ~ **stoff,** oxygen.

sus, whistling; humming; ~ **e,** whistle, whizz.

sutre, whimper, whine.

suvenir, souvenir.

suveren, sovereign; ~ **itet,** sovereignty.

svada, claptrap, hot air.

svaie, sway.

svak, weak; (ubetydelig) feeble, faint; ~ **het,** weakness.

sval, adj cool; s gallery, balcony; ~ **e,** v cool; s swallow.

svamp, sponge; ~ **aktig,** spongy.

svane, swan; ~ **sang,** swansong.

svanger, pregnant; ~ **skap,** pregnancy.

svans, tail.

svar, ~ **e,** answer, reply.

svart, black; ~ **ebørs,** black market; ~ **edauden,** the Black Death; **Svartehavet,** the Black Sea; ~ **eliste,** black list; ~ **emarja,** Black Maria.

svei|se, weld; ~ **er,** (metall-) welder; (fjøskar) dairyman.

Sveits, Switzerland; ~ **er;** ~ **isk,** Swiss.

sveiv; ~ **e,** crank.

svekke, weaken; ~ **lse,** weakening.

svekling, weakling.

svelg, throat, gullet; (avgrunn) abyss, gulf; ~ **e,** swallow.

svelle, swell.

svensk, Swedish; ~ **e,** Swede.

svepe, whip.

sverd, sword; ~ **fisk,** swordfish; ~ **side,** male line.

sverge, swear; ~ **falsk,** perjure.

Sverige, Sweden.

sverm, swarm; crowd; ~ **e,** swarm; ~ **e for,** have a crush on.

sverte, v blacken; s (sko-) blacking.

svett, sweaty; ~ **e,** v perspire, ·sweat; s perspiration, sweat.

sveve, hover, float.

svi, vi smart; vt singe, scorch.

sviger|datter, ~ **far,** ~ **foreldre,** daughter-in-law, father-in-law, parents-in-law; ~ **inne,** sister-in-law.

svik, fraud, deceit; ~ **e,** deceive, betray, cheat.

svikt, (brist) flaw; (uteblivelse) failure; ~ **e,** fail.

svim|e av, faint; **i** ~ **e,** unconscious; ~ **lende,** dizzy.

svin, pig; koll swine.

svind|el; ~ **le,** swindle; ~ **ler,** swindler.

svinekjøtt, pork; ~ **lær**, pigskin; ~ **ri**, filthiness; ~ **stek**, roast pork.

sving, swing; (på vei) curve, bend, turn(ing); ~ **dør**, revolving door; ~ **e**, swing; (bil, vei) turn; (hatten) wave; ~ **ning**, (variasjon) fluctuation; (fram og tilbake) oscillation.

svinn, waste, loss; ~ **e**, (forminskes) diminish, dwindle.

svir, carousing; ~ **e**, carouse, booze.

svirre, (også fig) buzz.

sviske, prune.

svoger, brother-in-law.

svor (fleske-), rind.

svovel, sulphur; ~ **syre**, sulphuric acid.

svull, (is-) ice-fall; (hevelse) swelling; ~ **me**, swell.

svulst, tumo(u)r; ~ **ig**, bombastic.

svær, very large, huge; heavy; ~ **vekt**, heavy-weight.

svømme, swim; ~ **basseng**, swimming-pool; ~ **belte**, swimming-belt; ~ **fugl**, web-footed bird; ~ **hud**, web; ~ **r**, swimmer.

svøpe, fig scourge.

sy, sew; ~ **dame**, dressmaker.

Syden, the South.

sydfrukter, fruits from the South; ~ **lig**, south(ern).

Sydpolen, the South Pole.

syerske, seamstress.

syk, ill (foran s) sick; (som predikatsord) ill; ~ **dom**, illness, sickness, disease; ~ **ebil**, ambulance; ~ **ehus**, hospital; ~ **epleier**, (hospital) nurse.

sykkel, (bi)cycle, bike; ~ **le**, cycle; bike; ~ **list**, cyclist.

syklon, cyclone.

syklubb, sewing circle.

syl, awl.

sylinder, cylinder.

sylte, v (frukt o.l.) preserve; (i eddik) pickle; s brawn; ~ **tøy**, jam, preserve(s).

symaskin, sewing machine.

symbol, symbol; ~ **isere**, symbolize; ~ **sk**, symbolic.

symfoni, symphony.

symmetrisk, symmetrical.

sympati, sympathy; ~ **sere**, sympathize; ~ **sk**, likeable, nice.

syn, sight; (mening) view.

synagoge, synagogue.

synd, ~ **e**, sin; (det er synd, leit) it is a pity; ~ **ebukk**, scapegoat; ~ **er**, sinner; ~ **floden**, the Flood; ~ **ig**, sinful.

syne, (vise) show; ~ **s**, think; consider, find; (se ut som) appear, seem.

synge, sing.

synke, sink; fall.

synlig, visible; ~ **sbedrag**, optical delusion; ~ **sk**, clairvoyant, second-sighted;

~spunkt, point of view, viewpoint; **~srand,** horizon.

syntetisk, synthetic.

sylnål, (sying) needle.

syre, acid; *bot* sorrel.

syrin, lilac.

syrlig, sourish, acidulous.

syssellsette, employ; **~setting,** employment.

system, system; **~atisk,** systematic; *adv* systematically.

syt, n, whimper, whine.

syltråd, sewing-thread; **~tøy,** needle-work.

sæd, seed; (væske) semen, sperm.

særdeles, highly, most; **~deleshet: i ~,** in particular, especially; **~egen,** peculiar; **~egenhet,** peculiarity; **~eie,** separate estate; **~lig,** *adj* special, particular; *adv* especially, particularly; **~preg,** distinctive stamp; **~skilt,** separate; **~tilbud,** special offer.

sødme, sweetness.

søke, seek, search *(el* look) for; (sende søknad) apply for; (forsøke) try; **~r,** *fotogr* view-finder; (til stilling) applicant.

søkk, (fordypning) hollow, depression; (trykk) start; **~våt,** drenched, soaked.

søknad, application; **~smål,** (law)suit; **~t,** *fig* far-fetched.

søl, mess; **~e,** mud; *v* (spille væske) spill, slop; (**~e til**) soil; **~epytt,** puddle; **~et,** muddy, dirty.

sølibat, celibacy.

sølje, (filigree) brooch.

sølv, silver; **~bryllup,** silver wedding; **~tøy,** table silver.

søm, (det å sy) sewing; (sammensying) seam; *med bot* suture; **~me seg,** be becoming; **~melig,** decent, becoming; **~melighet,** decency, propriety.

søndag, Sunday.

sønn, son; **~edatter,** granddaughter; **~esønn,** grandson.

søppel, rubbish, refuse; **~kasse,** dustbin; refuse bin.

sør, south.

sørge, (føle sorg) grieve, mourn; **~ for** (skaffe) provide, arrange for; **~klær,** mourning; **~lig,** sad; **~marsj,** funeral march.

sørgmodig, sad, sorrowful.

sørlig, southern; (vind) southerly.

sørpe, slush, sludge.

søsken, brothers and sisters; **~barn,** cousin.

søster, sister.

søt, sweet; **~e,** *v* sweeten.

søvn, sleep; **~gjenger,** sleepwalker; **~ig,** sleepy; **~løs,** sleepless; **~løshet,** insomnia.

søyle, pillar, column.

så, v sow; adv then; so;
~ **dan,** such; ~ **kalt,** so
called; ~ **korn,** seed-corn.
såld, riddle, sieve.
såle, s & v, sole.
således, so, thus; ~ **mann,**
sower; ~ **maskin,** sowing-
machine.
sånn, such; (således) so, thus.

såpe, s & v soap; ~ **skum,**
lather; ~ **stykke,** cake of
soap.
sår, s wound; adj sore; pain-
ful; ~ **bar,** vulnerable; ~ **e,**
wound; (fig også) hurt;
~ **ende,** fig cutting, wound-
ing; ~ **t,** sorely.
såte, (hay)cock.

T

ta, take; (beregne seg) charge.
tabbe, blunder.
tabell, table; ~ **lett,** tablet;
~ **lå,** tableau; ~ **u,** taboo;
~ **urett,** stool.
taffel, table.
tafs, wisp of hair.
tagg, (pigg) spike, barb.
tak, (med hånd) grasp, hold;
(med åre) stroke; (på hus)
roof; (i værelse) ceiling.
takkammer, attic, garret.
takk, thanks; thank you; ~ **e,**
thank; ~ **et være,** thanks to;
~ **nemlig,** grateful, thankful;
~ **nemlighet,** gratitude.
takle, tackle; (mar også) rig.
takrenne, gutter.
taksameter, (taxi)meter;
~ **ere,** value, appraise, rate;
~ **ering,** valuation, appraise-
ment.
takskjegg, eaves; ~ **stein,** tile.
takst, rate (person-) fare;
(verdi) appraised value;
~ **mann,** appraiser.

takt, time; (finfølelse) tact;
~ **fast,** measured; ~ **full,**
tactful; ~ **ikk,** tactics; ~ **isk,**
tactical; ~ **løs,** tactless;
~ **løshet,** tactlessness;
~ **stokk,** baton.
takvindu, skylight.
tale, v speak, talk; s speech;
(snakk) talk; ~ **feil,** speech
defect; ~ **frihet,** freedom;
~ **språk,** spoken (el collo-
quial) language.
talent, talent; ~ **full,** talented.
taler, speaker; (begavelse)
orator; ~ **stol,** rostrum, plat-
form.
talg, tallow.
talje, tackle.
talkum, talcum.
tall, number; (-tegn) figure,
digit.
tallerken, plate.
tallord, numeral; ~ **rik,** nu-
merous; ~ **skive,** dial; ~ **øs,**
countless, innumerable.
talong, counterfoil, stub.

talsmann, spokesman, mouthpiece; (for en sak) advocate.

tam, tame; ~**het,** tameness.

tamp, rope end.

tampong, tampon.

tandem, tandem; ~**der,** delicate, frail.

tang, (ild-) tongs; (knipe-) pincers; *bot* seaweed; ~**e,** tongue (of land); ~**ent,** tangent; (piano) key; ~**ere,** touch.

tank, tank; ~**bil,** ~**båt,** tanker.

tanke, thought, idea; ~**full,** thoughtful; ~**gang,** train of thought; ~**løs,** thoughtless; ~**strek,** dash.

tann, tooth; (på hjul) cog; ~**børste,** tooth-brush; ~**hjul,** cog-wheel; ~**kjøtt,** gum; ~**krem,** tooth-paste; ~**lege,** dentist; ~**pasta,** tooth-paste; ~**verk,** toothache.

tante, aunt.

tap, loss; ~**e,** lose; ~**er,** loser.

tapet, wallpaper; ~**sere,** paper.

tapp, (kran) tap; (omdreinings-) pivot; ~**e,** tap, draw; (på flaske) bottle; ~**enstrek,** tattoo.

tapper, brave, valiant; ~**het,** bravery, valour.

tara, tare.

tare, seaweed.

tariff, tariff.

tarm, intestine; (pl også) bowels, guts; ~**slyng,** ileus.

tast, key; ~**atur,** keyboard.

tater, gipsy.

tatovere; ~**ing,** tattoo.

tau, rope; ~**båt,** ~**e,** se *slepe(båt)*.

taus, silent; ~**het,** silence.

tavle, (skole-) blackboard; *elektr* switchboard, fuse board.

te, tea.

teater, theatre; ~**forestilling,** theatrical performance; ~**sjef,** theatre (el theatrical) manager.

teatralsk, theatrical.

teft, scent; fin ~ for, a good nose for.

teglstein, (til tak) tile; (til mur) brick.

tegn, sign, mark; ~**e,** draw; ~**efilm,** (animated) cartoon; ~**er,** draughtsman; (mote-) designer; (karikatur-) cartoonist; ~**eserie** (strip) cartoon, (comic) strip; ~**estift,** drawing pin; ~**ing,** drawing; ~**setning,** punctuation.

tekanne, tea-pot; ~**kjøkken,** kitchenette.

tekke, *v* roof; (med strå) thatch; ~**lig,** decent, proper.

tekniker, technician; ~**ikk,** technique; ~**isk,** technical.

tekst, text; *mus* words.

tekstil, textile; **~fabrikk**, textile mill.

tele, *s* frozen earth.

telefon|boks, call-box, telephone kiosk; **~ere**, telephone; **~katalog**, telephone directory; **~oppringning**, (telephone) call; **~sentral**, telephone exchange.

telegraf, telegraph; **~i**, telegraphy; **~isk**, telegraphic, by wire, by cable; **~ist**, telegraphist.

telegram, telegram, wire, cable.

teleks, telex; **~melding**, telex(call).

tele|pati, telepathy; **~skop**, telescope; **~visjon**, television, se *fjernsyn*.

telle, count, number; **~apparat**, turnstile; **~r**, (i brøk) numerator.

telt, tent; **~duk**, tent-canvas; **~leir**, camp of tents.

tema, *mus* theme; (emne) subject, topic.

temme, tame; (gjøre til husdyr) domesticate; **~lig**, rather, pretty; fairly.

tempel, temple.

temper|ament, temperament, temper; **~atur**, temperature; **~ere**, temper.

tempo, pace, tempo.

tendens, tendency, trend; **~iøs**, tendentious, bias(s)ed.

tendere, tend.

tenke, think; (akte) mean; (**~ seg**) imagine; **~lig**, imaginable; **~r**, thinker.

tenne, light; *elektr* switch (el turn) on; (ved gnist) ignite; **~ing**, ignition.

tennis, tennis; **~bane**, tennis-court.

tennplugg, spark(ing-)plug.

tenor, tenor.

tentamen, preliminary examination.

tenåring, teenager.

teo|log, theologian; **~logi**, theology; **~retiker**, theorist; **~retisk**, theoretic(al); **~ri**, theory.

teppe, (gulv-) carpet; (lite) rug; *teat* curtain.

tera|peutisk, therapeutic(al); **~i**, therapy.

termin, period, term; (avdrag) instalment.

termo|meter, thermometer; **~sflaske**, thermos(flask); **~stat**, thermostat.

terning, die; *pl* dice.

terpentin, turpentine.

terrasse, terrace.

terreng, country, ground; **~løp**, cross-country race.

terrin, tureen.

territor|ialfarvann, territorial waters; **~ium**, territory.

terror, terror; **~isere**, terrorize; **~isme**, terrorism; **~ist**, terrorist.

terskel, threshold.

terte, tart; ~**fin,** prudish.

tesil, tea-strainer; ~**skje,** tea-spoon.

testament(e), testament, will; ~**arisk,** testamentary; ~**ere,** bequeath, leave by will.

testikkel, testicle.

tett, *adj* (ikke lekk) tight; (ikke spredt) dense; (nær) close; *adv* close, closely; ~**e,** make tight; ~**sittende,** tight(-fitting).

ti, ten.

tid, time; *gram* tense; ~**evann,** tide; ~**feste,** determine the time of; ~**lig,** early; ~**ligere,** previous; earlier; ~**ligst,** at the earliest; ~**salder,** age; ~**sfordriv,** pastime; ~**sfrist,** time limit; ~**snok,** in time; ~**spunkt,** time, moment, hour; ~**skrift,** periodical, review.

tie, be silent.

tiende, *num* tenth; *s* tithe.

tiger, tiger.

tigge, beg; ~**r,** beggar; ~**ri,** begging.

tikamp, decathlon.

tikke, tick.

til, *prp* to; *adv* **en** ~, one more; *konj* till, until.

tilbake, back; (igjen) left; behind; ~**betale,** repay; ~**blikk,** retrospect; ~**fall,** relapse; ~**gang,** decline; ~**holden,** reserved; ~**hol-**

denhet, reserve; ~**komst,** return; ~**legge,** cover; ~**levere,** return; ~**reise,** return journey; ~**slag,** setback; ~**tog,** retreat; ~**trekning,** withdrawal; ~**trukket,** retired; ~**vei,** way back; ~**virkende,** retroactive; ~**vise,** reject; ~**visning,** rejection.

tilbe, worship; ~**der,** worshipper; *fig* admirer.

tilbehør, accessories; ~**berede,** prepare; ~**bringe,** spend; ~**bud,** offer; ~**børlig,** due; ~**bøyelig,** inclined; (ha lett for) be apt to; ~**bøyelighet,** inclination, tendency.

tildele, (anvise) allot, assign; (ved kvote) allocate; ~**deling,** allotment, assignment; allocation; ~ **dels,** partly; ~**egne,** dedicate; *vr* (kunnskaper *o.l.*) acquire.

tilfalle, fall to; ~**feldig,** casual, accidental; chance; (sammentreff) coincidence; ~**feldigvis,** by chance, accidentally; ~**felle,** case; ~**felles,** in common; ~**flukt,** refuge; ~**freds,** satisfied; (fornøyd) pleased, content(ed); ~**fredshet,** satisfaction; contentment; ~**fredsstille,** satisfy; ~**fredsstillelse,** satisfaction; ~**fredsstillende,** satisfactory; ~**frosset**, frozen (over); ~**førsel**, supply; ~**føye**, add; (volde) cause.

tilgi, forgive, pardon; ~**givelig**, pardonable; ~**givelse**, pardon; ~**gjengelig**, accessible; ~**gjort**, affected; ~**godehavende**, outstanding debt.

til|henger, adherent, follower, supporter; ~**holdssted**, resort; ~**hylle**, veil; ~**høre**, belong to; ~**hører**, listener.

tilintetgjøre, annihilate, destroy; ~**lse**, destruction.

til|kalle, call, summon; ~**kjenne**, award; ~**kjennegi**, make known; ~**knytning**, connection; ~**komme**, (være ens plikt) be one's duty.

til|laget, prepared; ~**lags-gjøre** ~, please; ~**late**, allow, permit; ~**latelig**, permissible; ~**latelse**, permission, leave; (skriftlig) permit; ~**legg**, addition; supplement; ~**lempe**, adapt; ~**liggende**, adjacent; ~**lit**, confidence; ~**litsfull**, confident; ~**litsvotum**, vote of confidence; ~**løp**, (til hopp) starting run; *fig* effort, attempt.

tilnærmelse, approach; *fig* advance; ~**svis**, approximately; (ikke-) not nearly.

til overs, left (over).

tilpasning, adap(ta)tion; ~**se**, adapt.

til|reisende, visitor; ~**rettelegge**, arrange; ~**rettevise**; ~**rettevisning**, rebuke; ~**rive seg**, usurp; ~**rop**, cry, hail; ~**rå**, advise; ~**rådelig**, advisable.

til|sagn, promise; ~**sammen**, altogether, in all; ~**setning**, admixture; ~**sette**, add; (ansette) engage, appoint; ~**sidesette**, (person) slight, pass over; (forsømme) neglect; ~**siktet**, intentional; ~**skjærer**, cutter; ~**skrive**, ascribe; ~**skudd**, grant, contribution; ~**skuer**, spectator; ~**skynde**, prompt, urge; ~**slag**, (auksjon) knocking down; (bifall) approval; (samtykke) consent; ~**sløre**, veil; ~**snikelse**, subreption; ~**spisse seg**, become critical; ~**sprang**, start; ~**stand**, state, condition; ~**stede**, present; ~**stelning**, arrangement; ~**strekkelig**, sufficient; ~**strømning**, influx; ~**støte**, happen to; ~**støtende**, adjacent; ~**stå**, confess; (innrømme) admit; ~**ståelse**, confession; admission; ~**svare**, correspond to; ~**svarende**, corresponding; ~**syn**, supervision; ~**syne**: **komme** ~, appear; ~ synelatende, see-ming, apparent; ~ **syns-mann**, inspector; ~ **søle**, soil, dirty.

til|ta, grow, increase; ~ **tak**, (foretagende) enterprise; (forholdsregel) measure; ~ **tale**, *v* (snakke til) ad-dress; (behage) please, ap-peal to; *jur* charge (**for:** with), prosecute; **den** ~ **talte**, the accused, the de-fendant; ~ **tale**, *s* address; *jur* charge, prosecution; ~ **talende**, attractive; ~ **tre** (stilling) take up; ~ **trekke**, attract; ~ **trekkende**, attrac-tive; ~ **trekning**, attraction; ~ **tro**, *s* confidence; ~ **vant**, accustomed; ~ **vekst**, in-crease; ~ **værelse**, existence.

time, hour; (undervisning) period, lesson; ~ **plan**, time-table; table of lessons.

tind(e), (fjell-) peak; ~ **ebesti-ger**, Alpinist, mountaineer.

tindre, sparkle.

tine, thaw, melt.

ting, thing; ~ **lyse**, register.

tinktur, tincture.

tinn, (metallet) tin; (i bruks-gjenstand) pewter; ~ **varer**, pewter(ware).

tinning, temple.

tippe, (gjette, og i drikkepen-ger) tip; (med tippekupong) do the pools; ~ **ekupong**, pools coupon.

tippolde|far, great-great-grandfather; ~ **mor**, great-great-grandmother.

tirre, tease, provoke.

tirsdag, Tuesday.

tispe, bitch.

tistel, thistle.

titte, peep.

tittel, title; ~ **blad**, title page.

titulere, address, style.

tivoli, amusement park, fun fair.

tiår, decade.

tjene, serve; (~ **penger**) earn, (ved fortjeneste) make; ~ **r**, servant; ~ **ste**, service; favour; ~ **stemann**, public ser-vant; ~ **stepike**, maid(-ser-vant).

tjern, small lake, tarn.

tjor; ~ **e**, tether.

tjue, twenty.

tjære, *s & v* tar; ~ **papp**, tarred roofing felt.

to, *num* two; (stoff) stuff.

toalett, toilet; (~ **rom** også) lavatory, W.C; ~ **bord**, dres-sing *(el* toilet) table; ~ **papir**, toilet paper.

tobakk, tobacco; ~ **sbutikk**, tobacconist's (shop); ~ **shandler**, tobacconist.

tog, train; (opptog) proces-sion; ~ **plan**, railway time-table.

tokt, cruise; (ri) fit.

toler|anse, tolerance; ~ **ant**, tolerant; ~ **ere**, tolerate.

tolk, interpreter; ~**e,** interpret; (uttrykke) express.

toll, (avgift) duty; (~**vesen**) Customs; (avgift), (customs) duty; ~**bu,** customhouse; ~**egang,** oar-lock; ~**ekniv,** sheath-knife; ~**er,** customs officer; ~**fri,** duty-free; ~**vesenet,** the Customs.

tolv, twelve.

tom, empty; ~**at,** tomato; ~**bola,** tombola; ~**het,** empty-handed; ~**het,** emptiness.

tomme, inch; ~**lfinger,** thumb; ~**liten,** Tom Thumb; ~**stokk,** folding rule.

tomt, (bygge-) site, (rundt et hus) grounds.

tone, *v* (lyde) sound; tone; *s* tone; (enkelt-) note; ~**angivende,** leading; ~**høyde,** pitch.

tonn, ton; ~**asje,** tonnage.

topp, top; (fjell- og *fig*) summit; ~**e,** top; ~**figur,** figurehead; ~**gasje,** top salary; ~**møte,** summit meeting; ~**punkt,** summit; *geom* apex; ~**stilling,** top position.

torden, thunder; ~**skrall,** thunder clap; ~**vær,** thunderstorm.

tordivel, (dung)beetle.

tordne, thunder.

tore, dare, venture.

torg, market(-place).

torn, thorn; ~**efull,** thorny.

torpedere, ~**o,** torpedo.

torsdag, Thursday.

torsk, cod(-fish); ~**elever-tran,** cod-liver oil.

tortur, ~**ere,** torture.

torv, (myr-) peat; (gress-) turf.

tosk, fool; ~**et,** foolish.

total, total; ~**itær,** totalitarian.

tradisjon, tradition; ~**ell,** traditional.

trafikk, traffic; ~**ert,** busy, crowded; ~-**knute,** traffic jam; ~**åre,** artery.

tragedie, tragedy; ~**isk,** tragic.

trakt, funnel; (egn) region, tract; ~**at,** treaty; ~**e,** (sile) filter; ~**e etter,** aspire to.

traktor, tractor.

tralle, *v,* sing; *s* trolley, truck.

tramp, tramp, stamp; ~**e,** tramp, stamp, trample; ~**fart,** tramp trade.

tran, cod-liver oil.

trane, crane.

trang, *s* (behov) want, need; (lyst) desire; *adj* narrow; (om klær) tight; ~**synt,** narrow-minded.

transe, trance.

transaksjon, transaction; ~**formator,** transformer; ~**itiv,** transitive; ~**itthan-del,** transit trade; ~**latør,** translator; ~**port,** transport, conveyance; ~**portbånd,**

conveyor belt; ~ **portere**, transport; ~ **portmiddel**, means of transport *el* conveyance.

trapés, trapeze; *mat* trapezium.

trapp, stairs; (trappeoppgang) staircase; (utenfor dør) (door-)steps; ~ **eavsats**, landing; ~ **egelender**, banisters *pl*: ~ **etrinn**, step.

traske, trudge; plod.

trass(ig) se *tross(ig)*.

tratte, draft.

trau, trough.

traust, steady, sturdy.

trav; ~ **e**, trot.

travbane, trotting-track.

travel, busy; ~**het**, bustle.

tre, *num* three; *v* tread; step; *s* tree; (ved) wood; ~**demølle**, treadmill; ~**dje**; ~ **djedel**, third; ~ **enighet**, Trinity.

treffe, hit; (møte) meet; ~ **ende**, apt; to the point.

trefning, *mil* engagement.

treg, sluggish, slow; inert; ~ **het**, indolence; inertia.

tregrense, tree *(el* timber) line; ~ **hjulssykkel**, tricycle.

trekant, triangle; ~ **et**, triangular.

trekk, *n* (rykk) pull; (ansikts-) feature; (sjakk) move; (karakter-) trait, feature; (dekke) cover; *m* draught; ~ **e**, draw, pull; (betrekke)

cover; ~ **e fra**, deduct; *mat* subtract; ~ **e tilbake**, withdraw; ~ **fugl**, migratory bird; ~ **full**, draughty; ~ **papir**, blotting-paper; ~ **spill**, accordion.

treklang, triad; ~ **kløver**, trefoil.

trekning, (lotteri) draw; (krampe) convulsion; ~ **sliste**, list of prizes.

trekull, charcoal; ~ **last**, timber, wood.

trell, slave; ~ **binde**, enslave; ~ **dom**, bondage; ~ **e**, slave.

tremasse, wood-pulp.

tremenning, second cousin.

trene, train, practise; ~**r**, trainer, coach; ~ **re**, delay, retard.

trenge, (presse) press, force, push; (behøve) need, want, require; ~ **seg fram**, press forward; ~ **igjennom**, penetrate; ~ **nde**, needy.

trengsel, (folk) crowd; (nød) distress.

treningsdrakt, training suit.

treske, thresh; ~ **maskin**, thresher; threshing-machine.

treskje, wooden spoon.

treskjærer, wood-carver; ~ **sko**, clog, wooden shoe; ~ **snitt**, woodcut; ~ **sprit**, wood alcohol; ~ **stamme**, trunk (of a tree).

tresteg, hop, step, and jump.

trett, tired; (kjed) weary (**av**:

of); ~ **e**, *v* tire; (stride) quarrel; *s* dispute, quarrel; ~ **ekjær**, quarrelsome; ~ **en**, thirteen; ~ **het**, weariness, fatigue; ~ **i**, thirty.

treull, wood-wool.

trevarer, woodware.

trevl, fibre; (av tøy) thread.

tri|angel, triangle; ~ **bune**, stand; (overbygd) grand stand; ~ **gonometri**, trigonometry; ~ **kin**, trichina.

trikk, (knep) trick; (sporvogn) tram(-car); *amr* streetcar.

trikot, tricot; ~ **asje**, hosiery.

trille, roll; *mus s & v* trill; ~ **bår**, wheelbarrow.

trilling, triplet.

trinn, step; (stige) rung; (stadium) stage.

trinse, pulley; (lite hjul) castor.

trio, trio.

tripp; ~ **e**, trip.

trisse, pulley.

trist, sad, dismal, gloomy; ~ **het**, sadness, gloom.

tritt, step; *fig* holde ~ med, keep pace with.

triumf, triumph; ~ **bue**, triumphal arch; ~ **ere**, triumph; ~ **erende**, triumphant.

tri|ves, thrive; (like seg) feel comfortable; ~ **iell**, commonplace, trivial, trite; ~ **sel**, prosperity; (velvære) well-being.

tro, *adj* faithful, loyal; *s* faith, belief; (grise-) trough; *v* believe; think; ~ **fast**, faithful, loyal; ~ **fasthet**, fidelity, faithfulness.

trofé, trophy.

trolig, credible; (sannsynlig) probable, likely.

troll, troll, ogre; ~ **binde**, spellbind; ~ **dom**, witchcraft, sorcery; ~ **et**, naughty; ~ **kjerring**, witch; ~ **mann**, sorcerer.

troløs, faithless.

tromme, *s* drum; *v* (beat the) drum; ~ **hinne**, ear-drum, membrane; ~ **hvirvel**, roll of drums; ~ **l**, drum; ~ **slager**, drummer; ~ **stikke**, drumstick.

trompet, trumpet.

tron|arving, heir to the throne; ~ **e**, *s & v* throne; ~ **følger**, successor; ~ **himmel**, canopy; ~ **tale**, speech from the Throne.

trop|ene, the tropics; ~ **isk**, tropical.

tropp, troop; ~ **erevy**, review.

tro|skap, fidelity, loyalty; ~ **skyldig**, unsuspecting.

tross, *s* defiance; *prp* (til ~ for) in spite of; ~ **e**, *v* defy; *s* hawser; ~ **ig**, obstinate.

trost, thrush.

troverdig, trustworthy, reliable, credible.

trubadur, minstrel, troubadour.

true, threaten, menace.
trumf, trump.
trusel, threat, menace.
truser, briefs.
trutne, swell.
trygd, insurance; ~ekasse, health insurance fund.
trygg, secure, safe (for: from); ~e, make safe, secure; ~het, security, safety.
trygle, beg, entreat, implore.
trykk, n pressure; (betoning) stress; m print; på ~, in print; ~e, press; (klemme) pinch; typogr print; ~efrihet, freedom of the press; ~er, printer; ~eri, printingworks; ~feil, misprint; ~knapp, snap fastener; (til klokke) push-button; ~saker; printed matter.
trylle, conjure; ~fløyte, magic flute; ~kunstner, conjurer; ~ri, magic; ~stav, magic wand.
tryne, snout.
trøffel, truffle.
trøst, consolation, comfort; ~e, comfort, console.
trøye, jacket, coat.
trå, step, adj (harsk) rancid.
tråd, thread; (metall) wire; ~løs, wireless; ~snelle, (cotton) reel.
tråkk, trampling; ~e, step, trample.
tråkle, tack.
trål; ~e, trawl; ~er, trawler.

tsar, czar.
tsjekkisk, Czech; Tsjekkoslovakia, Czechoslovakia.
tube, tube.
tuberkuløse, tuberculosis; ~øs, tuberculous.
tue, mound; (maur-) ant hill.
tukle med, tamper with.
tukt, discipline; (straff) punishment; ~e, chastise, punish; ~hus, gaol, prison.
tulipan, tulip; ~løk, tulip bulb.
tull, (tøv) rubbish, nonsense; ~e, (tøve) talk nonsense (el rubbish); ~ inn, wrap up; ~et, crazy; ~ing, fool, silly person.
tumle, tumble; ~le med, struggle with; ~melumsk, bewildered; ~ult, tumult.
tun, farm-yard.
tunfisk, tunny.
tung, heavy; ~e, tongue; ~hørt, hard of hearing; ~industri, heavy industries; ~nem, dull; ~sindig; ~sindighet, melancholy; ~tveiende, fig weighty; ~vint, cumbersome.
tunnel, tunnel; ~bane, underground, tube; amr subway.
tur, (spaser-) walk; (liten reise) trip; se reise; (til å gjøre noe) turn; (dans) figure; ~bin, turbine; ~ist, tourist; ~n, gymnastics pl; ~né, tour.

turne, do gymnastics; ~ **er**, gymnast; ~ **ering**, tournament; ~ **hall**, gymnasium.

turnips, turnip.

tur-retur-billett, return ticket.

tusen, thousand; ~ **fryd**, daisy.

tusj, Indian ink.

tusk|e; ~ **handel**, barter.

tusmørke, dusk, twilight.

tut, (på kanne) spout; (ul) howl; (av fløyte, ugle) hoot; (horn, fløyte) toot; ~ **e**, howl; hoot; toot; (gråte) cry.

tvang, force, compulsion; ~ **sarbeid**, hard labour; ~ **sauksjon**, forced sale; ~ **sforestilling**, obsession; ~ **strøye**, strait-jacket.

tverr, sullen, cross; ~ **bjelke**, crossbeam; ~ **ligger**, idr crossbar; ~ **snitt**, cross-section.

tvers igjennom, right through; ~ **over**, right (el straight) across; på ~, crosswise.

tvert imot, adv on the contrary; prp contrary to.

tvetydig, ambiguous; ~ **het**, ambiguity.

tvil; ~ **e**, doubt; ~ **er**, doubter.

tvilling, twin.

tvilrådig, in doubt; ~ **som**, doubtful.

tvinge, force, compel.

tvinne, twist, wind, twine.

tvist, (strid) dispute; (bomullsgarn) cotton waste.

tvungen, compulsory; (unaturlig) forced.

ty til, resort to.

tyde, make out; ~ **på**, indicate; ~ **lig**, clear; (lett å se, forstå) distinct; ~ **ligvis**, evidently, obviously.

tyfus, typhus, tyhpoid fever.

tygge, chew; ~ **gummi**, chewing-gum.

tykk, thick; (om person) corpulent, stout, fat; (tett) dense; ~ **else**, thickness; ~ **hudet**, fig callous; ~ **tarm**, large intestine, colon.

tylft, dozen.

tyll, tulle.

tyng|de, weight; ~ **dekraft**, force of gravity; ~ **e**, oppress, weigh upon.

tynn, thin; (spe) slender; ~ **slitt**, worn thin; ~ **tarm**, small intestine.

typ|e, type; ~ **isk**, typical (for: of); ~ **ograf**, typographer.

tyr, bull; ~ **ann**, tyrant; ~ **anni**, tyranny; ~ **annisk**, tyrannical; ~ **efekting**, bullfight.

tyrk, Turk; **Tyrkia**, Turkey; ~ **isk**, Turkish.

tysk; ~ **er**, German; **Tyskland**, Germany.

tyst, silent.

tyttebær, cowberry.

tyv, thief; (innbrudds-) burglar; ~**eri**, theft; burglary.

tære, (om rust *o.l.*) corrode; ~**ing**, *med* consumption.

tø; ~ **opp**, thaw.

tøffel, slipper; ~ **helt**, henpecked husband.

tølper, churl, boor.

tømme, *s* rein; *v* empty.

tømmer, timber; *amr* lumber; ~**fløting**, floating; ~**flåte**, raft; ~**hogger**, lumber-jack; ~**hytte**, log cabin; ~**mann**, carpenter; ~**menn**, *fig* hangover; ~**stokk**, log.

tømre, build, make.

tønne, barrel, cask; ~**band**, hoop; ~**stav**, barrel stave; ~**vis**, by the barrel.

tør (han ~ ikke) he dare not *el* he does not dare to; *se våge*.

tørk, drying; ~**e**, *s* drought; *v* dry; ~**e av**, wipe.

tørkle, (hals-) scarf; (hode-) headscarf, kerchief.

tørn, turn; spell.

tørr, dry; ~**dokk**, dry dock; ~**fisk**, stockfish; ~**legge**, drain; ~**melk**, dried milk; ~ **skodd**, dry-shod.

tørst, *s* thirst; *adj* thirsty; ~**e**, be thirsty; (etter) thirst (for).

tøs, tart, hussy.

tøv, nonsense, rubbish; ~**e**, talk nonsense.

tøvær, thaw.

tøy (klær) clothes; *se stoff.*

tøye, stretch; strain; ~**lig**, elastic, extensible.

tøyle, *s* rein; *v* bridle; ~**sløs**, unbridled, licentious.

tøys, nonsense, rubbish.

tå, toe; **på** ~, on tiptoe.

tåke, fog; (lett) mist; ~**lur**, fog-horn *el* -**siren**; ~**t**, foggy, misty; *fig* vague, foggy, hazy.

tåle, (ikke ta skade av) stand; (utstå) bear, stand; (finne seg i) put up with, stand; ~**modig**, patient; ~**modighet**, patience.

tåpe, fool; ~**lig**, foolish, silly; ~**lighet**, foolishness, folly.

tår, drop; ~**e**, tear; ~**egass**, tear gas.

tårn, tower; (kirke) steeple; (sjakk) castle; *mar* turret; ~ **e seg opp**, pile up.

tåteflaske, feeding-bottle.

U

uaktsom, *prp* despite, in spite of; *konj* (al)though; ~**som**, negligent, careless; ~**somhet**, negligence, carelessness.

ualminnelig, uncommon, rare, unusual.

uanfektet, unmoved, unaffected; ~**meldt**, unannounced;

~ **selig**, insignificant; ~ **sett**, *prp* without regard to; ~ **stendig**, indecent; ~ **stendighet**, indecency; ~ **svarlig**, irresponsible; ~ **svarlighet**, irresponsibility; ~ **tagelig**, unacceptable; inapplicable.

u|**appetittlig**, unappetizing; ~ **atskillelig**, inseparable.

uav|**brutt**, continuous; ~ **gjort**, unsettled, undecided; *idr* a draw; ~ **hengig**, independent; ~ **hengighet**, independence; ~ **kortet**, unabridged; ~ **latelig**, unceasing, continual.

u|**barbert**, unshaven; ~ **barmhjertig**, merciless, relentless.

ube|**bodd**, uninhabited; ~ **elig**, uninhabitable.

ubedt, unasked, uninvited.

ube|**festet**, unfortified; *fig* unsettled; ~ **gavet**, unintelligent; ~ **grenset**, incomprehensible; ~ **hagelig**, unpleasant, disagreeable; ~ **hagelighet**, unpleasantness; ~ **hersket**, uncontrolled, unrestrained; ~ **hjelpelig**, awkward; ~ **kvem**, uncomfortable; ~ **kvemhet**, inconvenience; ~ **kymret**, unconcerned; ~ **kymrethet**, unconcern; ~ **leilig**, inconvenient; ~ **merket**, unnoticed.

ube|**nyttet**, unused; ~ **regnelig**, incalculable; ~ **rettiget**, unjustified, unwarranted.

~ **rørt**, untouched; (upåvirket) unaffected.

ube|**seiret**, unconquered; *idr* unbeaten; ~ **sindig**, imprudent, rash; ~ **skjeden**, immodest; ~ **skjeftiget**, unemployed; ~ **skrivelig**, indescribable; ~ **sluttsom**, irresolute; ~ **stemmelig**, indeterminable; ~ **stemt**, indefinite; (ubesluttsom) undecided; (uklar) vague; ~ **stikkelig**, incorruptible; ~ **stridt**, undisputed; ~ **svart**, unanswered.

ube|**talt**, unpaid; ~ **talelig**, invaluable; ~ **tenksom**, (tankeløs) thoughtless; (overilet) rash; ~ **tenksomhet** thoughtlessness, rashness; ~ **tinget**, unconditional; absolute; ~ **tont**, unaccented; ~ **tydelig**, insignificant, slight.

ube|**vegelig**, immovable; (som ikke beveger seg, også) motionless; ~ **vegelighet**, immobility; ~ **visst**, unconscious; ~ **voktet**, unguarded.

u|**blandet**, unmixed; ~ **blodig**, bloodless; ~ **blu**, (om pris) exorbitant; ~ **brukbar**, useless, unfit for use; ~ **brukt**, unused; ~ **buden**, uninvited; ~ **bundet**, unrestrained; ~ **bønnhørlig**, inexorable; ~ **bøyelig**, inflexible; *gram* indeclinable; ~ **båt**, submarine.

u|**dannet**, uneducated; (i opptreden) rude; ~ **delelig**, indivisible; ~ **delt**, undivided; ~ **demokratisk**, undemocratic; ~ **dryg**, uneconomical; ~ **dugelig**, incapable; ~ **dyr**, monster; ~ **dyrket**, uncultivated; ~ **dødelig**, immortal; ~ **dåd**, misdeed, outrage, atrocity.

u|**egennyttig**, disinterested; ~ **ekte**, imitation; false; (barn) illegitimate; ~ **elskverdig**, unkind, unamiable; ~ **endelig**, endless, infinite; ~ **endelighet**, infinity; ~ **enig**, (**være** ~) disagree, be disagreed; ~ **enighet**, disagreement; ~ **ensartet**, heterogeneous.

u|**erfaren**, inexperienced; ~ **farenhet**, inexperience; ~ **stattelig**, irreplaceable; (om tap) irreparable.

u|**farbar**, impassable; (elv) unnavigable; ~ **farlig**, safe, harmless; not dangerous; ~ **fattelig**, incomprehensible; (utrolig) inconceivable; ~ **feilbar**, infallible; ~ **feilbarlig**, unfailing; ~ **ferdig**, unfinished; ~ **fin**, (simpel) rude; ~ **flaks**, bad luck; ~ **flidd**, unkempt.

ufor|**anderlig**, unchangeable; ~ **andret**, unchanged, unaltered; ~ **bederlig**, incorrigible; ~ **beholden**, unreserved; ~ **beredt**, unprepared.

ufor|**delaktig**, disadvantageous; ~ **dervet**, uncorrupted, unspoiled; ~ **dragelig**, intolerable; ~ **døyelig**, indigestible; ~ **døyd**, undigested.

ufor|**enlig**, incompatible; ~ **falsket**, genuine; ~ **ferdet**, undaunted; ~ **gjengelig**, imperishable; ~ **glemmelig**, unforgettable.

ufor|**holdsmessig**, disproportionate; ~ **klarlig**, inexplicable; ~ **kortet**, unabridged.

ufor|**melig**, shapeless; ~ **mell**, informal; ~ **minsket**, undiminished; ~ **nuftig**, unwise, senseless; ~ **rettet**, (**med** ~ **sak**) without success.

ufor|**siktig**, (skjødesløs) careless; (ikke varsom) incautious; ~ **skammet**, insolent, impudent; ~ **skammethet**, insolence, impudence; ~ **skyldt**, undeserved; ~ **sonlig**, implacable; (om motsetninger) irreconcilable; ~ **stand**, want of understanding; ~ **styrrelig**, imperturbable; ~ **styrrelighet**, imperturbability; ~ **styrret**, undisturbed; ~ **ståelig**, incomprehensible, unintelligible; ~ **svarlig**, indefensible, inexcusable; ~ **sørget**, unprovided for.

ufor|**tjent**, undeserved; ~ **tollet**, duty unpaid, uncustomed; ~ **utsett**, unforeseen; ~ **varende**, unawares.

u|framkommelig, impassable; ~ **frankert,** unstamped; ~ **fri,** unfree; ~ **frihet,** (slaveri) bondage; ~ **frivillig,** involuntary; ~ **fruktbar,** infertile, barren.

ufull|kommen, imperfect; ~ **stendig,** incomplete.

u|fyselig, disgusting; ~ **følsom,** insensible, unfeeling; ~ **før,** disabled; ~ **føretrygd,** disablement insurance.

u|gagn, mischief; ~ **gift,** unmarried, single.

ugjen|drivelig, irrefutable; ~ **kallelig,** irrevocable; ~ **kjennelig,** irrecognizable.

ugjennom|førlig, impracticable; ~ **siktig,** opaque; ~ **trengelig,** impenetrable.

ugjern|e, reluctantly; ~ **ing,** outrage, misdeed.

u|gjestfri, inhospitable; ~ **gjestfrihet,** inhospitality; ~ **gjort,** undone; ~ **gjørlig,** impracticable; ~ **glad,** sad.

ugle, owl.

u|gras, weed; ~ **greie,** tangle; *fig* difficulty, trouble; ~ **grunnet,** unfounded; ~ **gudelig,** impious; ~ **gudelighet,** impiety; ~ **gunstig,** unfavourable; ~ **gyldig,** invalid.

u|harmonisk, inharmonious; ~ **hederlig,** dishonest; ~ **helbredelig,** incurable; ~ **heldig,** unlucky; (ikke vellykket) unfortunate; ~ **heldigvis,** unfortunately; ~ **hell,** misfortune; (ulykkestilfelle) accident; ~ **hensiktsmessig,** unsuitable, inexpedient; ~ **hildet,** unbiased; ~ **holdbar,** untenable; ~ **hygge,** uncanniness; (nifs) uncanny; (utrivelig) dismal; (illevarslende) sinister; ~ **hygienisk,** insanitary; ~ **hyre,** *adj* tremendous, enormous; *s* monster; ~ **høflig,** impolite, rude; ~ **høflighet,** impoliteness, rudeness; ~ **hørt,** unheard (enestående) of; ~ **håndterlig,** unhandy, awkward.

uimot|sagt, uncontradicted; ~ **ståelig,** irresistible; ~ **tagelig,** insusceptible.

uinn|budt, uninvited; ~ **bundet,** unbound; ~ **fridd;** ~ **løst,** unredeemed; *merk* unpaid; ~ **innskrenket,** unlimited; ~ **vidd,** (jord) unconsecrated; (i hemmelighet) uninitiated.

uinteres|sant, uninteresting; ~ **sert,** uninterested.

ujevn, uneven, rough.

uke, week; ~ **blad,** weekly (paper); ~ **dag,** weekday; ~ **lønn,** weekly wages *pl;* ~ **ntlig,** weekly; ~ **vis: i ~,** for weeks.

ukjen|nelig, unrecognizable; ~ **t,** unknown.

uklanderlig, irreproachable; ~ **klar**, (utydelig) indistinct; *fig* vague; *mar* foul; ~ **klarhet**, dimness; indistinctness; confusion; ~ **klok**, unwise, imprudent; ~ **krenkelig**, inviolable; ~ **kritisk**, uncritical; ~ **kuelig**, indomitable; ~ **kultivert**, uncultured, unrefined; ~ **kunstlet**, artless; ~ **kurant** (om varer) unsal(e)able; ~ **kvemsord**, abusive words; ~ **kvinnelig**, unwomanly; ~ **kyndig**, incompetent; (ikke faglært) unskilled.

ul, hoot(ing); howl(ing).

ulage, disorder; ~ **-land**, developing country; ~ **leilige**; ~ **leilighet**, trouble, inconvenience; ~ **lempe**, drawback; ~ **lendt**, rugged; ~ **lenkelig**, lanky; ~ **leselig**, illegible.

ulik, unlike; (tall) odd; ~ **het**, dissimilarity.

ull, wool; ~ **en**, woollen; ~ **garn**, woollen yarn; (kam-) worsted; ~ **teppe**, blanket.

ulme, smoulder.

ulogisk, illogical; ~ **lovlig**, illegal, unlawful.

ulv, wolf; ~ **eflokk**, pack of wolves; ~ **inne**, she-wolf.

ulydig, disobedient (**mot**: to).

ulykke(stilfelle) accident; (katastrofe) disaster; (uhell) misfortune; ~ **lig**, unhappy;

~ **sforsikring**, accident insurance; ~ **stilfelle**, accident.

ulyst, (motstreben) reluctance; ~ **lønnet**, unpaid; ~ **lønnsom**, unprofitable; ~ **løselig**, unsolvable.

umak, pains, trouble; ~ **e**, odd.

umalt, unpainted; ~ **mandig**, unmanly; ~ **medgjørlig**, unmanageable; ~ **menneske**, monster; ~ **menneskelig**, inhuman; ~ **merkelig**, imperceptible; ~ **mettelig**, insatiable.

umiddelbar, immediate; (naturlig) spontaneous; ~ **het**, spontaneity.

uminnelig, immemorial.

umoden, unripe; *fig* immature; ~ **moderne**, unfashionable, out of fashion; ~ **moral**, immorality; ~ **moralsk**, immoral; ~ **mulig**, impossible; ~ **mulighet**, impossibility; ~ **myndig**, under age; ~ **møblert**, unfurnished; ~ **måtelig**, immense, enormous.

unaturlig, unnatural; (påtatt) affected.

under, *s* wonder, miracle; *prp* under; (neden-) below; (om tid) during; ~ **arm**, forearm; ~ **avdeling**, subdivision; ~ **betale**, underpay; ~ **bevisst**, subconscious; ~ **bevissthet**, subconsciousness; ~ **bukser**, pants, drawers.

under|danig, submissive; ~**direktør**, assistant manager; ~**ernæring**, undernourishment; ~**ernært**, undernourished; ~**forstå**, imply.

under|gang, destruction, ruin, fall; (for fortjengere) subway; ~**gjerning**, wonder, miracle; ~**gjørende**, miraculous; ~**grave**, undermine, sap; ~**grunnsbane**, underground, tube; *amr* subway; ~**gå**, undergo.

underhold; ~**e**, support; (more) entertain; ~**ning**, entertainment.

Underhuset, the (House of) Commons.

underhånden, privately.

under|jordisk, subterranean, underground; ~**kaste**, submit; ~**kastelse**, submission; ~**kjole**, slip; ~**klassen**, the lower classes; ~**kue**, subdue, subjugate; ~**kuelse**, subjugation; ~**køye**, lower berth.

under|lag, foundation, base; ~**legen**, inferior; ~**legenhet**, inferiority; ~**lig**, strange, queer, curious; ~**liv**, abdomen; (*fig* også) sap; ~**måler**, numskull.

underoffiser, non-commissioned officer.

underordn|e, subordinate; ~**et**, subordinate; (uviktig) secondary.

underret|ning, information; ~**te**, inform.

under|setsig, thickset, stocky; ~**sjøisk**, submarine; ~**skjørt**, petticoat, underskirt; ~**skrift**, signature; ~**skrive**, sign; ~**skudd**, deficit; ~**slag**, embezzlement; ~**slå**, embezzle; (brev) intercept; ~**st**, lowest, undermost; ~**stell**, (på bil) chassis; ~**streke**, underline; *fig* (også) stress, emphasize; ~**støtte**, assist, help, support; ~**støttelse**, help, support, relief; ~**søke**, examine; (granske) investigate; go into; ~**søkelse**, examination; inquiry; investigation; ~**sått**, subject.

under|tegne, sign; ~**tiden**, sometimes, now and then; ~**trykke**, suppress; (underkue) oppress; ~**trykkelse**, suppression; oppression; ~**trøye**, vest; ~**utviklet**, underdeveloped; ~**tøy**, underwear.

under|vannsbåt, submarine; ~**vannsskjær**, sunken rock; ~**veis**, on the way; ~**vekt**, underweight; ~**vektig**, short in weight; ~**verden**, underworld; ~**verk**, wonder, miracle; ~**vise**, teach; ~**visning**, instruction; ~**vurdere**, underrate, underestimate; ~**vurdering**, underrating, underestimation.

undre, wonder; se *forbause;* ~ **es,** wonder; ~ **ing,** wonder, astonishment, surprise.

undulat, budgerigar.

unektelig, undeniable.

unevnelig, unmentionable.

ung, young; ~ **dom,** youth; (unge mennesker) young people; ~ **dommelig,** youthful; ~ **domsherberge,** youth hostel; ~ **domskriminalitet,** juvenile delinquency; ~ **domsskole,** comprehensive school; ~ **e,** kid, child; (bjørn, rev etc.) cub; ~ **kar,** bachelor.

uniform; ~ **ere,** uniform.

union, union.

univers, universe; ~ **al;** ~ **ell,** universal; ~ **itet,** university.

unna, away, off; out of the way; ~ **dra,** withdraw; *vr* avoid; evade; ~ **fallen,** yielding; ~ **fange,** conceive; ~ **gjelde,** pay, suffer; ~ **gå,** (med vilje) avoid; (unnslippe) escape; ~ **late,** fail; (forsømme) omit; ~ **latelse,** failure; omission.

unnselig, bashful, shy; ~ **setning,** relief; ~ **skylde,** excuse; (tilgi) pardon; ~ **skyldning,** excuse; (det å be om ~) apology.

unnta, except; ~ **gelse,** exception; ~ **gen,** except, save; but; ~ **kstilstand,** state of emergency.

unnvikende, evasive; ~ **være,** do *(el* go) without.

unote, bad habit; ~ **nytte,** uselessness; ~ **nyttig,** useless; ~ **nødvendig,** unnecessary, needless; ~ **nøyaktig,** inaccurate; ~ **nøyaktighet,** inaccuracy; ~ **nåde,** disgrace.

uomgjengelig, unsociable; (uunngåelig) unavoidable; ~ **tvistelig,** indisputable.

uoppdragen, rude, ill-mannered; ~ **fordret,** uninvited; ~ **hørlig,** incessant; ~ **lagt,** indisposed; ~ **løselig,** indissoluble; *kjem* insoluble.

uoppmerksom, inattentive; ~ **merksomhet,** inattention; ~ **nåelig,** unattainable; ~ **rettelig,** irreparable; ~ **sigelig,** (funksjonær) not subject to notice; (kontrakt) irrevocable; ~ **skåret,** uncut.

uorden, disorder; ~ **entlig,** disorderly.

uorganisert, unorganized, non union.

uoverensstemmelse, disagreement; (avvik) discrepancy; ~ **kommelig,** insurmountable; ~ **lagt,** rash; ~ **treffelig,** unsurpassable; ~ **truffet,** unsurpassed; ~ **veid,** rash; ~ **vinnelig,** invincible.

upartisk, impartial; ~ **partiskhet,** impartiality; ~ **passende,** improper; ~ **person-**

lig, impersonal; ~ **plettet**, unstained; ~ **populær**, unpopular; ~ **praktisk**, unpractical.

upå|aktet, unnoticed; ~ **klagelig**, irreproachable; ~ **litelig**, unreliable; ~ **passelig**, heedless; ~ **talt**, unchallenged.

ur, watch; (større) clock; (stein) rockstrewn slope.

u|raffinert, unrefined; ~ **ransakelig**, inscrutable; ~ **ravstemning**, ballot; ~ **redd**, (seng) unmade; (modig) fearless; ~ **redelig**, dishonest; ~ **regelmessig**, irregular; ~ **ren**, unclean; ~ **renhet**, impurity; ~ **renslig**, uncleanly.

urett, wrong; injustice; ~ **ferdig**, unjust; ~ **ferdighet**, injustice; ~ **messig**, illegal.

uriktig, wrong, incorrect.

urimelig, unreasonable; (meningsløs) absurd; ~ **het**, unreasonableness, absurdity.

urin, urine; ~ **ere**, urinate.

urmaker, watch-maker.

urne, urn; (valg-) ballot-box.

uro, unrest; (engstelse) anxiety; ~ **e**, disturb, trouble.

urokke|lig, firm, inflexible; ~ **t**, unshaken.

uro|lig, restless; (engstelig) uneasy, anxious; (vær) rough; ~ **lighet**, disturbance, trouble.

ur|skive, dial; ~ **skog**, primeval forest.

urt, herb, plant.

ur|verk, works of a clock (el watch); ~ **viser**, hand of a clock (el watch).

u|ryddig, untidy; ~ **rørlig**, immovable; ~ **rørt**, untouched; ~ **råd**, impossibility; **ane** ~ **råd**, suspect mischief.

u|sagt, unsaid; ~ **sakkyndig**, incompetent; ~ **saklig**, bias(s)ed; ~ **sammenhengende**, incoherent; ~ **sammensatt**, simple.

usann, untrue, false; ~ **ferdig**, untruthful; ~ **het**, untruth, lie, falsehood; ~ **synlig**, improbable, unlikely; ~ **synlighet**, improbability, unlikelihood.

u|sedelig, immoral; ~ **sedelighet**, immorality; ~ **sedvanlig**, unusual, uncommon; ~ **seilbar**, unnavigable; ~ **selskapelig**, unsociable; ~ **selvstendig**, (om person) dependent on others; (om arbeid) unoriginal; ~ **sigelig**, unspeakable; ~ **sikker**, uncertain; (forbundet med fare) unsafe; insecure; ~ **sikkerhet**, uncertainty; unsafeness; ~ **siktbar**, thick, hazy; ~ **sivilisert**, uncivilized; ~ **sjenert**, (uberørt) unconcerned; ~ **skadd**, (om person) unhurt; (om ting) undamaged; ~ **skadelig**, harmless.

uskikk, bad habit; ~ **elig**,

naughty; ~**et**, unfit, unqualified (**til**: for).

uskyld, innocence; ~**ig**, innocent.

usling, wretch.

u|slitelig, everlasting; ~**smakelig**, unsavoury; ~**sminket**, unpainted; *fig* unvarnished; ~**spiselig**, inedible.

ussel, wretched, miserable; ~**het**, misery, wretchedness.

u|stadig, unsteady; ~**stadighet**, unsteadiness; ~**stand, i** ~, out of order; ~**stanselig**, incessant; ~**stemt**, (om språklyd) voiceless; ~**straffet**, unpunished; ~**styrlig**, unruly; ~**stø**, unsteady; ~**sunn**, unhealthy; ~**svekket**, unimpaired; ~**svikelig**, unfailing; ~**sympatisk**, unpleasant; ~**synlig**, invisible; ~**sømmelig**, indecent; ~**sårlig**, invulnerable.

ut, out; ~**abords**, outboard; ~**advendt**, extrovert.

utakknemlig, ungrateful; ~**het**, ingratitude.

u|takt: komme i ~, fall out of step; ~**tallig**, innumerable, countless.

ut|arbeide, prepare, work out; ~**arbeidelse**, preparation.

ut|basunere, blazon abroad; ~**be seg**, request; ~**betale**, pay out; ~**betaling**, payment, disbursement; ~**bre**, spread; ~**bredelse**, spreading; diffusion; ~**bredt**, widespread; ~**brudd**, outbreak; *fig* outburst; ~**brukt**, worn out; ~**bryte** (s) exclaim, cry; (bryte ut) break out; ~**bytte**, *v* exploit; *s* merk profit, proceeds; *fig* benefit, profit.

ut|danne, educate, train; ~**dannelse**, education; ~**dele**, distribute; ~**deling**, distribution; ~**drag**, extract; summary; ~**dype**, amplify; ~**dødd**, extinct.

ute, out; ~**arbeid**, out-door work; ~**bli**, fail to come; ~**late**, leave out, omit; ~**liv**, out-door life; ~**lukke**, *fig* exclude; ~**lukkende**, exclusively; ~**lukket**, out of the question.

uten, without; ~**at**, by heart; ~**bys**, out of town; ~**for**, *adv* outside; *prp* out of, outside; ~**fra**, from without, from (the) outside.

utenkelig, unthinkable, inconceivable.

uten|lands, abroad; ~**landsk**, foreign; ~**om: gå** ~, evade; ~**omsnakk**, irrelevant talk; ~**på**, outside; ~**riks**, abroad; ~**riksdepartement**, ministry of foreign affairs; (i Storbritannia) the Foreign Office; ~**rikshandel**, foreign trade; ~**riksminister**, foreign minister; (i Storbritannia) Foreign Secretary, (i USA) Secretary of State.

utestengt, shut out; ~ **stående**, outstanding.

utett, (lekk) leaky; (slutter ikke) not tight.

utfall, issue, result; *mil* sally; ~ **fart**, excursion; exodus; ~ **ferdige**, draw up, prepare; ~ **flod**, discharge; ~ **flukt**, excursion, outing; *fig* excuse, evasion; ~ **folde**, unfold; (legge for dagen) display; ~ **fordre**; ~ **fordring**, challenge; ~ **forme**, shape; ~ **forming**, design, shaping; ~ **forrenn**, *idr* downhill racing; ~ **forske**, investigate; (geografisk) explore; ~ **fylle**, fill; (skjema) fill in; ~ **føre**, (besørge) carry out; (eksportere) export; (bestilling) execute; *mus* execute, play; ~ **førelse**, carrying out; (av bestilling) execution; (fagmessig ~) workmanship; ~ **førlig**, full, detailed.

utgang, (dør) exit, way out; (slutt) end, close; ~ **gangsdør**, exit door; ~ **gangspunkt**, starting-point; ~ **gave**, edition; ~ **gi** (sende i bokhandelen) publish; (redigere) edit; ~ **gift**, expense; ~ **givelse**, publication; ~ **giver**, publisher; ~ **gjøre**, constitute, make up; ~ **graving**, excavation; ~ **gyte**, pour out; ~ **gå**, (utelates) i

left out; ~ **gående**, outgoing; (skip) outward bound; ~ **gått**, (sko) worn out.

utheve, *typogr* distinguish by italics; *fig* emphasize; ~ **hevelse**, italics; emphasizing; ~ **holdende**, persevering; ~ **holdenhet**, perseverance; ~ **hule**, hollow; ~ **huling**, hollowing; ~ **hus**, outhouse; ~ **hvilt**, rested.

utid: **i** ~ **e**, out of season.

utilbørlig, improper; ~ **bøyelig**, disinclined; ~ **freds**, dissatisfied, discontented; ~ **fredshet**, dissatisfaction; ~ **fredsstillende**, unsatisfactory; ~ **givelig**, unpardonable; ~ **gjengelig**, inaccessible; ~ **latelig**, *adj* inadmissible; ~ **nærmelig**, unapproachable; ~ **regnelig**, irresponsible; ~ **strekkelig**, insufficient; ~ **talende**, unpleasant.

utkant, outskirts; ~ **kast**, draft; (skisse) sketch (til: of); ~ **kik(k)**, look-out; ~ **kjempe**, fight (out); ~ **kjørt**, exhausted, worn out; ~ **klekke**, hatch; ~ **klipp**, cutting; ~ **kledd**, dressed up; ~ **kommandere**, call out; ~ **komme**, *v* be published, appear; *s* living, livelihood; ~ **kåre**, choose, elect.

utlandet, foreign countries; **i**

~, abroad; ~ **lede**, deduce; ~ **legg**, outlay, expense; *jur* execution; ~ **legge**, explain; ~ **leie**, *s* hiring out, letting (out); ~ **lending**, foreigner; ~ **levere**, deliver, give up; ~ **levering**, delivery; (av forbrytere) extradition; ~ **ligne**, (betale) settle, balance; (oppveie) offset; *idr* equalize; ~ **ligning**, (betaling) payment, settlement; *idr* equalization; (av skatt) assessment; ~ **lodning**, lottery; ~ **løp**, outlet; (munning) mouth; (tid) expiration; ~ **løpe**, (tid) expire; ~ **løse**, release; (fremkalle) provoke; ~ **lån**, loan.

ut|**mattelse**, exhaustion; ~ **mattet**, exhausted; ~ **merke**, distinguish; ~ **merkelse**, distinction; ~ **merket**, excellent.

ut|**navn**, nickname; ~ **nevne**, appoint; ~ **nevnelse**, appointment; ~ **nytte**, utilize; ~ **nyttelse**, utilization.

utover, (hinsides) beyond, in excess of.

ut|**pakking**, unpacking; ~ **panting**, distraint, distress; ~ **parsellere**, parcel out; ~ **peke**, point out; ~ **pint**, exhausted; ~ **plyndre**, plunder; ~ **post**, outpost; ~ **preget**, marked; ~ **pressing**, (penge-) blackmail.

utrette, do; (oppnå) achieve.

utrettelig, indefatigable, untiring.

utringet, low-necked, low cut.

utrivelig, uncomfortable.

utro, unfaithful (**mot:** to); ~ **lig**, incredible; unbelievable.

utrop, exclamation; ~ **e**, proclaim; ~ **er**, herald, crier; ~ **stegn**, exclamation mark.

utroskap, unfaithfulness.

utruste, fit out, equip; ~ **ning**, equipment, outfit.

utrydde, exterminate, extirpate; ~ **lse**, extermination, extirpation.

utrygg, insecure; ~ **het**, insecurity.

utrøstelig, inconsolable.

ut|**sagn**, statement; ~ **salg**, sale(s); ~ **satt**, exposed; *typogr* finished; ~ **seende**, appearance, look(s); ~ **sendelse**, sending; *rad* broadcast, transmission; ~ **sending**, delegate; (opp-sette) put off, postpone, defer; (for fare) expose; (dadle) find fault with; *mus* transcribe, adapt; ~ **settelse**, postponement, deferment, delay; *mus* transcription, adaption; (for fare) exposure.

ut|**sikt**, view; (fremtids-) prospect; ~ **skeielser**, excesses; ~ **skifting**, replacement;

~ **skille**, separate; (utsondre) secrete; ~ **skjæring**, cutting; (kunstnerisk) carving, sculpture; *med* excision; ~ **skrive**, (skatt) levy; (soldater) raise, enlist; (fra sykehus) discharge; ~ **skrivning**, conscription, enlistment; ~ **skudd**, refuse, scum; ~ **skytningsplattform**, launching pad; ~ **slag**: gjøre ~ et, decide the matter; ~ **slett**, rash, eruption; ~ **slette**, obliterate, wipe out; ~ **slitt**, worn out.

ut|**smykke**, decorate; ~ **smykning**, decoration; ~ **snitt**, cut(ting); *mat* sector; ~ **solgt**, out of stock, sold out; ~ **spark** (fra mål) kick-out; ~ **spekulert**, designing, cunning; ~ **spill**, lead; ~ **spring**, (elvs) source; ~ **spørre**, question; ~ **stede**, issue, make out; (trekke) draw; ~ **stedelse**, issue.

ut**stilling**, exhibition; (varemesse) fair; (hunde-, blomster *o.l.*) show; (vindus-) display; ~ **sjgenstand**, exhibit; ~ **svindu**, show-window.

ut|**strakt**, extensive, wide; ~ **strekning**, extent; ~ **strømning**, flow; *fig* emanation; ~ **stråle**, radiate; ~ **stråling**, radiation; ~ **stykke**, parcel out; ~ **styr**, outfit, equipment; (hus-) furnishings;

(brude-) trousseau; ~ **styre**, equip, fit out; (forsyne) supply; furnish; (forsyne) supply; furnish; ~ **stå**, se *tåle*; ~ **suge**, *fig* fleece; ~ **sultet**, famished; ~ **svevelser**, debauchery; ~ **svevende**, dissolute, licentious; ~ **søkt**, select(ed), exquisite.

ut|**taking**, selection; ~ **tale**, *v* pronounce; *s* pronunciation; ~ **talelse**, statement, declaration.

ut**trykk**, expression; ~ **e**, express; ~ **elig**, *adj* express; ~ **sfull**, expressive; ~ **småte**, mode of expression.

ut|**tært**, emaciated; ~ **tømme**, exhaust; ~ **tømmende**, exhaustive.

utur, bad luck.

ut|**valg**, (av varer) selection; choice; (komité) committee; ~ **vandre**, emigrate; ~ **vandrer**, emigrant; ~ **vandring**, emigration; ~ **vanning**, *fig* diluting; ~ **vei**, (middel) means, expedient, way out; ~ **veksle**; ~ **veksling**, exchange; ~ **vekst**, protuberance; ~ **velge**, select, pick out; ~ **vendig**, *adj* outside, external; *adv* (on the) outside.

utvetydig, unequivocal.

ut|**vide**, widen, extend, expand; ~ **videlse**, extension, expansion; ~ **vikle**, develop; ~ **vikling**, development; (fysikk) evolution; (kjemi) emission; ~viklingshjelp, development aid; ~viklingsland, developing country; ~viklingslæren, the theory of evolution.

utvilsom, undoubted; *adv* undoubtedly, without doubt, no doubt.

utvinne, extract, win; ~virke, obtain; ~vise, expel; (legge for dagen) show; ~visning, expulsion; ~vortes, external.

utvungen, (naturlig) free and easy; ~het, ease.

utydelig, indistinct.

utyske, monster.

utøse, pour out; ~øve; ~øvelse, exercise; ~øvende, executive.

utøy, vermin; ~tøylet, unbridled; ~tålelig, intolerable; ~tålmodig, impatient (over: at); ~tålmodighet, impatience.

utånde, (dø) expire; (puste ut) exhale.

uunngåelig, inevitable; ~værlig, indispensible.

uutgrunnelig, unfathomable; ~holdelig, intolerable, unbearable; ~sigelig, unutterable; ~slettelig, indelible; ~tømmelig, inexhaustible; ~viklet, undeveloped.

uvane, bad habit; ~vanlig, se

usedvanlig; ~vant, unaccustomed; ~vedkommende, irrelevant; (en ~) intruder; ~vel, unwell, uncomfortable; ~velkommen, unwelcome; ~venn, enemy; ~vennlig, unfriendly, unkind; ~vennskap, enmity; ~ventet, unexpected; ~verdig, unworthy; ~vesen, nuisance; ~vesentlig, unessential, immaterial; ~viktig, insignificant; ~vilje, ill-will; (ulyst) reluctance; ~vilkårlig, involuntary; ~villig, *adj* unwilling; ~virkelig, unreal; ~virksom, inactive, idle; (virkningsløs) ineffective; ~virksomhet, inactivity; ~viss, uncertain; ~visshet, uncertainty; ~vitende, ignorant (om: of); ~vitenhet, ignorance; ~vitenskapelig, unscientific; ~vurderlig, invaluable; ~væpnet, unarmed; ~vær, storm, bad weather; ~vøren, reckless.

uærbødig, disrespectful; ~het, disrespect.

uærlig, dishonest; ~het, dishonesty.

uøkonomisk, (som ikke lønner seg) uneconomic; (om person og udrøy) uneconomical.

V

va, (vade) wade.
vable, blister.
vadefugl, wading-bird; ~ **sted,** ford.
vadmel, frieze, russet.
vaffel, waffle, wafer.
vagabond, vagabond, tramp; *amr* hobo.
vagle, perch, roost.
vaie, fly, wave, float.
vakker, beautiful, handsome.
vakle, (sjangle) stagger, reel; *fig* waver, vacillate.
vaksinasjon, vaccination; ~ **e,** vaccine; ~ **ere,** vaccinate.
vakt, watch, guard; *mar* watch; ~ **avløsning,** changing of the guard; ~ **havende,** on duty, in charge; ~ **hund,** watchdog; ~ **mann,** watchman; ~ **mester,** caretaker; (særlig *amr*) janitor; (i leiegård) (house) porter; ~ **post,** sentry; ~ **somhet,** vigilance.
vakuum, vacuum.
valen, benumbed, numb.
valfart, pilgrimage; ~ **e,** make a pilgrimage.
valg, choice; *pol* election; ~ **bar,** eligible; ~ **fri,** optional; ~ **kamp,** election campaign; ~ **krets,** constituency; ~ **lokale,** polling station; ~ **språk,** motto.

valmue, poppy; ~ **nøtt,** walnut.
valp, pup(py), whelp.
vals: ~ **e,** (dans) waltz; (~ **e),** *s* cylinder, roller; ~ **e,** *v* roll; ~ **takt,** waltztime.
valuta, (pengesort) currency; (-kurs) exchange; (verdi) value; ~ **kurs,** rate of exchange.
vampyr, vampire.
vandel, conduct; ~ **sattest,** certificate of good conduct.
vandre, wander, roam; ~ **pokal,** challenge cup; ~ **r,** wanderer.
vane, habit, custom; ~ **messig,** habitual, routine; ~ **sak,** matter of habit.
vanfør, crippled, disabled; ~ **het,** disablement.
vanhellig; ~ **e,** profane.
vanilje, vanilla.
vanke, (besøke ofte) frequent.
vankelmodig, inconstant, wavering.
vanlig, usual, customary; ~ **vis,** usually, generally.
vann, water; ~ **basseng,** water reservoir; ~ **e,** *v* water; ~ **farge,** water-colour; ~ **forsyning,** water supply; ~ **kloset,** water-closet, W.C.; ~ **kopper,** chicken pox; ~ **kraft,** water-power; ~ **me-**

lon, water-melon; ~**rett,** horizontal, level; ~**skille,** watershed; ~**skrekk,** hydrophobia; ~**slange,** (water-)hose; zool water-snake; ~**stoff,** hydrogen; ~**tett,** watertight; (om tøy) waterproof; ~**verk,** waterworks.

van|ry, bad repute, disrepute; ~**røkt,** neglect; ~**skapt,** deformed.

vanskelig, adj difficult, hard; ~**gjøre,** complicate, make difficult; ~**het,** difficulty.

van|skjøtte, mismanage, neglect; ~**stell,** bad management; ~**styre,** misrule.

vant til, used (el accustomed) to.

vante, woollen glove.

van|trives, feel uncomfortable; ~**tro,** adj unbelieving; s unbelief.

vanvare, inadvertence; **av** ~, inadvertently; ~**vidd,** insanity, madness; ~**vittig,** mad (sinnssyk) insane.

vanære, s & v dishonour, disgrace.

vara|formann, vice-chairman, vice-president; ~**mann,** deputy, substitute.

varde, cairn.

vare, s (handels-) article, product, line, commodity; ~**r,** goods; **ta seg i** ~ **for,** beware of; **ta** ~ **på,** take care of; v (ved-) last; ~**behold-**

ning, stock; ~**bil,** van; ~**hus,** ~**magasin,** department store; ~**merke,** trade mark; ~**messe,** (industries) fair, trade fair; ~**parti,** consignment shipment, parcel; ~**prøve,** sample; ~**skur,** goods shed; ~**ta,** attend to, look after; ~**tekst,** custody, care; ~**tektsarrest,** custody; ~**trekk,** cover.

vari|abel, variable; ~**asjon,** variation; ~**ere,** vary; ~**eté,** variety, music-hall.

varig, lasting, permanent; ~**het,** duration.

varm, warm; hot; ~**e,** s warmth, heat; v warm, heat; ~**ebølge,** heat wave; ~**eflaske,** hot-water bottle; ~**egrad,** degree of heat; ~**tvannsbeholder,** hot-water tank.

varsel, (advarsel) warning; jur notice, summons; (for-)omen, sign; ~**ku,** v warn, s warning; ~**le,** (gi melding) notify; (advare) warn; (**være** ~) augur; ~ **om,** cautious.

varte opp, wait (upon), attend.

vasall, vassal; ~**stat,** satellite state.

vase, s (blomster-) vase.

vaselin, vaseline.

vask, washing; (kum) sink; ~**bar,** washable; ~**e,** wash; ~**eekte,** washproof; ~**ema-**

skin, washing-machine; ~ **epulver**, washing-powder; ~ **eri**, laundry; ~ **eservant**, wash-stand.

vasse, wade; ~ **trukken**, sodden, waterlogged.

vater, i ~, level; ~ **pass**, spirit-level.

vatt, wadding; ~ **ere**, wad, stuff; ~ **ering**, wadding.

ved, *prp* by, at; on, in.

ved, *s* wood.

vedbli, continue, go on, keep on.

vedde, bet, wager; ~ **løp**, race; ~ **løpsbane**, racecourse; ~ **mål**, wager, bet.

vedgå, admit, own.

vedhogger, wood-cutter; ~ **st**, wood-cutting.

vedholdende, persevering, continuous; ~ **het**, perseverance.

vedkjenne seg, own, acknowledge.

vedkomme, concern, bear on; ~ **nde**, concerned; *s* **for mitt** ~ **nde**, for my part, personally.

vedlagt, (i brev) enclosed; ~ **legg**, enclosure; ~ **legge** enclose; ~ **likehold**, maintenance; ~ **likeholde**, keep in repair, maintain.

vedskjul, wood-shed.

vedta, adopt, pass, carry; ~ **tak**, resolution; ~ **tekter**, rules, regulations.

vedvare, last, continue; ~ **nde**, unceasing, constant.

vegetabilsk, vegetable; ~ **aria-ner**, 'vegetarian.

vegg, wall; ~ **edyr**; ~ **elus**, bedbug; ~ **epryd**, wall-flower.

vegne: på mine ~, on my behalf.

vegre seg, refuse, decline; ~ **ing**, refusal.

vei, road; (retning) way, route; (hoved-) highroad, highway; ~ **arbeider**, navvy; ~ **bom**, turnpike.

veie, weigh.

veigrøft, (roadside) ditch.

veik, (myk) flexible; (svak) weak; ~ **het**, weakness.

veikryss, crossroad.

veilede, guide, instruct; ~ **er**, guide, instructor; ~ **ning**, guidance; instruction(s).

veiv, crank(handle); ~ **e**, (svinge) swing, wave.

veivals, steam-roller; ~ **viser**, guide.

veke, (lampe-) wick.

vekk, (borte) away, gone; (bort) away, off.

vekke, awake(n), wake; (etter avtale) call; *fig* arouse, excite; **relg** revival; ~ **rur**, alarm-clock.

veksel, *merk* bill (of exchange), (tratte) draft; ~ **aksept**, acceptance of a bill of exchange); ~ **bruk**, *agr* rotation of crops; ~ **strøm**, *elekt* alternating current; ~ **virkning**, reciprocal action; ~ **vis**, *adv* by turns.

veksle, change; (ut-) exchange; ~ **penger**, change.

vekst, growth; (høyde) stature; *bot* herb, plant.

vekt, weight; (veieinnretning) scales, balance; **legge** ~ **på**, lay stress on; ~ **ig**, weighty; ~ **skål**, scale; ~ **stang**, balance-lever.

vel, *s* welfare, good, benefit; *adv* well; ~ **befinnende**, health; ~ **behag**, delight, pleasure; ~ **berget**, safe.

velde, power; might; ~ **ig**, (kraftig) powerful; (stor) enormous.

veldedig, charitable; ~ **het**, charity.

velferd, welfare; ~ **ferdsstat**, welfare state; ~ **fortjent**, well-deserved.

velge, choose; *pol* elect; ~ **r**, elector.

velgjerning, benefit, charitable deed; ~ **gjort**, well done; ~ **gjørende**, (sunn) beneficial; (veldedig) charitable; ~ **gjørenhet**, charity; ~ **gjører**, benefactor.

velhavende, well-to-do; wealthy, prosperous.

velkjent, well-known; ~ **klang**, harmony; ~ **kledd**, well-dressed; ~ **klingende**,

melodious, harmonious; ~ **kommen**; ~ **komst**, welcome.

velling, thin porridge; gruel.

velluktende, fragrant, sweet-scented, perfumed; ~ **lyd**, euphony; ~ **lykket**, successful; ~ **lyst**, voluptuousness, sensuality; ~ **lystighet**, lasciviousness.

velnært, well-fed.

veloppdragen, well-bred; ~ **het**, good manners.

velsigne, bless; ~ **signelse**, blessing; ~ **skapt**, well-shaped; ~ **skikket**, well qualified (til: for); ~ **smakende**, savoury, tasty; ~ **stand**, prosperity; ~ **standssamfunnet**, the Affluent Society; ~ **stående**, well-to-do, prosperous, well off.

veltalende, eloquent; ~ **het**, eloquence; rhetoric.

velte, *vt* upset, overturn; *vi* tumble over, be upset.

velvalgt, well-chosen; ~ **vilje**, benevolence, good-will; ~ **villig**, benevolent, kind; ~ **være**, well-being.

velynder, well-wisher, patron.

velærverdig, reverend.

vemmelig, disgusting, nasty; ~ **lse**, disgust; ~ **s**, be disgusted.

vemod, sadness; ~ **ig**, sad.

vende, turn; ~ **ekrets**, tropic; ~ **epunkt**, turning point;

~ing, turning, turn; *fig* turn, (talemåte) phrase.

vene, vein; ~**risk**, veneral.

venn, friend; ~**e**, accustom; ~**eløs**, friendless; ~**esæl**, liked, beloved; ~**etjeneste**, friendly turn; ~**inne**, (girl) friend; ~**lig**, kind; (vennskapelig) friendly; ~**lighet**, kindness; friendliness; ~**ligsinnet**, friendly; ~**skap**, friendship; ~**skapelig**, friendly.

venstre, *adj* left; **til** ~, to *(el* on) the left.

vente, *vi* wait, **(på:** for); *vt* expect, await; ~**liste**, waiting list; ~**værelse**, waitingroom.

ventil, ventilator; *mark* valve; ~**asjon**, ventilation; ~**ere**, ventilate.

veps, wasp; ~**ebol**, wasp's nest.

veranda, veranda.

verb, verb.

verd, *adj* worth; (verdig) worth; *s* worth, value.

verden, World; ~**sbanken**, the World Bank; ~**sberømt**, world-famous; ~**sdel**, continent; ~**shistorie**, history of the world; ~**skrig**, world war; ~**smester**, world champion; ~**smesterskap**, world championship; ~**somseiling**, circumnavigation of the world; ~**srommet**, space;

~**sutstilling**, world exhibition, world('s) fair.

verdi, value, worth; ~**ifull**, valuable; ~**ig**, worthy; ~**ighet**, dignity; ~**igjenstand**, article of value; ~**iløs**, valueless, worthless; ~**ipapir**, security; ~**ipost**, insured mail; ~**isaker**, valuables; ~**sette**, estimate, value.

verdslig, secular, worldly; ~**het**, secularity, worldliness.

verft, shipbuilding yard, shipyard.

verge, *v* defend; *s* (formynder) guardian; (våpen) weapon of defence; ~**løs**, defenceless.

verifisere, verify; ~**ing**, verification.

verk, *arb* work; *mus* opus; (bruk) factory, works, mill; (smerte) ache; (materie) puss, matter; ~**e**, ache, pain; ~**efinger**, swollen finger; ~**sted**, workshop; ~**tøy**, tool.

verken ... eller, neither ... nor.

vern, defence; ~**e**, defend; ~**eplikt**, compulsory military service.

verpe, lay.

verre, worse.

vers, stanza, verse; ~**efot**, foot; ~**emål**, metre; ~**ere**, circulate.

versjon, version.

verst, worst.

vert, host; (hus *o.l.*) landlord.

vertikal, vertical.

vert|inne, hostess; (på pensjonat *o.l.*) landlady; ~**shus,** inn; ~**shusholder,** innkeeper; ~**skap,** host and hostess.

verve, enlist; recruit.

vesen, being; *filos* entity; *dt* creature; (egenart) essence; (natur) nature; (opptreden) manners; ~**sforskjell,** essential difference; ~**tlig,** *adj* essential; *adv* essentially; (mest) chiefly, mostly.

veske, (hand)bag; (mappe) briefcase.

vesle, little; ~**voksen,** precocious.

vest, (plagg) waistcoat; *amr* vest; (retn.) west; ~**enfor,** west of; **Vest-Europa,** Western Europe; ~**kanten,** the West End; ~**lig,** *adj* western, westerly; *adv* towards the west; **vestmaktene,** the Western Powers; ~**over,** to the west.

veteran, veteran.

veterinær, veterinary, vet.

veto, veto.

vett, brains, sense; ~**løs,** stupid; ~**skremt,** scared, out of one's senses.

vev, (-stol) loom; (det som veves) web; *fig* tissue; ~**e,** weave; ~**er,** weaver; ~**eri,**

textile factory, weaving mill.

vi, we; **via,** via, by way of.

vibr|asjon, vibration; ~**ere,** vibrate.

vid, wide; ~**d,** (vittighet) wit; ~**de,** width; ~**e ut,** broaden, widen; ~**ere,** wider; (ytterligere) farther, further; **inntil** ~**ere,** until further notice; ~**eregående,** further, advanced; ~**eregående skole,** secondary school; ~**erekommet,** advanced.

vidt, *adv* far, widely; ~**gående,** far-going, extreme; ~**rekkende,** far-reaching.

vidunder, wonder, miracle; ~**barn,** (child) prodigy; ~**lig,** wonderful, marvellous.

vie, consecrate; dedicate; (ektefolk) marry; ~**lse,** wedding ceremony; ~**lsesattest,** marriage certificate; ~**vann,** holy water.

vifte, *v* flutter, wave; *s* fan.

vignett, vignette; ~**sel,** consecration; ~**sle,** consecrate.

vik, creek, cove, inlet.

vikar, substitute, deputy; ~**iat,** position as a deputy; ~**iere,** act as substitute.

vike, give way (**for:** to); ~ **tilbake,** retreat; flinch (**for:** from); ~ **til side,** step aside; ~**plikt,** duty to keep clear.

vikle, wrap, twist.

viktig, important; (innbilsk)

conceited; ~**het**, importance.

vilje, will; ~**kraft**, will-power; ~**løs**, weak-willed; ~**sak**, matter of will; ~**sterk**, strong-willed; ~**styrke**, will-power.

vilkår, conditions; (*pl* også) terms; ~**lig**, arbitrary; ~**lighet**, arbitrariness.

vill, wild; savage; fierce.

villa, detached house, villa.

ville, be willing, (ønske) wish, want; **jeg vil**, I will; ~**else**, delirium; ~**het**, wildness, savageness; ~**ig**, *adj* willing; ready; ~**ighet**, willingness; ~**ede**, lead astray; ~**edende**, misleading; ~**mann**, savage; ~**mark**, wilderness; ~**rede**, perplexity, confusion; ~**spor**, wrong track.

vilt, game; (kjøtt) venison; ~**er**, giddy, wild; ~**handel**, poulterer's shop.

vimpel, pennant.

vimse, fuss, bustle.

vin, wine.

vind, wind; ~**e**, wind; ~**el-trapp**, winding stairs; ~**ing**, winding, twist; ~**kast**, squall, gust of wind; ~**mølle**, windmill; ~**rose**, compass card.

vindrue, grape.

vindstille, calm.

vindu, window; ~**skarm**,

window-frame; ~**spost**, sill; ~**srute**, window-pane.

vinge, wing; ~**skutt**, winged.

vingle, flutter about; stray; *fig* vacillate.

vingård, vineyard; ~**høst**, vintage; ~**kart**, wine card.

vink, sign, signal; (antydning) hint; ~**e**, wave, beckon.

vinkel, angle.

vinne, (oppnå) gain, win; (erobre) conquer, win; ~**ende**, winning; *fig* prepossessing; ~**er**, winner; ~**ing**, gain, profit.

vinsj, winch.

vinter, winter; ~**dvale**, hibernation, winter-sleep.

virke, act, work; influence; (gjøre virkning) take effect; (om legemidler) operate; *s* material; building materials; ~**felt**, field of activity; ~**lig**, *adj* real, actual; (sann) veritable; *adv* really, actually; indeed; ~**liggjøre**, realize; ~**liggjørelse**, realization; ~**lighet**, reality; ~**lyst**, energy; ~**lysten**, energetic; ~**middel**, means, agent.

virkning, effect; ~**ningsfull**, effective; ~**ningsløs**, ineffective; ~**som**, active; ~**somhet**, activity; (arbeid) operations.

virtuous, virtuoso.

virvar, confusion, mess.

vis, *adj* wise; *s* way, manner;

~**dom,** wisdom; ~**doms-
tann,** wisdom tooth; ~**e,** *v*
show; (legge for dagen) dis-
play; (bevise) prove; ~**e
seg,** appear; (dukke opp)
turn up; (viste seg å være)
prove; ~**e,** *s* song, ditty,
ballad; ~**e-,** (forstavelse)
vice-, deputy; ~**er,** hand;
~**ergutt,** errand-boy, mes-
senger.

visit:as, visitation; ~**ere,** in-
spect; search; ~**t,** visit; av-
legge ~**t,** call on, pay a
visit; ~**tkort,** card.

visjon, vision; ~**ær,** vision-
ary.

viske, rub; ~ **lær,** India rub-
ber, eraser.

visne, wither, fade.

visp; ~**e,** beat, whisk.

viss, certain, sure; ~**elig,** cer-
tainly, to be sure.

vissen, withered; ~**het,** with-
ered state.

viss:het, certainty; ~**t,** cer-
tainly; ~**tnok,** no doubt.

visum, visa; ~**tvang,** compul-
sory visa.

visvas, nonsense.

vital, vital; ~**itet,** vitality.

vitamin, vitamin.

vite, know; få ~, learn; ~**n;**
~**nde,** knowledge; ~**nskap,**
science, (ånds-) scholarship;
~**nskapelig,** scientific;
~**nskapsmann,** scientist;
(lærd) scholar.

vitne, *v* testify, witness, give
evidence; *s* witness;
~**sbyrd,** evidence; (fra
skole) certificate; ~**utsagn,**
evidence.

vits, joke; ~**tig,** witty; ~**tig-
het,** wittiness; (vits) joke.

vogge, *s* cradle; *v* rock;
~**esang,** lullaby.

vogn, carriage; (firhjulet ar-
beids-) waggon; (tohjulet ar-
beids-) cart; *jernb* carriage;
amr car.

vokal, *s* vowel; *adj* vocal.

voks, wax; ~**duk,** oil-cloth;
~**e,** (med voks) wax; (bli
større) grow; (tilta) increase;
~**en,** grown(-up), adult;
~**enopplæring,** adult educa-
tion.

vokte, watch, guard; ~**r,**
keeper.

vold, (overlast) violence,
force; ~**gift,** arbitration;
~**som,** violent; ~**somhet,**
violence; ~**ta,** ~**tekt,** rape.

voll, mound, dike; *mil* ram-
part; (gras-) green field;
~**grav,** moat.

volt, volt.

volum, volume.

vom, belly, paunch.

vond, bad, evil, wicked.

vorte, wart; (bryst-) nipple.

vott, mitten.

vrak, wreck; ~**e,** (forkaste)
reject; (sortere) sort; ~**gods,**
wreckage.

vrang, (vrengt) inverted, pulled inside out; (forkjært) wrong, (vanskelig) intricate; ~ **e,** wrong side; ~ **forestilling,** delusion; ~ **lære,** heresy; ~ **lærer,** heretic; ~ **lås: døra gikk i** ~, the lock caught; ~ **strupe: få i** ~ **n,** swallow the wrong way; ~ **vilje,** disobligingness; ~ **villig,** disobliging.

vred, angry; **bli** ~ **over,** get angry at; ~ **e,** anger, wrath.

vrenge, turn inside out.

vri, v twist, wring; ~ **dning,** torsion; ~ **en,** (person) wayward; (ting) intricate.

vrikke, wriggle; mar scull; (forvri) contort, sprain.

vriml|e, ~ **mel,** swarm, shoal (av: with).

vrinsk; ~ **e,** neigh.

vrist, instep.

vrøvl, nonsense; ~ **e,** talk nonsense; ~ **ebøtte,** twaddler.

vulkan, volcano; ~ **isere,** vulcanize; ~ **sk,** volcanic.

vurder|e, value, estimate (**til:** at); (skatte) appreciate, value; ~ **ing,** valuation.

væpne, arm; ~ **r,** esquire; armour-bearer.

vær, weather; (sauebukk) ram; ~ **bitt,** weatherbitten; ~ **e,** be; (lukte) scent; ~ **else,** room; ~ **fast,** weather-bound; ~ **hane,** weathercock; ~ **hard,** exposed, unsheltered; ~ **melding,** weather forecast (el report).

væske, s liquid, fluid.

væte, v wet, moisten; s wet, moisture.

våg, (bukt) bay, inlet; (materie) matter, pus; ~ **al,** audacious, daring; ~ **e,** venture; risk; ~ **estykke,** daring (venture); ~ **et,** bold, risky.

våke, wake, be awake; ~ **over,** watch over; ~ **n,** awake; ~ **ne,** (a)wake (**av:** from).

våningshus, dwelling house.

våpen, weapon; arms; (familie-) (coat of) arms; ~ **hvile,** armistice, truce; ~ **makt,** military power; ~ **merke,** device.

vår, pron our; s spring.

vås, nonsense, rubbish; ~ **e,** talk nonsense.

våt, wet.

W

watt, watt.

whisky, whisky; ~ **pjolter,** whisky and soda.

Wien, Vienna; **wienerbrød,** Danish pastry.

Y

yacht, yacht.

ydmyk, humble; ~ **e,** humiliate; ~ **else,** humiliation; ~ **het,** humility.

ymt; ~ **e,** hint.

ynde, s grace, charm; ~ **efull,** graceful; ~ **ig,** graceful; charming; ~ **ling,** favourite.

yngel, brood; ~ **le,** breed; ~ **ling,** youth.

yngre, younger; (temmelig ung) youngish; (av seinere dato) later; ~ **st,** youngest.

ynk, misery; (medynk) pity; ~ **e,** pity; ~ **e seg,** moan; ~ **elig,** miserable.

ypperlig, excellent.

yppig, exuberant; ~ **het,** exuberance.

yr, adj giddy, wild; (duskregn) drizzle; ~ **e,** drizzle; (kry) teem, swarm.

yrke, occupation, craft, trade; (akademisk) profession; ~ **dag,** work-day; ~ **skvinne,** working woman; ~ **sskole,** vocational school; ~ **sveiledning,** vocational guidance.

yste, make cheese; ~ **ost,** make cheese; ~ **ri,** cheese factory.

yte, grant, give; ~ **lse,** performance; ~ **evne,** capacity.

ytre, adj outer; external; s the exterior; v utter, express.

ytring, remark; ~ **sfrihet,** freedom of speech.

ytterligere, further, extreme(ly); ~ **liggående,** extreme; ~ **lighet,** extreme; ~ **tøy,** outdoor things.

Æ

æra, era.

ærbar, modest; chaste.

ærbødig, respectful; ~ **het,** respect; ~ **st,** (i brev) Yours faithfully.

ære, s honour; glory; v honour; ~ **frykt,** awe, veneration; ~ **krenkelse,** defamation.

ærend, errand.

æresborger, honorary citizen; ~ **doktor,** honorary doctor; ~ **ord,** word of honour.

ærfugl, eider duck.

ærlig, honest; ~ **het,** honesty.

ærverdig, venerable.

ætling, descendant.

ætt, family; ~ **esaga,** family saga; ~ **etavle,** genealogical table; ~ **ledd,** generation.

Ø

øde, *adj* deserted; desolate; *v* waste; ~ **legge**, ruin, destroy; (skade) damage; (skjemme) spoil; ~ **leggende**, ruinous; ~ **leggelse**, ruin, destruction; ~ **mark**, waste land.

ødsel, prodigal; wasteful; ~ **le**, be wasteful.

øgle, lizard; (utdødde arter, *pl*) saurians.

øke, increase; ~ **navn**, nickname.

økolog, ecologist; ~ **i**, ecology; ~ **isk**, ecological.

økonom, economist; ~ **i**, (sosial-) economics; (sparsommelighet) economy; ~ **isk**, (som angår økonomi) economic; (om en persons økonomi) financial; (sparsommelig) economical.

øks, axe, hatchet.

økt, spell (of work).

øl, beer; ale; ~ **bryggeri**, brewery.

øm, tender; (vondt) sore; ~ **fintlig**, sensitive (**for:** to); ~ **het**, soreness; *fig* tenderness; ~ **hjertet**, tenderhearted; ~ **tålig**, (skjør) fragile; *fig* delicate.

ønske, *s* wish, desire; *v* desire, wish; want; ~ **lig**, desirable.

ør, confused.

øre, ear; ~ **døvende**, deafening; ~ **fik**, box on the ear; ~ **flipp**, lobe of the ear; ~ **kyte**, minnow; ~ **pine**, earache.

ørken, desert; wilderness.

ørkesløs, idle.

ørliten, puny, tiny, wee.

ørn, eagle; ~ **enese**, aquiline nose, hooknose; ~ **unge**, eaglet.

ørret, trout.

ørsk, bewildered.

øse, *v* bale, scoop; (brønn, *fig*) draw; (suppe) serve *el* ladle; *s* scoop; ladle; ~ **kar**, baler, scoop.

øsregn, downpour of rain.

øst, east; ~ **en**, the East; ~ **erlandsk**, oriental.

Østerrike, Austria.

østers, oyster.

østgående, easterly; *mar* eastward bound; ~ **kanten**, East End; ~ **lig**, eastern; ~ **over**, eastward.

øve, practise; exercise, train; ~ **lse**, practice, exercise.

øverst, uppermost, highest; *fig* supreme.

øy, island; (i navn) isle.

øye, eye; ~ **blikk**, instant, moment; ~ **blikkelig**, immediate; momentary; ~ **bryn**, eyebrow; ~ **eple**, eyeball; ~ **kast**, glance; ~ **lokk**, eyelid; ~ **med**, object, aim; ~ **nsynlig**, evident; ~ **stik-**

ker, dragonfly; ~ **vipper**, eyelashes; ~ **vitne**, eyewitness.
øyne, see, behold.

Å

å, to, (elv) rivulet, brook.
åbor, perch.
ågel, usury; ~ **erpris**, exorbitant price; ~ **re**, practise usury.
åk, yoke.
åker, field.
ål, eel; ~ **eteine**, eel-pot.
ånd, spirit; (spøkelse) ghost, spirit; (forstand) mind, intellect; ~ **e**, s breath; v breathe; ~ **edrett**, respiration; ~ **elig**, (motsatt verdslig) spiritual; (motsatt verdslig) spiritual; ~ **eløs**, breathless; ~ **enød**, difficulty in breathing.
åndsarbeid, intellectual work; ~ **evne**, (mental) faculty; ~ **fraværende**, absent-minded; ~ **frihet**, intellectual freedom; ~ **frisk**, sound in mind; ~ **kraft**, mental power; ~ **svak**, imbecile, mentally deficient; ~ **svakhet**, imbecility, mental deficiency.
åpen, open; ~ **bar**, evident, obvious; ~ **bare**, reveal;

~ **het**, openness; fig frankness; ~ **hjertig**, openhearted, frank; ~ **lys**, open, undisguised.
åpne, open (for: to); ~ **ing**, opening; (innvielse) inauguration.
år, year; ~ **bok**, year-book, annual.
åre, vein; (puls) artery; min grain, vein; mar oar; ~ **blad**, oar-blade; ~ **forkalket**, suffering from arteriosclerosis; ~ **knute**, varicose vein; ~ **late**, bleed; ~ **latning**, bleeding; ~ **mål**: på ~, on a term of years; ~ **tak**, stroke; ~ **vis**: i ~, for years.
årgang, (tidsskrift o.l.) volume; (vin og fig) vintage; ~ **hundre**, century; ~ **lig**, yearly, annual.
årsak, cause; (grunn) reason.
årsberetning, annual report; ~ **møte**, annual meeting; ~ **tall**, year, date; ~ **tid**, season.
årvåken, vigilant, alert; ~ **het**, vigilance, alertness.

ås, (mountain) ridge, hill; (bjelke) beam; ~ **rygg,** crest.

åsted, scene of the crime.

åsyn, face, visage, countenance.

åte, bait.

åtsel, carcass, carrion; ~ **gribb,** vulture.

åtte, eight; ~ **kant,** octagon; ~ **nde,** eighth.

åtti, eighty; ~ **ende,** eightieth; ~ **åri(n)g,** octogenarian.